MEURTRE DANS UN
JARDIN INDIEN

VIKAS SWARUP

MEURTRE DANS UN JARDIN INDIEN

Traduit de l'anglais (Inde)
par Roxane Azimi

belfond
12, avenue d'Italie
75013 Paris

Titre original :
THE SIX SUSPECTS
publié par Doubleday, une marque de Transworld Publishers,
Londres

Si vous souhaitez recevoir notre catalogue
et être tenu au courant de nos publications,
vous pouvez consulter notre site internet,
www.belfond.fr
ou envoyer vos nom et adresse,
en citant ce livre,
aux Éditions Belfond,
12, avenue d'Italie, 75013 Paris
Et, pour le Canada,
à Interforum Canada Inc.
1055, bd René-Lévesque-Est,
Bureau 1100,
Montréal, Québec, H2L 4S5.

ISBN 978-2-7144-4540-7

À Aparna

LE MEURTRE

« Le meurtre, comme toute forme d'art, donne lieu
à l'interprétation et résiste à l'explication. »

Michelle DE KRETSER,
L'Affaire Hamilton

1

La vérité nue

Chronique d'Arun Advani, le 25 mars
SIX ARMES ET UN MEURTRE

TOUTES LES MORTS NE SONT PAS ÉGALES. Il existe un système de castes même dans le meurtre. Le conducteur de pousse-pousse indigent qu'on poignarde est une simple statistique, reléguée dans les pages intérieures d'un journal. Mais le meurtre d'une célébrité se trouve instantanément propulsé à la une. Parce qu'on se fait rarement assassiner quand on est riche et célèbre. Ces gens-là mènent une existence cinq étoiles et, à moins d'une overdose de cocaïne ou d'un accident, meurent généralement d'une mort cinq étoiles à un âge respectable, après avoir apporté leur contribution à la fois à la lignée et à la fortune.

C'est pourquoi le meurtre de Vivek – dit Vicky – Rai, trente-deux ans, propriétaire du Groupe des Industries Rai et fils du ministre de l'Intérieur de l'Uttar Pradesh, domine depuis deux jours les gros titres de l'actualité.

Au cours de ma longue et inégale carrière de journaliste d'investigation, j'ai dénoncé bon nombre de scandales, de la corruption des élites jusqu'aux pesticides dans les bouteilles de Coca. Mes révélations ont provoqué la chute de gouvernements et la fermeture de multinationales. Au passage, j'ai côtoyé de très près la cupidité, la malveillance et la dépravation humaines. Mais rien ne m'a autant révolté que la saga de Vicky Rai. Il était l'image même de la gangrène qui ronge notre pays. Pendant plus de dix ans, j'ai enquêté sur sa vie et sur ses crimes, comme un papillon irrésistiblement attiré par la flamme, avec une fascination morbide,

11

semblable à celle qu'on éprouve devant un film d'horreur. On sait que quelque chose de terrible va surgir, et on reste là en transe, retenant son souffle, dans l'attente de l'inéluctable. J'ai reçu des avertissements sinistres et des menaces de mort. On a tenté de me faire virer du journal. J'ai survécu. Pas Vicky Rai.

Aujourd'hui, les circonstances de son meurtre sont aussi connues que les dernières péripéties d'une série télé. Il a été abattu par un inconnu dimanche dernier, à minuit cinq, dans sa ferme de Mehrauli, près de Delhi. D'après le rapport d'autopsie, il est mort d'une seule et unique blessure au cœur, causée par une balle tirée à bout portant. Celle-ci est entrée dans la poitrine, a traversé le cœur de part en part, est ressortie par-derrière pour aller se loger dans le bar en bois. On suppose que la mort a été instantanée.

Naturellement, Vicky Rai avait des ennemis. Beaucoup détestaient son arrogance, sa vie de play-boy, son mépris total de la loi. Parti de rien, il a construit un empire industriel. En Inde, on n'y parvient pas sans emprunter quelques raccourcis. Mes lecteurs se rappelleront avoir découvert à travers ces chroniques comment Vicky Rai s'était rendu coupable de délit d'initié, de détournement de fonds, de corruption de fonctionnaires et de fraude fiscale. Mais il avait toujours réussi à passer à travers les mailles du filet pour échapper à la justice.

C'était un art qu'il maîtrisait à la perfection depuis son plus jeune âge. Sa première visite à un tribunal remontait à ses dix-sept ans. Un ami de son père lui avait offert une BMW série cinq flambant neuve pour son anniversaire. Qu'il avait étrennée avec trois de ses copains. Ils avaient bruyamment fêté l'événement dans un pub branché. Sur le chemin du retour, à trois heures du matin, conduisant dans un épais brouillard, Vicky Rai avait fauché six vagabonds qui dormaient sur le trottoir. Un contrôle de police avait établi qu'il était complètement soûl. Il avait été inculpé pour conduite en état d'ivresse. Mais le temps d'en arriver au procès, les familles des six victimes avaient été achetées. Aucun témoin ne se souvenait d'avoir vu une BMW cette nuit-là. Ils n'avaient croisé qu'un camion immatriculé dans le Gujarat. Vicky Rai avait eu droit au sermon du juge sur les dangers de l'alcool au volant et avait été acquitté purement et simplement.

Trois ans plus tard, il comparaissait pour avoir tué deux antilopes cervicapres dans une réserve naturelle du Rajasthan. Il affirma ignorer qu'il s'agissait d'une espèce protégée. Il trouvait drôle qu'un pays incapable d'empêcher qu'on ne brûle de jeunes mariées pour des histoires de dot et qu'on n'envoie de jeunes filles se prostituer condamne quelqu'un pour avoir tué deux ruminants. Mais la loi, c'est la loi. Il fut donc arrêté et incarcéré pendant deux semaines, avant d'être libéré sous caution. Nous savons tous ce qui arriva ensuite. Le seul témoin oculaire, Kishore – le garde forestier qui conduisait la jeep décapotable –, mourut six mois plus tard, dans des circonstances non élucidées. Le procès traîna deux ou trois ans, pour aboutir, sans surprise, à l'acquittement de Vicky.

Compte tenu de ces antécédents, ce n'était vraisemblablement qu'une question de temps avant qu'il ne passe à la vitesse supérieure, à savoir le meurtre en direct. C'était il y a sept ans, par une chaude soirée d'été, au Mango, le restaurant branché sur l'autoroute Delhi-Jaipur, où il célébrait en grande pompe son vingt-cinquième anniversaire. La fête débuta à neuf heures du soir et se prolongea bien après minuit. Un groupe de musiciens beuglait les derniers tubes à la mode, l'alcool importé coulait à flots et les convives de Vicky – mélange de hauts fonctionnaires, membres de la jet-set, anciennes et actuelles petites amies, quelques personnalités du cinéma et deux ou trois stars du sport – s'amusaient comme des fous. Vicky avait bu quelques verres de trop. Vers deux heures du matin, il tituba jusqu'au bar et demanda une autre tequila à la serveuse, une jolie fille vêtue d'un jean et d'un tee-shirt blanc. Elle s'appelait Ruby Gill ; doctorante à l'université de Delhi, elle travaillait à temps partiel au Mango pour aider sa famille.

— Désolée, je ne peux pas vous servir, monsieur, lui dit-elle. Le bar est fermé.

— Je sais, chérie.

Il la gratifia de son plus beau sourire.

— Un seul verre, ensuite nous pourrons tous rentrer.

— Désolée, monsieur. Le bar est fermé. Nous devons suivre le règlement, répondit-elle, plus fermement cette fois.

— Rien à f... de ton règlement, grinça Vicky. Tu sais qui je suis ?

— Non, monsieur, et ça ne m'intéresse pas. Les règles sont les mêmes pour tout le monde. Vous n'aurez pas d'autre consommation.

Vicky Rai piqua une crise.

— Espèce de sale garce ! hurla-t-il, sortant un revolver de la poche de son costume. Tiens, ça t'apprendra !

Il tira deux fois, la touchant au visage et au cou, en présence d'une bonne cinquantaine d'invités. Ruby Gill s'écroula, et le Mango sombra dans le chaos. On raconte qu'un ami de Vicky l'empoigna par le bras, l'entraîna vers sa Mercedes et l'emmena loin du restaurant. Quinze jours plus tard, Vicky Rai fut arrêté à Lucknow, déféré devant un juge, mais, une fois de plus, il réussit à se faire libérer sous caution.

Ce meurtre, parce qu'on avait refusé de lui servir un verre, secoua l'opinion publique. Compte tenu de la notoriété de Vicky Rai, mais aussi de la beauté de Ruby Gill, l'affaire fit la une des journaux des semaines durant. L'automne venu, d'autres sujets d'actualité la remplacèrent dans nos colonnes. Lorsque finalement l'heure du procès arriva, le rapport balistique notifiait que deux balles avaient été tirées, provenant de deux pistolets différents. L'arme du crime avait inexplicablement « disparu » de la chambre forte du commissariat de police. Six témoins, qui affirmaient avoir vu Vicky Rai dégainer son pistolet, étaient revenus sur leurs déclarations. À l'issue d'un procès de cinq ans, Vicky Rai venait d'être acquitté il y avait un peu plus d'un mois, le 15 février. Pour fêter l'événement, il avait organisé une réception dans sa ferme de Mehrauli. Et c'est là qu'il a trouvé la mort.

D'aucuns parleraient de justice immanente. Mais, pour la police, il s'agit d'un crime défini par l'article 302 du code pénal – homicide volontaire ayant entraîné la mort – et elle a lancé une vaste chasse à l'homme pour retrouver son auteur. L'enquête est supervisée par le préfet de police en personne, aiguillonné sans doute par la crainte de voir la planque promise de lieutenant-gouverneur de Delhi (dont nous avons parlé il y a six semaines dans notre chronique) lui passer sous le nez en cas d'échec.

Sa diligence a porté ses fruits. Selon mes sources, six suspects ont été interpellés à la suite du meurtre de Vicky Rai. Apparemment, l'inspecteur adjoint Vijay Yadav était chargé de régler la circulation près de la ferme, le jour du meurtre. Il boucla immédiatement les lieux et ordonna de fouiller chacun des quelque cinq cents invités, serveurs, pique-assiettes et autres parasites présents au moment des faits. Ce n'étaient pas les armes qui manquaient. Il se trouva que six individus en détenaient une : ils furent interpellés et mis en détention. Je suis sûr qu'ils ont protesté. Après tout, porter une arme n'est pas un délit, si l'on possède un permis. Mais, quand on vient armé à une réception et que le maître de maison est assassiné, on devient automatiquement suspect.

Ces suspects-là forment une drôle d'équipe, curieux mélange de vice, de laideur et de beauté. Parmi eux, Mohan Kumar, ex-secrétaire général de l'Uttar Pradesh, haut fonctionnaire dont la réputation de ripou et de coureur de jupons demeure inégalée dans les annales de l'administration indienne. Le deuxième est un Américain un peu benêt qui affirme être un producteur hollywoodien. Cerise sur le gâteau, il y a l'actrice bien connue Shabnam Saxena, dont Vicky Rai s'était amouraché, si on en croit les magazines de cinéma. Et même un aborigène à la peau d'ébène, un mètre cinquante à tout casser, originaire d'un village paumé du Jharkhand, qu'on interroge en long et en large de peur qu'il n'appartienne au redoutable mouvement naxalite qui infeste cet État. Le suspect numéro cinq est un ancien étudiant au chômage prénommé Munna, qui exerce accessoirement l'activité lucrative de voleur de téléphones portables. Et, pour finir, M. Jagannath Rai en personne, le ministre de l'Intérieur de l'Uttar Pradesh. Le papa de Vicky Rai. Un père peut-il tomber plus bas ?

Les six armes confisquées sont tout aussi disparates. Un Webley & Scott anglais, un Glock australien, un Walther PPK allemand, un Beretta italien, un pistolet chinois Black Star et un revolver improvisé de fabrication locale connu sous le nom de *katta*. Convaincue que l'une de ces six armes est celle du crime, la police attend le rapport balistique pour identifier le projectile et épingler le coupable.

Barkha Das m'a interviewé hier dans l'émission qu'elle anime à la télé.

— Vous avez consacré une bonne partie de votre carrière à dénoncer les méfaits de Vicky Rai et à l'éreinter dans vos chroniques. Que comptez-vous faire maintenant qu'il est mort ? m'a-t-elle demandé.

— Démasquer son assassin.

— Mais pour quoi faire ? N'êtes-vous pas content que Vicky Rai soit mort ?

— Non, ai-je répondu, parce que ma croisade n'était pas dirigée contre lui, mais contre le système qui permet aux riches et aux puissants de se croire au-dessus des lois. Vicky Rai n'était qu'un symptôme visible du malaise qui a contaminé notre société. Si la justice est véritablement aveugle, alors l'assassin de Vicky Rai mérite d'être traduit devant une cour pénale au même titre que Vicky Rai lui-même.

Je dis la même chose à mes lecteurs. Je retrouverai l'assassin de Vicky Rai. Un journaliste d'investigation digne de ce nom ne doit pas se laisser infléchir par ses propres préjugés mais suivre la froide logique de la raison jusqu'au bout, peu importe où et vers qui elle le mènera. Il doit rester un professionnel impartial, en quête de la vérité nue.

Un meurtre peut être brouillon, mais la vérité est plus brouillonne encore. Il sera difficile de démêler l'écheveau, je le sais. Il faudra passer au peigne fin la biographie de tous les suspects. Établir les mobiles. Recueillir des preuves. Alors seulement nous découvrirons le vrai coupable.

Lequel des six ? Le bureaucrate ou la bimbo ? L'étranger ou l'aborigène ? Le gros poisson ou le menu fretin ?

Tout ce que je peux dire à mes lecteurs à ce stade, c'est : gardez l'œil sur ces colonnes.

LES SUSPECTS

« Les accusés sont toujours les plus séduisants. »

Franz KAFKA,
Le Procès

2

Le bureaucrate

MOHAN KUMAR JETTE UN ŒIL À SA MONTRE, se dégage des bras de sa maîtresse et se lève.

— Il est déjà trois heures. Il faut que j'y aille, dit-il en fourra-geant dans le tas chiffonné au pied du lit à la recherche de sous-vêtements.

Le climatiseur se met en marche derrière lui, expulsant une bouffée d'air tiède dans la chambre plongée dans le noir. Rita Sethi regarde l'appareil, exaspérée.

— Jamais ça fonctionne, ce truc-là ? Je t'ai dit d'acheter le White Westinghouse. Les marques indiennes ne passent pas l'été.

Malgré les stores baissés, la chaleur oppressante s'infiltre dans la pièce, rendant les draps aussi épais que des couvertures.

— Les modèles d'importation ne sont pas adaptés au climat tropical, rétorque Mohan Kumar.

Tenté d'attraper la bouteille de Chivas Regal sur la table de nuit, il finit néanmoins par se raviser.

— Allez, j'y vais. J'ai une réunion du conseil à quatre heures.

Rita s'étire, bâille et retombe sur l'oreiller.

— Qu'est-ce que tu en as à fiche, du travail ? As-tu oublié que tu n'es plus secrétaire général, monsieur Mohan Kumar ?

Il grimace, comme si elle venait de taquiner une plaie à vif. Il n'a toujours pas digéré sa retraite.

Trente-sept ans qu'il était au gouvernement, à manipuler les hommes politiques, à gérer les collègues, à grenouiller par-ci par-là. Chemin faisant, il avait acquis des maisons dans sept villes différentes, un centre commercial à Noida – la nouvelle agglomération aux confins de New Delhi – et ouvert un compte dans une banque suisse à Zurich. Il adorait son statut d'homme d'influence. Un homme capable d'actionner la machine de l'État d'un simple coup de fil. Un homme dont l'amitié ouvrait des portes, dont la colère détruisait carrières et entreprises, dont la signature faisait pleuvoir des mannes valant des millions de roupies. Il croyait que cela durerait éternellement. Mais il avait été vaincu par le temps, par l'inexorable tic-tac de l'horloge qui avait sonné la soixantaine et, d'un seul coup, mis fin à toutes ses prérogatives.

Aux yeux de ses collègues, il a plutôt bien négocié le virage de son départ du gouvernement. Il siège à présent au conseil d'administration d'une demi-douzaine de sociétés privées du Groupe des Industries Rai, activité qui lui rapporte dix fois son ancien salaire. Il a une villa de fonction dans Lutyens Delhi, le quartier chic qui abrite la résidence officielle du président et celles de plusieurs ministres, et une voiture avec chauffeur. Mais ces avantages en nature ne compensent pas la perte de pouvoir. Privé de cette aura, il se sent diminué, un roi sans royaume. Les deux ou trois premiers mois suivant son départ à la retraite il se réveillait la nuit, fébrile, en sueur, tâtonnant à la recherche de son téléphone portable pour vérifier s'il n'avait pas manqué un appel du ministre en chef. Dans la journée, son regard pivotait machinalement vers l'allée, cherchant la rassurante Ambassador blanche au gyrophare bleu. Par moments, il ressentait cette perte du pouvoir comme une absence physique, une sensation semblable à celle qu'éprouve un amputé aux terminaisons nerveuses sectionnées de son moignon. La crise atteignit un point tel qu'il fut obligé de quémander un bureau à son employeur. Vicky Rai mit obligeamment à sa disposition une pièce au siège du Groupe des Industries Rai, à Bhikaji Cama Place. Désormais il s'y rend tous les jours et y reste de neuf heures du matin à cinq heures de l'après-midi : feuilletant un dossier à l'occasion, mais passant le plus clair de son temps à jouer au sudoku sur son ordinateur portable ou à surfer sur des sites pornos. Une routine qui lui donne l'impression de demeurer dans la course, lui fournit une excuse pour fuir sa maison et sa femme. Et lui permet également de s'échapper l'après-midi pour aller voir sa maîtresse.

Au moins, j'ai encore Rita, raisonne-t-il en nouant sa cravate, l'œil rivé sur son corps nu et ses cheveux noirs déployés en éventail sur l'oreiller.

Elle est divorcée, sans enfants, et son boulot bien payé ne requiert que trois jours par semaine de présence. Si vingt-sept ans les séparent, rien ne les différencie en matière de goûts et de caractère. Parfois, il croit voir en elle son reflet, une âme sœur qui ne se distingue que par son sexe. Cependant, certaines choses lui déplaisent chez elle. Elle est trop exigeante, elle ne cesse de le harceler pour qu'il lui offre diamants et bijoux en or. Elle se plaint de tout, depuis sa maison jusqu'à la météo. De tempérament explosif, elle est connue pour avoir giflé un ancien patron qui s'était permis des privautés avec elle. Toutefois, ces défauts sont largement compensés par ses performances au lit. Lui aussi aime à se considérer comme un bon amant. À soixante ans, il n'a rien perdu de sa virilité. Avec sa haute taille, sa peau claire et une abondante chevelure qu'il prend soin de teindre tous les quinze jours, il sait qu'il plaît aux femmes. Il se demande néanmoins combien de temps Rita restera encore avec lui, à quel moment les perles et les parfums qu'il lui offre à l'occasion ne suffiront plus pour l'empêcher de s'éprendre d'un homme plus jeune, plus riche, plus puissant. En attendant, il se satisfait de ces après-midi volés deux fois par semaine.

Rita fouille sous l'oreiller, sort un paquet de Virginia Slim et un briquet. Elle allume une cigarette et tire une bouffée, exhalant un rond de fumée aussitôt aspiré par le climatiseur.

— Tu as les places pour la représentation de mardi ? demande-t-elle.

— Quelle représentation ?

— Celle où ils entrent en contact avec l'esprit du mahatma Gandhi le jour de son anniversaire.

Mohan la regarde avec curiosité.

— Depuis quand tu crois à ces âneries ?

— Les séances de spiritisme ne sont pas des âneries.

— Pour moi, si. Je ne crois pas aux esprits et aux revenants.

— Tu ne crois pas en Dieu non plus.

— Non, je suis athée. Ça fait trente ans que je n'ai pas mis les pieds dans un temple.

— Ben moi non plus, mais au moins je crois en Dieu. Et on dit qu'Aghori Baba est un grand médium. Il sait vraiment parler aux esprits.

— Humph ! ricane Mohan Kumar. Le Baba n'est pas un médium. C'est un vulgaire adepte du tantrisme qui doit se nourrir de chair humaine. Et Gandhi n'est pas une pop star. C'est le père de la nation, nom d'une pipe. Il mérite davantage de respect.

— En quoi est-ce irrespectueux de contacter son esprit ? Je suis contente que ce soit une entreprise indienne qui s'en charge, avant qu'une firme étrangère fasse de Gandhi une marque de fabrique, comme le riz basmati. Allons-y mardi, chéri.

Il plante son regard dans le sien.

— De quoi aurais-je l'air, moi, un ex-secrétaire général, si j'assistais à une chose aussi loufoque qu'une séance de spiritisme ? Je dois penser à ma réputation.

Rita envoie un autre rond de fumée vers le plafond et éclate d'un rire perçant.

— Ma foi, si tu ne trouves rien à redire à nos cinq à sept malgré ta femme et ton grand fils, je ne vois pas pourquoi tu ne viendrais pas à cette soirée.

Elle parle d'un ton léger, mais il se sent piqué au vif. Elle n'aurait pas dit cela il y a six mois, quand il était encore secrétaire général. Il se rend compte que sa maîtresse aussi a changé. Même faire l'amour avec elle n'est plus pareil, comme si Rita restait sur son quant-à-soi, consciente qu'il a perdu le pouvoir de façonner la réalité à sa convenance.

— Écoute, Rita, je n'irai pas, point, déclare-t-il, drapé dans sa dignité, en enfilant son veston. Mais si tu tiens à assister à cette séance, je te procurerai une place.

— Pourquoi appeler ça une séance ? Dis-toi que c'est une manifestation comme une autre. Genre un film en avant-première. Toutes mes amies y seront. On dit que ça va faire la page people des journaux. Je me suis même acheté un nouveau sari en mousseline pour l'occasion. Allez, sois gentil, chéri, minaude-t-elle.

Quand Rita a quelque chose en tête, elle ne l'a pas ailleurs, ainsi qu'il l'a découvert à ses dépens avec le pendentif en tanzanite qu'elle réclamait pour ses trente-deux ans.

Il cède de bonne grâce :

— OK, je vais commander deux places. Mais ne m'en veux pas si Aghori Baba te donne envie de vomir.

— Promis !

Rita se lève d'un bond et l'embrasse.

C'est ainsi que le 2 octobre, à dix-neuf heures vingt-cinq, Mohan Kumar descend à contrecœur de sa Hyundai Sonata conduite par un chauffeur au Siri Fort Auditorium.

Ce dernier a tout d'une forteresse assiégée. Un important contingent de police en tenue antiémeute fait de son mieux pour contenir la foule indisciplinée de protestataires qui crient des slogans courroucés et brandissent des banderoles : LE PÈRE DE LA NATION N'EST PAS À VENDRE, AGHORI BABA EST UN ESCROC, BOYCOTTEZ UNITED ENTERTAINMENT, LA MONDIALISATION, C'EST LE MAL. De l'autre côté de la route se dressent une batterie de caméras de télévision : elles filment les présentateurs à la mine lugubre qui égrènent un commentaire haletant en direct.

Mohan Kumar se fraie un passage dans la cohue, la main sur le portefeuille dans la poche intérieure de son costume en lin blanc cassé. Rita, élancée dans son sari en mousseline noire et chemisier ajusté, le suit sur ses stilettos.

Il reconnaît la plus célèbre journaliste de la télévision indienne, Barkha Das, postée pile devant la grille en fer forgé.

— Le nom le plus vénéré du panthéon des dirigeants indiens est celui de Mohandas Karamchand Gandhi – Bapu, comme l'appellent affectueusement des millions d'Indiens, déclame-t-elle dans le micro qu'elle tient à la main. Le projet de United Entertainment d'entrer en communication avec son esprit à l'occasion solennelle de l'anniversaire de sa naissance a provoqué une vague de colère dans tout le pays. La famille du mahatma Gandhi a qualifié cette initiative de honte nationale. Mais, dans la mesure où la Cour suprême refuse d'intervenir, le plus sacré des noms sera sacrifié aujourd'hui sur l'autel de la cupidité mercantile. Cette manifestation révoltante aura bien lieu.

Elle esquisse la moue familière à son public du prime time.

Mohan Kumar hoche la tête en un acquiescement tacite et rejoint la longue file de spectateurs munis de billets qui serpente jusqu'au portique de détection de métaux.

La vue de ces visages impatients et enthousiastes autour de lui le plonge dans une vague détresse. L'incommensurable capacité des jobards à se faire berner ne cesse de le stupéfier. La file avance lentement, et ça l'agace : voilà bien trente-sept ans qu'il n'avait pas fait la queue.

Au bout d'une attente interminable, après que son billet a été examiné par trois contrôleurs différents, son corps scanné à la recherche d'armes et d'objets métalliques et son téléphone portable confisqué le temps de la représentation, Mohan Kumar est enfin autorisé à pénétrer dans le foyer brillamment éclairé de l'auditorium. Des serveurs en livrée déambulent avec des plateaux de boissons non alcoolisées et de canapés végétariens. Au fond, un groupe de chanteurs assis en tailleur sur une estrade interprète *Vaishnav Janato*, le *bhajan*[1] préféré du mahatma Gandhi, accompagné au tabla et à l'harmonium. Il se ragaillardit en repérant quelques personnalités connues dans l'assistance : le contrôleur général du Trésor, un sous-préfet, cinq ou six députés, un ex-joueur de cricket, le président du club de golf et bon nombre de journalistes, d'hommes d'affaires et de bureaucrates. Rita s'éloigne pour rejoindre des amies à elle, et ces mondaines se saluent avec de petits cris de joie factice et de surprise feinte.

Le propriétaire d'une usine textile, un homme entre deux âges à qui Mohan Kumar a jadis extorqué une coquette somme d'argent, passe devant lui en évitant soigneusement son regard. *Il y a six mois, ce type aurait rampé à mes pieds*, songe-t-il avec amertume.

Encore un quart d'heure, et les portes de l'auditorium s'ouvrent. Le placeur le conduit vers l'avant de la salle : il a obtenu les meilleures places, pile au centre du premier rang, cadeau de la société d'informatique qui le compte à présent parmi les membres de son conseil d'administration. Rita a l'air dûment impressionnée.

La salle se remplit rapidement. Le Tout-Delhi est là. Mohan regarde autour de lui. Les femmes, permanentées et gainées de soie brochée, frisent la vulgarité ; les hommes sont légèrement

---

1. Chant sacré (*Toutes les notes sont de la traductrice*).

ridicules dans leurs *kurtas*[1] Fabindia et leurs mules en cuir brodé.

Rita lui adresse un clin d'œil.

— Tu vois, chéri, je t'avais dit que tout le monde serait là.

Le public tousse, s'agite, attendant le début de la représentation, mais le rideau de velours qui masque la scène refuse de bouger.

À vingt heures trente, avec une heure de retard sur l'horaire, les lumières baissent. Bientôt, la salle est plongée dans une obscurité à vous donner la chair de poule. Simultanément, des accords de sitar résonnent dans l'air, et le rideau commence à monter. Un seul projecteur illumine la scène, vide à l'exception d'une natte de paille devant laquelle ont été disposés un certain nombre d'objets : un rouet à manivelle, une paire de lunettes, une canne et un paquet de lettres. En toile de fond, une simple bannière arbore le logo bleu et blanc de United Entertainment.

Un baryton familier jaillit des grosses enceintes noires qui encadrent la scène :

— Bonsoir, mesdames et messieurs. C'est moi, Veer Bedi, qui animerai votre soirée. Oui, le même Veer Bedi qui vous donne rendez-vous sur le petit écran. Vous ne pouvez pas me voir, mais vous savez que je suis là, dans les coulisses. Les esprits, c'est pareil. On ne les voit pas, mais ils nous environnent.

» D'ici quelques minutes, nous allons entrer en communication avec le plus célèbre d'entre eux, l'homme qui à lui seul a changé le cours du XXe siècle. Celui dont Einstein a dit : "Les générations à venir auront du mal à croire que quelqu'un comme lui a foulé la terre en chair et en os." Oui, je parle bien de Mohandas Karamchand Gandhi, notre bien-aimé Bapu, né ce même jour en 1869.

» Voilà presque soixante ans que Bapu a rencontré la mort, non loin d'ici, mais aujourd'hui il va revivre parmi nous. Vous entendrez de vos propres oreilles le mahatma Gandhi s'exprimer par la bouche d'Aghori Baba Prasad Mishra, un médium de renommée mondiale. Aghori Baba possède le *siddhi*, l'énergie

---

1. Chemise ample portée aussi bien par les hommes que par les femmes.

divine acquise par le yoga qui permet de percer le voile entre ce monde et l'autre, et de parler aux esprits.

» Je sais que des sceptiques, dans la salle, voient dans cette manifestation un canular. J'ai moi aussi fait partie des incrédules. Mais plus maintenant. Laissez-moi vous faire une confidence.

Veer Bedi prend un ton de conspirateur.

— Il y a cinq ans, j'ai perdu ma sœur dans un accident de voiture. Nous étions très proches, et elle me manquait énormément. Voilà deux mois, Aghori Baba Prasad Mishra est entré en communication avec elle. À travers lui, j'ai parlé à ma sœur, qui m'a raconté son périple vers l'au-delà. Cette expérience stupéfiante a transformé ma vie. C'est pour cela que je suis ici, pour répondre personnellement d'Aghori Baba. Je vous garantis que vous allez assister aujourd'hui à une expérience unique, qui vous changera à jamais.

Il y a des murmures d'assentiment dans le public.

— Comme vous le savez, nous tenions beaucoup à ce que la famille du mahatma Gandhi se joigne à nous, mais elle a choisi de prendre ses distances avec cet événement exceptionnel. Néanmoins, de puissants bienfaiteurs qui ont connu le Mahatma de près ont accepté de nous apporter leur aide. Ils nous ont prêté des objets personnels que vous pouvez voir au centre de la scène : le *charkha* en bois – le rouet avec lequel il filait le coton de sa sempiternelle *khadi* – et, à côté, sa canne préférée, ainsi que ses célèbres lunettes rondes et un paquet de lettres écrites de la main du grand Mahatma.

» Avant d'inviter Aghori Baba Prasad Mishra à monter sur scène, je vous rappelle le protocole de cette séance. Le moment où un esprit s'empare d'un médium est critique et délicat ; il ne souffre aucun bruit ni perturbation d'aucune sorte. C'est pour ça que les téléphones portables ne sont pas autorisés dans la salle. Vous êtes priés de garder le silence absolu pendant toute la séance. Au nom de United Entertainment, j'aimerais également remercier les sponsors de notre soirée : le dentifrice Solid, pour des dents blanches et solides, et les motos Yamachi, c'est parti ! Je remercie aussi notre partenaire, la chaîne City Television, qui diffuse cet événement en direct à des millions de spectateurs en Inde et dans le monde. Nous allons marquer une brève pause publicitaire, mais ne partez pas, car lorsque nous reviendrons Aghori Baba Prasad Mishra sera sur scène.

Un brouhaha monte dans la salle. Quelqu'un lance tout haut :

— Je vois des morts.

Ce qui déclenche des gloussements un peu partout. Peu à peu, l'hilarité retombe, cédant le pas à une attente fébrile.

La voix de Veer Bedi revient au bout de cinq minutes pile :

— Bienvenue à *La Rencontre avec Bapu*, un événement United Entertainment. Voici, mesdames et messieurs, le moment que vous attendez tous avec impatience. Retenez votre souffle : vous êtes sur le point d'assister au spectacle le plus incroyable de l'histoire de l'humanité. J'invite maintenant Aghori Baba Prasad Mishra à nous rejoindre.

Une machine projette une fumée blanche sur la scène, ajoutant à l'atmosphère irréelle. Une silhouette indistincte surgit de la brume, vêtue d'une *dhoti*[1] blanche et d'un *kurta* jaune safran. Mince, de taille moyenne, Aghori Baba Prasad Mishra est un quadragénaire aux cheveux noirs emmêlés noués au sommet du crâne, à l'épaisse barbe noire et aux yeux perçants. Il a l'air d'un homme qui connaît la vie, qui a vaincu ses peurs.

S'approchant du bord de la scène, le Baba salue le public, mains jointes.

— *Namaste.*

Sa voix est douce et apaisante.

— Je m'appelle Aghori Prasad Mishra et je vais vous emmener en voyage. Un voyage de découverte spirituelle. Commençons par ce que dit notre livre le plus sacré, la *Gita*. Il existe deux entités en ce monde : les périssables et les impérissables. Le corps physique de tous les êtres est périssable, mais l'*atma* – l'âme – est impérissable. Les armes ne la tranchent pas, le feu ne la brûle pas, l'eau ne la mouille pas et le vent ne l'assèche pas. L'âme est éternelle, omniprésente, invariable, immuable et immortelle.

» Mais le plus important – et je cite à nouveau la *Bhagavad-gita* – c'est que, tout comme l'air capte l'arôme de la fleur, l'âme capte les six facultés sensorielles du corps physique, dont il se défait à sa mort. En d'autres termes, elle conserve les facultés de l'ouïe, du

1. Pièce d'étoffe rectangulaire portée par les hommes, enroulée autour des jambes et nouée à la taille.

toucher, de la vue, du goût, de l'odorat et de l'esprit. Ce qui permet de communiquer avec elle.

» Par la grâce du Tout-Puissant, j'ai eu le privilège d'interagir avec plusieurs esprits au fil des ans. Mais aucun ne m'a touché aussi profondément que celui du mahatma Gandhi. Le nom même de "Mahatma" signifie "Grande Âme". Bapu guide depuis cinq ans mon évolution spirituelle. Je sens sa présence à chaque instant de ma vie. Jusqu'ici, le dialogue entre le Mahatma et moi est resté privé. Aujourd'hui je m'apprête à partager ses bénédictions avec le monde entier. C'est donc un voyage vital que nous allons entreprendre ce soir. Le voyage de l'âme. Mais aussi le voyage de l'espoir. Car à l'arrivée vous saurez que la mort n'est pas une fin, mais le début d'une autre vie. Que nous sommes éternels et immortels.

» Je vais maintenant commencer ma méditation. Bientôt l'esprit de Bapu m'investira et s'exprimera par mon truchement. Je vous demande d'écouter attentivement le message qu'il nous transmettra aujourd'hui. Mais, n'oubliez pas, si la communication est interrompue, il en résultera de gros dégâts, à la fois pour l'esprit et pour moi. Donc, ainsi que Veer Bedi sahib vous l'a recommandé, je vous prie d'observer un silence total.

La machine à fumée se remet en marche, et un épais nuage de vapeur masque momentanément le Baba.

Quand le brouillard se dissipe, celui-ci, assis en tailleur sur la natte, psalmodie des incantations dans une langue qui ressemble à du sanskrit – mais qui n'en est pas. Le projecteur passe du blanc au rouge. Peu à peu, le chant du Baba s'estompe, et il ferme les yeux. Son visage respire la sérénité. Il est totalement immobile, comme en transe.

Tout à coup, un éclair frappe la scène et un filet de fumée blanche filtre dans la salle. Le public retient son souffle comme un seul homme.

— De la poudre à pétard ! ricane Mohan Kumar.

Tout aussi soudainement, le rouet se met en branle. Sans aucune intervention extérieure, semble-t-il, puisque le Baba est assis deux mètres plus loin. Sous les yeux fascinés du public, le rouet tourne de plus en plus vite.

— Il doit être télécommandé par Veer Bedi, marmonne Mohan Kumar.

Mais Rita n'écoute pas. Penchée en avant, elle semble hypno-tisée par le spectacle. Ses doigts agrippent l'accoudoir.

Pendant que le rouet continue à tourner, la canne et la paire de lunettes s'élèvent dans les airs. De plus en plus haut, en un duo surnaturel, défiant la gravité avec un bel ensemble. Des exclamations incrédules fusent dans la salle.

Mohan Kumar ressent un picotement dans ses paumes.

— Des fils invisibles fixés au plafond, bougonne-t-il.

Mais sa voix manque de conviction.

Rita, elle, reste bouche bée.

Aussi brusquement qu'il avait démarré, le rouet s'immobilise d'un seul coup. La canne retombe bruyamment. Les lunettes se fracassent au sol.

S'ensuit une longue pause et, l'espace d'un instant, Mohan Kumar pense que le Baba s'est endormi. Puis son corps est pris d'un tremblement convulsif, comme sous l'effet d'une fièvre vio-lente.

— Oh, mon Dieu ! Je ne peux pas voir ça, gémit Rita.

Au même moment retentit une voix comme Mohan Kumar n'en a jamais entendu auparavant.

— J'aimerais vous présenter mes humbles excuses pour le temps que j'ai mis à arriver jusqu'ici, dit la voix. Vous les accep-terez d'autant plus volontiers que ni moi ni aucune institution humaine ne sommes responsables de ce retard.

La voix est grinçante, et en même temps curieusement émou-vante, claire, sonore et tellement androgyne qu'il est impossible de dire si elle appartient à un homme ou à une femme. Bien qu'elle sorte de la bouche d'Aghori Baba, on n'a pas l'impression que ce soit lui qui parle.

Un silence de mort règne dans la salle. Les spectateurs sentent qu'ils sont en présence d'une force supérieure, une force invi-sible qui dépasse leur entendement.

— Ne me considérez pas comme une bête de foire. Je suis des vôtres. Et aujourd'hui je veux vous parler de l'injustice. Oui, l'injustice, poursuit la voix. J'ai toujours dit que la non-violence et la vérité sont comme mes deux poumons. Mais la non-violence ne doit pas servir de bouclier à la lâcheté. C'est l'arme des courageux. Et quand les forces de l'injustice et de

29

l'oppression commencent à prendre le dessus, il est du devoir des courageux de…

La phrase n'est pas terminée que la porte arrière de l'auditorium s'ouvre à la volée. Un homme barbu, vêtu d'un ample *kurta* blanc, fait irruption dans la salle. Ses longs cheveux noirs sont en désordre, ses yeux brillent d'un éclat anormal. Il se précipite vers la scène, poursuivi par deux policiers armés de matraques. Face à cette intrusion soudaine, Aghori Baba s'interrompt.

— C'est une perversion ! crie le barbu, qui a atteint le bord de la scène et se plante juste devant Mohan Kumar. Comment osez-vous déshonorer la mémoire de Bapu à travers ce show commercial ? Bapu est notre héritage. Vous faites de lui une marque de dentifrice et de shampooing, braille-t-il à l'intention d'Aghori Baba.

— Voyons, calmez-vous, monsieur. Inutile de vous mettre dans cet état.

Veer Bedi se matérialise sur la scène comme un lapin surgi du chapeau d'un magicien.

— Nous allons marquer une brève pause publicitaire, le temps de régler cet incident, annonce-t-il à la cantonade.

Sans faire attention à lui, l'intrus plonge la main dans son *kurta*, en sort un revolver noir et, l'empoignant fermement, le pointe sur Aghori Baba. Veer Bedi déglutit avec effort et bat en retraite dans les coulisses. Les deux policiers semblent cloués au sol. Le public est pétrifié.

— Vous êtes pire que Nathuram Godse[1], lance le barbu à Aghori Baba, qui garde les yeux fermés bien que sa poitrine se soulève laborieusement. Godse s'est contenté de tuer le corps de Bapu. Vous, vous profanez son âme.

Et, sans transition, il tire à trois reprises sur le *sadhu*.

Le bruit des coups de feu balaie la salle à la manière d'une lame de fond. Un autre éclair illumine la scène, et la tête d'Aghori Baba retombe sur sa poitrine. Son *kurta* jaune safran vire à l'écarlate.

Panique dans l'auditorium. Des hurlements cascadent le long des travées ; les gens se ruent frénétiquement vers la sortie.

— Au secours, Mohan ! glapit Rita, arrachée de son siège par la foule qui se bouscule derrière elle.

---

1. L'assassin de Gandhi.

Elle tente vaillamment d'attraper son sac à main, avant d'être aspirée par la cohue qui s'élance vers les portes tel un torrent déchaîné.

Resté assis, Mohan Kumar, étourdi et désemparé, sent quelque chose lui frôler le visage. Quelque chose d'aussi doux qu'une boule de coton, et en même temps visqueux comme le ventre d'un serpent.

— Oui, on y va, répond-il distraitement à Rita qui a déjà disparu.

Mais, avant qu'il ait refermé la bouche, le corps étranger s'y insinue à la vitesse de l'éclair. Il déglutit et le sent glisser dans sa gorge, laissant sur la langue un résidu amer comparable au désagréable arrière-goût d'un insecte qu'on avale. Il crache deux ou trois fois pour s'en débarrasser. Son cœur palpite légèrement, frémit, en signe de protestation, et soudain son corps tout entier s'embrase. Une décharge électrique le parcourt de la tête aux pieds. Il ignore si elle vient du dehors ou du dedans, d'en haut ou d'en bas. Elle n'a pas de centre fixe, et cependant on dirait un tourbillon qui s'enfonce au plus profond de son être. Il se convulse violemment, comme en état de transe. Et la douleur déferle en lui. Il reçoit un grand coup sur la tête, une aiguille épointée lui plonge dans le cœur, de grosses mains palpent sa poitrine, pétrissent ses entrailles. Une douleur si insupportable qu'il croit mourir. Il hurle de terreur et de souffrance, mais ses cris se noient dans le vacarme général. Tout se brouille devant ses yeux, tandis que les gens s'égosillent et tombent, trébuchant les uns sur les autres. Puis il s'évanouit.

Quand il revient à lui, la salle est silencieuse et déserte. Le corps sans vie d'Aghori Baba gît recroquevillé sur la natte de paille, tel un îlot dans une mer de sang. Le plancher est jonché de chaussures, baskets, sandales et escarpins à hauts talons, et quelqu'un est en train de lui tapoter l'épaule. Il se retourne et aperçoit un policier armé d'une matraque qui le dévisage intensément.

— Eh, vous, qu'est-ce que vous faites ici ? Vous n'avez pas vu ce qui s'est passé ? aboie l'agent.

Mohan Kumar le fixe d'un œil hagard.

— Vous êtes muet ou quoi ? Qui êtes-vous ? Quel est votre nom ?

Il ouvre la bouche, mais a du mal à parler.

— Mon… mon… mon… no… nom… est…

— Oui, quel est votre nom ? Dites-le-moi, répète le policier impatiemment.

Il veut répondre : « Mohan Kumar », mais les mots refusent de sortir. Il sent des doigts lui étreindre le larynx, remodeler ses cordes vocales, entraver ses paroles. Paroles tordues, broyées jusqu'à ne plus lui appartenir.

— Mon nom est Mohan… Mohandas Karamchand Gandhi, s'entend-il déclarer.

L'agent brandit sa matraque.

— Vous m'avez l'air de quelqu'un de correct. Ce n'est pas le moment de plaisanter. Je vous demande encore une fois : quel est votre nom ?

— Je vous l'ai dit. Je suis Mohandas Karamchand Gandhi.

Les paroles coulent plus facilement à présent, avec plus d'assurance.

— Tu te fiches de moi, espèce de conard ? Si tu es le mahatma Gandhi, moi je suis le père d'Hitler.

Sa matraque décrit un arc de cercle, et l'épaule de Mohan Kumar explose de douleur. La dernière chose qu'il entend avant de perdre de nouveau connaissance est le vagissement d'une sirène de police.

3

L'actrice

C'EST DUR D'ÊTRE UNE ICÔNE. D'abord, il faut avoir l'air sublime vingt-quatre heures sur vingt-quatre. On ne peut pas péter, on ne peut pas cracher et on n'ose pas bâiller. Sinon on retrouve son clapet grand ouvert sur le papier glacé de *Maxim* ou de *Stardust*. Ensuite, on ne peut aller nulle part sans qu'une foule vous colle aux basques. Mais le pire, pour une actrice célèbre, c'est d'être obligée de répondre aux questions les plus abracadabrantes.

Prenez, par exemple, ce qui m'est arrivé hier sur le vol de retour de Londres. Je venais à peine de pénétrer dans la cabine première classe d'Air India 777, en veste Versace vert bouteille toute neuve par-dessus un jean, une ceinture cloutée et une paire de lunettes noires Dior. Je me suis assise à ma place – le siège 1A, comme toujours – et j'ai accroché mon sac en croco Louis Vuitton sur le siège d'à côté – 1B, libre, comme toujours. Depuis ce malheureux incident sur le vol de Dubaï, où un passager éméché a essayé de me peloter, je demande à mes producteurs de réserver deux sièges en première classe : un pour moi, l'autre pour ma tranquillité. M'étant débarrassée de mes Blahnik, j'ai sorti mon iPod, ajusté les écouteurs et je me suis détendue. J'ai découvert que porter un casque est le meilleur moyen de tenir à distance les fans pots de colle et le personnel navigant en quête d'autographes, sans m'empêcher d'observer ce qui m'entoure.

J'étais donc là, immergée dans mon propre écosystème numérique, quand une hôtesse est arrivée, flanquée d'une femme et d'un petit garçon.

— Pardon de vous déranger, Shabnamji, entonne-t-elle, comme elles le font quand elles ont une faveur à demander à un passager, genre changer de place. Mme Daruwala, que voici, a quelque chose de très important à vous dire.

Je jette un œil sur Mme Daruwala. Elle ressemble aux dames parsies dans les films : blonde, enveloppée, teint rubicond. Elle porte un sari rose fuchsia et sent le talc. Classe économique, à tous les coups.

— Shabnamji, oh ! Shabnamji, quel honneur de vous rencontrer, roucoule-t-elle d'une voix chantante.

Je prends une expression polie et distante, l'air de dire : « Vous ne m'intéressez pas, mais je vous tolère, alors faites vite. »

— Lui, c'est mon fils Sohrab.

Elle désigne le garçon, vêtu d'un costume bleu mal coupé, avec un nœud papillon.

— Sohrab est votre plus grand fan. Il a vu tous vos films, sans exception.

Je hausse les sourcils. La moitié des films dans lesquels j'ai tourné sont interdits aux mineurs. Soit la mère ment, soit ce garçon est un nain.

Mme Daruwala prend un air grave.

— Malheureusement, mon Sohrab est atteint de leucémie. Cancer du sang. Nous l'avons fait soigner à Sloan-Kettering, mais les médecins ont abandonné la partie. Ils disent qu'il n'a plus que quelques mois à vivre.

Sa voix se brise, et elle fond en larmes. Le script a changé. J'affiche mon expression « bienveillante et attentionnée », réservée aux visites promotionnelles dans les services de cancérologie et mouroirs pour victimes du sida.

— Oh, je suis vraiment désolée.

Je presse la main de Mme Daruwala et j'adresse à son fils un sourire angélique.

— Sohrab, tu veux qu'on parle, tous les deux ? Viens t'asseoir à côté de moi.

J'enlève mon sac du siège voisin et je le pose à mes pieds. Sohrab ne se fait pas prier et se laisse tomber sur le 1B comme s'il avait voyagé toute sa vie en première classe.

— Maman, tu peux nous laisser, s'il te plaît ? lance-t-il du ton péremptoire d'un patron congédiant sa secrétaire.

— Oui, bien sûr, mon fils. Mais n'ennuie pas Shabnamji.

Mme Daruwala sèche ses larmes et me sourit, radieuse.

— Pour lui, c'est comme un rêve devenu réalité. Accordez-lui seulement quelques précieuses minutes de votre temps. Et encore toutes mes excuses, hein.

Elle regagne son siège en se dandinant.

Je regarde Sohrab, qui me dévore des yeux comme un amoureux transi. Cette façon de me dévisager me trouble. Dans quoi suis-je allée me fourrer ?

— Quel âge as-tu, Sohrab ? dis-je, histoire de le mettre à l'aise.

— Douze ans.

— C'est un bel âge. On apprend plein de choses et on a encore beaucoup à découvrir, tu ne crois pas ?

— Je n'ai rien à découvrir, moi. Parce que je n'aurai jamais treize ans. Dans trois mois, je serai mort, rétorque-t-il sans sourciller, et sans aucune trace d'émotion.

Frankenstein n'aurait pas fait mieux.

— Ne dis pas ça, je suis sûre que tu t'en sortiras.

Je lui tapote doucement le bras.

— Je ne m'en sortirai pas, mais ça n'a pas d'importance. L'important, c'est que je sache une chose avant de mourir.

— Oui. Que désires-tu savoir ?

— Promettez-moi de répondre.

— Évidemment. Je te le promets.

Je le gratifie d'un sourire éblouissant. Voilà qui va me simplifier les choses. Je suis une pro face à l'un de mes petits fans. Tout ce qu'ils veulent savoir, c'est le titre de mon film préféré, mes projets à venir et si je compte tourner prochainement avec l'une ou l'autre de leurs idoles.

— Vas-y, Sohrab. (Je fais claquer mes doigts.) J'écoute ta question.

Il se penche vers moi.

— Est-ce que vous êtes vierge ?

Ce qui m'a confirmé sur-le-champ que j'étais assise à côté d'un pervers en herbe.

Naturellement, je l'ai envoyé paître. Et j'ai passé un savon à l'hôtesse de l'air. Aucun malade en phase terminale n'est plus venu me déranger pendant le vol.

Une fois ma colère retombée, j'ai réfléchi à la question de Sohrab. Il a eu le toupet et l'insolence de me la poser, mais je suis sûre que les vingt millions d'Indiens qui se disent amoureux de moi seraient tout aussi impatients de connaître la réponse.

En Inde, les hommes classent les femmes en deux catégories : disponibles et indisponibles. Les vaches sacrées, ce sont les mères et les sœurs. Les autres sont là pour satisfaire leur voyeurisme et leurs fantasmes sexuels. Toute fille qui porte un tee-shirt dans ce pays passe pour une débauchée. Or j'apparais la plupart du temps en tenue moulante, les seins pointés vers la caméra, ondulant des hanches au rythme d'une musique entraînante. Pas étonnant qu'on m'ait décrite comme la principale cause de pollution nocturne. Et plus j'ai l'air inaccessible, plus je deviens désirable. Des hommes trempent leur plume dans le sang pour m'écrire, menaçant de s'immoler si je ne leur envoie pas une photo dédicacée. D'autres me font parvenir des échantillons de sperme, taches décolorées sur du papier de soie. Les demandes en mariage affluent par milliers – idiots du village et cadres esseulés de centres d'appels. Un magazine pour hommes m'a fait une offre à durée illimitée pour une série de photos de nu, accompagnée d'un chèque en blanc. Même les femmes m'envoient des *rakhis*[1] me proclamant leur sœur pour que je les aide à garder leur homme en l'empêchant d'aller voir ailleurs. Des jeunes filles prépubères m'écrivent des lettres flatteuses et me demandent de prier pour qu'elles acquièrent les mêmes appas.

95-65-90, voilà ma formule magique. À l'âge de la silicone, j'incarne la beauté et l'opulence naturelles. Je suis pure anatomie, et cependant mon charme transcende mes particularités physiques. Je dégage une douceur sensuelle qui excite et enflamme les hommes. Ils ne me voient pas. Ils ne voient que mes seins, ils s'y perdent, ils en perdent leurs moyens et acquiescent à tous mes caprices. Appelez cela l'exploitation cynique d'un ça refoulé ou l'injuste privilège de la célébrité, mais la vie m'a donné tout ce que je désirais, et bien plus encore.

La vie, malgré les changements d'apparence, est indestructiblement puissante et agréable. Ainsi parle Friedrich Nietzsche, mon

---

1. Bracelet de fils tressés qu'une sœur noue autour du poignet de son frère en signe du lien qui les unit.

maître à penser. Depuis trois ans, je jouis de tous les plaisirs possibles et imaginables de l'existence, mais est-ce suffisant pour compenser les dix-neuf ans de malheur que j'ai connus auparavant ?

31 mars

Aujourd'hui, j'ai été conviée en tant qu'invitée d'honneur à la commémoration en hommage à Neelima Kumari, la grande tragédienne, décédée il y a trente-cinq ans jour pour jour. C'était ennuyeux à mourir, les mêmes discours mièvres qu'on entend dans toutes les cérémonies de remise de prix, et je me suis interrogée. L'image qu'on se fait d'un acteur se limite-t-elle à ce qu'on en voit à l'écran ? Le cinéma est tellement unidimensionnel, juste un flot de lumière que Jean-Paul Sartre décrivait comme « tout, rien et tout réduit à rien ». Si je devais être jugée uniquement en fonction de mes films, l'histoire ne retiendrait de moi que le souvenir d'une poupée de luxe. Mais je suis bien plus qu'un éphémère rêve de celluloïd. Et une fois mon journal intime publié (revu et corrigé, bien sûr), le monde en prendra conscience aussi. J'ai déjà le titre du livre, un titre d'enfer : *Une femme de ressources : le journal de Shabnam*.

19 avril

Aishwarya Rai s'est mariée aujourd'hui. Dieu soit loué ! Elle va probablement arrêter de tourner, maintenant. Ça me fera une concurrente de moins. Le *Guide des affaires* de l'an dernier, dans son classement des dix plus grandes stars du cinéma indien, m'a placée quatrième, juste derrière Aishwarya, Kareena et Priyanka. Désormais, je suis la numéro trois.

Mais, aux yeux de mes fans, je suis déjà la numéro un. Ils savent que ma place dans l'industrie du film, je ne la dois qu'à moi-même, non au fait d'avoir été Miss Univers ou d'appartenir à une dynastie du cinéma.

Quoi qu'il en soit, mon objectif pour cette année est clair comme de l'eau de roche :

Décrocher la première place.

Décrocher la première place.

Décrocher la première place.

20 mai

Depuis ce matin, mon appartement est sens dessus dessous. Une équipe de six ouvriers en bleu de travail a envahi ma chambre et ma salle de bains avec la ferme intention de faire voler en éclats ma tranquillité. Bhola a pris la tête des opérations : il crie des ordres comme un ingénieur du bâtiment. C'est lui qui a eu l'idée de changer l'éclairage de la salle de bains et d'y mettre des spots encastrés, de manière qu'on ne voie pas les ampoules. C'est vraiment très joli, surtout quand on baisse le variateur ; on dirait des étoiles dans un ciel nocturne. Dans la chambre, il fait remplacer mon vieux lustre de Firozabad par un autre, flambant neuf, en cristal Swarovski, et en profite pour rectifier un câblage défectueux.

Je dois dire que j'ai été agréablement surprise par Bhola. L'un des avantages de la célébrité, c'est qu'on se découvre tantes et oncles perdus de vue, cousins éloignés et neveux qu'on n'a jamais connus. Bhola fait partie de cette parentèle. Il a débarqué un beau matin, affirmant qu'il était le fils de ma tante Jaishree de Mainpuri, et m'a implorée de lui trouver un rôle dans un film. Je l'ai regardé et j'ai éclaté de rire. Avec ses cheveux gras, sa bedaine et ses manières rustiques, il semblait fait pour l'agriculture plutôt que pour la culture. Cependant, j'ai eu pitié de sa maladresse et je l'ai engagé comme secrétaire adjoint et homme à tout faire, lui promettant un rôle s'il me donnait satisfaction. Cela fait deux ans. Je pense que même lui a renoncé à son rêve de devenir acteur ; en revanche, il s'est épanoui en tant que factotum. Non seulement il me protège des fans importuns et des chasseurs d'autographes mais il est assez doué en électronique et en informatique (moi, la technologie, ça m'impressionne). Qui plus est, il ne manque pas de flair en matière de finance. Peu à peu, je lui ai confié la gestion de mes comptes en banque. Seuls mes rendez-vous sont gérés par mon secrétaire Rakeshji, que je partage avec Rani.

Bhola n'a aucun don particulier, aucun véritable talent. Il est juste médiocre. Mais le monde est fait de gens ordinaires. De gens tout à fait ordinaires dont la seule fonction est de servir les êtres extraordinaires, exceptionnels, sublimes…

J'ai mal aux doigts. Je viens juste de finir de signer près de neuf cents lettres. Un rituel que je dois accomplir quatre fois par an, autre menue rançon de la célébrité.

Ce sont des réponses aux fans qui m'écrivent des quatre coins du monde, d'Agra à Zanzibar. Cinq mille missives arrivent chaque semaine, vingt mille par mois. Là-dedans, Rosie Mascarenhas, mon attachée de presse, en pioche environ un millier qui ont droit à des réponses personnalisées : il s'agit d'un texte standard dans lequel j'exprime mon bonheur de communiquer avec mes admirateurs, plus un laïus concernant mes projets et, pour conclure, des vœux de santé, félicité et prospérité pour mes fans. Les lettres sont accompagnées d'une photo en gros plan sur papier glacé : un cliché bien gentil et bien sage pour les femmes et les enfants, et un modérément sexy pour les hommes. Rosie m'a suggéré l'option machine à signer, un appareil qui reproduit automatiquement ma signature sur chaque lettre, pour m'éviter de le faire à la main. Mais j'ai résisté. Déjà, je fais partie du monde irréel du cinéma où tout est factice. Je veux que ma signature au moins soit authentique. Je pense aux visages de mes fans qui s'illuminent quand ils reçoivent la lettre et découvrent ma photo. Aux cris de surprise et d'exultation. La lettre sera montrée à la famille, aux amis, aux parents éloignés. Pendant quelque temps, le quartier tout entier sera baigné de son aura. On en parlera des jours et des jours, on en débattra, on l'embrassera, on sanglotera dessus. Elle sera peut-être photocopiée, plastifiée, encadrée et, très probablement, vénérée.

La douleur dans mes doigts disparaît.

En règle générale, Rosie n'ouvre pas le courrier estampillé « Personnel » ou « Confidentiel ». Celui-ci me parvient directement et c'est une source d'amusement sans fin. Aucun autre pays au monde n'idolâtre autant ses stars. Un Indien sur deux veut devenir acteur, aller à Bombay et gagner ses galons à Bollywood. Ces candidats au star system m'écrivent depuis des villages poussiéreux et des échoppes à bétel, des marécages infestés de malaria et de minuscules hameaux de pêcheurs. Dans un hindi approximatif ou un anglais petit-nègre, en phrases bancales, à la syntaxe défaillante, ils me font part de leurs rêves et me demandent des conseils, de l'aide, quelquefois de l'argent. La plupart des missives sont accompagnées d'une photo sur laquelle ils bombent le torse, font la moue, minaudent et prennent des airs aguichants pour fixer leur éblouissement, leurs aspirations, leur engagement et leur désespoir dans un arrêt sur image qui, espèrent-ils, touchera le cœur d'un producteur. Mais ils ont beau faire, leurs travers n'échappent pas à l'œil impartial de l'objectif. Leur vulgarité, leur grossièreté foncière, transpire de ces poses qui trahissent non seulement la stupidité du sujet, mais aussi son effroyable vulnérabilité.

Moi, ce qui me perturbe le plus, ce sont les lettres de jeunes filles. Certaines ont treize ans à peine. Elles veulent s'enfuir de chez elles, renier leur famille pour un quart d'heure de gloire, sans aucune idée de ce qu'il en coûte de réussir à Bombay. Avant même qu'elles en arrivent à coucher pour décrocher un rôle, il y aura toujours un vaurien de photographe ou un agent beau parleur pour les entraîner dans un salon de massage ou un bordel sordide. Et leurs fragiles rêves de gloire se fracasseront contre la monstrueuse réalité de l'esclavage sexuel.

Forte de mon expérience, je ne réponds pas à ces gamines. Je n'ai ni l'envie d'intervenir dans leur pitoyable existence, ni le pouvoir d'infléchir le cours de leur destin tracé d'avance. C'est la loi de la jungle. Seules les plus aptes survivront. Les autres sont condamnées aux poubelles de l'histoire. Ou aux dépotoirs de la société.

16 juin

Vicky Rai a encore appelé aujourd'hui. Ça fait deux ans qu'il me harcèle. Une vraie teigne. Mais Rakeshji dit que je devrais lui faire plaisir. Il est tout de même producteur, et un homme d'influence par-dessus le marché.

— Pourquoi refuses-tu de me parler ? a demandé Vicky Rai.

— Parce qu'il n'y a rien à dire. Comment avez-vous eu mon nouveau numéro de portable ?

— Je sais que tu en changes tous les trois mois. Mais j'ai mes sources. Tu as toujours sous-estimé mon pouvoir, Shabnam. Je peux beaucoup pour toi.

— Quoi, par exemple ?

— Te faire obtenir le Prix national. Mon paternel n'a qu'à tirer quelques ficelles au gouvernement. Ne me dis pas que tu ne veux pas d'un Prix national. Le prix du Cinéma et le trophée Honda, c'est très bien, mais tout bon acteur finit par rêver d'un Prix national. C'est le summum de la reconnaissance.

— Moi, pour l'instant, les prix ne m'intéressent pas.

— OK, et si je t'offrais un rôle dans mon prochain film ? Ça s'appelle *Plan B*. J'ai déjà engagé Akshay. Le tournage démarre en juin prochain.

— Je n'ai pas une seule date libre en juin. Je tourne en Suisse avec Dhawan sahib.

— Si tu ne peux pas te libérer pour un mois, pourrais-tu au moins me consacrer une nuit ? Juste une nuit ?

— Pour quoi faire ?

— Je ne vais quand même pas te faire un dessin, si ? Retrouve-moi à Delhi et je m'occupe du reste. Ou tu préfères que je vienne à Bombay ?

— Je préfère mettre fin à cette conversation. Inutile de me rappeler, monsieur Vicky Rai, ai-je déclaré fermement avant de couper mon portable.

Qu'est-ce qu'il croit, ce salopard, que je suis une marchandise à vendre ? J'espère qu'il sera condamné pour le meurtre de Ruby Gill et qu'il ira moisir en prison pour le restant de ses jours.

30 juillet

Ce qu'il peut être énervant, Jay Chatterjee, c'est à s'arracher les cheveux. Sans doute le plus brillant de nos cinéastes, mais aussi le plus excentrique. Il est venu me voir aux Studios RK aujourd'hui pour m'annoncer qu'il me donnait un rôle dans son prochain film.

Je me suis mise à trembler d'excitation. Un film de Jay Chatterjee, c'est non seulement un mégacarton assuré, mais aussi tout un tas de prix. Il est le Steven Spielberg de Bollywood.

— C'est quoi, le pitch ? ai-je demandé, m'efforçant de calmer mes palpitations.

— Une histoire entre un garçon et une fille.

— Quel genre de fille ?

41

— Une fille ravissante, issue d'une famille richissime, a-t-il répondu, l'air dans la lune, comme toujours, laissant courir ses doigts sur un piano imaginaire. Appelons-la Chandni. Les parents de Chandni veulent la marier au fils d'un industriel, mais elle tombe amoureuse d'un mystérieux vagabond nommé K.

— Très mystérieux, ai-je glissé.

— Oui. K est et n'est pas de ce monde. Il dégage une aura, un attrait hypnotique qui fait perdre la tête à Chandni. Tombée sous le charme, elle devient son esclave et alors seulement réalise que cet étranger est en fait le Prince des Ténèbres.

— Waouh, le diable en personne ?

— *Exactly !* Je pense à un récit à deux voix, celle de Chandni et celle de K. C'est l'interaction entre les deux récits, la tension dramatique de leur relation qui alimenteront le scénario. Alors, qu'en dis-tu ?

J'ai exhalé une longue respiration.

— Je trouve ça prodigieux. Du jamais vu dans le cinéma indien. Un nouveau chef-d'œuvre de Jay Chatterjee.

— Donc, c'est d'accord ? Tu seras ma Chandni ?

— Absolument. Quand est-ce qu'on tourne ? Je suis prête à prendre date dès aujourd'hui.

— On commencera le tournage dès que j'aurai trouvé mon K.

— Que veux-tu dire par là ?

Marquant une pause, Chatterjee a tripoté sa barbe emmêlée.

— Je veux dire que j'entends créer un nouveau paradigme du jeune homme en colère. Pour K. Combien de temps encore continuera-t-on à gaver le public avec les mêmes Musclor déguisés en superhéros ou des abrutis à face de chocolat se faisant passer pour de jeunes premiers ? Les gens veulent du changement, ils ont besoin de nouveauté. J'aimerais faire de K l'annonciateur de ce renouveau. Le parangon du quasi-héros. Qui allie les qualités du héros et du méchant. Dur et doux à la fois. Brutal et tendre. Avec un physique à vous faire craquer et une colère à vous glacer les sangs.

— Tu ne crois pas que Salim Ilyasi serait parfait pour ce rôle ? ai-je demandé.

— Tout à fait d'accord, a-t-il acquiescé, morose. L'ennui, c'est que Salim refuse de travailler avec moi.

— Pourquoi ?

— J'ai commis l'erreur de dire du mal de son mentor, Ram Mohammad Thomas, dans une interview.

— Alors, qu'est-ce que tu vas faire ?

— Chercher un autre Salim Ilyasi. Le film attendra.

Non mais vous avez déjà entendu une absurdité pareille ? Un film en stand-by, non pas faute d'un scénario, d'un réalisateur ou de financement, mais d'un héros qui n'existe même pas. C'est tout Jay Chatterjee, ça. Mais bon, quand il dit d'attendre, on attend. Et donc, j'attendrai.

2 août

Cette lettre est arrivée aujourd'hui, avec la mention « Privé » :

Très respectée Shabnam Didi[1],

Espérant que vous allez bien, par la grâce de Dieu. Moi-même, Ram Dulari, vous touche respectueusement les pieds. Moi suis brahmane maithil[2], j'ai dix-neuf ans, j'habite village Gaurai du bloc Sonebarsa district Sitamarhi, et moi seule fille au village ayant fait classe de sixième.

Moi maintenant en grande difficulté. Inondations venir au village et tout noyer. Notre maison et bétail emportés, respectés père et mère morts très malheureusement. Moi sauvé par un bateau de l'armée. Au début logée dans mauvais camp avec tentes déchirées à Sitamarhi, mais maintenant habite chez meilleure amie Neelam à Patna.

Moi-même rien savoir de vous parce que pas de salle de sinéma au village comme à Patna. Mais Neelam voit boccoup de vos fillims et appelle moi votre petite sœur. Elle prend foto avec son appareil et me dit vous l'envoyer.

Moi suis très bonne cuisinière connaît boccoup de recettes comme gulab jamun et sooji ka halwa. Aussi coudre bien et tricoter pull en deux jours seulement. Moi étant brahmane maithil, je cuisine

---

1. Sœur aînée.

2. Brahmanes de haut rang, attachés aux rites et traditions, essentiellement originaires du Bihar, dont l'ancien nom est Mithila.

strictement selon rituel, entièrement végétarien, et tous jeûnes et fêtes observés à la lettre.

S'il vous plaît, contacter moi à l'adresse dessus et aider moi en hébergeant à Bombay et me donnant toit et travail. Dieu vous comble de ses bénédictions.

En touchant les pieds des aînés de la famille et embrassant les enfants,

Votre petite sœur
Ram Dulari

En soi, le contenu de la lettre n'avait rien d'exceptionnel. Des offres comme celle-ci, j'en reçois par dizaines de la part de filles et de garçons prêts à travailler à l'œil chez moi pour le simple privilège de partager mon toit. Non, ce qui m'a intriguée, c'est que Ram Dulari dise être ma petite sœur. J'ai immédiatement pensé à ma vraie sœur, Sapna, qui doit avoir dix-neuf ans elle aussi. Elle vit sans doute toujours chez mes parents, à Azamgarh, mais je n'en suis pas sûre, puisque nous ne sommes plus en contact depuis trois ans. Ils m'ont rayée de leur vie, mais moi je suis incapable de les rayer de mon esprit.

J'ai donc sorti les photos de l'enveloppe. Des photos standard 10 × 15 sur papier brillant. J'ai regardé la première et j'ai failli tomber de ma chaise. J'avais sous les yeux mon propre visage en gros plan. Mêmes grands yeux sombres, petit nez, lèvres pulpeuses et menton arrondi.

J'ai vite jeté un œil sur la seconde photo. On y voyait Ram Dulari, vêtue d'un sari vert bon marché, adossée contre un arbre. Elle était même bâtie comme moi. La seule différence visible, c'étaient les cheveux. Elle portait de longues nattes noires et brillantes, tandis que ma coiffure actuelle est un carré court avec la frange asymétrique dernier cri. Mais ce n'était qu'un détail infime. J'avais devant moi mon portrait craché. Ram Dulari était mon sosie.

Ce qui m'a frappée sur ces photos, outre notre extraordinaire ressemblance, c'est le naturel de Ram Dulari. Il n'y avait aucun artifice, aucune affectation, aucune prétention de m'imiter. Elle était ainsi faite, voilà tout. Cette fille-là n'avait pas conscience de sa beauté, et je me suis aussitôt sentie proche d'elle. J'habitais un luxueux appartement de cinq chambres dans la plus belle ville d'Inde, alors qu'elle, malchanceuse orpheline, luttait pour survivre au cœur d'un Bihar livré aux bandes armées qui y imposaient leur loi. En cet instant, j'ai résolu de lui venir en aide, d'envoyer Bhola dès le lendemain matin à Patna pour ramener Ram Dulari chez moi, à Bombay.

Je ne sais pas ce que je ferai d'elle... J'ai suffisamment de domestiques comme ça, y compris d'excellents brahmanes. Mais une chose est sûre : je ne peux pas abandonner cette gamine à son triste sort. Je ne peux pas la voir souffrir sans lever le petit doigt. J'interviendrai donc pour changer son destin.

Et si, ce faisant, je changeais aussi le mien ?

4

L'aborigène

LES LAMENTATIONS PROVENAIENT D'UNE CABANE EN BOIS au centre de la clairière, longue plainte ponctuée de deux courtes, comme un chant funèbre. Le chagrin monta crescendo, retomba, monta à nouveau, au rythme des vagues de l'océan se brisant sur la jetée toute proche.

On était début octobre. La fureur de Kwalakangne, la mousson du sud-ouest, s'était apaisée, et la chaleur était de retour. Sortir sous un soleil brûlant en plein midi demandait du cran et une constitution robuste.

Postés devant la cabane, Melame et Pemba se regardaient.

— C'est le troisième décès de la saison, dit le plus âgé, la voix chevrotante. Les légions d'*eeka*[1] sont en train de grossir.

Pemba hocha la tête d'un air sombre.

— Quand les esprits malfaisants se multiplient, les choses ne peuvent qu'empirer. À ce tarif-là, notre tribu va bientôt disparaître, comme les dugongs.

— Ah, les dugongs ! Je ne me souviens presque plus de quel goût ç'a, fit Melame, nostalgique, en se pourléchant les babines.

— Pemba, lui, n'a pas oublié. Pour ma cérémonie d'initiation, j'avais justement harponné un dugong, dit Pemba.

— Tu étais un grand chasseur. L'un des meilleurs, approuva Melame. Mais regarde un peu les jeunes d'aujourd'hui : ils fêtent le *tanagiru* en buvant de la bière et du Coca, les deux fabriqués par des étrangers !

---

1. « Esprit », dans la langue onge.

— Tu as raison, chef. Que puis-je te répondre ? Mon Eketi ne vaut guère mieux. Il passe son temps à traîner du côté du bureau d'aide sociale dans l'attente d'une aumône. On raconte qu'il vend du miel et de l'ambre gris aux employés en échange de cigarettes. Je l'ai surpris plusieurs fois en train d'en fumer une. J'en baisse la tête de honte, murmura Pemba.

— Je pense que le moment est venu de consulter le sorcier. Aujourd'hui, nous serons tous pris par l'enterrement de Talai. Mais on n'a qu'à organiser la réunion plénière du conseil demain matin. Fais passer le mot discrètement. Nous nous retrouverons dans la forêt, directement devant la hutte de Nokai, où l'œil omniprésent des services sociaux ne pourra pas nous localiser. Ce fonctionnaire – quel est son nom ? Ashok – est particulièrement curieux.

— Exact, chef. Il porte un intérêt malsain à notre tribu. Les enfants l'ont surnommé Gwalen : le Fouille-Merde, dit Pemba en riant.

— À mon avis, il est plus dangereux qu'un serpent. Débrouille-toi pour qu'il ne sache rien de notre projet.

— Bien, chef.

Pemba inclina la tête.

La forêt était une palette de verdure éclaboussée de taches blanches et roses. Des orchidées grimpantes jaillissaient des branches et des touffes de lis roses pointaient ici et là telles des four-milières. Des cèdres se dressaient comme des sentinelles sur un fond de ciel. La jungle bourdonnait de bruit et de mouvement. Des nuages de moustiques égrenaient leur chant monotone. Perroquets et perruches invisibles s'égosillaient dans les feuil-lages. Les cigales stridulaient dans les broussailles. Serpents et gros lézards ondoyaient à travers les fourrés.

Debout dans la clairière à l'ombre d'un grand *garjan*, juste en face de la hutte du sorcier, Melame surveillait ses ouailles. Les femmes, affairées comme toujours, confectionnaient des pompons avec des noisettes et des coquillages, ramassaient du petit bois ou tressaient leurs cheveux. Les hommes tra-vaillaient un tronc à coups de hachette, essayant de façonner une pirogue.

Melame aspira une bouffée d'air frais tout imprégné encore du parfum de la rosée matinale et contempla, mélancolique, le paysage boisé. Cette parcelle de forêt était la seule oasis de verdure qui restait dans l'île. Le site du ru du Dugong était jonché de souches. Tous les jours, des camions brinquebalants chargés de bois à ras bord cahotaient sur la route côtière de Petite Andaman, dépouillant peu à peu l'île de sa couverture forestière. À présent, presque toute sa surface était occupée par des rizières et des plantations de cocotiers. Ceci était l'ultime refuge des insulaires, le seul endroit où ils pouvaient encore entendre le chant des oiseaux et être eux-mêmes, libres, nus et vivants.

— L'appât est-il prêt ? demanda le chef à Pemba, qui hocha la tête et désigna un gros pot en terre à ses pieds.

Satisfait, Melame tambourina à la porte de la hutte conique, dont le toit de chaume était si bas qu'on y entrait seulement à quatre pattes.

— Allez-vous-en ! cria le *torale* de l'intérieur. Nokai fait de mauvais rêves. Il ne peut pas sortir de sa hutte.

Melame poussa un soupir. Le sorcier était un oracle reclus et taciturne qui ne quittait quasiment jamais la forêt et qui était, tout le monde le savait, extrêmement capricieux. Mais, sans ses pouvoirs de magicien et de guérisseur, la tribu n'aurait pu survivre. Il savait arrêter une tempête rien qu'en plaçant des feuilles broyées sous une pierre de la grève ; il pouvait prédire le mal d'après les rides d'un visage et annoncer à une femme enceinte le sexe de son futur enfant en lui tapotant le ventre. Le *torale* seul savait comment se garder des esprits malins et se concilier les bonnes grâces des esprits bienveillants, comment protéger le clan durant une éclipse de lune et ce qu'il fallait faire pour contrecarrer une malédiction. Melame était convaincu que, à part ressusciter un mort, Nokai était capable d'accomplir n'importe quel miracle. Il persévéra donc, brandissant le pot en terre.

— Regarde, ô Vénérable Sage, ce que nous avons apporté. De la viande de tortue toute fraîche. Pemba l'a capturée hier.

Melame souleva le couvercle afin que le fumet pénètre dans la hutte. Si Nokai avait un faible, c'était bien pour la viande de tortue.

49

La ruse opéra. La porte s'ouvrit ; une main rabougrie attrapa le pot et le traîna à l'intérieur. Au bout d'un long moment, la porte se rouvrit et le *torale*, bourru, les invita à entrer. Melame et Pemba se glissèrent par l'ouverture.

La hutte était spacieuse, avec un lit plateforme en plein milieu. Le plafond était orné de toutes sortes d'objets : crânes d'animaux, conques marines, arcs, flèches et morceaux de tissu chamarré. Une jatte en bois posée à même le sol était remplie de lambeaux de viande séchée de serpent et de sanglier. Tout au fond, un feu crépitait dans un autre récipient de terre. Nokai trônait au centre de la hutte, sur une majestueuse peau de tigre, censée être un cadeau du roi de Belgique qu'il avait jadis guéri de la fièvre bilieuse, maladie normalement mortelle. Le pot, devant lui, avait été nettoyé jusqu'à la dernière miette.

Le sorcier les scruta de ses yeux caves. Dans la pénombre de sa hutte, ils miroitaient comme deux étendues d'eau.

— Pourquoi venez-vous me déranger ? maugréa-t-il.

— Notre peuple a des ennuis, ô Vénérable Sage, répondit Melame. Les cochons sauvages ont disparu, les tortues se font aussi rares que les dugongs, et les membres de notre tribu meurent comme des mouches. Talai est le troisième à partir. Pourquoi les esprits sont-ils en colère contre nous ?

— Tout cela arrive parce que vous avez perdu l'*ingetayi*, déclara Nokai d'un ton sévère. Cette pierre marine nous a été offerte par le plus grand de nos ancêtres, Tomiti. Elle a été gravée par Tawamoda, le premier homme. Tant que nous avions la pierre sacrée, nous étions protégés. Même le tsunami dévastateur n'a pas causé de dommages à notre tribu. Au contraire, nous avons été bénis par la naissance d'une petite fille. C'est seulement depuis la disparition de l'*ingetayi* que notre tribu traverse une mauvaise passe. Comment avez-vous pu vous faire voler notre relique la plus sacrée ?

— Je n'en sais rien, Vénérable Sage, répondit Melame, penaud. Nous avions caché la pierre tout au fond de la grotte Noire, loin au bord du ruisseau. Aucun *inene* ne s'est jamais aventuré jusque-là. Qui a pu la prendre, mystère.

Nokai rota, fourragea parmi les os, grelots, amulettes et conques marines éparpillés sur la peau de tigre et exhuma une grosse coquille d'huître perlière.

— Vous voyez ça ? Autrefois, c'était un corps vivant, aujourd'hui il ne reste qu'une coquille morte et vide. Pourquoi ? Parce que l'esprit qui l'habitait est parti. Puluga habitait dans l'*ingetayi*. Quand l'*ingetayi* a quitté Gaubolambe, Puluga a quitté l'île aussi. Nous n'avons plus sa protection. Les esprits bienveillants sont en colère parce qu'on a laissé partir notre dieu. Ce sont eux qui provoquent ce chaos, toutes ces morts. C'est la malédiction des *onkobowkwe*. Évidemment, celui qui a dérobé la pierre sacrée sera maudit aussi. Les esprits ne l'épargneront pas, mais ils ne nous épargneront pas non plus pour nous être fait voler l'*ingetayi*.

— Alors que faire ? demanda Pemba. Comment sauver notre peuple ?

— Il n'y a qu'une solution. Récupérer la pierre sacrée.

— Pour cela, il faut d'abord découvrir qui a pris l'*ingetayi* et où il se trouve à présent, dit Melame. Toi seul peux nous aider à le localiser.

— Oui, Nokai vous aidera à le localiser, opina le sorcier. En échange, je veux de la viande de tortue pendant toute la durée de la saison des pluies, un gros pot de miel et au moins cinq beaux crânes de porc.

— C'est d'accord, Vénérable Sage. Maintenant, dis-nous qui détient la pierre sacrée.

Nokai attira vers lui le récipient où brûlait le feu. Fouillant à nouveau parmi les objets éparpillés sur la peau de tigre, il saisit une grosse motte d'argile rouge et une poignée de graines brunâtres qu'il jeta dans le feu, où elles éclatèrent en pétaradant. Puis il s'enduisit le visage et le corps d'argile rouge. S'approchant du lit-mezzanine, il souleva le fin matelas et sortit d'en dessous quatre gros os.

— Voici mon bien le plus précieux : les os du grand Tomiti en personne.

Melame et Pemba s'agenouillèrent, en signe de déférence à l'égard du grand ancêtre. Nokai se rassit sur son tapis et disposa les quatre os autour de lui. Après quoi il baissa la tête entre ses genoux et parut s'endormir. Melame et Pemba s'installèrent pour attendre. Ils connaissaient bien les méthodes du sorcier. Ce dernier s'apprêtait à se rendre dans le monde des esprits. Les graines brunâtres et l'argile rouge repousseraient les esprits malfaisants ; les os de l'ancêtre attireraient les esprits bien-veillants. Ceux-ci entreraient dans la hutte, apportant dans leur sillage un souffle d'air froid. Comme ils étaient aveugles, ils pal-peraient le corps du *torale* de la tête aux pieds, le faisant grelotter de froid. Puis ils le ligoteraient comme un cochon, le hisseraient sur leur dos et s'envoleraient au ciel avec lui.

Pendant près de huit heures, Melame et Pemba veillèrent le corps de Nokai, aussi inerte qu'une tortue à l'arrêt, tandis que les ombres s'allongeaient à l'extérieur de la hutte. Ce fut seulement tard dans la soirée que le *torale* finit par se réveiller en sursaut. L'air hagard et désorienté, il avait les yeux larmoyants et le corps criblé de petites coupures et couvert de bleus.

— De l'eau, vite, apportez-moi de l'eau ! cria-t-il.

Pemba avait une cruche pleine à portée de la main. Le *torale* en but avidement la moitié, le liquide lui ruisselant sur le men-ton. Retenant son souffle, il annonça solennellement :

— *Ingetayi a-ti-iebe*. Nokai a vu la pierre marine.

Épuisé par l'épreuve, il narra son périple par bribes, si bien que Pemba et Melame furent obligés de lui tirer les vers du nez. Cela, leur dit-il, avait été le plus long voyage qu'il ait jamais entrepris. Un voyage qui lui avait fait franchir quatre océans pour le conduire sur la terre des *inene*.

S'élançant haut dans le ciel, il avait survolé des sommets enneigés et de longs fleuves au cours sinueux. Il avait traversé des déserts de sable arides et des vallées verdoyantes. Il avait vu des oiseaux de métal volant dans le ciel et des serpents de fer ondulant sur la terre en crachant de la fumée. L'esprit de Tomiti lui-même l'avait guidé sur la piste de l'*ingetayi*, par-dessus les marais envahis de mangrove jusqu'à une immense ville grouillante de monde où les immeubles en béton dépassaient en hauteur les montagnes les plus élevées et où mille soleils illumi-naient la nuit. Il était descendu en piqué vers une petite maison au toit vert à côté d'un étang : c'est là que se trouvait l'*ingetayi*, sur un piédestal, dans une pièce exiguë, entouré d'images pieuses des *inene*.

— Dis-nous qui habite dans cette maison, Vénérable Sage. C'est sûrement lui qui a volé la pierre sacrée, le pressa Melame.

— Je n'ai vu que deux personnes dans la maison. Une vieille femme en robe blanche et un homme petit, chauve, aux sourcils en broussaille, aux lèvres minces et au nez bulbeux. Qui porte des lunettes, ajouta Nokai.

— Banerjee ! s'exclamèrent en chœur Melame et Pemba, reconnaissant dans cette description un responsable des services sociaux qui avait précipitamment quitté l'île deux mois plus tôt.

— Puluga soit loué ! C'est la fin de tous nos ennuis, déclara Nokai. Le retour de la pierre marine va amadouer les esprits. On aura suffisamment de miel, de cochons, de cigales et de tortues. Plus personne ne mourra pour devenir un *eeka*.

Les trois hommes sortirent de la hutte, et Melame s'en fut porter la nouvelle aux autres membres du Conseil des anciens, qui attendaient patiemment depuis le matin.

— La seule question, à présent, est de savoir qui va se charger de cette mission. Qui ira chez les *inene* pour récupérer la pierre marine ? lança Pemba.

Les anciens se regardèrent et détournèrent les yeux. Un silence profond se fit dans l'assemblée. Le vent retomba. Même les enfants cessèrent de courir en tous sens avec leurs arcs et leurs flèches en miniature et s'immobilisèrent, nerveux et désemparés. Le seul bruit était celui des vagues, qui se brisaient sur les écueils. L'atmosphère était lourde, saturée de tension.

Soudain, une bouteille vide de bière Kingfisher tomba du ciel et s'écrasa aux pieds de Melame, manquant de peu Tumi, en train d'allaiter son bébé. Tout le monde leva les yeux, alarmé, se demandant quel nouveau châtiment leur avaient réservé les esprits qui siégeaient dans les cieux. Ils froncèrent les sourcils en apercevant Eketi vautré entre les branches d'un *garjan*, qui leur adressa un signe de la main.

— Espèce de patte de poulet, descends immédiatement ! beugla Pemba. Ou je serai le premier père à demander à Nokai de transformer en chien son propre fils.

À contrecœur, Eketi se laissa glisser le long de l'arbre, avec la rapidité et l'agilité d'un singe. Il sauta à terre et s'arrêta devant son père, un sourire niais aux lèvres. Il était grand, d'après les canons de sa tribu – un bon mètre cinquante –, et solidement charpenté. Il portait un short rouge déchiré en de nombreux endroits, un tee-shirt blanc sale avec le logo des Dallas Cowboys, et une petite bouteille en plastique contenant du tabac à chiquer lui pendait au cou.

— Personne n'a répondu à la question la plus importante qui se pose à notre tribu, reprit Melame en s'adressant aux anciens. Qui se porte volontaire pour aller reprendre la pierre sacrée ?

Ses paroles se heurtèrent à un mur de silence.

— Qu'est-il arrivé à ton peuple, chef ? l'admonesta Nokai. N'y aurait-il personne pour défendre l'honneur de la tribu ?

Muet et impassible, Melame avait l'air d'un condamné. Ce fut Eketi qui finit par trancher.

— Eketi ira, annonça-t-il calmement.

Melame le regarda, dubitatif.

— Tu es sûr d'être capable de t'acquitter de cette tâche ? Je te vois te prélasser sur la plage toute la journée, buvant de la bière et du Coca et tentant de soutirer de l'argent aux étrangers.

— Puluga soit loué, s'interposa Nokai. Eketi est plus malin que tu ne le crois. Pendant trois saisons je lui ai enseigné mes secrets. Mais ça ne l'intéresse pas de devenir *torale*. Il veut conquérir le monde. Nokai dit : donnez-lui sa chance.

Melame se tourna vers Pemba.

— Tu es son père. Qu'en penses-tu ?

Pemba hocha la tête d'un air sagace.

— Je suis d'accord avec Nokai. Si Eketi reste ici, les services sociaux vont en faire leur esclave. Il trimera toute sa vie pour les *inene*. Disons que ce sera sa cérémonie d'initiation.

— Oui, renchérit Nokai, le *tanagiru* suprême. Ça va rajeunir la tribu tout entière. Et quand il reviendra avec la pierre sacrée, nous l'accueillerons en héros, comme nos aïeux l'ont fait pour Tomiti lorsqu'il a rapporté la pierre de l'île de Baratang.

Melame se tourna vers Eketi.

— Tu sais, n'est-ce pas, que ce sera un voyage périlleux ?

— C'est un risque qu'Eketi est prêt à prendre, répondit le jeune homme, faisant preuve d'une maturité peu commune à son âge. Un risque que la tribu devrait être prête à prendre. Tout notre avenir en dépend.

— Ne t'inquiète pas, Nokai te protégera, le rassura le sorcier. Je te donnerai des tubercules qui portent en eux la protection des esprits, et des boulettes capables de guérir n'importe quelle maladie.

Il rentra dans sa hutte et revint avec un maxillaire décoré sur une ficelle noire.

— Une fois que tu auras mis cet os sacré autour de ton cou, Puluga lui-même veillera sur toi. Il ne t'arrivera aucun mal.

S'agenouillant devant le sorcier, Eketi accepta sa bénédiction. Puis il ôta son tee-shirt, arracha sa blague à tabac et enfila le maxillaire qui brillait d'une lueur phosphorescente sur sa peau d'ébène.

Pemba en profita pour émettre une réserve :

— Et si les services sociaux attrapent mon fils ? Rappelez-vous la correction qu'ils ont administrée à Kora quand il a tenté d'embarquer sur la vedette sans leur autorisation. Cet homme, Ashok, est très intelligent. Il sait même parler notre langue.

Eketi balaya ses craintes d'un geste de la main.

— Oui, et alors ? Moi, je parle anglais mieux que lui. Le bureau d'aide sociale est composé d'imbéciles, père. Tout ce qui les intéresse, c'est gagner de l'argent. Ils n'ont que faire de moi. Seulement, comment irai-je en Inde ? Eketi ne sait pas voler, comme Nokai.

— Nous allons te fabriquer une pirogue, répondit Melame. La meilleure que nous ayons jamais faite. Tu partiras au moment de la lune noire. Personne ne te verra. Je suis sûr qu'en quelques jours tu atteindras la terre des *inene*. Ensuite, tu n'auras plus qu'à trouver cet œuf pourri de Banerjee et récupérer la pierre qu'il nous a volée.

— Et comment au juste Eketi trouvera-t-il Banerjee ?

— En cherchant la maison au toit vert.

— Sais-tu au moins à quel point l'Inde est vaste ? s'écria Eketi. Plus vaste que le ciel. Chercher une maison au toit vert, c'est comme chercher un grain de sel dans le sable. Une adresse, voilà ce qu'il me faut. Tout le monde en a une en Inde. C'est ce que Murthy Sir nous a appris à l'école. Qui pourrait bien avoir l'adresse de Banerjee ?

— Ça, on n'y avait pas pensé.

Melame se gratta la tête. L'assemblée se taisait.

— Puluga soit loué ! Je crois que je vais pouvoir vous aider.

Une ombre se détacha des arbres et s'avança vers eux.

Les insulaires reculèrent, choqués. C'était Ashok, le fonctionnaire du bureau d'aide sociale.

— *Kujelli !* s'exclama Pemba, ce qui chez les Onge équivalait à
« Oh, merde ! », même si le sens littéral était : « Le cochon a
pissé ! »

— Mes intentions sont pacifiques, déclara Ashok, maniant
leur langue avec aisance.

C'était un homme mince d'une trentaine d'années, de taille
moyenne, aux cheveux noirs et courts, et rasé de près.

— Je vais emmener Eketi en Inde. Je connais l'adresse de
Banerjee à Calcutta. Je vous aiderai à récupérer la pierre sacrée.
Pouvez-vous me la décrire ?

Il sortit un stylo de sa saharienne et ouvrit un mince calepin
noir.

5

Le voleur

JE SERAI MORT DANS APPROXIMATIVEMENT SIX MINUTES.

J'ai vidé une bouteille entière de mort-aux-rats. Le poison violent se répand dans mes veines. Il faut trois minutes seulement pour tuer un rat, le double pour un être humain. Mon corps sera d'abord paralysé, avant de virer lentement au bleu. Mon rythme cardiaque deviendra irrégulier, avant que le cœur s'arrête complètement. Ma vie, qui n'aura duré que vingt et un ans, prendra brutalement fin.

C'est le moment, dirait mère, de se souvenir de Dieu. D'expier mes péchés. Mais à quoi bon ? Le seigneur Shiva ne descendra pas du mont Kailash pour me sortir de ce pétrin. Il ne nous aide jamais, nous, les pauvres. Il aide seulement les riches. J'ai beau habiter dans un temple, je ne crois pas en Dieu.

Mon défunt ami Lallan m'aurait soupçonné de feindre le suicide pour impressionner une nana. Mais ce n'est pas de la comédie. Pas même un suicide. C'est un meurtre.

Face à moi, M. Dinesh Pratap Bhusiya me pointe un revolver droit sur l'estomac. Une belle arme de marque étrangère. C'est lui qui m'a ordonné de boire la mort-aux-rats. À choisir entre une balle et le poison, j'ai opté pour ce dernier. Au moins, ça ne fera pas mal, même si le liquide marron a un goût infect ; j'ai l'impression d'avoir avalé de la boue.

Une lueur démente brille dans les yeux de M. D. P. Bhusiya tandis qu'il me regarde mourir. De tous les frères Bhusiya, c'est lui le plus dangereux. Je l'ai vu l'autre jour torturer son chien en lui enfonçant dans l'œil un bâton pointu. En fait, tous les

57

membres du clan Bhusiya ont une case en moins. Son frère aîné Ramesh est un coureur en série : il saute tout ce qui bouge, de la balayeuse à la blanchisseuse du quartier, pendant que sa grosse femme passe sa vie à l'institut de beauté. Et son plus jeune frère Suresh est un tricheur, qui vend de la marchandise frelatée à des clients crédules. Tout, dans son magasin d'alimentation au carrefour d'Andheria, est falsifié. Il ajoute du gravier concassé dans les légumes secs, du sable dans le riz, des couleurs artificielles dans les épices, de la craie en poudre dans la farine. Il vend du faux lait, du faux sucre, des faux médicaments, du faux Coca, et même de la fausse eau en bouteille. Réflexion faite, il est difficile de dire lequel des trois frères est le pire. Notamment parce qu'ils se ressemblent comme des clones. Quelquefois, même moi je ne sais plus auquel des trois je suis en train de parler. Le père, M. Jai Pratap Bhusiya, est le portrait craché de ses fils, en plus vieux. À croire que les femmes de la famille possèdent une usine où elles produisent, grâce à un moule parfait, des générations de Bhusiya identiques. Quand on rencontre un membre de leur famille dans la rue, on se dit immédiatement : « Tiens, un Bhusiya », comme on repère un buffle noir parmi un troupeau de vaches.

Si seulement les femmes Bhusiya étaient aussi laides que leurs hommes, je ne me serais pas retrouvé dans cette situation. J'ai voulu travailler dans cette maison, principalement à cause de Pinky Bhusiya, l'unique sœur de la fratrie. Une peau de miel, carrossée comme une BMW. Tout en courbes harmonieuses à l'extérieur, garniture moelleuse à l'intérieur. L'ayant croisée un jour dans l'enceinte du temple, j'ai parié stupidement mille roupies avec Jaggu, le marchand de fleurs, que je me la ferais dans les deux mois.

Travailler comme domestique était certes indigne de quelqu'un qui possède un diplôme universitaire, mais c'était le seul moyen d'avoir mes entrées dans la maison. Par chance, les Bhusiya avaient besoin d'un domestique. C'est d'ailleurs le cas de toutes les familles aisées de la capitale. Un bon domestique est aussi rare de nos jours que les pièces détachées pour une Daewoo Matiz. Le fait que j'aie habité dans l'enceinte du temple a suffi pour convaincre les Bhusiya que j'étais honnête et pieux, et ils m'ont engagé pour un salaire mensuel de trois mille roupies.

Avec le recul, ça a été là la plus grosse bêtise de ma vie. Un voleur de téléphones mobiles expert ès Nokia et Samsung n'avait aucune chance de s'en sortir avec le lave-vaisselle Pril et le détergent liquide Rin.

Et côtoyer les Bhusiya n'a rien arrangé. Ils avaient pourtant l'air de gens croyants et respectueux des lois, qui venaient au temple tous les lundis et offraient au seigneur Shiva des sommes considérables. C'est seulement en travaillant chez eux que j'ai découvert leur nature de crapules et d'escrocs patentés. Frustes, incultes et insensibles, ils n'arrêtaient pas de me tomber dessus, pour quelque chose que j'avais fait ou que je n'avais pas fait.

Leur grossièreté, passe encore, mais ce que je ne supportais pas, c'étaient les manières autoritaires de leurs femmes, qui me traitaient comme si j'étais leur chose. Lorsque Mme R. P. Bhusiya m'envoyait chercher un DVD au vidéoclub, je devais au même moment faire un saut au pressing pour Mme S. P. Bhusiya. Le pire étant que Pinky Bhusiya demeurait complètement imperméable à mon charme. J'avais cru qu'une fille comme elle serait facile à séduire. À sa façon de s'habiller, elle ne semblait ni trop branchée ni trop sage. Ni trop blasée et maligne, ni franchement timide. J'ai essayé différents personnages pour attirer l'attention de Pinky, de l'amoureux transi au digne serviteur au cœur d'or. J'ai tenté de l'impressionner par mes vastes connaissances en matière de téléphonie mobile et par la sûreté de mon jugement sur les questions de politique intérieure, mais rien n'y a fait. Elle me traitait en simple domestique – tantôt gentille, tantôt irascible –, mais jamais en homme. Tout ce qui l'intéressait, c'étaient ses bécasses de copines et son lecteur CD. Même les salles de bains de la maison étaient conçues de telle sorte qu'il était impossible de jeter un œil à l'intérieur. Au bout d'un mois, j'ai compris que je perdais mon temps.

J'aurais quitté ce boulot, donné les mille roupies à Jaggu et volontiers reconnu ma défaite si les choses n'avaient pas pris un tour inattendu. Asha, plus connue sous le nom de Mme Dinesh Pratap Bhusiya, se prit de passion pour moi. Par un après-midi moite, comme je montais dans sa chambre lui apporter des articles de toilette, elle m'empoigna par la chemise, ferma la porte et se mit à m'embrasser partout. C'est ainsi que nous devînmes amants.

Les domestiques sont la catégorie sociale la plus sous-estimée au monde. Ils ne réclament de leurs employeurs ni affection ni compassion. Ils veulent juste être respectés. Pas pour ce qu'ils font, mais pour ce qu'ils savent. Mêlez-vous à un attroupement de domestiques devant le kiosque du laitier à six heures du matin, et vous entendrez plus de ragots croustillants et d'infos de première main qu'au journal télévisé. C'est parce que les domestiques voient tout et entendent tout, même s'ils peuvent faire semblant d'être bêtes comme leurs pieds. Leur propre vie est si monotone qu'ils se distraient en épiant celle de leurs maîtres. Pendant que la famille regarde des feuilletons à la télé, les domestiques regardent la famille. Ils captent les menus détails, les gestes infimes qui échappent aux autres membres du clan. Ce sont les premiers à savoir que le patron est au bord de la faillite, ou que sa fille doit se faire avorter. Ils sont au courant de ce qui se passe réellement : qui dit du mal de qui, qui complote contre qui.

Et gare à la vengeance du domestique. Maints couples âgés, à Delhi, se sont retrouvés égorgés par leur cuisinier bihari ou leur gardien népalais. Pourquoi ? Parce qu'ils ont poussé ces domestiques à bout. Moi aussi je me suis vengé des Bhusiya. M. S. P. Bhusiya le tricheur, par exemple, ne se doute pas que le curry de poulet qu'il mange le soir est lui aussi frelaté. Je crache abondamment dans le plat avant de le déposer sur la table. Quant au vieux M. Bhusiya, qui n'a plus beaucoup de goût ni d'odorat, il s'est régalé avec le potage aux légumes que j'avais garni de fientes d'oiseau, et en a même redemandé !

Mais le plus jouissif, ç'a été de faire un pied de nez à M. D. P. Bhusiya. Il joue les bouledogues, mais sa femme m'a confié qu'au lit c'était une souris – inutile comme un appareil photo sans pellicule. *Bole toh*, totalement impuissant. Mon aventure avec sa femme a duré deux mois. Cerise sur le gâteau, elle me payait après chaque « prestation ». Ainsi, tandis que M. D. P. Bhusiya était devant son four à briques à Ghitorni, moi, j'étais au lit avec Asha, augmentant mes gains d'une centaine de roupies.

C'est là que je me trouvais, cet après-midi quand il a débarqué à l'improviste. On se serait cru dans un film. Le mari qui rentre chez lui, ouvre la porte de la chambre et reste bouche bée en voyant sa femme avec un autre homme... son propre domestique par-dessus le marché.

— Traînée ! a-t-il hurlé tandis que je sautais du lit et fonçais dans la salle de bains attenante, où j'avais laissé mes vêtements.

J'ai entendu du chahut, puis le bruit d'une gifle. Deux minutes plus tard, la porte de la salle de bains s'est ouverte à la volée, et M. D. P. Bhusyia est entré, un revolver dans une main, une bouteille dans l'autre.

— À nous deux, fumier, a-t-il sifflé.

Il m'a fait sortir sous la menace du revolver, emmené dans le garage, au sous-sol, m'a acculé dans un coin et m'a forcé à boire la mort-aux-rats. Maintenant, je compte les secondes qui me séparent de la mort. Un assassinat déguisé en suicide.

Je regarde le garage spacieux, la place vide maculée de taches d'huile où la Toyota Corolla argentée de M. R. P. Bhusiya sera garée ce soir, les piles de cartons contenant les épices et les légumes secs que M. S. P. Bhusiya va entreprendre de dénaturer, l'échelle métallique, les bouteilles à moitié vides de liquide de refroidissement et d'huile de graissage sur l'étagère en bois. Et m'efforce de ne pas penser à mère et à Champi.

M. D. P. Bhusiya consulte sa montre d'un air soucieux. Ça fait vingt minutes que j'ai vidé la bouteille. Le poison aurait dû agir depuis longtemps. Mais, au lieu d'une paralysie progressive, mon estomac est en pleine effervescence, comme quand on a bu du Coca-Cola. Quelque chose me monte à la gorge. Une seconde plus tard, un jet de vomi jaillit de ma bouche et atterrit sur la chemise blanche de M. D. P. Bhusiya.

En plein désarroi, il laisse tomber son arme. Il ne m'en faut pas plus : je repousse le revolver du pied et me rue dehors.

C'est incroyable, l'effet que peut avoir la peur de mourir sur un corps humain. Je cours comme un champion olympique, me retournant de temps à autre pour voir si je suis suivi.

En arrivant près du temple, je m'émerveille de la chance inouïe que j'ai eue. J'ai regardé la Mort en face, et la Mort a cillé.

Bon, c'est peut-être un peu exagéré. J'ai eu le temps de comprendre que ma mort aurait été factice. Aussi factice que le poison que M. D. P. Bhusiya a dû dégoter dans le magasin de son frère !

Mais mon sourire, lui, n'a rien de factice lorsque je franchis le portail du temple, repère Champi assise sur son banc favori sous un flamboyant et la serre dans mes bras à lui broyer les os.

— *Arrey*, que se passe-t-il ? On dirait que tu as gagné au loto, dit-elle en riant.

— C'est un peu ça. J'ai décidé deux choses aujourd'hui, Champi.

— Lesquelles ?

— Premièrement, je ne travaillerai plus jamais comme domestique.

— Et la deuxième chose ?

— Je vais reprendre mon ancienne activité. Voler des téléphones portables. Mais ne le dis pas à mère.

Il fut un temps où j'aimais bien mon nom. Il avait du succès auprès des filles du quartier, qui trouvaient ça trop mignon. Et c'était nettement mieux que Munna tout court, qui évoque immédiatement le grouillot ou le mécano sous-payé. Munna Mobile, ç'avait une certaine classe, et un charme certain. C'était l'époque où le téléphone portable était l'apanage de la haute société. Aujourd'hui, n'importe quel laveur de carreaux en possède un. Aucun jeune homme qui se respecte ne voudrait plus qu'on l'appelle Munna Mobile. Pourquoi pas Vodafone ou Ericsson ?

J'ai acquis mon surnom il y a quatre ans, après avoir dérobé mon premier mobile. Il appartenait à une très grosse dame, arrivée au temple dans une Opel Astra blanche. Elle semblait extrêmement pressée, vu comment elle avait gravi les marches en pantelant, comme si elle avait mille choses à faire dans la journée. Ça n'a rien d'exceptionnel. On est à la bourre. On veut rendre une visite éclair à Dieu et, dans la précipitation, on oublie les petits détails, genre verrouiller sa voiture. Et on laisse son Sony Ericsson T100 flambant neuf sur le siège du conducteur.

C'était la première fois de ma vie que je touchais un téléphone mobile. Avant, je volais les chaussures et les mules des fidèles qui commettaient l'imprudence de les laisser au pied des marches au lieu de les confier à la vieille dame qui ne prend que cinquante *paise*[1] par paire.

À dire vrai, mes exploits de voleur de savates ne méritaient pas de figurer dans les annales. Le butin était maigre, même si j'avais réussi à mettre la main sur deux ou trois paires de Reebok et de Nike quasi neuves. Si elles n'avaient pas été taille quarante-trois ou quarante-quatre, je les aurais gardées pour moi au lieu de les fourguer au cordonnier pour un dixième de leur valeur.

J'apportai le téléphone de la grosse dame au Delite Mobile Mart, la boutique de téléphonie juste à côté du temple. Madan, le patron, me le paya deux cents roupies, dix fois plus que ce que je gagnais pour une paire de savates usées. Ce premier téléphone mobile m'ouvrit tout un univers de cartes SIM et de codes PIN. Chaussures Bata et sandales Action eurent tôt fait de céder la place aux Nokia et autres Motorola. C'est là que je me suis associé avec mon meilleur ami, Lallan, car voler des portables exigeait infiniment plus d'organisation et de coordination que subtiliser des chaussures. Nos cibles de prédilection étaient les voitures arrêtées au feu rouge, vitres baissées, avec un téléphone qui luisait sur le tableau de bord. Pendant que Lallan détournait l'attention du conducteur, j'arrivais à pas de loup de l'autre côté, je m'emparais du téléphone et je prenais mes jambes à mon cou, m'enfonçant dans le dédale de ruelles sinueuses que je connaissais comme ma poche.

J'ai gardé la trace de tous les mobiles qu'on a volés en trois ans. Au total, quatre-vingt-dix-neuf. C'était un bon business, tant que ça marchait. Ça m'a permis de mener une vie modeste, de m'habiller correctement et de sortir avec deux ou trois filles du voisinage. Le plus drôle, c'est que je n'ai pas eu besoin de leur raconter des craques, que j'étais visiteur médical ou autre connerie du même genre. Elles étaient emballées par le récit de mes exploits. Et un portable est un cadeau très recherché. Une fille se laissera toucher les seins pour un Motorola C650. Elle peut même écarter les jambes pour un Nokia N93.

Non que ça m'intéresse vraiment. Les filles du quartier qui travaillent comme serveuses ou baby-sitters sont des proies faciles.

---

1. 100 *paise* = une roupie.

Frustes, la peau foncée, elles sont tout juste bonnes à satisfaire un besoin physique. Moi, ce qui me branche, ce sont les nanas riches, les memsahibs avec leur accent anglais et leur jean taille basse. J'admire leur teint clair et leur peau satinée. Je reste bouche bée devant la courbure gracile de leur taille et la délicate ossature de leur visage maquillé. J'inhale le parfum précieux de leur corps, je les regarde onduler voluptueusement des hanches, et je me sens tout étourdi. Mais ces filles-là, je ne pourrai les avoir qu'en rêve. Pour quelqu'un comme moi, elles sont pratiquement aussi inaccessibles que Shabnam Saxena. Enfin, j'espérais au moins enjôler la fille d'un ingénieur en chef qui fréquentait notre temple quand un drame vint interrompre brutalement ma jeune carrière de voleur de mobiles.

Nous avions chipé un Samsung dans une Mercedes arrêtée près de Qutub Minar. J'avais réussi à filer sans difficulté avec mon butin, mais Lallan fut moins rapide. Pris en chasse par l'automobiliste, il fut épinglé et traîné au poste de police, où il fut interrogé par l'inspecteur adjoint Vijay Singh Yadav en personne, surnommé le Boucher de Mehrauli.

Lallan et moi avions grandi ensemble. J'habitais avec mère dans l'enceinte du temple ; lui vivait avec sa famille dans la vaste cité de bidonvilles Sanjay-Gandhi, juste à côté. Nous avions joué au foot et au cricket sur le bord de la route, fréquenté la même école municipale, que Lallan laissa tomber en sixième, alors que je continuai mes études jusqu'à la licence. Il était de toutes mes expéditions, que je vole les chaussures au temple ou que j'asticote les filles du quartier. Je l'appelais mon meilleur ami, mais en vérité il était plus qu'un frère pour moi. Un garçon moins solide se serait mis à table face au Boucher de Mehrauli mais, attaché à son code d'honneur, Lallan refusa catégoriquement de parler.

Ce qui arriva ensuite dans le cachot de la police reste un souvenir funeste qui me donne encore des cauchemars. Lallan fut dévêtu, suspendu par une corde et frappé à coups de pied, de matraque et de fouet pendant trois nuits d'affilée, tandis que son vieux père implorait, suppliait, pleurait et se traînait à terre devant le poste de police. Mais Lallan refusait toujours de me balancer.

Le quatrième jour, il disparut. La police affirmait l'avoir relâché. Nous le cherchâmes partout, jusqu'aux abords de l'Institut national de médecine, mais personne n'avait entendu parler de lui.

Nous découvrîmes son cadavre gonflé et mutilé trois jours plus tard, dans une mare du côté d'Andheria Bagh. Des mouches bourdonnaient au-dessus des plaies dont était lardée sa poitrine, des asticots sortaient de ses yeux emplis de pus comme s'il avait été un vulgaire chien errant.

La mort de Lallan me ramena sur terre. Elle me fit comprendre que la vie même n'était pas un fait acquis. Je renonçai donc à voler des téléphones mobiles et décidai de me prendre en main. Ce qu'on fait de son existence est fonction de ce que l'on est. Si j'avais eu un pedigree familial et des relations politiques, mon diplôme universitaire m'aurait valu une bonne planque dans un bureau climatisé, ou du moins un poste dans l'administration. Mais un ancien voleur dont la mère est une simple balayeuse payée mille deux cents roupies par mois a un plan de carrière plutôt limité. Je travaillai un moment comme comptable dans un magasin d'alimentation générale, puis comme responsable d'entretien dans une société de transport et, pour finir, comme domestique chez les Bhusiya. Ces trois emplois furent des fiascos. La vie facile de voleur de téléphones m'avait corrompu. Je ne me voyais pas compter les cartons, renifler du diesel ou servir le thé pour gagner ma croûte.

Je décidai donc de reprendre la seule activité dans laquelle j'excellais : dérober des téléphones portables.

Voler un portable n'est pas aussi simple que c'en a l'air. En fait, c'est tout un art. À la manière du pickpocket qui vous déleste de votre portefeuille sous votre nez, le spécialiste du portable se volatilise avec votre téléphone. Loin du vulgaire vol à l'arraché, l'opération tient davantage de l'escamotage, du tour de passe-passe. Vous avez votre portable devant les yeux, l'instant d'après il a disparu. Comme par magie.

La technique ne s'oublie pas. Un joueur de cricket peut perdre la main, un voleur, jamais. C'est juste une question de temps avant que j'en sois à mon centième portable.

Nous sommes le 26 janvier, jour de la fête nationale. Et moi, je me cache, à bout de souffle, derrière une pompe à essence de la station HP, sur la route Mehrauli-Badarpur. Je viens de voler mon premier mobile depuis un an.

J'étais allé voir un copain qui habite la cité derrière le Star Multiplex et je revenais pour prendre le bus. Il était tard, et les néons des réverbères étaient auréolés d'un halo de brume. Pendant que j'attendais au feu rouge, me frottant les mains pour les réchauffer, une Maruti Esteem rouge s'arrêta devant moi. L'homme qui conduisait était maigre et sec, le cheveu bouclé et la mâchoire carrée. Ce qui me frappa chez lui, c'était sa façon d'agripper le volant, comme s'il allait lui rester dans les mains d'une minute à l'autre. Au plus froid de l'hiver, il suait comme un bœuf. Cet homme-là était sous tension, une vraie pile électrique. Il y avait un téléphone portable sur le tableau de bord, et la vitre était à moitié baissée. J'agis par pur réflexe. Au moment où le feu passait au vert, ma main se glissa dans l'habitacle à la vitesse de l'éclair. Le conducteur regardait fixement devant lui. Ses jointures commençaient à blanchir. Il embraya, et la voiture bondit en avant, me laissant sur le trottoir avec un appareil ultraclasse dans la main. C'était un Nokia E61 flambant neuf, tellement neuf qu'on n'avait même pas retiré le film plastique qui protège l'écran. Je savais qu'il me rapporterait bonbon au marché noir.

Je crois que la femme dans la Ford Ikon juste derrière la Maruti m'avait vu faire. En passant devant moi, elle me fusilla du regard. Avant qu'elle puisse donner l'alerte, j'avais décampé. Je courus en zigzag sur près de deux kilomètres pour me réfugier enfin dans la station-service.

Alors que je halète sous l'auvent gris, épuisé par ma course, le téléphone volé se met à sonner. L'écran affiche : « Numéro inconnu. »

Ne sachant trop que faire, je presse machinalement la touche verte.

— Allô, Brijesh ? Je te donne les coordonnées du point de collecte. Tu m'écoutes ?

La voix est dure, gutturale, une voix empreinte d'autorité. Une voix qu'on ne peut pas ignorer. Elle exige une réponse.

— Oui, dis-je d'une voix tout aussi gutturale.

Un monosyllabe qui ne dévoile rien de l'identité du correspondant.

— Va dans la ruelle à côté de l'école Goenka dans Ramoji Road. Le *maal* est dans une mallette noire à l'intérieur d'une poubelle municipale. Récupère-le dans la demi-heure qui vient. OK ?

— Oui, dis-je à nouveau.

— Bien. On se rappelle quand tu l'auras fait. Bye.

Le *maal*. Ce mot continue à résonner dans ma tête telle la sonnerie d'un réveil. Il peut signifier n'importe quoi. Littéralement, *maal* veut dire « marchandise ». Dans les vieux films hindis, les gangsters appellent *maal* les cargaisons clandestines de drogue et de lingots d'or que les navires déchargent sur la plage Versova de Bombay. Une jolie fille est aussi un *maal*, mais on peut difficilement la cacher dans une mallette. Du reste, même des denrées achetées dans une épicerie peuvent être des *maal*. Il n'y a qu'une chose à faire : je dois découvrir quel est le *maal* en question.

J'essaie de reprendre mes esprits. Ramoji Road se trouve à cinq minutes en voiture de la station-service, vingt minutes à pied. J'y vais à pied.

L'école Goenka est l'une des meilleures écoles privées de Mehrauli. Le matin, quand les enfants arrivent en classe, et l'après-midi, quand ils sortent, il y a des mini-embouteillages dans le quartier, créés par les voitures des riches hommes d'affaires qui envoient leur progéniture ici. À huit heures du soir, cependant, l'endroit est complètement désert. Seuls deux gardes se tiennent devant l'imposant portail, se chauffant les mains au-dessus d'un feu. Je dépasse l'école et tourne dans l'étroite ruelle, déserte elle aussi. Je repère la poubelle presque aussitôt, discrète, tout au fond de la ruelle, dans la lumière jaune d'un réverbère. Un chien dort, juste à côté. Je lui dis :

— Ouste !

Le chien dresse les oreilles et se fond parmi les ombres. Je repousse le couvercle : la poubelle est pleine à craquer. Je fouille, mais mes doigts ne rencontrent que des sacs en plastique ventrus, des bouteilles en verre et des boîtes de conserve. J'entreprends donc de la vider : je sors les sacs, les empile sur le côté. L'odeur infecte de nourriture pourrie me donne envie de vomir. Les profondeurs moisies de la poubelle abritent toutes sortes de déchets, y compris quelques couches souillées et un transistor cassé. Tout au fond repose une mallette enveloppée de plastique blanc. Je dois me pencher à l'intérieur pour l'attraper. C'est un luxueux attaché-case noir en cuir dur. J'arrache le plastique et je presse les deux fermoirs latéraux. La mallette s'ouvre dans un déclic, et mes yeux sont éblouis par les liasses de billets de mille roupies qui la tapissent de haut en bas. On dirait une pub pour le loto. Comment ai-je pu oublier que l'argent est le *maal* suprême ! Je referme précipitamment la mallette. Pas besoin de compter les liasses pour savoir qu'elle contient plus d'argent que je n'en ai vu de toute ma vie.

Je scrute les environs : il n'y a pas âme qui vive dans les parages. J'entasse les sacs en plastique dans la poubelle. Au moment où je tourne les talons, le téléphone se remet à triller. La sonnerie incessante manque me paralyser. Les doigts tremblants, je l'éteins et le fourre dans la poubelle, le plus loin possible. Puis, le cœur battant la chamade, je ramasse la mallette et regagne à la hâte l'artère principale.

6

Le politicien

— ALLÔ ? JE SUIS BIEN AU CENTRE DE MÉDITATION SPIRITUELLE DE MATHURA ?

— Oui.

— Swami Haridas est-il là ? Bhaiyyaji[1] voudrait lui parler.

— Bhaiyyaji ? Qui est Bhaiyyaji ?

— Vous êtes nouveau ou quoi ? Ignorez-vous qu'il y a un seul dirigeant en Uttar Pradesh qu'on appelle Bhaiyyaji, le ministre de l'Intérieur Jagannath Rai ?

— Oh ! Ministre de l'Intérieur sahib ? Guruji est en plein discours. Nous ne pouvons pas le déranger.

— Dites-lui que c'est urgent. Il ne refuse jamais un appel de Bhaiyyaji.

— OK. Ne quittez pas. Je vais à la salle de conférences.

(PAUSE.)

— Je transfère l'appel. S'il vous plaît, mettez le ministre de l'Intérieur sahib en relation avec Guruji.

Bip. Bip. Bip.

— *Namaskar*, Guruji. Ici Jagannath.

— *Jai Shambhu*[2] ! Qu'y a-t-il de si urgent, Jagannath, que tu m'obliges à interrompre mon discours ?

— J'ai un souci, Guruji. J'ai besoin de vos lumières.

— C'est Vicky ? Le verdict est sur le point de tomber, c'est ça ?

— Non, Guruji. J'ai réglé l'affaire du procès de Vicky. C'est le mien qui m'inquiète.

---

1. Littéralement : *grand frère*.
2. Littéralement : « Victoire à Shiva », Shambhu est l'un des noms de Shiva.

— Il y a tellement de procès contre toi. Duquel s'agit-il ?

— Une inculpation pour meurtre, qui remonte à 2002.

— Qui as-tu tué ?

— Mohammad Mustaqeem, un fumier qui a osé me défier. L'accusation n'avait pas grand-chose dans son dossier, à part des présomptions. Or voilà qu'un nouveau témoin a fait surface, un dénommé Pradeep Dubey, qui affirme m'avoir vu tirer sur Mustaqeem. L'audience est fixée au 5 du mois prochain. Si je suis condamné, je peux dire adieu à ma carrière politique. Déjà, comme vous le savez, Guruji, le ministre en chef a une dent contre moi.

— D'après ton horoscope, tout ceci est dû à Saturne, qui séjourne en cinquième maison. La période néfaste durera encore quatre mois. Après quoi, ce sera la fin de tous tes ennuis.

— Que dois-je faire durant cette période, Guruji ?

(Rires.)

— Tu le sais. La police est sous tes ordres, non ? Mais tu peux toujours porter un saphir bleu. Ça contrebalancera l'influence maléfique de Saturne.

— Quand je vous parle, Guruji, je me sens en paix. Je crois vraiment que tous mes soucis vont disparaître.

— C'est à ça que servent les gourous. Puis-je te demander à mon tour un petit service ?

— Dites-moi, Guruji, je m'en occuperai personnellement.

— J'ai acheté un terrain à Kanpur d'une dizaine d'hectares. Je viens d'apprendre que des squatteurs du bidonville voisin ont construit des cabanes sur une partie de mes terres. Je pars bientôt en tournée mondiale. S'ils pouvaient être délogés avant mon départ, ce serait…

— Pas un mot de plus, Guruji. Demain j'envoie les bulldozers.

— Bien. Transmets mes amitiés à Vicky. J'espère qu'il porte l'anneau de corail que j'ai fait faire spécialement pour lui.

— Bien sûr, Guruji. Tant que son procès n'est pas terminé, il n'ose pas désobéir à vos instructions.

— OK, Jagannath. Je dois te laisser maintenant. Richard Gere est là, il est venu pour me rencontrer.

— Qui est-ce, Guruji ? Un fabricant d'automobiles ?

(Rires.)

— Non, un acteur américain. Allez, bye. *Jai Shambhu.*

— *Jai Shambhu*, Guruji.

— Dites-moi, monsieur Tripurari Sharan, êtes-vous mon bras droit ou est-ce moi qui suis le vôtre ?

— Pourquoi cette étrange question, Bhaiyyaji ? Aurais-je fait quelque chose de mal ?

— Et comment ! Depuis huit heures j'attends patiemment votre coup de fil pour savoir si vous avez réussi à parler au témoin, mais vous n'avez pas appelé. Du coup, c'est moi qui appelle.

— J'allais vous téléphoner dans la matinée, Bhaiyyaji. Je ne voulais pas perturber votre sommeil.

— Les nouvelles sont mauvaises, hein ? Qu'est-ce qui s'est passé ? Pradeep Dubey n'était pas disponible ?

— Si, si. Je l'ai rencontré. C'est un jeune homme idéaliste. Je lui ai offert une grosse somme pour qu'il la ferme, je suis même allé jusqu'à dix *lakhs*[1]. Mais il refuse de bouger. Il persiste à vouloir témoigner contre vous. Mon petit doigt me dit qu'il y a du Lakhan Thakur là-dessous.

— Hmm… (Longue pause.) Alors comme ça, Lakhan a remis ça. Il a fait la sourde oreille à ma mise en garde.

— Pas étonnant, il se voit déjà comme le prochain Jagannath Rai. Difficile d'imaginer le petit malfrat qu'il était il y a cinq ans. Depuis qu'il a été élu à l'Assemblée, la fortune ne cesse de lui sourire. On dit qu'il possède la moitié des scieries de Saharanpur. Et sa nouvelle ambition est de devenir ministre, comme vous.

— Jamais cette ordure n'y arrivera tant que je serai en place. On s'occupera de lui en temps voulu. Mais d'abord, dites-moi ce qu'on doit faire avec ce type, Dubey ?

— Bhaiyyaji, si Dubey parle, vous êtes cuit. Il faut coûte que coûte l'empêcher de témoigner.

— Eh bien, on s'arrangera pour qu'il ne témoigne pas. Dites à Mukhtar de venir me voir.

— Vous n'êtes pas au courant ? Il s'est fait épingler par la police, hier, à Ghaziabad.

---

1. Un lakh = 100 000 roupies.

— Quoi ? Comment a-t-on pu arrêter Mukhtar ?

— Une affaire de viol, je crois. Vous connaissez Mukhtar, Bhaiyyaji. Il est incapable de garder sa braguette fermée. Il passe son temps à courir les filles.

— Qui est le policier qui a osé l'arrêter ?

— Il y a un nouveau commissaire à Ghaziabad. Un jeune type du nom de Navneet Brar. Un peu trop zélé à mon goût. Il veut éradiquer le crime dans notre État. Apparemment, c'est son œuvre.

— En fait, c'est l'œuvre des étoiles. Elles sont alignées de manière défavorable. C'est Guruji qui me l'a dit. Mais du moment que j'ai sa bénédiction, je peux relever n'importe quel défi. Vous avez échoué auprès du témoin, Tripurari. Voyez maintenant comment je règle son compte à ce policier. Trouvez-moi immédiatement son numéro de portable.

— Navneet Brar, j'écoute.

— Navneet, ici le ministre de l'Intérieur Jagannath Rai.

— Que puis-je pour votre service, monsieur ?

— Vous avez arrêté un de mes hommes, semble-t-il, du nom de Mukhtar Ansari.

— Oui, monsieur. Il a été interpellé à la suite du viol d'une mineure. C'est un délit passible de prison ferme, monsieur. Article 376, conjointement avec le 366. Pas question de manifester une quelconque indulgence.

— Je ne vous demande pas de manifester de l'indulgence. Je vous ordonne de le relâcher sur-le-champ.

— Vous ne pouvez pas donner ce genre d'ordre, monsieur. L'affaire est devant le juge. Désormais, Mukhtar ne pourra être relaxé que sur décision du tribunal.

— Comment osez-vous tenir tête au ministre de l'Intérieur de l'État ?

— Je regrette, monsieur, je suis chargé de faire respecter la loi.

— On dirait que la perspective de perdre votre travail ne vous préoccupe pas beaucoup.

— Ce qui me préoccupe, monsieur, c'est de le faire correctement.

— Alors faites-le. Obéissez à l'ordre de votre supérieur.

— Désolé, monsieur, je ne peux obéir à un ordre illégal.

— Vous refusez donc de m'obéir ?

— Je refuse d'encourager une activité criminelle.

— Vous êtes jeune, Brar, et impulsif. Vous commettez la plus grosse erreur de votre carrière.

— Je suis prêt à en assumer les conséquences.

(CLIC.)

— *Jai Hind*. Résidence du directeur général. Agent Ram Avtar à votre service.

— Le président est là ?

— Oui. Qui est à l'appareil ?

— Le ministre de l'Intérieur sahib désire lui parler.

— Il est minuit passé. Le président sahib est en train de dormir.

— Réveille-le, imbécile, ou vous perdrez tous les deux votre boulot.

— Mais le président sahib a strictement défendu qu'on le dérange.

— Visiblement, tu n'as jamais eu à essuyer la colère de Bhaiyyaji. Ram Avtar, si tu ne me passes pas le président dans les dix secondes, tu te retrouveras dès demain en train de vendre des bananes à Hazratganj[1], compris ?

— Oui, monsieur. Désolé, monsieur. Je transfère tout de suite l'appel dans la chambre du président sahib.

— OK.

Bip. Bip. Bip.

— Quel est le salopard qui me dérange à une heure pareille ?

— Jagannath Rai, le ministre de l'Intérieur, va vous parler. Je vous mets en relation.

Bip. Bip. Bip.

— Allô, Maurya ?

— Bonsoir, monsieur. Bonsoir. Pourquoi vous être donné la peine d'appeler à cette heure-ci, monsieur ? Je me serais déplacé chez vous.

— Dites-moi, Maurya, ça fait combien de temps que vous êtes directeur général de la police ?

— Huit mois, monsieur.

---

1. Principal marché de Lucknow, capitale de l'Uttar Pradesh.

— Et qui vous a nommé à ce poste ?

— Vous, monsieur.

— Alors pourquoi me faites-vous regretter ma décision ?

— Com… comment, monsieur ? Que se passe-t-il ?

— Votre police a alpagué Mukhtar Ansari à Ghaziabad. Vous n'êtes pas sans savoir que Mukhtar est mon plus proche collaborateur. Comment avez-vous pu laisser faire une chose pareille ?

— C'est la première fois que j'en entends parler, monsieur. Il doit s'agir d'une opération locale.

— Menée par votre commissaire à Ghaziabad, un nommé Navneet Brar. C'est lui le responsable. Maintenant, écoutez mes instructions. Je veux qu'on relâche Mukhtar demain matin à la première heure. Et qu'on sanctionne Brar en interne pour insulte au ministre de l'Intérieur.

— Euh… si je puis me permettre, monsieur, pourquoi ne pas le muter, tout simplement ?

— OK. Dans ce cas, mutez-le à… à Bahraich. La belle vie à Ghaziabad lui est montée à la tête. Qu'il aille se calmer un peu dans un trou paumé !

— Monsieur, vos instructions seront exécutées sans délai.

— Parfait. Je savais que je pouvais compter sur vous, Maurya.

— Sauf votre respect, monsieur, puis-je aussi vous rappeler votre promesse de toucher deux mots à la direction pour que ma femme Nirmala puisse se représenter aux législatives dans la circonscription de Badaun ?

— Je n'ai pas oublié. Mais on a encore deux ans avant les élections à l'Assemblée de l'État.

— N'empêche, monsieur, il faut commencer les préparatifs bien à l'avance. Je puis vous assurer que Nirmala mettra toutes ses compétences au service du parti. C'est aussi mon cas, monsieur, sauf que je ne pourrai pas l'exprimer ouvertement tant que je porterai l'uniforme.

— Je sais, Maurya. Allez, retournez vous coucher.

— Bonne nuit, monsieur.

— Mukhtar ?

— Patron ? *As-salaam aleykum.* Merci de m'avoir fait sortir aussi vite. Maintenant, je vais pouvoir m'occuper de ce bâtard de commissaire.

— Certainement pas. Je l'ai déjà fait muter à Bahraich.

— Le fils de pute ! Il a de la chance d'être en vie.

— La fille, qui était-ce ?

— Personne que vous connaissiez, patron. Une gamine du quartier.

— Quand est-ce que tu apprendras, Mukhtar ? Si tu avais engrossé toutes les filles que tu as violées, la moitié de l'Uttar Pradesh serait peuplée de tes enfants illégitimes.

— Désolé, patron. Je ferai plus attention la prochaine fois.

— Maintenant, écoute-moi.

— Oui, patron.

— Un certain Pradeep Dubey menace de témoigner contre moi dans l'affaire du meurtre de Mustaqeem. Il faut le neutraliser. Et une fois que tu en auras fini avec lui, tu t'occuperas de son protecteur, Lakhan Thakur.

— Lakhan Thakur ? Le député de Saharanpur ?

— Oui. Pourquoi ? Ce boulot est trop dur pour toi ?

— Non, patron. Aucun boulot n'est trop dur pour moi. C'est juste que se débarrasser de Thakur risque d'être un peu plus compliqué. Il se déplace avec cinq gardes du corps.

— Tu n'as qu'à les éliminer tous. Viens à la maison demain, Tripurari te donnera du liquide.

— Je serai là. *Khuda hafiz*, patron.

— *Khuda hafiz.*

— Allô !

— Allô, puis-je parler à Prem Kalra ?

— Prem Kalra à l'appareil.

— Écoute-moi bien, fils de pute. Ici Jagannath Rai. Ceci est mon dernier avertissement. Un papier de plus contre moi dans le *Daily News*, et c'en est fait de toi et de ton torchon.

— Pareil langage ne sied guère au ministre de l'Intérieur de notre État.

— Tu crois qu'insulter quelqu'un est le privilège exclusif des journalistes ? J'ai longtemps toléré tes âneries, mais trop, c'est trop.

— Dites-moi au moins ce qui a provoqué votre courroux.

— Ton dernier article, dans lequel tu insinues que j'ai fait supprimer Pradeep Dubey. Comment peux-tu proférer une allégation aussi infondée, alors que la police a confirmé qu'il a été tué dans un accident de la route ? Je pourrais te traîner en justice pour diffamation.

— Ce n'est pas mon fait, Jagannathji. C'est Lakhan Thakur qui a lancé cette affirmation à la tribune de l'Assemblée. Je n'ai fait que la retranscrire.

— Et au passage, tu t'es fait le porte-parole de l'opposition. Combien Lakhan Thakur te paie-t-il ?

— Je ne fais pas ça pour de l'argent. C'est une façon de servir la société.

— Personne ne sert mieux la société que nous, les hommes politiques. Le moins qu'on puisse attendre en retour, c'est une certaine reconnaissance de la part des médias...

— Je ne puis promettre la reconnaissance, Jagannathji, mais je promets la réserve. Au revoir.

— Allô, la résidence du ministre de l'Intérieur ? Le ministre en chef sahib voudrait parler au ministre de l'Intérieur sahib.

— Mettez-le en relation.

— Non, c'est à vous de le mettre en relation. Le ministre en chef est au-dessus du ministre de l'Intérieur.

— OK, OK, ne vous fâchez pas. Je vous passe Bhaiyyaji.

(MUSIQUE.)

— Allô ?

— Allô, Jagannath ?

— *Namaskar*, ministre en chef sahib.

— Je fais l'objet d'une très forte pression, Jagannath.

— Qu'est-ce que c'est, encore ? Les poursuites contre moi ont été abandonnées.

— Ça concerne votre fils. La direction suggère que vous démissionniez à cause de l'implication de Vicky dans l'affaire du meurtre de Ruby Gill. S'il est condamné, l'image du parti en pâtira grandement.

— Pourquoi ? L'image du parti n'a pas souffert quand la direction m'a nommé ministre de l'Intérieur, malgré les trente-deux procès qui m'ont été intentés au pénal. Ai-je écopé d'une seule condamnation ? Non, *na* ? Alors pourquoi tant d'histoires pour une seule affaire de meurtre, surtout que le verdict n'a même pas été prononcé ?

— Il ne s'agit pas d'une affaire ordinaire, Jagannath. C'est devenu une sorte de cause nationale. Toutes les chaînes de télévision ne parlent que de ça.

— Ce sont les médias qui nous jugent, maintenant ? Vous êtes vous-même avocat, ministre en chef sahib. La règle de base de notre droit, c'est que tout accusé est présumé innocent jusqu'à preuve du contraire. Si les ministres devaient démissionner à la suite d'une simple inculpation, votre gouvernement se réduirait de deux tiers. Que mon fils soit condamné, ensuite on avisera.

— J'ai réussi à convaincre la direction de ne rien entreprendre avant les élections locales. Mais ce journaliste, Arun Advani, continue à faire des vagues. Avez-vous lu sa dernière chronique ? Il affirme que vous essayez d'acheter le juge. Ça nous fait une très mauvaise publicité.

— Qu'il écrive ce qu'il veut. C'est une bonne chose qu'aucun de nos électeurs ne lise l'anglais. Je disais justement au ministre de l'Éducation que nous devrions supprimer toutes les écoles privées anglaises dans notre État. L'enseignement devrait se faire uniquement en hindi. Si on supprimait le bambou, comment jouerait-on de la flûte ?

(Rires.)

— En urdu également. N'oubliez pas nos électeurs musulmans.

— Tout à fait, ministre en chef sahib. L'urdu est tout aussi important. D'ailleurs, j'ai décidé de rafraîchir mon urdu ces temps-ci. Iqbal Mian est en train de m'apprendre des poésies de Ghalib. Voulez-vous que je vous récite quelques strophes ?

— Non… non. Je dois aller à l'inauguration d'une école primaire. Rappelez-vous, Jagannath, jusqu'ici j'ai réussi à sauver votre tête, mais si Vicky est condamné, même moi je ne pourrai plus rien pour vous.

— Ne vous inquiétez pas. La question ne se posera pas.

— On se voit à la réunion du conseil demain.

— Oui. À demain, ministre en chef sahib.

— Allô, Rukhsana ?

— Je n'ai rien à te dire, *janaab*[1]. Je t'ai envoyé cinq cents textos, tu n'as pas répondu une seule fois.

— *Arrey*, comment veux-tu que je fasse ? J'ai été pris toute la journée par cette maudite réunion du Conseil du développement que le ministre en chef affectionne tant.

— Comment une réunion peut-elle durer toute une journée ?

— C'est simple, il suffit de remplir une salle de bureaucrates imbéciles qui radotent pendant des heures à propos de routes, ponts, écoles et orphelinats. Quelquefois, je me dis que j'ai eu tort de me lancer dans la politique. Quand je dois faire plusieurs centaines de kilomètres entre deux villages poussiéreux pour écouter patiemment des culs-terreux me demander de leur garantir l'arrivée de la mousson, signer d'interminables dossiers traitant de sujets qui ne me concernent en rien, je commence à comprendre le prix à payer pour faire ce métier.

— Tu n'as qu'à démissionner.

— Plus facile à dire qu'à faire. La politique est une vacherie, mais c'est comme gouverner. On râle, mais on ne peut pas envisager de vivre sans.

— Et moi ? Peux-tu envisager de vivre sans moi ?

— *Arrey*, tu es ma *nasha*, ma drogue. Écoute ces vers que j'ai composés en ton honneur :

Fatales, les affres de l'amour, mais impossible de m'en passer,
  Sans amour, ce cœur pleurerait de n'avoir rien à pleurer.

— *Waouh !* mais te voilà devenu poète ! On dirait que mon amour a fait de toi un vrai Majnun[2].

— En effet… *L'amour a fait de moi un bon à rien. Moi qui autrefois étais un homme utile.*

— Il n'y a pas à dire, *janaab*, aujourd'hui la poésie urdu jaillit de ta bouche comme les balles d'un fusil.

---

1. « Mon cher » en urdu.
2. Littéralement « le Fou », héros du poème d'amour oriental « Layla et Majnun ».

— Ne parle pas de balles, chérie. Voilà, c'est toujours la même histoire. Dès que j'essaie d'être un peu romantique, on ramène la conversation sur les armes à feu et ça gâche tout.

— Excuse-moi.

— Ce n'est pas grave. Dis-moi, ç'a été, ta journée ?

— Oui. Je suis allée à l'institut de beauté. Pour me faire épiler de la tête aux pieds. Plus un soin du visage. Ma peau est comme de la soie. Tu verras quand tu me toucheras.

— J'en meurs d'envie. Sumitra part pour Farrukhabad vendredi. Samedi je viens chez toi et je reste dormir.

— Pourquoi tu ne divorces pas ? Elle ne te cause que des tracas.

— Et mes enfants ne valent pas mieux. Mon fils a le don de se mettre dans le pétrin depuis qu'il est tout petit. Et ma fille refuse catégoriquement de se marier. Avec grande difficulté, j'ai réussi à la fiancer à un garçon très bien de notre propre caste, un Thakur, issu de la famille royale de Pratapgarh, mais elle ne cesse de repousser la date du mariage. Elle passe son temps à bavarder avec les fils et filles des balayeurs et des laveurs de linge qui habitent derrière chez nous. Ma pire crainte est qu'un jour elle décide de s'enfuir avec quelque vaurien et traîne ainsi notre nom dans la boue.

— Arrête de t'inquiéter pour quelque chose qui n'arrivera peut-être jamais.

— Guruji me dit la même chose. Toi et Guruji, vous êtes les seuls qui me compreniez.

— Mais toi, tu ne me comprends pas. Ça fait des mois que je te demande de m'emmener en voyage à l'étranger, et tu me refuses ce plaisir.

— *Arrey*, avec tout le pain que j'ai sur la planche, quand veux-tu que je trouve le temps de partir pour l'étranger ? C'est ça le problème, avec toi. Tu n'es jamais contente.

(Sanglot.)

— *Jaaneman*[1], je t'ai fait de la peine ? Allez, je t'embrasse.

(Bruit de baiser.)

— Papa ?

— Oui, Vicky.

---

1. « Chérie ».

— Alors, tout est réglé ?

— Oui. Mais j'ai demandé que le jugement soit reporté après le 15 février. C'est la date où, selon Guruji, se termine la période néfaste.

— Je n'ai donc pas à m'inquiéter ?

— Pas tant que je suis là. Mais as-tu songé au tracas que tu me causes ? Combien de fois encore devrai-je te sortir du pétrin ?

— Les papas sont là pour ça.

— Tu es un vrai fils de pute, tu le sais, hein, Vicky ?

— En principe, tu es mieux placé que moi pour le savoir, papa.

— Espèce de petit sal...

(CLIC.)

7

L'Américain

AUJOURD'HUI EST LE PLUS BEAU JOUR DE MA VIE. Meilleur même que le jour où Vince Young a transformé l'essai contre USC dans les dernières minutes du jeu pour offrir aux Longhorns leur plus grande victoire de toute l'histoire du Rose Bowl.

Je pars enfin en Inde. Pays des maharadjahs et du curry d'agneau. Terre d'éléphants et de kangourous. Et de la plus jolie fille du monde : Sapna Singh, qui dans quinze jours deviendra Mme Larry Page.

Je trouve ça top, les mariages indiens. L'autre jour, j'ai loué *Le Mariage des moussons*. J'adore leur façon de danser, et cette musique de ouf me rend dingue.

Ma mère croit dur comme fer au mariage. Elle-même en est à son quatrième. Mais elle n'était pas très chaude à l'idée de me voir épouser une Indienne. « Elles sont sales, elles sentent mauvais et elles parlent mal l'anglais ! » a été son verdict, jusqu'à ce que je lui montre les photos de Sapna. Depuis, elle crie sur tous les toits que son fils va se maquer avec Miss Univers.

Maman et moi, on est comme cul et chemise. C'est comme ça depuis que papa a mis les voiles, nous laissant seuls et tristes, et tellement pauvres qu'on n'avait même pas un pot pour pisser dedans. Après sa disparition, nous avons dû vendre le ranch et le bétail et nous installer dans une vieille caravane pourrie où nous avons vécu six ans, jusqu'à ce que maman épouse ce brave type des services sociaux et qu'on aille vivre chez lui, dans Cedar Drive. Je n'ai pas une très haute opinion de mon père. Je ne lui pisserais pas dessus s'il était en feu. Mais pas la peine de me mettre la rate au court-bouillon. Surtout le jour où je vais enfin rencontrer Sapna.

Comment j'ai connu la femme de mes rêves ? C'est une sacrée histoire. Je suis convaincu que tous les mariages se font au ciel. C'est Dieu qui décide qui va épouser qui, et quand. Du coup, il fabrique des gars genre mon ancien camarade de classe, Randy Earl, qui n'ont aucun mal à brancher les filles, et d'autres qui, comme moi, timides et tout, mettent un peu plus de temps. Je suppose que je suis né comme ça. Non pas que je sois moche ou désagréable à regarder comme Johnny Scarface, mon chef d'atelier. À tous les coups, sa mère devait lui attacher une côte de porc autour du cou pour que le chien joue avec lui. Je suis ordinaire. Un Monsieur Tout-le-monde, quoi. Je mesure un mètre soixante-sept, et Sandy, ma nièce de dix ans, dit qu'avec un visage plus rond, un nez plus petit, des cheveux un chouïa plus foncés et vingt-cinq kilos de moins, je ressemblerais trait pour trait à Michael J. Fox ! Mais pas de panique, je travaille à la fois ma taille et mon poids. J'utilise KIMI, l'appareil mis scientifiquement au point par le Dr Kawata, qui promet de me faire gagner sept centimètres en six mois seulement, et je prends régulièrement la poudre chinoise amincissante commandée sur home-shopping.com.

Bref, maman commençait à flipper grave de me voir toujours célibataire à vingt-huit ans ; elle se demandait déjà si je n'étais pas gay quand, grâce à International PenPals, tout a été réglé nickel chrome. Moyennant une cotisation de 39,99 dollars (payable en quatre fois, soit 9,99 dollars par versement), on m'a donné l'adresse de sept jolies filles qui voulaient devenir mes amies. Moi, je dis que le mieux est l'ennemi du bien. Imaginez, jongler avec sept nanas en même temps ! Elles étaient originaires d'un peu partout, y compris d'endroits dont je n'ai jamais entendu parler. Par ordre alphabétique, il y avait Alifa, d'Afghanistan ; Florese, du Timor oriental ; Jennifer, des îles Fidji ; Laïla, d'Iran ; Lolita, de Lettonie ; Raghad, du Kosovo ; et Sapna, d'Inde. J'ai écrit à toutes en me présentant et en leur demandant de me répondre. Et elles ont répondu toutes les sept. Il y avait juste un petit problème. Trois d'entre elles avaient plutôt du mal avec l'anglais. Enfin, je veux dire, c'est difficile de correspondre avec quelqu'un qui vous écrit : « Chere Larry, boevoie bonjour à toi aussi. Mare fioggicku je veux lioxi ple. Amerika biene pour y vi. Bizes. » Certaines lettres étaient… ben… très déroutantes. Les filles d'Afghanistan, du Timor oriental et d'Iran ne parlaient que des problèmes politiques dans leurs pays. Celle des Fidji m'a demandé d'entrée de jeu mon numéro de carte bancaire. J'ai trouvé ça un peu trop direct. La fille de Lettonie était plus modeste : « Bonjour, Larry. Je suis Lolita, écrivait-elle. J'ai seize ans. Je voudrais qu'on soit amis. Appelle-moi au 011 371 7521111. » Un peu jeune pour moi, mais bon, on ne juge pas de la profondeur d'un puits d'après la longueur du manche de la pompe. J'ai donc appelé Lolita. À mon avis, elle devait faire une grosse crise d'asthme, parce que tout ce que j'ai eu au bout du fil, ç'a été une respiration rauque pendant… disons, cinq minutes. J'ai flippé quand j'ai reçu ma facture de téléphone et découvert que cet appel m'avait coûté 57,49 dollars. Ç'a été la fin de mon amitié avec Lolita. Au bout du compte, il ne me restait plus que l'Indienne, Sapna Singh. Elle m'a écrit une trop belle lettre pour me raconter sa lutte courageuse contre la cruauté et l'oppression. Elle était tellement pauvre qu'elle n'avait même pas le téléphone. J'en ai eu les larmes aux yeux ; ça m'a rappelé mes propres galères pour devenir le meilleur cariste du Texas. Je lui ai écrit, elle m'a réécrit. Deux mois plus tard, on a échangé nos photos. Jusquelà, j'avais considéré Tina Gabaldon, Miss Hooters International 2003, comme la plus canon de toutes les pouliches de l'écurie. Mais un coup d'œil sur la photo de Sapna m'a fait comprendre mon erreur. C'était la plus belle fille de l'univers, je suis tombé raide amoureux d'elle.

Prenant mon courage à deux mains, je l'ai demandée en mariage en juin dernier. Incroyable mais vrai, elle a accepté. J'étais plus heureux qu'un coq dans un poulailler. Je me suis mis au hindi. Elle s'est mise aux brownies, mon dessert préféré. Nous avons fixé la date du mariage en Inde. Elle a demandé cinq mille dollars pour commencer les préparatifs. Je suis pauvre comme un rat d'église mais j'ai mendié, gratté, économisé et je lui ai expédié le mandat. Il y a trois semaines, elle m'a envoyé notre faire-part. Et maintenant, me voilà en route pour New Delhi où m'attend la femme de mes rêves.

— B'jour, tout le monde ! ai-je dit aux deux jolies hôtesses de l'air de United Airlines qui m'ont accueilli à bord de l'avion.

Il était immense, cet avion, presque aussi grand que le cinéma Starplex à Waco. Une autre hôtesse, grande elle aussi, m'a indiqué mon siège, le 116B. C'était l'une des meilleures places, tout au fond, et – détail pratique – juste à côté des waters.

J'ai posé mon sac à mes pieds et je me suis assis. Franchement, c'était mon jour de chance. J'étais au milieu, entre une blonde côté hublot et un gars basané de type indien, avec un tee-shirt Hilfiger rouge et une casquette des Dodgers.

La blonde lisait un magazine qui s'appelait *Time*.

— 'scusez-moi, m'dame.

J'ai soulevé mon chapeau et je lui ai tapoté le bras.

— Où c'est que vous allez ?

Elle s'est reculée, on aurait cru que j'avais la varicelle, et m'a jeté un regard à donner envie de câliner un porc-épic. Je me suis tourné vers le jeune, à ma gauche, qui avait l'air plus causant.

— Alors, ça boume ?

Il m'a regardé comme une poule qui a trouvé un couteau.

— Pardon, que dites-vous ?

Visiblement, ce gars-là n'était pas du Texas.

— *Aap kehse hain*[1] ? ai-je demandé avec mon meilleur accent hindi.

— Ça va très bien, a-t-il répondu en anglais.

— *Kya aap bhi India jaa rahe hain*[2] ?

— Dites, pourquoi vous baragouinez dans cette langue bizarre ? Je ne parle pas hindi.

— Mais… mais vous êtes indien ! ai-je bredouillé.

— Erreur, man. Je suis américain.

Il a sorti un passeport bleu de sa poche de devant.

— Vous voyez l'aigle d'Amérique sur la couverture ? C'est américain, man.

— Oh !

Je me suis tu.

Avant le décollage, l'hôtesse a fait quelques mouvements de gym et nous a montré une vidéo avec les consignes de sécurité. J'ai essayé de mémoriser les instructions sur la carte dans la poche du siège de devant, mais aucun autre passager ne semblait se soucier de ce qui arriverait si notre avion tombait dans l'eau. Et puis, soudain, nous étions dans les airs.

---

1. « Comment allez-vous ? »
2. « Vous aussi vous allez en Inde ? »

L'hôtesse est revenue au bout d'un moment avec un chariot métallique plein de canettes et de bouteilles.

— Que désirez-vous boire, monsieur ? m'a-t-elle demandé gentiment.

— Un Coca, s'il vous plaît.

— Désolée, monsieur. Nous n'avons plus de Coca. Un Pepsi, ça vous va ?

J'ai hoché la tête.

— Ouais, c'est du Coca aussi. Je vous dois combien ?

— C'est gratuit, monsieur, a-t-elle répondu en souriant.

L'Indien m'a regardé avec curiosité.

— C'est la première fois que vous prenez l'avion ?

— Ouais.

J'ai tendu la main.

— On s'est dit bonjour, mais on s'est pas présenté. Salut, je suis Larry Page.

— Larry Page ?

Il avait l'air impressionné.

— Savez-vous que vous vous appelez comme l'inventeur de Google ?

— Oui, tout le monde me dit ça. Google, c'est un truc d'infor-matique, hein ?

— Exact. Un moteur de recherche sur internet.

— Johnny Scarface, mon chef d'atelier, il passe son temps sur son ordinateur. Mais moi, internet, je n'y pige rien.

— Pas de problème.

Il m'a serré la main.

— Ravi de vous rencontrer, Larry. Mon nom est Lalatendu Bidyadhar Prasad Mohapatra, Biddy pour les intimes.

— Et qu'est-ce que vous faites, Biddy ? Vous avez une tête d'étudiant.

— Oui, je suis en deuxième année à l'université de l'Illinois ; je compte me spécialiser en microélectronique et nanotechnolo-gie. Et vous, que faites-vous ?

— Cariste à l'hypermarché Walmart de Round Rock, Texas. C'est sur la I-35, sortie numéro 251. Le jour où vous passez par là, venez me dire bonjour. Ça me fera plaisir. Je pourrai même vous avoir une ristourne de cinq pour cent.

La glace entre nous était brisée. Dix secondes plus tard, nous bavardions comme deux vieux copains à une réunion d'anciens élèves. Biddy m'a raconté le projet sur lequel il était en train de bosser… des conducteurs sous-refroidis, un truc comme ça. Et moi, je me suis retrouvé à lui parler de mon voyage en Inde et de Sapna.

— Votre fiancée, a-t-il dit, a l'air d'être une fille très bien.

— Vous voulez que je vous montre sa photo ?

— OK.

J'ai pris mon sac et retiré avec précaution l'enveloppe kraft pleine de photos de Sapna dans tout un tas de tenues différentes. Et j'ai guetté la réaction de Biddy pendant qu'il les feuilletait. Comme je m'y attendais, les yeux lui sont sortis de la tête.

— C'est Sapna Singh, dites-vous ? a-t-il demandé après un bon moment.

— Oui.

— Vous l'avez déjà rencontrée ?

— Non. Mais elle vient me chercher à l'aéroport de New Delhi.

— Elle vous a pris cinq mille dollars pour le mariage ?

— Oui. Elle ne pouvait pas faire autrement. Sa famille n'est pas riche.

— Et vous croyez que vous allez épouser cette fille-là ?

— Bien sûr. Dans deux semaines, le 15 octobre. Tout est déjà prêt, y compris un beau cheval blanc ! Je vous le dis, Biddy, j'ai vraiment de la veine !

Il a pincé les lèvres.

— Désolé, man, mais vous vous êtes fait avoir.

— Comment ça ?

— La fille sur les photos n'est pas Sapna Singh, ne peut pas être Sapna Singh.

— Mais pourquoi ? ai-je demandé, perplexe. Vous la connaissez ?

— Tous les Indiens la connaissent. C'est la célèbre actrice Shabnam Saxena. J'ai un poster d'elle dans ma piaule.

— Non, non. C'est ma fiancée. L'autre, Shabnam, doit lui ressembler, voilà tout.

Biddy m'a regardé comme Johnny Scarface quand je lui demande une augmentation.

— Il… il doit y avoir une erreur, ai-je hasardé.

— Il n'y a pas d'erreur, a-t-il rétorqué, catégorique. Ce sont les photos de Shabnam Saxena. Je suis même certain que l'une d'elles est extraite du film *La Fille du gang*, qui a été un gros succès. Ne m'en veuillez pas de citer un proverbe indien, Larry, mais, comme on dit chez nous : « *Nai na dekhunu langala.* – On ne s'apprête pas à se baigner tant qu'on n'a pas vu la rivière. »

J'ai eu l'impression que l'avion plongeait soudain en piqué. Étourdi, je me suis cramponné à l'accoudoir.

J'ai arraché l'enveloppe des mains de Biddy.

— Vous racontez n'importe quoi, vous ! Des conneries plus grosses qu'un éléphant obèse !

Et je ne lui ai plus parlé pendant le reste du vol.

Au fond de moi, j'avais envie de pleurer.

LES MOBILES

« Ne jugez jamais les actes d'un homme
sans connaître ses mobiles. »

ANONYME

8

La possession de Mohan Kumar

MOHAN KUMAR ÉMERGE DU SIRI FORT AUDITORIUM à onze heures du soir, l'épaule endolorie, avec une migraine épouvantable. Une fois dehors, il cille, stupéfait, devant le spectacle qui s'offre à lui. On se croirait après un bombardement. Le sol est jonché de vêtements, chaussures, chaussettes, sacs et bobines de fil électrique. Un silence de mort règne alentour. Les caméras de télévision et les hordes de protestataires ont été remplacées par un cordon de police et des agents à la mine lugubre ; ils lui font signe de passer le grand portail métallique qui a été arraché de ses gonds.

Il se dirige en titubant vers le parking où l'attend sa Hyundai Sonata, solitaire, au milieu des jeeps aux gyrophares rouge et bleu.

Un homme efflanqué, avec une fine moustache, se précipite vers lui.

— Sahib, vous êtes là ! crie-t-il, visiblement soulagé. Il paraît qu'il y a eu un meurtre à l'intérieur. Vous auriez dû voir la ruée. Deux personnes sont mortes dans la bousculade. Vous allez bien, Sahib ?

— Mais oui, Brijlal, répond Mohan Kumar d'un ton sec. Où est Rita ?

— Je l'ai vue partir avec une dame dans une Mercedes noire.

— Bizarre, dit-il avec une moue. Elle aurait dû m'attendre. Bon, allons-y.

Le chauffeur s'empresse d'ouvrir la portière arrière gauche. Mohan Kumar s'apprête à monter quand il remarque quelque chose juste sous la poignée.

— Qu'est-ce que c'est, Brijlal ? D'où vient cette grosse rayure ?

91

Brijlal examine la portière d'un air perplexe.

— Ça doit être un agent avec sa matraque. Désolé, Sahib. J'avais laissé la voiture pour partir à votre recherche. Je vous demande pardon.

Il baisse les yeux.

— Combien de fois devrai-je te pardonner, Brijlal ? fulmine Mohan Kumar. Tu négliges de plus en plus ton travail. Peut-être que si je retire le prix de la réparation de ton salaire, tu feras plus attention.

Brijlal ne dit rien. Il est habitué au caractère irascible de Sahib, bien connu dans tout l'Uttar Pradesh.

Depuis vingt-sept ans qu'il est au service de Mohan Kumar, il le traite avec le même mélange de déférence et de dévotion qu'il réserve au seigneur Hanuman. Dans son univers à lui, Mohan Kumar est l'égal d'un dieu, un patron puissant qui détient la clé de son bonheur et de son bien-être. C'est Sahib, après tout, qui lui a trouvé son premier job à l'agence d'électricité de l'État. Ensuite, il lui a obtenu une promotion comme employé à la coopérative sucrière de l'État. C'est Sahib qui l'a poussé à apprendre à conduire, moyennant quoi il a été embauché comme chauffeur à la Secrétairerie de Lucknow, un travail non seulement mieux payé, mais qui comportait aussi des heures supplémentaires. Pendant vingt ans il a conduit la voiture de fonction de Mohan Kumar, une Ambassador blanche. Il y a six mois, quand Mohan a pris sa retraite, Brijlal, qui avait encore trois ans à tirer, a pris lui aussi une retraite anticipée pour devenir son chauffeur personnel, ultime acte de dévotion envers son Sahib.

Ce départ à la retraite, Brijlal le considère comme un geste stratégique. Il est persuadé que Sahib peut encore beaucoup pour lui et sa famille. Il y a une dernière faveur, en particulier, qu'il attend de lui : un poste dans l'administration pour son fils Rupesh. Brijlal croit dur comme fer que le titre de fonctionnaire et la sécurité d'emploi qui va avec sont la panacée pour tous les problèmes des pauvres. Son rêve, c'est que Rupesh entre comme chauffeur au service du gouvernement de Delhi. Mohan Kumar a promis de l'aider, une fois que Rupesh aurait son permis. Un poste de fonctionnaire pour son fils, et un parti convenable pour sa fille de dix-neuf ans, Ranno, c'est tout ce que souhaite Brijlal, la somme globale de ses rêves et désirs. Et pour atteindre cet objectif il est prêt à supporter avec joie les insultes et récriminations de son Sahib.

— Alors, tu vas rester planté là comme un imbécile ou bien tu me ramènes à la maison ? lance Mohan Kumar en se glissant sur la banquette arrière.

Brijlal referme la portière et s'installe au volant. Avant de mettre le moteur en marche, il coupe son téléphone portable. Sahib, ça l'énerve prodigieusement quand il sonne pendant que Brijlal conduit.

L'auditorium disparaît dans le rétroviseur. Mohan Kumar regarde fixement par la vitre. Une lune spectrale baigne d'une pâle clarté les sommets des buildings. Le trafic est moins dense à cette heure-là ; même les bus se font rares. Ils arrivent à la maison en moins de vingt minutes. Lorsque la voiture franchit le portail en fer forgé du 54 C Aurangzeb Road, le cœur de Brijlal se gonfle de fierté.

La résidence de Mohan Kumar est une imposante villa néocoloniale à deux étages, avec une façade en marbre blanc, un portique treillissé et une magnifique pelouse ornée d'un belvédère. Il y a aussi les communs, avec trois logements réservés aux domestiques : Brijlal et les siens, Gopi le cuisinier et Bishnu le jardinier. Mais ce qui transporte le plus Brijlal, c'est le montant du loyer, qu'on dit s'élever à quatre cent mille roupies par mois. Rien que d'y penser, il a la chair de poule. Pour lui, c'est le sommet de la réussite et le fondement pratique de ses exhortations à Rupesh : « Travaille dur, mon fils, et un jour tu pourras devenir comme Sahib. Alors, toi aussi tu auras une maison dont le loyer mensuel représente huit ans du salaire de ton père. »

L'épouse de Mohan Kumar, Shanti, attend sous le portique, vêtue d'un sari en coton rouge. C'est une petite femme entre deux âges, avec des cheveux grisonnants qui la font paraître plus vieille qu'elle ne l'est. Son visage d'ordinaire avenant est déformé par l'angoisse.

— Dieu merci, tu es là ! s'écrie-t-elle quand la voiture s'arrête. J'étais morte d'inquiétude depuis que Brijlal m'a appris que tu te trouvais dans cette salle.

Mohan lance à son chauffeur un regard noir.

— Je t'ai dit et répété, Brijlal, de ne pas divulguer mon emploi du temps au tout-venant. Qu'est-ce qui t'a pris d'appeler Shanti ?

— Pardon, Sahib.

À nouveau, Brijlal baisse les yeux.

— J'étais vraiment inquiet pour vous. J'ai cru bien faire en prévenant Bibiji.

— Si jamais tu recommences, gare à ta peau.

Il claque la portière de la voiture et s'engouffre dans la maison, Shanti sur ses talons.

— Pourquoi es-tu allé dans cet horrible endroit ?

— Ça ne te regarde pas, rétorque-t-il avec brusquerie.

— Tout ça, c'est l'œuvre de cette sorcière, marmonne Shanti. Je ne sais pas comment elle a fait pour t'ensorceler.

— Écoute, Shanti…

Il lève l'index.

— On a déjà eu plusieurs fois cette discussion. Ça ne sert à rien de te tourmenter. Gopi a-t-il monté de la glace et du soda dans ma chambre ?

— Oui, soupire-t-elle, résignée à accepter un mariage imparfait. Que faire si tu es décidé à en finir avec ton foie ? Va boire tout ton soûl.

— C'est bien mon intention.

Et il s'engage dans l'escalier qui mène à l'étage.

Presque trois semaines passent. L'incident à l'auditorium n'est plus pour Mohan Kumar qu'un lointain souvenir. La vie reprend son cours : il assiste à des réunions, étudie des projets, conseille des clients. Une nouvelle entreprise sollicite ses services de consultant ; il accepte. Il joue au Delhi Golf Club le dimanche et passe deux après-midi par semaine chez sa maîtresse. Il se force à croire que tout est normal, sans réussir à chasser le doute qui le ronge insidieusement. Comme une image floue qui tente d'acquérir une forme précise, le doigt de la mémoire qui cherche à percer la barrière de la conscience. La nuit, il se tourne dans tous les sens, il a du mal à trouver le sommeil. Il se réveille au pied de son lit un matin, dans la salle de bains un autre, et ne se souvient absolument pas de la manière dont il est arrivé là. En pleine réunion, il s'interrompt au beau milieu d'une phrase : les mots frétillent sur le bout de sa langue, tout en restant hors de portée. Couché dans le lit de Rita, il a soudain l'impression d'être un animal gros et vieux, et en perd tout désir. Il sait que quelque chose ne va pas mais n'arrive pas à mettre le doigt dessus.

Il va consulter son généraliste, mais le Dr Soni, le médecin de famille, ne lui trouve rien de particulier.

— Vos constantes physiologiques sont bonnes, Mohan. L'IRM est parfaitement normale. À mon avis, il s'agit d'un simple syndrome de stress post-traumatique.

— C'est quoi, ça ?

— Quand on subit un traumatisme, comme assister à un meurtre en direct, le cerveau essaie de gérer le choc psychologique. Cela peut entraîner des symptômes genre cauchemars, réminiscences ou insomnie. Je vais vous prescrire des somnifères. D'ici une semaine, ça ira mieux.

Quatre jours plus tard, tandis que Mohan prend son petit déjeuner, Brijlal entre dans la cuisine, où Shanti est occupée à fouetter du yaourt. Il lui touche les pieds.

— Bibiji, j'ai besoin de votre bénédiction. Un garçon est venu voir ma fille hier.

— Alors comme ça, Ranno va se marier ? demande Shanti, agréablement surprise.

— Oui, Bibiji. Ce garçon est lui aussi de Delhi, il appartient à notre caste et, qui plus est, il est fonctionnaire échelon quatre : il travaille comme préposé aux chemins de fer. Son père est préposé comme lui. J'espère seulement qu'ils n'exigeront pas une trop grosse dot. Je leur ai fait ma meilleure offre. On va voir s'ils acceptent ou non.

— Je suis sûre que tout se passera très bien.

Après un rapide coup d'œil pour vérifier si Mohan est toujours assis à la table du déjeuner, Shanti chuchote à Brijlal :

— Aujourd'hui ton Sahib va chez cette sorcière, Rita, n'est-ce pas ?

— Oui, Bibiji, répond Brijlal, grimaçant nerveusement.

Il se sent quelque peu coupable.

— Garde un œil sur Sahib, veux-tu ? Veille à ce qu'il mange et boive correctement. Je m'inquiète pour sa santé. Il n'est pas dans son assiette, ces temps-ci.

— Oui, Bibiji, acquiesce Brijlal. Même moi, je trouve son comportement bizarre, quelquefois.

— Si seulement il n'avait pas rencontré Rita, dit Shanti avec amertume. J'ai parfois envie d'aller la voir pour lui demander pourquoi elle s'acharne tant à briser ma famille.

— Ne vous abaissez pas à lui parler, Bibiji. Au royaume de Dieu, la justice tarde peut-être à venir, mais elle existe. Vous verrez, elle finira par être punie.

— Puisses-tu dire vrai, Brijlal.

Shanti regarde brièvement le plafond et retourne à sa tâche.

Le bureau de Mohan se trouve dans un immeuble d'un gris déprimant à Bhikaji Cama Place, chaos de boutiques et de locaux professionnels. Trouver une place de stationnement est pour Brijlal un casse-tête quotidien. Aujourd'hui, il est obligé de se garer dans une ruelle étroite derrière le bureau des passeports. Une fois la voiture verrouillée, il musarde, bavarde avec les autres chauffeurs, joue au rami, se plaint des prix qui grimpent, du moral en berne. À midi, il reçoit un appel sur son téléphone portable. C'est le père du garçon : il est d'accord pour que son fils épouse Ranno et demande vingt-cinq mille roupies de dot supplémentaires.

— J'accepte, dit Brijlal.

Et il se précipite vers le temple le plus proche.

Mohan quitte son bureau à trois heures précises pour aller retrouver sa maîtresse. Sitôt qu'il monte dans la voiture, Brijlal lui offre une boîte de bonbons.

— C'est en quel honneur, Brijlal ? demande-t-il en souriant.

— Grâce à votre bénédiction, Sahib, j'ai réussi à trouver un excellent parti pour ma fille Ranno.

— Tant mieux. Shanti m'a dit que tu cherchais un garçon.

— Il travaille dans l'administration, Sahib. On a juste un problème.

— Oui ? dit Mohan, méfiant.

— Ils réclament trente mille de plus pour la dot. Je me demandais, Sahib, si vous ne pourriez pas me prêter cet argent.

Mohan secoue la tête.

— Brijlal, je t'ai déjà versé quinze mille comme avance sur salaire. Je n'ai pas les moyens de te donner plus.

— Dieu vous a comblé, Sahib. Je ne demande pas grand-chose.

— Ce ne serait pas te rendre service. Pourquoi, vous autres, dépensez-vous tant d'argent pour un mariage, hein ? Il n'y a rien dans votre garde-manger, mais quand il s'agit de marier vos filles, vous voulez absolument singer les riches. Je ne veux plus que tu me déranges. J'ai un rapport à lire.

Il ouvre son attaché-case et en sort un dossier avec une reliure à spirale. La mine de Brijlal s'allonge.

Du côté de Vasant Vihar, la voiture est momentanément bloquée par un petit cortège nuptial. Une fanfare débraillée ouvre la marche ; les trompettes désaccordées beuglent une musique de film. Les vingt et quelques convives sont mal fagotés ; certains même portent des pantoufles. Le marié, l'air anémique, vêtu d'une sorte de pourpoint aux couleurs criardes, trône sur un cheval aussi anémique que lui. Brijlal toise la procession avec le mépris que les pauvres réservent aux plus pauvres qu'eux. Le mariage de sa fille sera fastueux, pense-t-il. Il se débrouillera pour trouver les vingt-cinq mille roupies, après quoi il demandera à Sahib de réserver le Club des officiers dans Curzon Road. Il y aura une fanfare en uniforme, ainsi qu'un chanteur. Des plantons formeront une haie d'honneur, une lampe Petromax à la main pour illuminer la nuit. Il voit d'ici le cortège du marié franchissant le portail du saint des saints. L'entrée du Club brille comme un palais. Le son mélodieux de la flûte *shehnai* s'élève dans les airs. À l'intérieur, l'élégant chapiteau embaume le jasmin et le souci. Les invités s'émerveillent devant tant de luxe et de raffinement. Le père du marié secoue la tête.

— Où nous as-tu conduits, Brijlal ? Est-ce la bonne adresse ?

— Oui, dit-il. C'est la bonne adresse. C'est ici que ma Ranno va épouser votre fils. Tout ça grâce à la bénédiction de mon Sahib. Le voici.

Et il désigne Mohan Kumar, l'allure princière dans son habit crème et son turban rose. Sur ce, la fanfare se met à jouer, mais curieusement, Sahib lui hurle :

— Regarde où tu vas, espèce de crétin… stoooooop !

La grosse trompette lui mugit presque au visage, lui crève les tympans et l'assomme.

Lorsqu'il émerge de sa rêverie, il est trop tard. Sa tête repose sur le volant, la voiture est encastrée dans un réverbère plié selon un angle impossible. Une petite fissure en étoile orne le pare-brise. Ses doigts touchent quelque chose de gluant sur le volant. Il lève le nez, jette un œil dans le rétroviseur et voit un filet de sang dégouliner au coin de sa bouche. Il s'est coupé la lèvre. Il secoue vigoureusement la tête, comme pour s'éclaircir les idées, et descend inspecter les dégâts. C'est l'avant de la Hyundai qui a tout pris. Il y a une profonde entaille dans le pare-chocs, à l'endroit où la tôle a été froissée. Il soupçonne que le radiateur a été touché aussi.

Brijlal se met à grelotter. En vingt ans de conduite, c'est la première fois qu'il commet une erreur pareille. Il est un homme fini. Cette fois, Sahib aura sa peau. Cet accident sonne le glas de sa carrière de chauffeur de maître, de ses rêves de marier Ranno et de trouver un poste de fonctionnaire à Rupesh.

Soudain, il aperçoit Mohan Kumar sur la banquette arrière, immobile, les yeux clos, presque sans vie. Son premier réflexe est de prendre la fuite, d'embarquer sa femme, Rupesh et Ranno et de foncer à la gare. Il sautera dans le train de Lucknow pour regagner le village de ses ancêtres où il se terrera quelques semaines, en attendant que l'orage soit passé. Puis il ira s'installer dans une autre ville, se trouvera un autre job, cherchera un autre fiancé à sa fille.

Mais toute la noce est déjà massée autour de la voiture. Le trompettiste lui touche le bras :

— Qu'est-ce qui s'est passé ?

Le marié descend de son cheval et entreprend d'examiner la voiture. Surgit un agent en sueur qui se fraie un passage avec sa matraque en criant :

— Dégagez ! Dégagez !

Brijlal se glisse vers la périphérie du cercle de badauds mais n'arrive pas à détacher les yeux de Mohan Kumar. Il voit le marié ouvrir la portière et lui asperger le visage d'eau minérale. Sahib remue et grimace de douleur.

— Où suis-je ? demande-t-il d'une voix faible.

— Dans votre voiture, à côté du poste de police de Vasant Vihar, lui explique l'agent. Vous avez eu un accident. Voulez-vous que j'appelle une ambulance ?

— Un accident ?

Mohan se redresse, chancelant, et sort de la voiture.

C'en est trop. Brijlal fend la foule et tombe à ses pieds.

— Je suis désolé, Sahib. Pardonnez-moi, je vous ai causé un grave préjudice.

Il sanglote comme un petit garçon.

Mohan le relève par l'épaule. Brijlal ferme les yeux, serre les paupières, s'attendant à une bonne gifle, au lieu de quoi il sent Mohan essuyer doucement ses larmes du bout du doigt.

— Qui êtes-vous ?

— Je suis Brijlal, Sahib. Votre chauffeur.

— Il a perdu la mémoire ? demande au marié l'agent de police.

— Non. Ma mémoire est en parfait état, répond Mohan.

Il dévisage l'agent avec attention.

— N'est-ce pas vous qui m'avez frappé avec une matraque ?

— Moi, vous avoir frappé ? Avez-vous perdu la tête ? C'est la première fois que je vous vois.

— L'emploi de la force brutale n'est pas une bonne chose. Surtout de la part d'un gardien de la paix.

— Ton Sahib, il a disjoncté ou quoi ?

L'agent regarde Brijlal d'un air interrogateur.

— Tout ça, c'est ma faute, se lamente le chauffeur.

— Ce n'est pas ta faute, Brijlal, dit Mohan. Chaque catastrophe porte en elle un dessein divin. Vois, s'il te plaît, si la voiture est toujours en état de marche ou s'il faut chercher un taxi.

Brijlal ne sait pas s'il doit rire ou pleurer.

— Oui, bien sûr, Sahib, acquiesce-t-il entre deux sanglots.

Il s'installe au volant. Les mains tremblantes, il tourne la clé de contact et, à sa surprise, le moteur se met à ronronner paisiblement. Il fait une marche arrière, la voiture freine et bondit sur la chaussée.

— C'est bon, Sahib ! crie-t-il.

Les badauds commencent à se disperser, leur intérêt pour la voiture étant proportionnel aux dégâts subis.

Brijlal ouvre la portière, et Mohan monte à l'arrière.

— Peux-tu avoir la gentillesse de me dire où nous allons ?

— Chez Rita Sethi.

— Qui est-ce ?

— Ça vous reviendra, Sahib, une fois que vous la verrez.

Mohan Kumar descend devant chez Rita l'air totalement perdu. Brijlal le guide jusqu'à l'appartement du premier, appuie sur la sonnette et, penaud, retourne à la voiture.

Rita ouvre la porte, vêtue d'une chemise de nuit rose. Mohan est subjugué par les effluves capiteux de son parfum.

— Tu es en retard, chéri, dit-elle d'une voix traînante.

Et elle tente de l'embrasser sur la bouche.

Mohan Kumar recule comme s'il venait de se faire piquer par une abeille.

— Non... non. S'il vous plaît, ne me touchez pas.

— Qu'est-ce qui t'arrive ?

Rita hausse les sourcils.

— Qui êtes-vous, au juste ?

— Ah ! s'exclame-t-elle en riant. Allez, fais comme si tu ne me connaissais pas.

— En effet, je ne vous connais pas. C'est mon chauffeur qui m'a amené ici.

— Je vois, dit Rita avec une politesse exagérée. Eh bien, monsieur Kumar, je m'appelle Rita Sethi. Il se trouve que je suis votre maîtresse et que vous venez chez moi deux fois par semaine pour coucher avec moi.

— Coucher avec une femme ! Oh, mon Dieu !

— Ça devient lassant, Mohan. Arrête un peu ton cirque.

— Voyez-vous... voyez-vous, mademoiselle Sethi, j'ai fait le vœu de *brahmacharya*, impliquant le célibat absolu. Je ne puis avoir de rapports avec une femme.

— Tu t'es inscrit dans une troupe de théâtre ou quoi ? s'énerve Rita. Pourquoi joues-tu à parler comme le mahatma Gandhi ?

— Mais je *suis* Gandhi.

— Gandhi ?

Elle éclate de rire.

— Ça ne me déplairait pas d'être considérée comme la maîtresse de Gandhi.

— En fait, j'aurais dû vous l'expliquer depuis longtemps, mais il y a sept péchés sociaux, Ritaji, dit-il en rougissant légèrement. La Politique sans les Principes, la Fortune sans le Travail, le Savoir sans la Personnalité, les Affaires sans la Moralité, la Science sans l'Humanité, le Culte sans le Sacrifice et la Jouissance sans la Conscience.

Il compte sur ses doigts.

— Le dernier s'applique à la relation entre un homme et sa maîtresse. J'espère que vous saisissez la signification de ce que je vous dis là.

— Oh oui, je saisis très bien. Ça signifie le sexe sans l'amour. Tu t'es servi de moi pendant tout ce temps sans m'aimer réellement. Maintenant tu en as assez et tu veux me quitter, d'où toute cette mise en scène, dit Rita avec amertume. Parfait. Quitte-moi. Un sale égoïste, voilà ce que tu es, préoccupé seulement de ta propre personne. Je ne sais pas pourquoi j'ai perdu mon temps avec un conard pareil. Fiche le camp !

Elle indique la porte ouverte.

— Avant de partir, me permettrais-je un autre conseil ? Puis-je vous recommander la pratique de l'abstinence ? L'abstinence est l'une des plus grandes disciplines, sans laquelle l'esprit ne peut atteindre à la rigueur.

Rita le regarde, bouche bée. Son visage s'assombrit.

— Espèce de porc, siffle-t-elle.

Et elle le gratifie d'une gifle magistrale sur la joue gauche.

Mohan Kumar recule en titubant ; son épaule heurte le chambranle.

— Ceci était totalement superflu, marmonne-t-il en se frottant la joue. Néanmoins, si ça vous chante, vous pouvez exercer vos instincts violents également sur ma joue droite.

Il tourne la tête.

Rita le catapulte littéralement dans l'escalier.

— Bon débarras, monsieur Mohan Kumar ! crie-t-elle avant de claquer la porte.

— Erreur, ma chère. C'est Mohandas Karamchand Gandhi, l'entend-elle dire, tandis qu'il descend pesamment les marches.

— Que s'est-il passé, Sahib ? demande Brijlal. Vous êtes sorti très vite aujourd'hui.

— Nous ne remettrons plus jamais les pieds ici, Brijlal.

— C'est Bibiji qui va être heureuse.

— Qui est Bibiji ?

— Votre femme.

— Ma femme ? J'ai une femme ?

Mohan Kumar erre à travers sa maison comme un amnésique qui chercherait à recoller les morceaux épars de son passé. La première personne qu'il rencontre est Shanti, radieuse et exubérante comme une jeune mariée.

— Brijlal vient de me dire que tu as rompu avec cette sorcière, Rita. Est-ce vrai ?

— Oui. Je ne retournerai plus chez Mlle Rita Sethi.

— Attends une minute.

Shanti disparaît dans l'arrière-cuisine reconvertie en temple et revient, une soucoupe en inox à la main.

— Je vais faire une petite prière.

Du médius, elle lui badigeonne le front avec une pincée de mixture vermillon.

Mohan a l'air intrigué.

— C'est pour quoi faire ?

Elle rougit.

— Pour reprendre notre vie conjugale de zéro à partir d'aujourd'hui.

Il a un mouvement de recul.

— Sache, Shanti, que j'ai fait vœu de célibat absolu. Je te prie donc de ne pas t'attendre à ce que je me comporte en homme marié.

— Tu peux dormir dans ta propre chambre, dit-elle posément. Que l'ombre de cette sorcière ne plane plus sur notre foyer me suffit largement. Il y a une justice, au tribunal de Dieu, tout compte fait.

Il lève un doigt docte.

— Désormais, j'entends consacrer ma vie à combattre l'injustice. La vérité sera mon enclume, la non-violence mon marteau.

— *Arrey*, quelle mouche t'a piqué ? On croirait entendre Gandhiji.

— Dans ce cas, ça ne t'ennuie pas que je t'appelle Ba ?

— Appelle-moi comme tu voudras. Du moment que tu n'appelles plus jamais cette sorcière.

Mohan Kumar entame une nouvelle existence ascétique. Tous les matins, il s'assoit au temple pour prier et chanter des *bhajans* avec Shanti. Il troque ses costumes et chemises contre de simples *kurtas* en coton et affectionne le port de la calotte blanche. Il cesse de se teindre les cheveux, ne mange que des plats végétariens, ne boit plus une goutte d'alcool, remplace le sucre blanc par du sucre brun non raffiné et insiste pour avoir un litre de lait de chèvre par jour.

Il abandonne son téléphone portable, déserte son bureau, consacrant son temps à lire la *Gita* et autres ouvrages religieux et à écrire au journal des lettres sur des sujets tels que la corruption ou l'immoralité, lesquelles ne sont jamais publiées puisqu'il les signe « Mohandas Karamchand Gandhi ». Toutefois, son passe-temps favori consiste à collecter toutes les informations possibles sur l'affaire Ruby Gill et à les coller soigneusement dans un album.

— Pourquoi ce soudain intérêt pour Ruby Gill ? lui demande Shanti.

— C'était ma plus grande disciple, répond-il. Elle préparait un doctorat sur mon enseignement, au moment où sa vie a été tragiquement interrompue.

— La transformation de Sahib, on en parle dans tout le voisinage, confie Brijlal à Gopi. Certains disent qu'il est devenu fou. Voilà qu'il se prend pour le mahatma Gandhi. Pourquoi Bibiji ne l'emmène-t-elle pas chez un bon spécialiste ?

— Tous les riches sont un peu cinglés, Brijlal. Et puis, Bibiji le préfère comme ça, répond le cuisinier.

— Mais la folie est une maladie grave, Gopi. Aujourd'hui il se fait appeler mahatma Gandhi ; demain il se fera appeler empereur Akbar.

— *Arrey*, quelle importance, Brijlal ? Au moins, ce qu'il fait, c'est bien. Et surtout, il ne nous embête plus.

— Ça, c'est bien vrai. Alors, que dois-je faire ?

— Fais semblant d'être le chauffeur de Gandhiji, tout comme Bibiji fait semblant d'être sa femme.

C'est Diwali, la fête des Lumières. Des guirlandes de minuscules ampoules scintillantes illuminent la maison de Mohan Kumar. Le ciel nocturne, où des fleurs roses et vertes continuent à exploser avec exubérance, brille de mille feux. Toutes les deux ou trois secondes, une fusée jaillit, stridente, dans les airs. Le bruit des pétards se réverbère dans l'espace comme le tonnerre.

Le jardin est envahi d'une horde d'enfants qui applaudissent et poussent des cris de joie.

Bunty, sept ans, fils du balayeur, est occupé, avec son ami Ajju, huit ans, fils du cordonnier, à allumer une fusée placée dans une bouteille de Coca vide.

— Eh, Ajju, voyons ce qui se passe si on penche la bouteille au lieu de la tenir droite, suggère Bunty.

— *Arrey*, la fusée partira sur le côté.

— Alors on n'a qu'à l'envoyer sur le côté, dans le portail. Moi, j'incline la bouteille, et toi, tu allumes.

— OK.

Bunty dirige la bouteille en verre vers l'entrée tandis qu'Ajju frotte une allumette et allume la mèche. Dans une petite gerbe d'étincelles, la fusée s'envole vers le portail, un nuage de fumée se formant à l'intérieur de la bouteille. À mi-chemin toutefois, le projectile change de trajectoire et part vers la maison. Sous les yeux horrifiés de Bunty et d'Ajju, il s'engouffre dans une fenêtre ouverte, au premier étage.

— Oh, là, là ! Bunty, qu'est-ce que tu as fait ? souffle Ajju, plaquant sa main sur sa bouche.

— Chut ! murmure Bunty. N'en parle à personne. Viens, on prend quelques paquets de pétards et on se tire avant qu'ils nous chopent.

Un peu plus tard, Shanti sort dans le jardin, suivie de Gopi qui porte un plateau avec des lampes en argile et une boîte de friandises. Elle choisit une lampe sur le plateau et la pose au centre du motif ornemental qu'elle a spécialement dessiné sur le sol en ciment du belvédère.

Un pétard explose dans le coin ouest du jardin avec un bruit assourdissant. Le cuisinier jette un coup d'œil agacé aux enfants, qui dansent de joie dans l'herbe.

— Regardez-moi ces abrutis, Bibiji. Ils ne font pas exploser des pétards, ils brûlent de l'argent. Notre argent. Crac, boum, c'est cent roupies qui partent en fumée.

Shanti frotte ses yeux irrités par les émanations toxiques, et tousse brièvement.

— Je préfère les cierges magiques, Gopi. Ces pétards bruyants ne sont pas pour des vieilles personnes comme moi.

— Je me demande pourquoi Sahib a laissé entrer ces gamins chez nous et leur a donné pour cinq mille roupies de pétards. Voyez comment ils saccagent notre jardin. Demain je serai obligé de tout nettoyer, maugrée-t-il.

— *Arrey*, Gopi, aie du cœur, répond Shanti. Ces pauvres enfants n'ont probablement jamais fait éclater autant de pétards de leur vie. Je suis contente que Mohan les ait invités à fêter Diwali chez nous. C'est la première bonne action que ton Sahib ait faite en trente ans.

— C'est bien vrai, concède Gopi. L'an dernier, à Lucknow, Sahib a passé Diwali devant une table de jeu. Aujourd'hui, il s'est assis au temple et a fait sa Lakshmi *puja*[1] avec vous ; il a même jeûné pour la première fois de sa vie. Difficile de croire que c'est le même homme.

— Pourvu que ça dure, dit Shanti en distribuant les friandises aux enfants. Allez, venez, prenez ce *prasad*[2], appelle-t-elle.

Brijlal et son fils Rupesh sont eux aussi dans le jardin.

— Alors, c'en est où, le mariage de Ranno ? demande Shanti au chauffeur.

— Avec votre bénédiction, Bibiji, il aura lieu le dimanche 2 décembre.

Brijlal rayonne.

— J'espère que vous et Sahib nous ferez l'honneur de votre présence.

— Bien sûr, Brijlal. Ranno est comme une fille pour nous.

— Qu'est-ce que c'est, Bibiji ? s'écrie Rupesh, alarmé, pointant le doigt vers la fenêtre du premier étage d'où s'échappe une fumée noire.

Shanti lève les yeux, et la boîte de friandises lui tombe des mains.

— Oh, mon Dieu, on dirait qu'il y a le feu dans la chambre de Mohan. Et lui qui est en train de dormir ! Vite, courez, sauvez votre Sahib ! hurle-t-elle en se précipitant vers la maison.

Gopi, Brijlal, Rupesh et Shanti montent l'escalier quatre à quatre, mais la chambre de Mohan est fermée de l'intérieur.

— Ouvrez, Sahib ! beugle Brijlal en cognant à la porte.

Pas de réponse.

— Seigneur ! Il a dû s'évanouir à cause de la fumée, chevrote Shanti.

— On n'a qu'à enfoncer la porte, suggère Gopi.

— Reculez… reculez ! crie Rupesh.

---

1. Rituel dédié à la déesse de la Prospérité, Lakshmi.
2. Offrande à une divinité, qu'on consomme avec sa bénédiction.

Il prend son élan lorsque la porte s'ouvre brusquement, l'inondant d'une vague de chaleur. Mohan Kumar sort en titubant. Il a le visage cramoisi, les mains et les vêtements maculés de suie.

Pendant que Gopi, Brijlal et Rupesh se ruent dans la chambre pour essayer d'éteindre l'incendie, Shanti s'affaire autour de son mari qui tousse et s'étrangle.

— Aah… aah.

La bouche ouverte, il aspire l'air à grandes goulées.

Rupesh émerge de la chambre, la figure noircie.

— Ça y est, Bibiji, annonce-t-il. Heureusement, le feu ne s'était pas propagé au-delà des rideaux.

— Dieu merci, tu t'es réveillé à temps, dit Shanti à Mohan.

Il cille rapidement.

— Qu'est-ce qui s'est passé ?

— Il y avait le feu dans ta chambre.

— Le feu ? Qui a pu faire ça ?

Il jette autour de lui un regard soupçonneux.

— Ça doit être l'œuvre d'un de ces gamins des rues dans le jardin, glisse Gopi.

— Un gamin des rues ? Mais que diable ces gamins viennent-ils faire chez moi ?

Gopi et Brijlal échangent un regard interrogateur.

Un peu plus tard, Mohan descend à la salle à manger, vêtu d'habits propres.

— J'ai faim. Où est mon dîner, Gopi ?

— Tout est prêt, Sahib, exactement comme vous l'avez ordonné.

Gopi pose sur la table un plat accompagné d'une cocotte avec des *rotis* – tout frais.

Mohan prend une bouchée et la recrache aussitôt.

— Ce ne sont pas des boulettes au curry, dit-il avec une moue dégoûtée. C'est quoi, cette tambouille ?

— Du curry de courge, spécialement cuisiné sans ail ni oignons.

— C'est une mauvaise blague, hein ? Tu sais bien que je déteste la courge.

— Mais vous ne mangez plus que de la nourriture végétarienne.

— Tu as toujours été sans cervelle, Gopi. Maintenant, tu deviens dur de la feuille par-dessus le marché. Pourquoi te demanderais-je de cuisiner un plat aussi infect ? Allez, apporte-moi de la viande ou du poulet, ou prépare-toi à prendre la porte.

Gopi sort en se grattant la tête et revient avec Shanti.

— Comme ça, tu n'es plus végétarien ? s'enquiert-elle prudemment.

— Quand est-ce que je suis devenu végétarien ? fait-il en ricanant.

— Il y a quinze jours. Tu nous as dit que tu ne mangerais plus de viande et ne boirais plus d'alcool.

— Ha ! Il faut être malade pour prendre une décision pareille, dit-il en riant.

— C'est ce que je suis, depuis que je vis dans cette maison, marmonne Gopi en débarrassant la table.

Soudain, Mohan regarde Shanti, le front plissé.

— Qu'as-tu dit au sujet de l'alcool ? J'espère que tu n'as pas touché à ma collection de whiskies ?

— Tu as fait détruire toutes les bouteilles il y a deux semaines, répond-elle calmement.

Il se lève, comme piqué par un aiguillon, et se précipite dans le garde-manger qui lui sert de cave. Il en ressort livide et se met à fouiller frénétiquement dans la cuisine, ouvrant tous les placards, fourrageant sur les étagères, allant jusqu'à inspecter le four. Finalement, il se laisse tomber sur une chaise.

— Toutes mes bouteilles ont disparu. Comment as-tu pu me faire ça ? J'ai mis plus de vingt ans à les réunir. Sais-tu ce qu'elle valait, ma réserve ?

— C'est toi qui as donné l'ordre.

— Là, tu commences à m'énerver sérieusement, siffle-t-il, une lueur menaçante dans l'œil. Est-ce moi qui les ai détruites, ou toi qui as fait ça derrière mon dos ? Allez, femme, je veux la vérité.

— Pourquoi les aurais-je détruites ? Je les ai supportées pendant trente ans. C'est toi, dit Shanti, le visage décomposé. Tu disais ce matin même qu'aucun individu sain d'esprit ne toucherait à l'alcool ou à un excitant quelconque.

— Femme, as-tu perdu la tête ? Aucun individu sain d'esprit ne détruirait des bouteilles de whisky d'importation en parfait état. Qui les a sorties de la cave ?

— Brijlal.

— Appelle-moi ce porc.

Brijlal est mandé et interrogé minutieusement. Il s'en tient à la version qu'il répète depuis quinze jours. Bibiji lui a demandé de détruire les bouteilles. Il les a transportées jusqu'à l'égout, les a fracassées sur le trottoir et a entassé les tessons dans un sac-poubelle que les éboueurs ont embarqué, comme il se devait.

— Tu n'as pas pensé à m'en parler d'abord ?

— Bibiji a dit que c'est vous qui aviez donné l'ordre, Sahib. Qui suis-je, pour contredire Bibiji ?

— Cette Bibiji est la racine de tout le mal dans la maison, dit Mohan en grinçant des dents. J'ai besoin de boire un verre, tout de suite.

— Pourquoi revenir sur ta décision parfaitement sensée de devenir abstinent ? l'implore Shanti. J'ai jeûné toutes ces années pour que tu perdes cette mauvaise habitude. Quand tu as dit que tu renonçais à l'alcool, j'ai cru que Dieu t'avait finalement ouvert les yeux et ramené à la raison.

— La raison, c'est ce qui te manque, femme, éructe-t-il en se tournant vers Brijlal. Emmène-moi immédiatement à Khan Market. Je ne peux pas dormir sans avoir bu un verre.

— Mais c'est Diwali, Sahib. Le marché est fermé.

— Alors, va voler une bouteille quelque part ! aboie-t-il.

Et, s'emparant d'une assiette, il la lance contre le mur, où elle se brise en mille morceaux.

— Emmène-le, Brijlal ! crie Shanti. Emmène-le dans un bar avant qu'il ne casse tout.

— Il est impossible de rester dans cette maison, déclare Mohan.

Et il sort en trombe de la cuisine.

Le lendemain matin, il demande à Brijlal de le conduire tout droit au magasin Modern Liquors de Khan Market. Le patron, M. Aggarwal, l'accueille chaleureusement :

— Bienvenue, Kumar sahib. Avez-vous des bouteilles pour nous ?

— Que voulez-vous dire ?

— Vous nous avez vendu votre collection de millésimes il y a quelques semaines. Je me demandais s'il y en avait d'autres. Nous paierons chaque bouteille au prix fort.

— Vous vous trompez. Toutes mes bouteilles ont été détruites.

— Dans ce cas, quelqu'un vous a escroqué, monsieur. J'ai payé vingt-cinq mille roupies pour votre collection.

— Je vois.

Kumar se caresse le menton et somme Brijlal de le rejoindre dans la boutique.

— Est-ce cet homme qui vous a vendu les bouteilles ? demande-t-il à M. Aggarwal.

— Tout à fait, monsieur. C'est lui.

— Brijlal, je crois que c'est le moment de me dire ce qui s'est vraiment passé avec ces bouteilles, dit Mohan froidement.

Le chauffeur, tremblant de peur, avoue en bafouillant.

— Qu'as-tu fait de tout cet argent ?

— Il a servi pour la dot de Ranno, Sahib.

Furieux, Mohan lève la main et le gifle.

— Chien ingrat ! Tu manges mon sel et après tu me poignardes dans le dos ? Va me chercher cet argent, tout, jusqu'au dernier sou. Si tu ne me rends pas mes vingt-cinq mille roupies, je te livre à la police.

Brijlal, en larmes, s'agrippe à ses pieds.

— Mais, Sahib, ça va ficher en l'air le mariage de ma Ranno. Vous pouvez les déduire de mon salaire mois par mois, mais, s'il vous plaît, ne me demandez pas de briser le cœur de ma fille.

— Tu aurais dû songer aux conséquences avant de t'embarquer dans ton petit trafic. Je veux mon argent d'ici cet après-midi. Sinon prépare-toi à passer la nuit au cachot.

À midi, Brijlal entre dans le bureau de Mohan et lui remet une enveloppe en papier kraft.

Mohan compte les billets et émet un grognement satisfait.

— Vingt-cinq mille. Parfait. Va pour cette fois, Brijlal, mais que cela te serve de leçon. Une autre bourde comme celle-ci, et je n'aurai aucun scrupule à te renvoyer. Alors, tu n'auras même plus de toit au-dessus de ta tête.

Brijlal ne dit rien et sort de la pièce comme un zombie.

Une semaine passe. Mohan Kumar reprend son régime viande et alcool avec une telle virulence que la maisonnée finit par attribuer le bref épisode d'abstinence à un moment d'égarement, sans doute provoqué par l'abus d'alcool. Il ne parle plus à Shanti et la regarde avec une telle répulsion qu'elle évite de croiser son chemin. Gopi a interdiction d'apporter de la courge à la maison, et encore moins le droit d'en cuisiner.

Mohan retourne au bureau et essaie de recontacter sa maîtresse, mais Rita Sethi refuse catégoriquement de prendre ses appels, ce qui le plonge dans un abîme de consternation. Puis un jour il reçoit son relevé bancaire et manque d'avoir une attaque.

Le visage de sœur Kamala se crispe, la faisant ressembler à une directrice d'école.

— Si j'ai bien compris, monsieur Kumar, vous êtes en train de me dire que nous avons illégalement prélevé la somme de deux millions de roupies sur votre compte à la banque HSBC, c'est cela ?

— Je pense bien, marmonne Mohan en s'épongeant le front avec un mouchoir bleu. J'ai trouvé ce relevé dans le courrier de ce matin. Regardez.

Il brandit sous son nez une feuille de papier.

— Il est écrit que le chèque numéro 00765 432, d'un montant de vingt *lakhs*, a été crédité sur le compte des Missionnaires de la Charité. Or je ne vous ai jamais donné ce chèque. Donc, il s'agit forcément d'une arnaque.

Sœur Kamala rajuste la large ceinture bleue de son sari blanc comme neige avec une nonchalance étudiée.

— Dans ce cas, on va vous rafraîchir la mémoire.

Elle se tourne vers la femme à lunettes, pareillement vêtue, debout près de sa chaise.

— Sœur Vimla, puis-je avoir les documents, s'il vous plaît ?

Sœur Vimla remonte d'un cran ses lunettes rondes et pose sur la table un classeur vert.

Sœur Kamala l'ouvre d'un coup sec.

— Voulez-vous jeter un œil là-dessus, monsieur Kumar ? Ceci est la photocopie du chèque que vous nous avez remis il y a dix jours, le 7 novembre dernier. Est-ce votre signature, oui ou non ?

Mohan Kumar scrute le document avec l'air soupçonneux d'un notaire chargé d'homologuer un testament. Après une longue pause, il finit par répondre :

— On dirait ma signature, oui. Fort bien imitée, d'ailleurs.

Il pointe le doigt vers sœur Kamala.

— C'est grave, vous savez. Ça pourrait vous mener en prison.

— Vous dites que votre signature est un faux ? Très bien.

Elle tourne les pages du classeur.

— Regardez ceci. Est-ce vous, ou la photo a été truquée aussi ?

Mohan Kumar examine le cliché en couleurs sur papier glacé, protégé par une feuille de plastique. Cette fois, le silence se prolonge.

— On… on dirait moi, acquiesce-t-il faiblement.

— Oui, monsieur Kumar. C'est vous. Vous êtes venu nous voir un mercredi. Assis sur cette même chaise, dans cette même pièce, vous nous avez remis le chèque, disant votre admiration pour Mère Teresa et son travail. Qu'une fortune démesurée reste entre les mains d'un seul individu, avez-vous dit, est un crime contre l'humanité, et là-dessus vous avez rédigé un chèque de vingt *lakhs*. Sœur Vimla a pris cette photo pour notre bulletin mensuel, afin de garder la trace du plus gros don individuel que cette communauté ait jamais reçu.

— Mais… je n'ai aucun souvenir d'être venu ici.

— Nous, on s'en souvient parfaitement et on a tout ce qu'il faut pour le prouver, rétorque sœur Kamala, triomphante.

— Il n'y a vraiment pas moyen de récupérer mon argent ? implore-t-il.

— Nous avons déjà encaissé le chèque. Ces fonds nous permettront de gérer notre centre de soins palliatifs, d'agrandir l'orphelinat et d'ouvrir une école primaire. Songez à tout ce que vous gagnerez en reconnaissance et bénédictions de la part de ceux qui vont en bénéficier.

— Je n'ai pas besoin de reconnaissance. Je veux mon argent. Je suis un haut fonctionnaire du gouvernement.

— Un fonctionnaire véreux, oui. Sœur Vimla s'est minutieusement renseignée à votre sujet. N'est-ce pas vous qui avez été désigné comme le bureaucrate le plus corrompu de l'Uttar Pradesh par le syndicat de la fonction publique ?

— Ça, c'est trop fort ! Vous prenez mon argent, et en plus vous m'insultez ! Allez-vous me le rendre, ou dois-je m'adresser à la police ?

— Inutile d'alerter la police, monsieur Kumar. C'est un médecin qu'il vous faut. Et maintenant, si vous voulez bien nous excuser, c'est l'heure de notre prière.

— Mais...

Sœur Kamala ferme résolument la porte et se tourne vers son adjointe.

— *Loco.*

Elle décrit des cercles avec son index sur sa tempe droite.

— Complètement *loco.*

Le cabinet du Dr M. K. Diwan est un lieu agréable, avec un canapé moelleux tendu de tissu bleu, quelques fauteuils rembourrés, des peintures abstraites sur des murs d'un blanc d'albâtre et, dans un coin, un figuier artificiel en soie plus vrai que nature. On se croirait dans un salon plutôt que dans un bureau. Le Dr Diwan est un homme de haute taille, proche de la cinquantaine, aux manières brusques et à l'accent british.

— Déchaussez-vous donc et étendez-vous sur le canapé, conseille-t-il à Mohan Kumar qui se tient debout près du mur.

Mohan s'exécute à contrecœur. Il s'allonge et cale un traversin sous sa tête. Le Dr Diwan rapproche un fauteuil du canapé et s'assied, un carnet relié de cuir noir et un stylo en argent sur les genoux.

— Bien, voyons un peu ce qui vous tracasse.

— Docteur, une force inconnue s'est insinuée dans mon corps comme un mal de dents persistant. Je me mets à parler et à agir comme quelqu'un d'autre.

— Et qui est cette autre personne ?

Mohan marque une pause.

— Vous n'allez pas me croire.

— Essayez toujours, répond le médecin, imperturbable.

— C'est Gandhi... le mahatma Gandhi.

Il s'attend à ce que le Dr Diwan éclate de rire, mais le plus célèbre psychologue clinicien de Delhi ne sourcille même pas.

— Hmm, dit-il en jouant avec son stylo. Qui me parle, en ce moment ?

— En ce moment, je suis Mohan Kumar, ancien secrétaire général du gouvernement de l'Uttar Pradesh, mais d'un instant à l'autre, je peux me mettre à parler comme Mohandas Karamchand Gandhi.

Il se penche vers le médecin.

— Tout a commencé avec cette séance de spiritisme à laquelle je n'aurais jamais dû assister. Pensez-vous qu'il pourrait s'agir d'un cas de possession démoniaque ?

— Les démons n'existent qu'au cinéma. Et le cinéma, ce n'est pas la réalité, monsieur Kumar.

— Alors, je suis en train de devenir fou ?

— Mais non, absolument pas. Même des gens parfaitement sains d'esprit peuvent avoir des comportements différents, de temps à autre.

— Vous ne comprenez pas, docteur. Cette maladie est extrêmement grave. Elle me fait faire des choses insensées, comme porter du coton tissé et cette ridicule calotte blanche. Casser toutes les bouteilles de ma collection de whiskies. Devenir végétarien et filer vingt *lakhs* de mon argent durement gagné aux Missionnaires de la Charité.

— Je vois. Et ces épisodes, quand se produisent-ils exactement ?

— Je ne sais pas trop. Je… enfin, tantôt je suis moi-même, tantôt je deviens un autre, un qui radote sur Dieu et la religion.

— Et vous vous rappelez clairement les faits et gestes de cet autre, quand vous recouvrez votre véritable personnalité ?

— Au début je n'en gardais aucun souvenir. C'était comme un trou dans ma mémoire. Mais depuis quelque temps, je commence à déchiffrer peu à peu les âneries que je fais en tant que Gandhi.

Le Dr Diwan l'interroge encore une demi-heure avant de poser son diagnostic.

— Je pense que vous souffrez de ce qu'on appelle un trouble dissociatif de l'identité. Au cinéma, on parle de double personnalité.

— Vous voulez dire que ma personnalité s'est divisée en deux : Mohan Kumar et Mohandas Karamchand Gandhi ?

— Plus ou moins, oui. Dans un TDI, l'intégrité de la psyché se disloque, et on assiste à l'émergence de deux personnalités, voire plus. Le malade n'est conscient que d'une seule facette de son moi, tandis que toutes les autres échappent totalement à sa connaissance. Cela vous ennuierait-il de vous soumettre à une séance d'hypnose clinique ?

— Ça consiste en quoi ?

— Nous explorerons votre subconscient en vue de comprendre quels événements et expériences du passé sont à l'origine de votre problème actuel.

— Vous allez poser des questions très personnelles ? demande Mohan, l'air inquiet.

— Forcément. Tout le principe de l'hypnose est de contourner le censeur de la conscience.

— Non. Je ne me soumettrai pas à une séance d'hypnose, répond-il, catégorique.

Le Dr Diwan pousse un soupir.

— Il faut être franc avec moi, monsieur Kumar, si vous voulez que je vous soigne. Dites-moi, avez-vous été victime de mal-traitances dans votre enfance ?

Se redressant, Mohan Kumar le dévisage avec exaspération.

— Épargnez-moi ce charabia freudien à la noix. Moi, ce qui m'intéresse, c'est comment éviter de me transformer en mahatma Gandhi.

Le Dr Diwan sourit.

— Il y a des tas d'individus dans le monde, monsieur Kumar, qui donneraient tout pour se transformer en Gandhi.

— Ce sont des imbéciles, docteur. Comprenez-le, les gens n'aimaient pas Gandhi, ils le craignaient. Il faisait appel à un instinct qu'ils préféraient garder enfoui. Il était contre le sexe, l'alcool, la richesse. Il est où, le sel de la vie, si on ne peut pas avoir accès à ces choses-là ?

— Il y a des choses plus importantes, monsieur Kumar.

— Écoutez, je ne suis pas venu ici pour débattre de la philoso-phie gandhienne, commence Mohar en nouant ses lacets. Mais vous aurez gagné vos honoraires si vous me dites ce qui déclenche ce brusque changement de personnalité.

— Ma foi, rien ne permet d'affirmer qu'il y a une cause phy-siologique derrière les troubles dissociatifs de l'identité. Dans presque tous les cas que j'ai connus, la transition d'un état à l'autre est généralement provoquée par un événement stressant.

— Donc, si j'évite le stress, je peux empêcher ce changement ?

— En théorie, oui. Mais sachez que la personnalité alternative peut à tout moment prendre les commandes du comportement de l'individu. Qui plus est, avec le temps, l'une des personnalités tend à dominer les autres.

— Je vous assure, docteur, que je ne me laisserai pas dominer par le mahatma Gandhi.

Il se lève.

— Merci d'avoir pris de votre temps.

— C'était très intéressant de vous rencontrer, monsieur Kumar. Et même si nous ne voyons pas le traitement d'un même œil, j'espère vous avoir suffisamment éclairé sur votre maladie.

— Œil pour œil, c'est ainsi que le monde deviendra aveugle, dit gravement Kumar en tapotant le bras du médecin.

— Oh, mon Dieu ! s'exclame le Dr Diwan.

Mohan s'esclaffe.

— Je plaisante. Mais c'est tout à fait le genre de propos que je tiens quand je me change en Gandhi. Cela ne se reproduira plus. Bye, doc.

Il quitte le cabinet d'un pas nonchalant.

Le Dr Diwan le regarde partir d'un air perplexe.

Dès son retour de chez le Dr Diwan, Mohan Kumar devient plus prudent qu'un expert comptable avec des contrôleurs fiscaux à ses trousses. Il évolue à travers la maison sur la pointe des pieds tel un danseur de ballet, souple et léger, évitant la collision avec les portes et les murs et restant à distance respectable de la pièce réservée au temple. Il bannit tous les pétards et ordonne à Brijlal de ne pas dépasser les quarante à l'heure et de ne pas freiner brusquement. Passant en revue tous les ouvrages de sa bibliothèque, il brûle les titres ayant ne serait-ce qu'un rapport lointain avec Gandhi – il détruit ainsi des volumes aussi rares que la première édition de *L'Inde de mes rêves* et une biographie de Martin Luther King sous-titrée « Le Gandhi américain ». Il augmente sa consommation d'alcool jusqu'à trois verres par soir et, pour s'assurer que Gandhi ne viendra pas le hanter jusque dans son sommeil, prend des cachets de valium avant de se coucher.

Shanti accepte ce retour de l'irascible Mohan avec la courageuse résignation d'une martyre. Gopi prépare à nouveau des plats de viande et, le soir, monte de la glace et du soda dans la chambre de Sahib.

Mohan est dans sa chambre, avec son deuxième verre de whisky, en train d'examiner les papiers des Industries textiles

Rai, quand un orage, surprenant pour la saison, se déchaîne derrière le carreau. Il tombe des trombes d'eau, le tonnerre secoue le toit. Le téléphone sonne. Il décroche.

— Allô ?

— Salut, Mohan.

Il a un minuscule pincement au cœur chaque fois que Vicky Rai l'appelle par son prénom, mais, en bureaucrate pragmatique, il a appris à ravaler sa fierté.

— Oui, monsieur, répond-il.

— Je vous téléphone pour vous rappeler la réunion du conseil d'administration de demain.

— Oh oui, monsieur. J'ai reçu le rapport de Raha aujourd'hui. Justement, je suis en train de le lire.

— Nous misons sur vous pour faire aboutir le projet de remaniement. Si on veut restructurer l'entreprise, on est bien obligés de licencier, non ?

— Certainement, monsieur. Il faudra supprimer cent cinquante postes au moins. Ne vous inquiétez pas, je veillerai à ce que le projet de restructuration passe comme une lettre à la poste. Bien sûr, on n'aura pas l'unanimité. Les syndicats vont défendre les emplois bec et ongles. Dutta, comme d'habitude, nous sortira le grand jeu. Mais que peut un syndicaliste seul contre cinq membres de la direction ? Nous le ferons plier par la force.

— Je ne doute pas que vous saurez gérer cet enfoiré. Bonne nuit, Kumar.

Au moment où Mohan raccroche, on frappe à la porte. Il n'entend pas tout de suite, tant l'averse est violente. Mais les coups persistent. Avec un froncement de sourcils irrité, il se lève, enfile ses pantoufles et va ouvrir.

Devant lui se tient Brijlal, trempé jusqu'aux os, les yeux injectés de sang.

— Qu'est-ce que tu fais ici ?

— C'est fini... Tout est fini, marmonne Brijlal en grelottant.

Mohan plisse le nez.

— Tu pues comme un cochon. Tu as bu ou quoi ?

— Oui, Sahib, j'ai bu.

Le chauffeur laisse échapper un rire lugubre.

— Que voulez-vous, la gnôle des paysans, ça ne sent pas bon. Mais ça vous requinque comme votre whisky d'importation ne pourra jamais le faire.

Il pénètre en titubant dans la chambre.

— Va-t'en… va-t'en, répond Mohan comme s'il chassait un chien. Tu es en train d'abîmer le tapis.

Sourd à ses admonestations, Brijlal s'avance vers le lit.

— J'abîme seulement votre tapis, Sahib, mais vous, vous avez brisé ma vie. Savez-vous quel jour on est ?

Il parle d'une voix pâteuse, discordante.

— Oui, nous sommes dimanche 2 décembre. Et alors ?

— Aujourd'hui, ma Ranno devait se marier. Aujourd'hui, je devrais être en train d'écouter la *shehnai*. Ma maison devrait résonner de rires et de bonheur, au lieu de quoi j'ai dû écouter les sanglots de ma femme et de ma fille. Tout ça à cause de vous.

— De moi ? Qu'est-ce que j'ai fait ?

— C'est vous qui m'avez fait alpaguer comme un vulgaire voleur et exhiber devant tout Khan Market. C'est vous qui avez exigé que je vous rende l'argent. J'ai donc dû aller réclamer la dot à la famille du fiancé. Je n'ai jamais été aussi humilié de ma vie. Et quelle était ma faute ? Ces bouteilles allaient être détruites, de toute façon. Si j'en ai tiré un peu d'argent, quel tort ai-je causé ? Vous, les grands sahibs, vous trompez vos épouses. Vous vous soûlez, vous jouez et vous ne payez même pas d'impôts. Ce sont les pauvres gens comme moi qu'on insulte et qu'on arrête.

— Ça suffit, Brijlal. Tu as perdu la tête, dit Mohan sèchement.

Mais le chauffeur poursuit comme s'il n'avait pas entendu :

— La relation entre maître et serviteur est très délicate, mais vous avez dépassé les bornes, Sahib. La famille du fiancé a carrément annulé le mariage. Dites-moi maintenant ce que je dois faire. Accepter que ma Ranno reste vieille fille jusqu'à la fin de ses jours ? Comment puis-je faire face à ma femme, qui a trimé jour et nuit pour préparer la cérémonie ?

— Je te préviens, Brijlal. Tu t'oublies complètement.

— Je sais bien que je m'oublie, mais vous, Sahib, vous avez oublié toute décence. Vous mériteriez qu'on vous arrache vos vêtements, qu'on vous pende la tête en bas et qu'on vous fouette jusqu'à ce que vous ayez mal comme j'ai mal en ce moment.

— Assez, Brijlal ! rugit Mohan. Va-t'en immédiatement, c'est un ordre.

— Je m'en irai, Sahib, mais pas avant d'avoir égalisé le score. Vous avez la richesse et le pouvoir, mais moi j'ai ceci.

Il glisse la main à l'intérieur de son *kurta* et en sort un vieux couteau. L'acier terni de la lame ne reflète même pas la lumière du lustre.

Cette vision arrache à Mohan Kumar une exclamation étouffée. Brijlal continue d'avancer ; Mohan recule jusqu'à ce que son dos heurte la fenêtre donnant sur le jardin. Un éclair déchire le ciel, le tonnerre fait trembler les vitres.

— Calme-toi, Brijlal, essaie-t-il de le raisonner. Si tu commets un acte irréfléchi, tu risques de le regretter plus tard.

— Je suis un homme désespéré, Sahib. Et un homme désespéré se moque des conséquences. Ma femme et ma fille vont se suicider, de toute façon. Mon fils trouvera du travail ailleurs. Quant à moi, je me tuerai après vous avoir tué.

Mohan prend peu à peu conscience de l'étendue de sa détresse.

— OK... OK... Brijlal, je veillerai personnellement à ce que le mariage de Ranno ait lieu, bafouille-t-il. Tu peux prendre ma maison, ou alors je louerai la salle de bal du Sheraton. Je conduirai moi-même Ranno à son mari. Après tout, elle est comme une fille pour moi.

Les mots se bousculent sur ses lèvres.

— Ha ! s'esclaffe Brijlal. Face à la mort, même un âne, on est prêt à en faire son père. Non, Sahib, je ne me laisserai plus piéger. Je vais mourir, mais vous mourrez en premier.

Serrant le couteau dans sa main droite, il lève le bras. Mohan ferme les yeux.

La lame fend l'air en un arc de cercle et plonge vers sa poitrine, brisant des barrières centenaires, arrachant les voiles du rang et du statut social. Mais, au moment de transpercer la poitrine de Mohan, Brijlal hésite. Il n'a pas la force de franchir l'ultime frontière de la loyauté. Le couteau lui glisse des mains, ses bras retombent mollement, il s'affale sur le tapis, renverse la tête en arrière et pousse un gémissement strident, requiem pour sa rébellion manquée.

Entre-temps, un lent changement se produit chez Mohan Kumar. Son visage se détend, comme une ombre qui se dissipe. Il ouvre les yeux et trouve Brijlal à ses pieds.

— *Arrey*, Brijlal, qu'est-ce que tu fais ici ?

Il s'exprime sans hâte, d'une voix posée. Puis, comme s'il venait de se rappeler quelque chose, il se tapote le front.

— Mais oui, bien sûr, tu viens m'inviter au mariage de ta fille. Ah, Ba est là aussi.

Shanti vient de faire irruption dans la pièce.

— Que se passe-t-il ? demande-t-elle, essoufflée. J'ai cru entendre un cri.

— Un cri ? Quel cri ? Ton imagination te joue des tours, Ba. J'étais en train de parler à Brijlal du mariage de sa fille. C'était bien aujourd'hui, non ?

Shanti regarde Brijlal, qui, recroquevillé sur le tapis, sanglote en hoquetant. Elle se tord les mains.

— Je ne sais pas ce que tu as. Un jour tu es le saint, le lendemain tu es le diable, puis tu redeviens un saint. Te rends-tu compte seulement que Brijlal a dû annuler le mariage de sa fille ?

— Ah bon ? Comment est-ce possible, Brijlal ? S'il s'agit de quelque erreur de ma part, je t'en demande pardon les mains jointes.

Il plaque ses paumes l'une contre l'autre.

Brijlal s'effondre aux pieds de Mohan.

— Ne dites pas ça, Sahib. C'est à moi de vous demander pardon. Je suis venu pour vous faire du mal, et pourtant vous m'avez pardonné. Vous n'êtes pas un homme, vous êtes Dieu, Sahib.

Mohan le relève.

— Non, Brijlal. Dieu est immense, aussi incommensurable que l'océan dont un homme comme moi n'est qu'une toute petite goutte. Et pourquoi parles-tu de vouloir me faire du mal ? Es-tu toi aussi le jouet de ton imagination ? Tiens ! Qu'est-ce qu'il fait là, ce couteau ?

Le conseil d'administration se réunit à seize heures précises au siège de l'usine textile Rai à Mehrauli.

La salle de réunion dégage une odeur métallique de produit d'entretien. Sa grande table ovale en teck verni est garnie de sets en feutre vert. Les murs sont décorés d'œuvres fabriquées à l'usine.

Mohan Kumar fait son entrée vêtu d'un *kurta dhoti* blanc et d'une calotte blanche à la Gandhi. Vicky Rai, en costume bleu rayé, l'accueille à la porte.

— Très malin, Kumar, chuchote-t-il. Cet accoutrement va complètement bluffer les syndicats.

— Où dois-je m'asseoir ? lui demande Mohan.

— Puisque vous êtes mon bras droit, vous vous mettrez à ma droite.

Vicky Rai lui adresse un clin d'œil.

— J'ai placé Dutta à côté de vous.

Cinq hommes et une femme prennent place autour de la table. Vicky Rai préside, à côté d'un écran de projection.

— Bien, nous avons aujourd'hui un seul point à l'ordre du jour, la restructuration de notre usine, annonce-t-il tout de go. Comme vous le savez, il y a deux ans nous avons racheté à l'État cette entreprise moribonde. Des mesures drastiques s'imposent pour l'assainir.

Il fait signe à un petit homme aux lunettes cerclées d'acier assis à sa gauche.

— Je vais demander à notre P-DG, M. Praveen Raha, d'exposer la nouvelle stratégie pour la soumettre au vote du conseil.

Raha rajuste ses lunettes et pianote sur le clavier d'un ordinateur portable jusqu'à ce qu'une image en couleurs, pleine de courbes et de graphiques, se projette sur l'écran blanc derrière lui.

— Honorables membres du conseil, permettez-moi de commencer par un fait brut. L'an dernier, la société a subi une perte nette de trois cent cinquante millions de roupies.

— C'est un mensonge total.

Le voisin de Mohan, un homme mince arborant un *kurta* et de grosses lunettes à monture noire, reprend d'une voix caverneuse :

— D'après les chiffres établis par le syndicat, nous estimons qu'elle a dû réaliser un bénéfice de vingt millions de roupies.

Raha fronce les sourcils et presse une touche. Une nouvelle courbe apparaît à l'écran.

— Le rapport de l'audit effectué par le cabinet R. R. Haldar ne va pas dans ce sens, monsieur Dutta.

— Le rapport d'audit est aussi bidon que vous, rétorque Dutta en ricanant.

Raha choisit d'ignorer la provocation.

— Bref, comme je le disais, notre contexte d'exploitation reste difficile. La grève totalement illégale de mai dernier nous a fait perdre trente-cinq jours de travail.

— Ne faites donc pas porter le chapeau aux ouvriers, intervient Dutta. La responsabilité de cette grève revient entièrement à la direction, qui a pris la décision unilatérale de supprimer la prime de transport.

Raha poursuit, comme s'il n'avait pas entendu :

— M. Rai rêve de faire entrer cette entreprise dans la cour des grands de l'industrie textile indienne. Notre objectif est de moderniser l'usine en deux étapes, en l'équipant de la technologie dernier cri. Pour mener à bien le plan de restructuration, nous sommes appelés à réduire les actifs peu performants et les dettes porteuses d'intérêts. Nous devrons optimiser l'exploitation des équipements à forte intensité de capital, parallèlement à la nécessité de... euh... rectifier certains autres paramètres.

— Quels seraient ces autres paramètres, monsieur Raha ? s'enquiert Dutta.

— Il va falloir ramener les effectifs à un degré optimal.

— Vous voulez dire virer des gens pour les remplacer par des machines ?

— Je ne le formulerais pas aussi brutalement, monsieur Dutta. Dans tous les cas de figure, le plan de restructuration comportera des clauses d'équivalence de qualification, de motivation financière, de prime au rendement, ainsi que d'autres séries de mesures incitatives qui...

— Arrêtez votre char, Raha.

Dutta repousse sa chaise et se lève.

— Au nom des syndicats, je rejette en bloc le plan de restructuration.

Un silence électrique règne dans la salle. Tous les regards sont braqués sur Vicky Rai, qui pianote sur la table, impassible.

— Dans ce cas, je suggère de soumettre le projet au vote du conseil. Tous ceux qui y sont favorables sont priés de répondre oui.

Il fixe un homme au long nez à sa gauche.

— Monsieur Arora ?

— Oui.

— Madame Islamia ?

— Oui.

— Monsieur Singh ?

— Oui.

— Monsieur Billmoria ?

— Oui.

— Monsieur Dutta ?

— Un non franc et massif.

— Monsieur Kumar ?

Mohan affiche un sourire malicieux.

— Eh bien, je dois dire que cela a été la plus passionnante et édifiante des discussions. J'en tire trois conclusions. Premièrement, que le principe de la majorité est caduc en cas de divergences de fond.

Il lance un regard à Vicky Rai, qui hausse imperceptiblement les sourcils.

— Ma deuxième conclusion est que chacun d'entre vous devrait se considérer comme dépositaire du bien-être de l'ensemble des travailleurs, au lieu de rechercher son propre intérêt, assène-t-il en insistant sur chaque mot. En présence de millions et de millions de sans-emploi, inutile de penser équipement de substitution. Cette entreprise ne peut fonctionner avec pour seule motivation l'appât du gain. Elle doit servir un dessein plus élevé. Ce qui m'amène à ma troisième conclusion.

Le visage de Vicky est à présent plissé d'anxiété.

— Mais qu'est-ce qui lui prend, bordel ? Est-il pour nous ou contre nous ? chuchote-t-il à Raha.

— Ma troisième conclusion, répète Mohan en se baissant pour sortir de sous la table un gros paquet enveloppé de papier kraft, est celle-ci.

Il déchire l'emballage et fait apparaître un rouet en bois.

— Madame, messieurs, annonce-t-il, marquant une pause pour ménager son effet, voici le *charkha*.

L'assistance s'exclame.

— Le rouet a été inventé en Inde pour fabriquer du fil à partir de fibres, mais nous en avons perdu l'usage en cours de route. J'ai dû faire une cinquantaine de boutiques dans Chandni Chowk avant d'en trouver un. J'affirme qu'en perdant le rouet, nous avons perdu notre poumon gauche. Le fil issu de ce rouet est seul à même de reconstituer les chaînes et les trames déchirées de nos vies. Le *charkha* est la panacée pour tous les maux qui frappent cette entreprise, voire notre pays tout entier. Plaider en faveur du rouet, c'est plaider pour la reconnaissance de la dignité des travailleurs. Je suis sûr que notre ami syndicaliste sera d'accord avec moi.

Il se tourne ostensiblement vers Dutta, qui le regarde, bouche bée.

— Oui… oui, bien sûr, bredouille-t-il. Pardonnez-moi, Mohan Kumarji. Nous vous avons toujours pris pour un serpent, alors qu'en fait vous êtes notre sauveur.

Un brouhaha s'élève dans la salle. On se consulte à la hâte. Finalement, Vicky Rai se lève.

— Il semblerait que notre projet de restructuration ne recueille pas tout à fait l'unanimité des votants. Je demanderai donc à M. Raha de le peaufiner. Nous vous tiendrons informés de la date du prochain conseil d'administration. Je vous remercie.

Il fusille Mohan Kumar du regard et sort en claquant la porte.

Dans la semaine qui suit, Mohan Kumar se consacre à toutes sortes de causes. Il participe aux rassemblements organisés dans le cadre de la campagne « Justice pour Ruby », se joint aux sit-in devant la Cour suprême pour protester contre le projet de rehaussement du barrage de Sardar Sarovar, assiste à une veillée aux chandelles à la Porte de l'Inde pour la paix avec le Pakistan et prend la tête d'un groupe de femmes en colère qui bloquent l'accès aux débits de boissons. Il troque ses lunettes de lecture contre des lunettes rondes cerclées de métal, ce qui lui vaut dans les médias le surnom de Gandhi Baba.

Le dimanche, alors qu'il se rend à une manifestation contre la création de Zones économiques protégées, la voiture de Mohan se retrouve coincée dans un embouteillage du côté de Connaught Place. Pendant qu'elle avance, centimètre par centimètre, vers le feu rouge, son regard est attiré par les affiches de cinéma sur sa gauche. Ornées de torrides créatures à demi nues, elles arborent des titres comme TOUT AU BOUT DE LA NUIT, LES ENNUIS D'UNE VIERGE et LA BELLE CROQUEUSE D'HOMMES. Un bandeau en diagonale proclame : « Amour et sexe à volonté. Matinée à 10 heures. Tarifs spéciaux. » Une accroche au-dessous enfonce le clou : « Le sexe n'a pas besoin de langage. »

— Ram, ram, marmonne Mohan. Comment le gouvernement autorise-t-il pareille infamie dans un lieu public ?

Brijlal soupire d'un air entendu.

— Mon fils Rupesh est allé à ces séances en matinée. Les affiches, ce n'est rien. Il paraît que dans les films on voit des femmes entièrement nues.

— Ah bon ? Dans ce cas, arrête la voiture.

— Quoi, Sahib, ici même ?

— Oui, ici même.

Brijlal se gare le long du trottoir en face du cinéma, et Mohan descend.

Le cinéma est un vieux bâtiment gris qui sent le renfermé et le moisi. La peinture murale s'écaille, le carrelage au sol est très abîmé. Mais les fresques du plafond et les colonnes corinthiennes de la cour intérieure sont intactes, vestiges décrépits d'une splendeur passée. La séance du matin est sur le point de commencer, et une foule considérable se presse au guichet. Un public exclusivement masculin, que les hormones en goguette poussent à chercher une gratification instantanée. Il y a même de jeunes garçons dans la file d'attente, douze ou treize ans à tout casser. Ils se trémoussent nerveusement et bombent le torse, dans un effort désespéré pour paraître plus âgés. Mohan Kumar se dirige droit vers le guichet, sans se soucier des protestations qui fusent de la file d'attente. Le caissier, un homme entre deux âges à la fine moustache, est assis dans un cagibi sans aération devant des liasses de tickets roses, blancs et vert clair.

— Orchestre cent, balcon soixante-quinze, poulailler cinquante. Quelle place voulez-vous ? demande-t-il d'une voix monocorde, sans se donner la peine de lever les yeux.

— Je veux toutes vos places.

— Toutes ?

Le caissier se redresse.

— Oui.

— Les tarifs de groupe ne sont pas valables en matinée. Vous venez de la part d'un foyer de jeunes ?

— Non, je veux les places dans le seul but de les détruire.

— Quoi ?

— Vous avez bien entendu. Je veux détruire vos billets d'entrée. N'avez-vous pas honte de montrer ces saletés, de pervertir la jeunesse de ce pays ?

— Eh, pas la peine de me parler de ça à moi. Allez voir le directeur. Le suivant, s'il vous plaît.

— Appelez-moi le directeur, je vous prie. Je ne bougerai pas de cette caisse tant qu'il ne me recevra pas, déclare Mohan fermement.

Le caissier le regarde d'un œil torve, se lève de son tabouret et disparaît derrière une porte verte. Un homme petit et corpulent entre dans le cagibi.

— Oui, qu'est-ce que c'est ? Je suis le directeur.

— J'aimerais vous parler.

— Venez dans mon bureau. Première porte à droite en haut de l'escalier.

La pièce est plus grande, avec un canapé d'un vert passé et une table en bois sur laquelle trône, solitaire, un téléphone noir. Des affiches de vieux films, encadrées, tapissent les murs.

Le directeur écoute patiemment Mohan Kumar. Puis il lui demande :

— Savez-vous à qui appartient ce cinéma ?

— Non.

— À Jagdamba Pal, le député local. Je suis sûr que vous ne voulez pas d'embrouilles avec lui.

— Et vous, savez-vous qui je suis ?

— Non.

— Je suis Mohandas Karamchand Gandhi.

Le directeur est pris d'un fou rire.

— Mon frère, ce film, *Munnabhai*, avec Gandhi est sorti depuis belle lurette. Vous avez un an de retard dans vos dialogues.

— Riez, monsieur le directeur, je voudrais bien voir votre tête quand votre propre fils franchira le tourniquet. Le déchaînement de passion dans les films que vous diffusez encourage la débauche et la corruption au sein de notre jeunesse. Je ne puis rester sourd et aveugle face à une telle calamité, parfaitement évitable par ailleurs.

Le directeur pousse un soupir.

— Vous êtes un type bien, mais en même temps pas très futé. Si vous tenez à manifester votre désaccord, préparez-vous à en subir les conséquences. Ne m'en veuillez pas si le député lâche ses sbires sur vous.

— Un vrai *satyagrahi* ne craint pas le danger. À partir de demain, je viendrai m'asseoir à l'entrée et je jeûnerai jusqu'à ce que vous acceptiez de ne plus diffuser ces films immondes.

— Faites donc, dit le directeur en décrochant son téléphone.

Le lendemain matin, Mohan Kumar arrive au cinéma vêtu en Gandhi, ample habit et calotte en coton tissé blanc. Il choisit un endroit pile en face de la caisse et s'assied par terre avec une simple pancarte qui proclame : ALLER VOIR CE FILM EST UN PÉCHÉ.

Les hommes dans la file d'attente le regardent avec curiosité. Certains s'inclinent devant lui, d'autres jettent des pièces à ses pieds, mais personne ne quitte la file. À neuf heures et demie, le cinéma affiche complet.

Shanti arrive un peu plus tard.

— Pourquoi ne rentres-tu pas ? demande-t-elle d'un air inquiet. Le film a déjà commencé.

Il lui sourit avec indulgence.

— Une autre séance commencera bientôt. Je suis sûr que quelqu'un m'écoutera. Si je convaincs ne serait-ce qu'un seul homme que ce qu'il fait est mal, j'aurai le sentiment d'avoir réussi ma mission.

— Comment peux-tu réussir, si personne ne sait que tu es en train de jeûner ?

— Le jeûne est une affaire entre Dieu et moi, Ba. Allons, cesse de te tourmenter. Je ne doute pas que d'autres me rejoindront dans cette croisade en temps voulu.

— Bois au moins ce jus de fruits que je t'ai apporté.

Shanti lui tend une gourde.

— Un homme qui jeûne, ce ne sont pas des litres d'eau qui lui donnent de la force, mais Dieu, Ba. Rentre à la maison, maintenant.

Shanti lui lance un regard morne et repart avec Brijlal. Assis par terre, Mohan contemple le va-et-vient de Connaught Place, les cadres épuisés en costume-cravate, les jeunes femmes radieuses qui font les boutiques, les colporteurs qui vendent des ceintures, des lunettes de soleil et des éditions pirates. Le vacarme du trafic est assourdissant.

Quand Shanti revient, deux heures plus tard, pour prendre de ses nouvelles, quelle n'est pas sa stupéfaction de voir Mohan assis sur une estrade en bois avec un autre homme, le dos calé contre un coussin de mousse. Une foule d'environ deux cents personnes les entoure, agitant des banderoles et scandant des slogans : LA PORNOGRAPHIE, C'EST SALE, VIVE GANDHI BABA ET À BAS JAGDAMBA PAL.

Mohan a l'air content de lui.

— Comment est-ce arrivé ? s'étonne Shanti.

Mohan désigne l'homme en *kurta* blanc assis à côté de lui. Il a un visage ovale, un nez étroit, un menton pointu et un regard fuyant. D'emblée, Shanti le trouve antipathique.

— Voici M. Awadhesh Bihari. On s'est rencontrés par hasard il y a une heure, et il s'est aussitôt rallié à ma cause. C'est lui qui a organisé ce rassemblement et fourni les pancartes et les banderoles.

— Bienvenue, Bhabhiji, dit Bihari, onctueux comme un arnaqueur professionnel. C'est un privilège de connaître un être aussi exceptionnel que votre mari. J'étais en train de lui parler de cet individu peu recommandable qu'est Jagdamba Pal. Il possède ce cinéma sordide, mais aussi plusieurs bordels.

— Et vous, que faites-vous ? lui demande Shanti.

— Je suis dans la politique, membre du Parti de la régénération morale. Je me suis présenté contre Jagdamba Pal aux dernières élections. J'avais le soutien des électeurs, mais il a truqué le scrutin, grimace-t-il.

— Alors vous faites ça pour lui damer le pion ?

— Que dites-vous là, Bhabhiji ?

Il paraît choqué.

— C'est notre devoir sacré de protéger nos enfants de la corruption. Au PRM, nous nous considérons comme les dépositaires de la culture indienne. Vous vous rappelez peut-être notre manifestation contre le film lesbien *Les Copines*, il y a quelques années. Nous avons arraché toutes les affiches et empêché la projection, malgré une décision de justice en notre défaveur. Ces films répugnants constituent un affront à notre culture. Nous sommes avec votre mari, contre vents et marées. Il jeûnera, et nous, nous assurerons la logistique.

— Et si le propriétaire du cinéma ne réagit pas ?

— Comment pourrait-il ne pas réagir ? Nous allons le forcer à réagir. Mais d'abord, il faut alerter l'opinion. J'ai contacté plusieurs chaînes de télévision pour faire parler de notre action.

Shanti effleure le front de Mohan pour voir s'il n'a pas la fièvre.

— Je me fais beaucoup de souci pour toi. Combien de temps pourras-tu tenir sans manger ?

— C'est ce qu'on découvrira ensemble, répond Mohan en souriant. Ne t'inquiète pas, Awadhesh prendra soin de moi.

Porté par l'inquiétude de Shanti et les promesses de Bihari, Mohan Kumar passe quarante-huit heures sans nourriture. Mais, au troisième jour du jeûne, son état se dégrade brusquement. Le Dr Soni prend son pouls et sa tension artérielle ; il semble préoccupé. Shanti panique. Et toujours aucun signe du propriétaire du cinéma.

Dans l'après-midi, une camionnette s'arrête à l'entrée, et une femme en jean en descend. Elle a un visage dur, un regard froid et calculateur. Elle est flanquée d'un homme de haute taille, chargé d'une lourde caméra vidéo.

Awadhesh Bihari se relève rapidement, époussetant sa *kurta*. La journaliste le salue :

— Alors, Awadhesh Bihari, y aura-t-il de l'action cette fois ? Votre dernière manifestation a fini en queue de poisson.

Le politicien a un sourire matois.

— Ouvrez l'œil, Nikita. Cette fois-ci, nous avons même mobilisé Gandhi Baba. Jagdamba Pal sera humilié dans son propre fief.

La journaliste regarde Mohan Kumar allongé sur l'estrade et hoche la tête.

— J'aime bien l'approche Gandhi Baba. Nous pourrions en parler au journal du soir.

Baissant la voix jusqu'au murmure, elle ajoute :

— S'il meurt, nous en ferons notre une.

Bihari acquiesce.

— Lobo, je veux que tu commences à filmer, enjoint-elle au cameraman.

GANDHI BABA DANS UN ÉTAT CRITIQUE, proclament tous les journaux le lendemain matin. À dix heures, Jagdamba Pal arrive dans une Scorpio à gyrophare bleu, escorté de quatre commandos armés de pistolets-mitrailleurs. Le député est un géant à la tête carrée, à la chevelure d'ébène et au regard noir. Se perchant sur l'estrade à côté de Mohan Kumar, il lui chuchote :

— Gandhi Baba sahib, pourquoi vous faites ça ?

— Pour mettre fin à cette perversion, répond Mohan d'une voix qui n'a rien perdu de sa force.

— Ce que vous appelez perversion est un besoin naturel chez l'homme. Vous aurez beau vouloir le cacher, le sexe refera toujours surface, sous une forme ou sous une autre.

— Je ne dénonce pas le sexe. Je dénonce sa perversion, cette chosification de la femme.

— Les films qu'on passe ici n'ont rien de répréhensible. Ils ont reçu l'aval du Bureau de censure. Si vous voulez voir ce qu'est la chosification de la femme, faites cinq cents mètres de plus, jusqu'à Palika Bazaar. Là-bas, vous pourrez acheter sous le manteau tous les films classés X pour seulement cent roupies pièce. Faites dix kilomètres jusqu'à GB Road, et pour cent roupies, vous pourrez acheter une jeune fille. Pourquoi ne pas aller manifester là-bas, plutôt que vous attaquer à notre salle ?

— Une perversion reste une perversion, quel qu'en soit le degré. Mon jeûne portera un coup fatal à tous les corrupteurs de la société.

— Écoutez, Gandhi Baba, nous ne voulons pas d'ennuis. Je suis un homme politique. Votre action est préjudiciable à ma réputation. Au nom de la Société des distributeurs d'Inde du Nord, je suis autorisé à vous offrir vingt mille roupies si vous cessez de manifester.

Mohan Kumar s'esclaffe.

— Mon combat n'est pas mercantile. Vous ne m'achèterez pas avec trois deniers.

— OK, disons vingt-cinq mille ?

Mohan secoue la tête.

— Monsieur Pal, quand j'ai fait un serment, aucune force au monde ne peut me faire fléchir.

Le député commence à perdre patience.

— Non mais pour qui diable vous prenez-vous ? Je vous parle poliment, et vous vous comportez comme si vous étiez réellement le mahatma Gandhi. Allez, ça suffit maintenant. Cessez cette comédie. Ou vous videz les lieux sur-le-champ, ou je vous fais dégager manu militari.

— Un *satyagrahi* a une patience infinie, une foi immense dans les autres et un vaste espoir. Dans le code du *satyagrahi*, la notion de soumission à la force brutale n'existe tout simplement pas.

— Espèce de petit salopard !

Jagdamba Pal se jette sur Mohan Kumar. Ancien boxeur, il lui décoche un direct en plein visage, son nez pisse le sang.

— *Haj Ram*[1] ! s'écrie Mohan en tombant.

Shanti hurle, horrifiée. Jagdamba Pal s'immobilise un instant, pétrifié par son geste, puis regagne son véhicule en trébuchant.

— On a frappé Gandhi Baba !

Le cri se propage à travers la foule comme un feu de brousse.

— À mort l'ordure ! glapit Awadhesh Bihari.

Ses acolytes s'élancent à la poursuite du député, dont la voiture s'éloigne déjà.

— Brûlons le cinéma ! s'égosille Awadhesh Bihari.

Et tout le monde se rue à l'intérieur.

— Attendez… attendez ! crie Mohan.

Personne ne l'entend. En quelques secondes, la foule déferlante défonce les portes et envahit le vestibule. Dix minutes plus tard, une fumée noire s'élève au-dessus du bâtiment, le public fuit, paniqué, l'air résonne de sirènes d'ambulances et de camions de pompiers.

Un fourgon de police s'arrête devant l'entrée dans un crissement de pneus. Les agents bondissent comme des lapins et pointent leurs armes sur Mohan Kumar. Un inspecteur s'approche, accompagné du directeur du cinéma.

— C'est lui ? demande-t-il en désignant Mohan.

— Oui, monsieur ! crie le directeur. C'est Gandhi Baba. Il est responsable de ce saccage.

L'inspecteur se tapote la paume avec sa matraque.

— Vous êtes en état d'arrestation, Gandhi Baba.

— Arrestation ? Pourquoi ? interroge Mohan, pressant un mouchoir contre son nez pour stopper l'hémorragie.

---

1. « Oh Dieu ! », les derniers mots qu'aurait prononcés Gandhi au moment de son assassinat.

— Article 307 : tentative d'homicide ; article 425 : dommage à la propriété ; article 337 : mise en danger de la vie d'autrui ; article 153 : incitation à l'émeute. Venez avec moi, ça commence à bien faire, votre cirque.

— Je ne m'appelle pas Gandhi Baba. Mon nom est Mohan Kumar. Je suis un ex-secrétaire général du gouvernement, déclare-t-il avec morgue, se redressant de toute sa hauteur.

— Peu importe comment vous vous appelez. Vous êtes en état d'arrestation.

L'inspecteur fait signe aux agents.

— Emmenez-le.

La maison d'arrêt de Tihar est un ensemble de sept bâtiments carcéraux dans l'ouest de Delhi. Conçue à l'origine pour sept mille détenus, elle en compte actuellement treize mille, dont neuf mille en attente d'un procès.

Le directeur est un homme corpulent avec des bajoues et des cheveux grisonnants. Debout face à lui dans sa tenue de prisonnier, Mohan contient à grand-peine sa colère. L'homme lui adresse un sourire obséquieux.

— Bienvenue, monsieur. Il est rare que nous ayons le privilège d'accueillir un haut fonctionnaire.

— Vous savez très bien que je n'ai rien à faire ici, fulmine Mohan. Le juge qui m'a condamné à quatre mois de détention préventive devrait aller se faire examiner par un psychiatre. Enfin, j'espère que vous avez reçu un appel de mon collègue, le préfet de police ?

— Oui, monsieur. Le préfet sahib nous a donné l'ordre de prendre soin de vous. Je vous ai donc placé dans le quartier de haute sécurité, avec Babloo Tiwari.

— Babloo Tiwari ? Le fameux gangster ?

L'homme hoche la tête.

— Et en quoi serait-ce un traitement de faveur ?

— Vous verrez, monsieur. À Tihar, il ne faut pas se fier aux apparences. Venez, je vais vous montrer votre cellule.

Il escorte Mohan dans un dédale de couloirs étroits, faisant tinter dans sa main un gros trousseau de clés. La prison semble propre et bien entretenue, mais l'odeur est écœurante, mélange de désinfectant et d'effluves douceâtres de boucherie. Ils traversent

une cour où des détenus en rang d'oignons font leur gym-
nastique.

— Ici, à Tihar, nous nous efforçons de rééduquer les prisonniers. Nous avons introduit des activités comme la méditation
vipassana et le yoga. Nous possédons aussi une excellente
bibliothèque avec une salle de lecture, annonce fièrement le
directeur.

La cellule est située dans l'aile sud de la prison.

— Toutes nos cellules font deux mètres cinquante sur trois.

Le directeur ouvre une épaisse grille métallique.

— Celle-ci est la plus grande, deux cellules réunies, en fait. Et
voyez un peu ce qu'il y a là-dedans.

Ils entrent, et Mohan cille, stupéfait. La pièce, tendue de
moquette beige, est équipée d'une petite télé couleur et même
d'un minibar. Il y a aussi deux lits superposés ; un homme en
uniforme de prisonnier dort sur le lit du bas, enveloppé dans
une couverture marron.

— Bienvenue au carré VIP, dit le directeur en souriant.

Mohan s'autorise un demi-sourire.

— Toute gratification est bonne à prendre. Cependant, j'aurais
préféré être seul. Et si vous transfériez ce type, Tiwari, dans une
autre cellule ?

— Écoutez, monsieur, ceci n'est pas un hôtel où je peux distribuer des chambres à ma convenance, réplique le directeur avec
humeur. Babloo Tiwari a obtenu cette cellule parce qu'il a des
relations encore plus haut placées que vous.

Il tapote doucement l'épaule du dormeur.

— Tiwariji, s'il vous plaît, réveillez-vous.

Le prisonnier s'assied, se frotte les yeux. C'est un petit homme
au visage rond et glabre, dont les longs cheveux raides lui tombent sur le front. Il s'étire et bâille.

— Que faites-vous ici, geôlier sahib ? demande-t-il d'une voix
ensommeillée.

— Je viens vous présenter votre nouveau codétenu, M. Mohan
Kumar, secrétaire général du gouvernement.

Babloo Tiwari le regarde avec curiosité.

— Ce n'est pas vous, le type qu'on appelle Gandhi Baba ?

Mohan garde le silence, mais le directeur hoche la tête.

— Tout à fait, Tiwariji. C'est un privilège d'accueillir une aussi éminente personnalité dans notre établissement.

— J'espère qu'il ne va pas vouloir me rééduquer, grommelle Babloo. Au fait, geôlier sahib, avez-vous la nouvelle carte SIM pour mon portable ?

— Chut, souffle le directeur, regardant à droite et à gauche. Même les murs ont des oreilles. Je vous la ferai parvenir demain.

La porte métallique se referme en claquant, et l'écho de ce bruit résonne dans la tête de Mohan longtemps après le départ du directeur. Babloo Tiwari renifle et tend sa main droite.

— Comment allez-vous ?

Mohan voit un bras tatoué d'ancres et de serpents, mais il remarque aussi un lacis de veines éclatées et des traces de piqûres sur la peau flétrie. Retroussant sa lèvre inférieure, il ne fait aucun effort pour serrer la main du gangster.

— Comme vous voudrez.

Babloo sort un Nokia de sa poche, compose un numéro et, une jambe posée sur l'autre, se grattant le scrotum de sa main libre, se met à parler doucement.

À contrecœur, Mohan grimpe sur le lit du haut. Le drap est maculé de taches, et le matelas mince et bosselé. Il règne dans la pièce une humidité qui semble sourdre des murs. Un courant d'air froid s'engouffre par la porte, l'obligeant à remonter la couverture. Mais celle-ci, toute râpée, lui irrite la peau. Il se retient de fondre en larmes.

Le déjeuner est servi à midi sur une assiette en inox ; il se compose de quatre *rotis* bien épais, d'un ragoût de légumes et d'un bol de *dhal*[1] délayé. Mohan trouve la nourriture fade et peu appétissante : il mange un *roti* et repousse le reste. Au-dessous, Babloo Tiwari n'a même pas touché à son assiette.

Couché dans son lit, Mohan fait mine de lire un magazine, tandis que la faim lui ronge l'estomac. Il finit par s'endormir et rêve de poulet en sauce et de whisky. Quand il rouvre les yeux, un verre de liquide ambré flotte devant lui. Une tête sans corps se matérialise à côté du verre. C'est Babloo Tiwari, qui le regarde d'en bas.

---

1. Plat épicé à base de haricots secs.

— Ça vous dit, un petit coup ?

— Qu'est-ce que c'est ? daigne-t-il demander.

— Du scotch. Vingt-cinq ans d'âge.

Presque involontairement, Mohan passe la langue sur ses lèvres sèches.

— Ma foi, je ne dis pas non, admet-il, honteux de se montrer aussi faible.

— Alors, à la vôtre, dit Babloo. Vous pouvez garder votre *gandhigiri* pour les autres, en dehors de cette cellule.

Ils trinquent. La glace est rompue.

La porte de la cellule s'ouvre de nouveau à seize heures.

— Venez, dit Babloo. Allons prendre l'air.

Ils sortent dans la cour, aussi grande qu'un demi-terrain de foot, où grouillent une bonne cinquantaine de prisonniers. Il y en a de tous les âges et de toutes les tailles, des vieillards chenus à la barbe flottante aux jeunes garçons qui semblent n'avoir guère plus de quinze ans. Certains jouent au volley, d'autres sont massés autour d'un poste de radio, d'autres encore, assis, bavardent tout simplement. La déférence avec laquelle ils saluent Babloo Tiwari montre clairement qu'ils le considèrent comme leur chef. Seuls trois hommes recroquevillés dans un coin ne lui prêtent pas attention.

— Qui sont-ils ? demande Mohan.

— Ne leur parle pas. Ne t'approche pas d'eux. Ce sont des étrangers, membres du redoutable Lashkar-e-Shahadat, impliqués dans l'attentat manqué de l'an dernier contre le Fort Rouge.

— Ne devraient-ils pas être enfermés séparément, si ce sont de dangereux terroristes ?

Babloo sourit.

— Même toi, mon frère, tu es classé maintenant dans la catégorie « dangereux ».

Mohan hoche la tête.

— Et toi, pour quelle raison as-tu été incarcéré ?

— Pour tout. J'ai commis pratiquement tous les crimes répertoriés par le Code pénal, et chacune de ces affaires est en attente de jugement. Mais ils seront incapables de prouver quoi que ce soit. Je reste à Tihar par choix. Je suis plus en sécurité ici qu'à l'extérieur.

Tandis que Babloo s'en va parler avec deux autres détenus à la mine patibulaire, un jeune garçon aux cheveux courts et au visage poussiéreux s'approche de Mohan et lui touche les pieds. Il sent la crasse.

— *Arrey*, qui es-tu ?

Mohan a un mouvement de recul.

— On raconte que vous êtes Gandhi Baba, dit le garçon, hésitant. Je viens vous présenter mes respects et vous demander une faveur. Je m'appelle Guddu.

— Pourquoi es-tu ici ? s'enquiert Mohan.

— J'ai volé une miche de pain dans une boulangerie. Ça fait cinq ans que je suis là. Ils me frappent tous les jours et m'obligent à nettoyer les toilettes. Je veux voir ma mère. Elle me manque énormément. Vous seul pouvez me sortir d'ici.

Il éclate en sanglots.

— Dégage, va-t'en.

Mohan gesticule pour le chasser.

— Je ne peux rien faire. Moi-même, je suis prisonnier, comme toi. Il faut que je puisse sortir, avant de penser aux autres. Et ne va pas répandre ces sornettes comme quoi je serais Gandhi Baba, OK ?

Il se déplace à l'autre bout de la cour, où il est aussitôt accosté par un vieil homme au nez aquilin et au regard gris pétillant.

— *Yada yada hi dharmasya glanirbhvati bharata*, entonne-t-il en sanskrit, avant de traduire pour Mohan : Où l'intégrité défaille, tu arrives pour détruire les forces du mal. Je m'incline devant toi, ô grand Mahatma. Toi seul peux sauver ce pays.

— Et vous êtes qui, vous ? demande Mohan, méfiant.

— Dr D. K. Tirumurti, de Madurai, pour vous servir, monsieur. Spécialiste du sanskrit.

— Et escroc professionnel, tu oublies de préciser, ajoute Babloo par-derrière.

— Allons-nous-en, Babloo, j'ai pris suffisamment l'air.

Mohan tire le gangster par la manche.

— Il y a un gars qui veut que je le sauve, un autre qui me demande de sauver le pays. C'est une prison ou un asile de fous ?

— Il n'y a pas beaucoup de différence entre les deux, répond Babloo en s'esclaffant. Reste avec moi, si tu ne tiens pas à rejoindre le clan des barjos.

Le repas du soir est aussi fade que la nourriture servie à midi. Mais Mohan a tellement faim qu'il dévore les quatre *rotis* et vide la gamelle de ragoût de légumes froid. Babloo, remarque-t-il, mange très peu et passe son temps à renifler.

— Comment fais-tu pour tenir le coup ? lui demande-t-il.

Le gangster sourit, malicieux. Essuyant son nez qui coule sur la manche de son *kurta*, il soulève le matelas et exhibe une seringue hypodermique.

— Ma nourriture, la voici.

Il teste la seringue avant de se l'enfoncer dans le bras.

Mohan grimace.

— Alors comme ça, tu es toxicomane ?

— Non. Je ne suis pas accro, déclare Babloo avec une véhémence soudaine. C'est moi qui contrôle la cocaïne, pas l'inverse.

Il termine l'injection et exhale un soupir.

— Ah… c'est le pied. Je te le dis, rien ne vaut le flash du crack. Tu veux essayer ? Ça te fera oublier le scotch.

— Non, merci.

— Je ne prends qu'une seule dose, le soir. Ça me remonte pour la nuit et pour toute la journée du lendemain.

— Et tu fais comment pour dormir ?

— Les somnifères.

— Heureusement, moi, je n'ai pas besoin de somnifères pour m'endormir, dit Mohan en rabattant la couverture sur sa tête.

— Bonne nuit, monsieur, lance Babloo.

Et, sans raison apparente, il éclate de rire.

C'est un immense effort pour Mohan que de s'adapter à la vie en prison. Il apprend à se lever à cinq heures et demie pour l'appel, à s'asseoir sur les toilettes nauséabondes sans se pincer le nez, à supporter le thé insipide et les *rotis* immangeables, à assister aux réunions de prière, aux séances de yoga, et même à regarder les séries télé auxquelles la plupart des détenus sont complètement accros. Il rencontre des assassins pendjabis et des incendiaires gujaratis, des dealers nigérians et des faussaires ouzbeks, des escrocs d'Inde du Sud et des violeurs d'Inde du Nord. Il se met aux échecs et au *carrom*, le billard indien. Il emprunte trois livres par semaine à la bibliothèque de la prison et commence un journal de bord sur la vie carcérale.

Durant cette période, il est soutenu par les largesses de Babloo côté whisky, la livraison scrupuleuse tous les mercredis d'un panier préparé par Shanti, rempli de curry d'agneau et de poulet *biryani*, et les promesses rassurantes de ses avocats, selon lesquels il sortira bientôt.

À son corps défendant, il se lie d'amitié avec Babloo Tiwari. La grossièreté du gangster, son ignorance de ce qui se passe dans le monde l'horripilent, mais le pouvoir qu'il exerce en prison le sidère. Babloo est le roi incontesté de Tihar, où chaque employé est, de gré ou de force, à son service. Il dirige son empire depuis sa cellule, passant la moitié de son temps au téléphone à converser à voix basse avec ses hommes de main pour organiser enlèvements et demandes de rançon, réceptionner des cargaisons clandestines d'alcool, de cocaïne et de cartes SIM, distribuer des primes à des policiers conciliants et des bureaucrates friands de bakchichs. Il a un flair infaillible pour détecter les points faibles, sachant exactement qui appâter avec une call-girl, qui avec de l'argent. Mais son plus grand coup d'éclat, il le réserve pour le réveillon du nouvel an, quand il offre un « concert privé » au personnel de la prison et à ses ouailles.

Dans la salle de lecture, tables et chaises ont été repoussées dans les coins, et une scène improvisée a été dressée contre le mur. L'espace central est recouvert de draps blancs, jonchés de coussins en mousse. Deux bouteilles de Johnnie Walker Black Label trônent au milieu, et des bols en inox remplis de fruits secs sont disposés à des intervalles stratégiques.

Adossé à un traversin, Babloo Tiwari boit une gorgée de whisky, jette une noix de cajou dans sa bouche et contemple la belle jeune femme à la peau claire qui se produit sur scène. En jupe courte et chemisier moulant, elle singe Shabnam Saxena, sur une compil de ses musiques de film.

Sur la gauche de Babloo, il y a le directeur de la prison, et sur sa droite, Mohan. Derrière eux se sont assis les autres membres du personnel, et tout au fond, les quinze détenus qui ont le privilège d'assister au « spectacle ». La fille pointe son opulente poitrine vers les hommes, qui la dévorent des yeux, lui lancent des

« chérie » et des « *jaaneman* », accompagnés de gestes obscènes avec les doigts. Tandis que la soirée progresse en même temps que le niveau de soûlographie, certains employés grimpent sur scène pour se joindre à la danse. Un maton se déhanche de manière suggestive, un autre tente sans succès d'attraper la jupe évasée de la fille. À son tour, Babloo titube jusqu'à la danseuse et fait pleuvoir sur elle des billets de cent roupies. Le tout sous l'œil bienveillant du directeur, qui de temps à autre jette un regard sur la Rolex que Babloo lui a offerte le matin même.

— Magnifique, Babloo sahib ! Je n'aurais jamais imaginé un spectacle pareil à l'intérieur d'une prison, le complimente le Dr Tirumurti.

— Ma devise, c'est « Vivre et laisser vivre », répond le gangster avec suffisance, en regardant Mohan. Alors, Kumar sahib, qu'en dis-tu ? On est si mal que ça, à Tihar, pour fêter la nouvelle année ?

— Je crois que tu as raison, opine Mohan. On n'est pas trop mal à Tihar, tout compte fait. Santé !

Juste avant minuit, Mohan éprouve le besoin de se soulager. Il quitte la salle, grelottant dans le courant d'air froid. La nuit est fraîche, mais le ciel s'illumine d'explosions multicolores de pétards et de fusées. Tandis qu'il traverse la cour, il entend comme un bruissement, et soudain une grosse main se plaque par-derrière sur sa bouche. Il se débat comme un diable pour se dégager, mais quelque chose de dur, de froid et de métallique se plante au creux de ses reins.

— Un seul geste et je t'explose les boyaux, compris ?

Deux autres ombres se matérialisent dans l'obscurité pour l'encadrer. Il voit leurs visages et sent sa gorge s'assécher. Ce sont les terroristes du redoutable Lashkar-e-Shahadat. L'armée du Martyre.

Les trois hommes le propulsent vers le portail. La cour est déserte : tous les gardiens sont absorbés par le spectacle, dont on entend de lointains échos. Un seul maton garde l'entrée principale. Il regarde le feu d'artifice, son fusil appuyé contre sa jambe. Le chef du groupe s'approche de lui à pas de loup. D'un geste prompt, il l'attrape par le cou et le fait tomber à terre.

— Que… que… que faites-vous hors de vos cellules ? bégaie la sentinelle, plaquée au sol.

— Tais-toi ! aboie le chef.

Un de ses acolytes ramasse le fusil et le pointe sur le maton.

— Ouvre le portail.

Tremblant de peur, l'homme sort un trousseau de clés de la poche de son pantalon. D'une main mal assurée, il déverrouille le cadenas. Le portail pivote sur ses gonds. Au même instant, le chef le frappe avec la crosse du pistolet, et il s'affaisse sans bruit.

Mohan se met à frissonner.

— S'il vous plaît, ne me tuez pas, implore-t-il.

Le chef rit. C'est la dernière chose qu'entend Mohan avant que sa tête explose de douleur et que tout devienne noir.

Quand il reprend connaissance, une infirmière est penchée sur lui.

— Où suis-je ?

— Au dispensaire, répond-elle.

Il remarque un journal sur la table de chevet, avec sa photo en première page. *ÉVASION TÉMÉRAIRE À TIHAR : GANDHI BABA BLESSÉ*, annonce le gros titre. Les détails suivent :

Les fonctionnaires mortifiés sont bien en peine d'expliquer leur présence à un spectacle de cabaret dans une prison de haute sécurité pendant que trois dangereux terroristes étrangers se faisaient la belle. Une enquête est en cours pour établir comment ils se sont échappés de leurs cellules après s'être procuré une arme sous le manteau. Entre-temps, une réorganisation massive a été ordonnée.

La riposte du gouvernement ne s'est pas fait attendre. Le directeur a été suspendu. Douze membres du personnel ont été mutés sans autre forme de procès. Un nouveau patron, un dur à cuire, a été nommé. Babloo Tiwari et Mohan Kumar ont été transférés de leur cellule douillette dans un dortoir exigu.

Le gangster maudit les Cachemiris.

— Les fils de pute, maintenant je vais devoir morfler, comme les autres. On m'a confisqué mon portable. Même la radio et la

139

télé ont été supprimées. Comment je vais survivre dans ce trou à rats ?

— La *Gita* dit : « Renoncez aux attachements et consacrez-vous au service de Dieu et de vos frères humains », entonne Mohan.

— Qui c'est, cette Gita ?

— La *Gita* est la clé des écritures sacrées. Elle enseigne le secret de la non-violence et de l'accomplissement à travers le corps physique.

— C'est quoi, ces conneries, Mohan sahib ?

— Le véritable développement consiste à nous réduire à l'état de zéro.

— Il débloque ou quoi ?

Babloo regarde Tirumurti.

— Non, Babloo saab. Il est en train de révéler le savoir qu'il nous avait caché jusqu'ici. Nous assistons à la renaissance de Gandhi Baba.

— C'est facile, ça, fait Babloo en ricanant. Tant qu'on était dans notre cellule VIP, il n'avait aucun scrupule à boire mon whisky. Et maintenant qu'on est dans ce trou à rats, il devient Gandhi Baba ? Un truand, voilà ce qu'il est.

— Avez-vous vu ce communiqué, Babloo saab ?

Tirumurti désigne le journal qu'il tient dans la main.

— Le jugement du procès de Vicky Rai a été reporté au 15 février.

— Qu'est-ce que ça change ? Le verdict, on le connaît d'avance.

Babloo balaie ses paroles d'un geste.

— Eh oui, il n'y a pas de justice dans ce pays, soupire Tirumurti. Un homme comme Gandhi Baba est en prison, et un assassin comme Vicky Rai est en liberté conditionnelle.

À la mention de Vicky Rai, Mohan Kumar dresse brusquement l'oreille. Son front se plisse, ses pupilles se dilatent.

— Vicky Rai… Vicky Rai… Vicky Rai, marmonne-t-il, comme si on avait ravivé une ancienne blessure.

— Je vais parier sur ce procès. Un million contre un que Vicky Rai sortira libre du tribunal, déclare Babloo.

— D'accord, acquiesce Tirumurti.

— Comment ça ? les sermonne Mohan. À vous entendre, l'Inde serait toujours sous la coupe des Britanniques. En ce temps-là, je vous le concède, la justice était bafouée dans quatre-vingt-dix-neuf cas sur cent. Mais aujourd'hui, nous sommes maîtres chez nous. Je suis sûr que Vicky Rai sera dûment châtié. Ayons confiance dans nos magistrats.

— Soit, Gandhi Baba, nous verrons qui aura raison le 15 février, dit Babloo en frissonnant légèrement.

— Tu as de la fièvre ? s'inquiète Mohan.

— Non. Juste un coup de froid passager.

Les deux jours suivants, Babloo se conduit de plus en plus bizarrement. Il s'énerve pour un rien, se plaint fréquemment de nausées, de troubles de la vision, est pris de crises de tremblements incontrôlables. D'un seul coup, il soupçonne Tirumurti d'être un indic et lui recommande de garder ses distances. Il cesse complètement de s'alimenter et refuse de quitter la cellule. Toute la nuit, il se recroqueville sur lui-même et se roule sur les dalles de pierre comme quelqu'un qui souffre atrocement.

Tirumurti ne tarde pas à diagnostiquer le mal :

— Babloo présente tous les symptômes du manque, maintenant qu'il ne peut plus se procurer sa cocaïne. On doit se débrouiller pour lui trouver sa dose, sinon il va mourir.

— Je ne suis pas d'accord, rétorque Mohan fermement. Un médecin qui alimente le vice de son patient l'avilit et s'avilit. Babloo n'a pas besoin de drogue. Il a besoin de chaleur et d'amour.

Le lendemain, l'arrivée de Mohan à la réunion de prière sème le trouble parmi les détenus. Il prononce un long et impressionnant discours sur les dangers de la toxicomanie, l'importance de la foi et les bienfaits du célibat. Il demande aux participants de se présenter, interroge chacun en détail sur son histoire personnelle et la durée de sa peine. Il a l'air de se soucier particulièrement de la santé de ses compagnons et propose plusieurs remèdes maison à un détenu qui se plaint de coliques. Fasciné par la bibliothèque, il s'intéresse de près à la sono pour voir si elle diffuse des *bhajans*. À midi, il demande au cuisinier du lait de chèvre.

Dorénavant il dort à même le sol, insiste pour nettoyer lui-même ses latrines et se fait un plaisir de récurer celles des autres.

Une fois par semaine, il jeûne en observant le silence ; s'abstenir de parler, dit-il, lui procure une paix intérieure.

La prison est un terreau fertile pour l'émergence d'un chef. Elle renferme la lie de la société, prête à se raccrocher à n'importe quel espoir pour mieux supporter les épreuves de la vie carcérale. Un vaste fan-club se constitue autour de Gandhi Baba, avec pour principal disciple Babloo Tiwari, pratiquement guéri de sa toxicomanie.

— Sais-tu ce qu'il y a de plus difficile au monde, Gandhi Baba ? demande-t-il un soir à Mohan.

— Quoi ?

— Éveiller la foi chez quelqu'un qui a laissé tomber la religion. Je te serai éternellement reconnaissant, Gandhi Baba, de m'avoir ouvert les yeux à l'amour divin.

— Tu chanteras donc *Vaishnav Janato*[1] avec moi à la prière de demain ? s'enquiert Mohan, le regard pétillant.

— Pas seulement, je compte me raser la tête et devenir végétarien.

— Merveilleux. Si en plus tu pouvais cesser tes activités criminelles...

— C'est comme si c'était fait, Gandhi Baba. Babloo Tiwari le gangster est mort. Finies, les armes à feu.

Plusieurs autres détenus suivent l'exemple de Babloo et embrassent le végétarisme, si bien que la direction est obligée de revoir ses achats alimentaires. Mohan encourage les prisonniers à peindre et fait vendre leurs tableaux par le biais d'un site web créé par le beau-frère de Tirumurti. Invité pour une causerie dans le quartier des femmes, il persuade ces dernières de se lancer dans la fabrication d'en-cas, commercialisés sous la marque « Le Choix de Bapu ».

Les journaux publient des éditoriaux sur les réformes de Mohan. Deux dealers anglais, Mark et Alan, deviennent ses disciples et entament la rédaction de sa biographie. L'université de

---

1. Chant religieux préféré de Gandhi, exaltant les vertus de l'homme de bien.

Madras vote à l'unanimité la résolution de recommander Mohan pour le prix Nobel de la paix.

À l'approche du 15 février, on ne parle que d'une chose à la prison : l'issue du procès de Vicky Rai. La veille du verdict, Mohan est incapable de trouver le sommeil. Il arpente la cellule pendant que les autres ronflent paisiblement.

Le lendemain, juste avant le déjeuner, il prend la tête d'un cortège de détenus qui se rend au bureau du directeur.

— Qu'est-ce que c'est ? s'étonne celui-ci.

— Nous venons voir le cirque, annonce Tirumurti.

— Quel cirque ?

— Le procès de Vicky Rai, dit Babloo.

— Ah, pas de problème. J'allais regarder moi-même le verdict.

Le directeur presse une touche de la télécommande, et le vieux poste perché sur une étagère s'allume.

Presque toutes les chaînes diffusent un reportage en direct de la salle d'audience de Delhi. Le directeur zappe sur ITN, et Barkha Das emplit l'écran, vêtue d'une *salwar kameez* bleue avec une veste de photographe vert olive par-dessus.

« Ce jour marquera un tournant dans l'histoire de la justice en Inde, déclare-t-elle. Tout comme l'Amérique retenait son souffle en attendant le verdict dans l'affaire O. J. Simpson, l'Inde attend le dénouement du procès de Vicky Rai. La salle d'audience derrière moi est pleine à craquer, mais notre correspondant, Shubhranshu Gupta, nous attend à l'intérieur pour délivrer les dernières nouvelles. Shubhranshu, la cour a-t-elle rendu son jugement ? »

Elle penche la tête pour écouter le compte rendu dans son oreillette puis lève les yeux et grimace.

« Nous venons de recevoir un communiqué de la salle d'audience. Vicky Rai a été acquitté du meurtre de Ruby Gill. »

Tout le monde se tait. Le directeur éteint la télé.

— Vous avez entendu le verdict ? Satisfaits ? grommelle-t-il. Allez, regagnez vos cellules.

Babloo Tiwari adresse un clin d'œil à Tirumurti.

— Qu'est-ce que j'avais dit, hein ?

— S'il est dehors, pourquoi nous, on moisit ici ? gronde Tirumurti.

— Parce qu'on n'a pas un père ministre de l'Intérieur de l'Uttar Pradesh, réplique Babloo.

Mohan sent la terre trembler sous ses pieds. Il doit s'agripper au bras de Babloo pour ne pas chanceler.

— Vous voulez dire quelque chose, Gandhi Baba ?

Il garde le silence.

Trois jours durant, Mohan refuse de s'alimenter, de parler, de quitter sa cellule. Allongé sur sa couchette, il fixe le plafond d'un air vague.

— Mange quelque chose, Gandhi Baba, implore Babloo. Ton jeûne ne vengera pas Ruby Gill.

— Il n'y a qu'un moyen de venger Ruby Gill, murmure-t-il finalement.

— Quoi donc ?

— Vicky Rai doit mourir, dit-il tout bas.

Babloo enfonce un doigt dans son oreille pour la nettoyer, persuadé qu'il a mal entendu.

— Vicky Rai doit mourir, répète Mohan.

— Je trouve ça très étrange de ta part, dit Babloo.

— J'ai toujours soutenu qu'à choisir, je préfère la violence à la lâcheté. Mieux vaut tuer un assassin que lui permettre de frapper à nouveau. Celui qui accepte de subir l'injustice est aussi coupable que celui qui la commet. Veux-tu me rendre un dernier service ?

— Je suis prêt à donner ma vie pour toi, Gandhi Baba. Il suffit de demander.

— Je te demande de tuer Vicky Rai.

— Tuer Vicky Rai ?

Babloo Tiwari secoue lentement la tête.

— Je suis prêt à mourir pour un tas de causes, mais aucune ne mérite que je tue pour elle, Gandhi Baba.

— Ne me ressers pas mon propre couplet, Babloo.

— Ce n'est pas un couplet. Tu m'as transformé, Bapu.

— Si tu ne peux pas le faire, je le ferai moi-même.

— Tu n'es pas sérieux !

— Je suis parfaitement sérieux. Peux-tu m'apprendre à me servir d'une arme ?

— Pas de problème. Non seulement je te l'apprendrai, mais je te fournirai un bon flingue quand tu auras purgé ta peine et que tu sortiras de Tihar. Mais tu ne crois pas que ta colère sera retombée dans deux mois ?

— Je n'ai pas l'intention de rester à Tihar jusque-là.

— Comment ? Ne me dis pas que tu veux t'évader ! Es-tu en train de creuser un tunnel durant la nuit ?

— Non. Je n'ai pas besoin de tunnel pour m'évader. Je sortirai par la porte principale.

— C'est quoi, ton plan, Gandhi Baba ?

— Tu verras, Babloo, tu verras. Mais d'abord, il faut que tu m'organises une réunion avec tous les détenus.

Une semaine plus tard, un mouvement général de non-coopération débute à Tihar. Les prisonniers refusent de faire la cuisine, le ménage, de se laver ; ils réclament de meilleures conditions de détention, un traitement équitable et la fin du racket de la part des gardiens.

Le directeur ne trouve pas ça drôle.

— Qu'est-ce que vous fomentez, monsieur Kumar ? demande-t-il à Mohan.

— La désobéissance civile devient un devoir sacré lorsque l'état de droit est supplanté par la corruption.

Le directeur essaie la méthode forte, mais les détenus refusent de céder. La grève entre dans sa dixième journée. Le jardin commence à dépérir, les toilettes empestent. La boue envahit la cour, et la poussière les salles de cours.

La direction de la prison et les instances supérieures multiplient les consultations d'urgence. Huit jours plus tard, Mohan Kumar est relâché avant terme. Shanti l'attend à la sortie, avec des centaines de supporters. Aux cris de « Longue vie à Gandhi Baba ! », ils l'escortent chez lui en un joyeux convoi de voitures, de cars et de bicyclettes, dans un tintamarre de sonnettes et d'avertisseurs. À l'arrivée, Mohan prononce un long discours sur la nécessité de combattre l'injustice.

Quelques jours plus tard, un borgne se présente chez lui avec un paquet.

— Je viens de la part de Babloo Tiwari. Pouvons-nous parler en privé ? demande l'inconnu à Mohan.

Ils sortent dans le jardin. Le borgne ouvre le paquet et brandit un pistolet étincelant.

— C'est un Walther PPK calibre 32 dernier cri, flambant neuf. Le même que celui de James Bond.

— Combien je vous dois ?

— Babloo Bhai a dit que je ne devais pas vous faire payer. Il vous l'offre.

— Et les balles ?

— Le chargeur est plein.

Mohan prend le pistolet dans sa main droite et le soupèse.

— Je peux l'essayer ?

L'homme regarde autour de lui.

— Ici, dans le jardin ? fait-il, dubitatif.

— Pourquoi pas ?

Mohan enlève le cran de sûreté et vise la bouteille de Coca vide posée sur la balustrade en bois du belvédère. Il presse la détente. Le verre vole en éclats, dans une déflagration assourdissante. Mohan hoche la tête d'un air approbateur, souffle sur le canon fumant et glisse l'arme à l'intérieur de son *kurta*.

Shanti se précipite en hurlant dans le jardin.

— Que se passe-t-il ? J'ai entendu un coup de feu. J'ai cru que quelqu'un…

— Tu as trop d'imagination, Shanti, dit Mohan calmement. La mort est bénie à tout instant, mais doublement bénie pour le guerrier qui meurt en défendant sa cause… c'est-à-dire la vérité.

Le même soir, une carte au liseré d'or, dessinée par M. F. Husain en personne, parvient à son domicile : *Vicky Rai vous convie à un banquet de célébration le 23 mars au Numéro Six*, lit-on à l'intérieur en lettres cursives.

À sa lecture, un sourire rusé apparaît sur les lèvres de Mohan.

9

L'amour à Mehrauli

IL N'Y A QUE TROIS MOYENS DE DEVENIR RICHE DU JOUR AU LENDEMAIN :
hériter d'une fortune familiale, cambrioler une banque ou toucher un jackpot inattendu. Sous la forme d'un ticket de loto
gagnant, par exemple, ou d'une main imbattable au poker. Moi,
j'ai trouvé le mien il y a deux jours dans une poubelle.

Après avoir récupéré la mallette, j'ai sauté dans un bus pour
rentrer chez moi, au temple. Mère était dans la cuisine, Champi
écoutait la télé. Je suis allé dans ma chambre et j'ai cherché une
cachette convenable pour mon butin. Mais allez donc planquer
quelque chose dans un tout petit *kholi*. Pour finir, j'ai fourré la
mallette sous le matelas, où elle a formé une grosse bosse.

Plus tard, une fois que mère et Champi se sont endormies, je l'ai
ressortie et j'ai entrepris de compter l'argent, une torche coincée
entre les jambes. Il y avait vingt liasses de mille et de cinq cents roupies. Les billets étaient flambant neufs, tout juste sortis de la presse.
J'ai pris la première liasse et commencé à additionner. Mille… deux
mille… dix mille… quinze mille… cinquante mille. La tête me
tournait, avec tous ces zéros que je n'avais encore jamais manipu-
lés. À la vingtième liasse, les doigts me faisaient mal, j'avais la
bouche sèche et je n'y voyais plus clair. Disons-le tout net : il y avait
dans la mallette plus d'argent que je ne pouvais en compter.

Une vague de bonheur m'a submergé, me procurant une excitation plus intense qu'un baiser mouillé. J'avais plus d'argent en ma
possession que ma famille n'en verrait en sept générations. Mais,
alors même que je me réjouissais de ce coup de chance. un premier
doute a commencé à s'insinuer dans mon esprit. Et si quelqu'un
m'avait vu prendre la mallette et dénoncé à la police ? Si un voleur

pénétrait dans notre cabane et s'en emparait ? Rien n'arrête des hommes désespérés. Le bidonville voisin, Sanjay-Gandhi, grouille de tueurs à gages prêts à vous égorger pour cinq mille roupies. Rien ne les arrêtera s'ils veulent mettre leurs sales pattes sur ma mallette. Les vrais riches peuvent dormir sur leurs deux oreilles, ils ont de l'argent à la banque, des vigiles vingt-quatre heures sur vingt-quatre et des alarmes dans leur maison. Mais un pauvre devenu riche, comment fait-il pour protéger son magot ? Je m'agitais, je transpirais, je n'en ai pas fermé l'œil de la nuit.

C'est ça qui est bizarre avec l'argent : en avoir trop peut être aussi problématique que ne pas en avoir assez.

Quand j'étais à l'école publique, on avait un professeur nommé Hari Prasad Saini qui aimait poser des colles aux élèves. Un jour, il nous a demandé : « Que feriez-vous si vous vous retrouviez soudain avec cent mille roupies chacun ? »

Je me souviens, Lallan a dit qu'il achèterait un magasin de jouets. Un autre garçon a répondu qu'il dépenserait tout en chocolats. Moi, j'ai déclaré que je donnerais l'argent à ma mère. Mais maintenant que j'ai largement plus de cent mille roupies, pas question de lui en parler. Mère serait tout à fait capable de me traîner au poste de police pour y clamer haut et fort : « Inspecteur sahib, trouvez s'il vous plaît où mon fils a volé tout cet argent ! »

J'avais l'intention de cacher la chose même à Champi, mais au bout de deux jours j'ai compris que c'était impossible. Je n'ai jamais eu de secrets pour elle, et il fallait que j'en parle à quelqu'un. Alors, lorsque mère est allée au temple vaquer à ses occupations quotidiennes, j'ai invité Champi à venir me rejoindre dans la partie de la chambre qui m'est réservée.

— J'ai l'argent pour ton opération, lui ai-je dit.

— Combien ?

— Beaucoup plus qu'il n'en faut pour payer le chirurgien.

— Je ne veux pas me faire opérer. Je suis heureuse comme ça.

Je sais qu'elle ment. Elle n'a rien contre une opération, ne serait-ce que pour faire plaisir à mère, obnubilée par l'idée de son mariage. « Qui épousera Champi, avec le physique qu'elle a ? » se lamente-t-elle constamment. Elle a raison. Qui épousera Champi ? C'est un désastre ambulant. La plus gentille fille du monde est aussi la plus laide. Un bec-de-lièvre fait du bas de son visage une caricature monstrueuse. Son bras gauche est complètement atrophié, ses joues sont grêlées. Heureusement, elle ne peut pas voir sa laideur. Elle est aveugle. Ce qui ne l'empêche pas d'être notre célébrité locale. Sa photo paraît souvent dans la presse, et on lui a même consacré un reportage sur CNN.

Champi est connue dans le monde entier sous le nom du Visage de Bhopal. Une catastrophe industrielle majeure s'est produite à Bhopal il y a plus de vingt-cinq ans. Un gaz toxique, le méthyle isocyanate, s'est échappé d'une usine d'Union Carbide, et tous ceux qui l'ont inhalé sont morts, ou ont fini aveugles ou fous. À l'époque, la mère de Champi, Fatima Bee, vivait là-bas. Elle aussi a été intoxiquée par le gaz, même si elle ne l'a pas su tout de suite. Cinq ans après, elle donnait naissance à Champi. En voyant le nouveau-né, les médecins ont dit à Fatima Bee que la cécité et les malformations étaient dues au gaz. Aujourd'hui encore, ça m'intrigue que le gaz soit resté enfermé dans le corps de Fatima Bee sans lui causer aucun mal pour frapper la pauvre Champi à l'instant où elle est née.

Le gouvernement a promis d'indemniser les victimes de la catastrophe, mais les gens comme Fatima Bee, qui en ont subi les effets à retardement, n'étaient pas concernés. Elle a donc rejoint un mouvement baptisé les Croisés de Bhopal qui luttait pour obtenir réparation. Comme il arrive souvent dans notre pays, l'affaire traînait, sans l'ombre d'une résolution en vue. Tous les trois mois, Fatima Bee venait à Delhi pour faire un tour à la Cour suprême et participer à deux ou trois rassemblements avant de rentrer à Bhopal. Il y a dix ans, elle a décidé de s'installer à Delhi, avec son mari, Anwar Mian, et Champi. Ils habitaient dans le bidonville Sanjay-Gandhi, à Mehrauli, rempli de réfugiés bangladais. Anwar Mian a trouvé du travail dans une cimenterie à Mahipalpur. On m'a dit que c'était un homme maussade et taciturne qui buvait comme un trou, fumait vingt *bidis* par jour et ne desserrait pratiquement pas les dents. Un beau jour, il est allé au travail, comme d'habitude ; le soir il est rentré chez lui comme d'habitude, et la nuit il est tombé raide mort. Crise cardiaque, *bole toh*.

Le coup a été rude pour Fatima Bee, qui s'est retrouvée seule avec Champi à charge. Pour survivre, elle a dû accepter des travaux de couture. C'est comme ça que ma mère l'a connue, en allant lui commander deux ou trois chemises pour moi. C'était une excellente couturière. Les chemises qu'elle a confectionnées pour moi étaient parfaites. Malheureusement, Fatima Bee devait aussi lutter contre la maladie. Il y a trois ans, elle est morte de tuberculose, laissant Champi seule au monde. C'est alors que des gens du mouvement des Croisés de Bhopal sont venus au temple. Ils cherchaient une famille d'accueil qui accepterait de prendre soin de Champi moyennant trois cents roupies par mois (devenues par la suite quatre cents). Personne n'était volontaire, jusqu'à ce que mère propose ses services. C'est la reine des bonnes œuvres, elle serait prête à nourrir même un serpent malade. Elle a jeté un regard sur Champi et l'a serrée dans ses bras comme sa propre fille. Au début, la direction du temple a rechigné. Le prêtre onctueux, qui tire un bénéfice substantiel des offrandes quotidiennes, ne voulait pas d'une musulmane dans l'enceinte d'un temple hindou. Mais ma mère ne l'entendait pas de cette oreille.

— Quel genre de prêtre êtes-vous ? L'humanité a-t-elle une religion ? l'a-t-elle rembarré, coupant court à ses objections.

Depuis, Champi vit avec mère et moi dans notre maison derrière le temple. En un sens, je la considère comme ma sœur. Tous les mois, les Croisés de Bhopal versent à mère le montant de sa pension, et une fois par an, le 3 décembre, ils viennent chercher Champi pour leur journée d'action. Ils visent à alerter l'opinion en organisant une grande manifestation, avec des bénévoles souvent outrageusement costumés. L'année dernière, ils s'étaient déguisés en squelettes. Mais la star du rassemblement, c'est incontestablement Champi, qui n'a pas besoin de maquillage pour témoigner des horreurs de Bhopal.

Quand Champi est arrivée chez nous, mère lui a promis qu'on lui arrangerait le visage. Nous l'avons même montrée à un chirurgien esthétique. Il nous a dit que l'intervention coûterait la somme astronomique de trois cent mille roupies. Depuis, principe de réalité oblige, nous avons cessé d'en parler. Champi a accepté notre impuissance tout comme nous avons accepté sa monstruosité.

J'essaie de ranimer ce vieil espoir, mais Champi ne veut rien entendre.

— Je refuse cet argent sale, déclare-t-elle après que je lui ai narré par le menu la façon dont je suis entré en possession de la mallette.

— Comment sais-tu que c'est de l'argent sale ?

— Sinon, pourquoi l'aurait-on caché dans une poubelle ? Et s'ils te retrouvent ?

— Ils ne me retrouveront pas. Cet argent est à moi, maintenant. Et j'ai l'intention d'en profiter.

— Bien mal acquis ne profite jamais. Tu dois penser aux conséquences.

— La vie est trop courte pour se préoccuper de l'avenir.

— Pour toi, peut-être, mais pas pour ta mère et moi. Elle s'inquiète en permanence pour toi.

— Eh bien, dis-lui de ne plus s'inquiéter. À partir de demain, elle n'aura même plus besoin de travailler. J'ai de quoi nous nourrir tous les trois pour les cent ans à venir.

— Ne prends pas la grosse tête, m'exhorte Champi. Mieux vaut ne pas faire de vagues et attendre un petit moment avant de tirer des plans sur la comète.

Son conseil me paraît raisonnable. Je hoche la tête.

— Tu as raison, Champi. Personne ne doit connaître l'existence de cette mallette. Je n'y toucherai pas pendant une semaine. Si personne ne la réclame d'ici là, on pourra souffler, commencer à dépenser un peu de blé, s'occuper de ton opération.

— Je ne veux pas un sou de ton magot, répète Champi, catégorique. Mais avant de faire quoi que ce soit, si tu allais demander la bénédiction du seigneur Shiva ? Va t'incliner devant ton dieu, au moins aujourd'hui.

Je balaie sa suggestion d'un revers de main.

— Qu'est-ce que Dieu a à voir avec cette mallette ? Je n'ai pas à le remercier pour ça.

Champi soupire.

— J'intercéderai pour toi auprès d'Allah, Celui qui pardonne les péchés, Celui qui octroie les faveurs. *La ilaha illa huwa*, à Lui le retour final, dit-elle, portant les deux mains à son visage.

Je secoue la tête. Compte tenu de l'état de ses yeux et de son visage, la foi de Champi est d'autant plus remarquable.

— Pas un mot de la mallette à mère, hein, l'avertis-je.

Et, d'un pas nonchalant, je me dirige vers le portail.

Nous sommes lundi, le jour du seigneur Shiva, et les fidèles commencent à affluer au temple. D'ici midi, il y aura un demi-kilomètre de queue pour le *darshan*[1].

Le temple de Bhole Nath, à Mehrauli, date d'une vingtaine d'années. Il a dû être érigé pour la même raison que la plupart des temples de la ville : le foncier. Mais sa réputation a vite grandi, et c'est devenu un lieu de pèlerinage. Les adeptes lui prêtent le pouvoir d'exaucer les vœux et se pressent dans la salle de marbre massif à toute heure du jour, assis par terre à méditer ou à psalmodier. Mère est là aussi dans la matinée, passant la serpillière, astiquant le carrelage, rinçant les rigoles pour éviter qu'elles ne se bouchent.

Il y a des tas de choses à faire dans l'enceinte du temple, mais moi, tout ce qui m'intéresse, c'est de mater les filles. Shiva étant considéré comme pourvoyeur de bons partis, demoiselles et jeunes mariées ne cessent de défiler, venant prier pour trouver un mari convenable ou assurer la réussite de leur vie conjugale. Si seulement les nanas savaient que l'affaire du siècle est là, à portée de la main, *Kholi* numéro un !

Le temple fait partie de mon existence depuis mes six ans. J'ai assisté à son essor. J'ai vu le jardin fleurir et les arbres coloniser le terrain. J'ai grandi en même temps qu'augmentait le prix des fleurs et des friandises – et que s'arrondissait la panse des prêtres et des confiseurs.

Cette prospérité a partiellement déteint sur nous. Avant que mère ne commence à travailler ici, nous habitions le bidonville Sanjay-Gandhi, dans une cabane bricolée avec des plaques de tôle ondulée, sans eau ni électricité. Mère cuisinait avec des bouses de vache dans un âtre en terre sèche qui emplissait toute la cabane de fumée et m'irritait les yeux. Maintenant, on a une vraie maison d'une pièce et demie, avec une cheminée en brique, un ventilateur au plafond et même la télé par câble (que j'ai branchée en douce sur le raccordement du temple). Évidemment, ça reste très limite pour trois personnes. Nous avons divisé la chambre en deux par-

---

1. Mot sanskrit signifiant « vision », « révélation ».

ties, séparées par une cloison en bois. J'ai un côté, avec mon matelas et une petite table, et mère et Champi ont l'autre. J'ai décoré les murs de mon côté de posters de Salim Ilyasi et de Shabnam Saxena, en grande partie masqués par mes chemises et mes pantalons suspendus à une patère. Mère a sur les siens quelques vieux calendriers ornés de dieux et de déesses. Elle a aussi un coffre en aluminium avec des vêtements. Sur le dessus, elle a posé une photo en noir et blanc encadrée de mon père, entourée d'une guirlande de roses séchées. C'est son bien le plus précieux. Mais là où elle voit son époux, je vois un martyr.

Bien qu'elle n'en parle jamais, j'ai su que mon père avait été tué dans un accident de la route. Je n'avais que six ans à l'époque, mais je me souviens de son cadavre devant notre cabane, enveloppé d'un drap blanc, et de ma mère cassant ses bracelets et se cognant la tête contre le mur. Huit jours plus tard, un homme trapu vêtu d'un *kurta* blanc est venu la voir, les mains jointes. Il a versé des larmes de crocodile et lui a donné vingt-cinq mille roupies. Il lui a également trouvé ce boulot au temple et la maison où nous logeons aujourd'hui. Mon père nous a offert dans la mort ce qu'il n'avait pu nous offrir vivant.

— Ça fait un mois que tu as quitté ton emploi chez les Bhusiya. Tu vas chercher un autre travail, oui ou non ? demande mère à l'instant même où elle rentre le soir.

C'est devenu son leitmotiv.

— À quoi ça sert, toutes ces études universitaires, si tu as l'intention de te tourner les pouces ? *Arrey*, si tu ne penses pas à ta vieille mère, pense au moins à ta sœur Champi. Comment ferai-je pour la marier si tu refuses de gagner de l'argent ? Mon Dieu, pourquoi m'as-tu donné un bon à rien pour fils ?

Je lui souris.

— J'attendais pour t'annoncer la bonne nouvelle. Je viens juste de décrocher un nouveau job : directeur des opérations à l'usine de carton de M. G. Road, dix mille roupies par mois.

— Dix mille ?

Mère ouvre de grands yeux. Puis elle me toise avec sévérité.

— Tu ne me fais pas marcher, hein ?

— Je jure sur la tête de père que c'est vrai, dis-je, solennel.

— Grâce soit rendue au seigneur Shiva…

Elle lève le regard au ciel et se précipite dehors. À coup sûr, elle va distribuer des bonbons à tout le temple.

Champi, elle, n'apprécie guère.

— Comment peux-tu mentir aussi effrontément ? Je plains la femme qui t'épousera.

— Tu ne crois pas qu'elle préférera un menteur millionnaire à un loqueteux honnête ? dis-je avec un grand sourire.

Une jeune femme vêtue d'un jean et d'un top imprimé est venue interviewer Champi. Elle est plutôt mignonne, avec des cheveux courts et des yeux marron. Son nom est Nandita Mishra, et elle se présente comme réalisatrice de films documentaires.

— Je suis en train de tourner un film sur la tragédie de Bhopal et la situation vingt-cinq ans après. J'aimerais recueillir le point de vue de Champi Bhopali, explique-t-elle en installant son trépied.

Champi disparaît dans la cuisine, se passe le visage à l'eau, glisse une fleur dans ses cheveux et revient se placer face à la caméra. Elle est devenue experte dans l'art de donner des interviews, et ses propos sont truffés de mots comme « contamination », « conspiration » et « réparation ».

Une fois l'enregistrement terminé, la femme se tourne vers moi.

— Connaissez-vous quelqu'un dans le bidonville Sanjay-Gandhi ?

— Pourquoi cette question ? Qu'est-ce qu'une personne comme vous pourrait avoir à faire là-bas ?

— Mon prochain projet est un film sur la vie dans un bidonville. Quelque chose du genre *Salaam Bombay*, mais en plus pointu, plus incisif. Les bidonvilles, nous les voyons de loin, par la fenêtre du train ou d'une voiture, mais combien d'entre nous s'y sont aventurés personnellement ? Mon documentaire aura pour but de donner au spectateur un aperçu authentique de la vie qu'on y mène.

— Un bidonville, madame, n'est pas une attraction touristique. Pour avoir une idée de cette vie-là, il faut y être né.

Elle me jette un regard perçant.

— Excellente réplique. Ça vous ennuierait de la répéter devant la caméra ?

Du coup, je me prépare à mon tour à donner une interview, la première de mon existence, sur les conditions de vie à Sanjay-

Gandhi. Le bidonville est mon terrain de jeu depuis l'âge de trois ans. J'aurais beaucoup de choses à raconter, sur les familles de six entassées dans six mètres carrés. Sur des jeunes filles qui tentent de préserver leur intimité tout en se lavant au robinet municipal devant des centaines de personnes. Sur les couples mariés faisant l'amour à la sauvette, sous des regards furtifs qui suivent chacun de leurs gestes. Sur des hommes qui, assis en rang d'oignons, chient comme des buffles le long de la voie ferrée. Sur les pauvres qui se reproduisent comme des moustiques et vivent comme des chiens, tandis que les chiens des riches dorment sur des matelas Dunlopillo à l'abri des moustiques.

Je pourrais dire toutes ces choses-là, mais face à l'objectif je bafouille et perds mes moyens. Nandita Mishra essaie de me souffler, mais les mots restent bloqués dans ma gorge. Au bout d'un moment, elle abandonne et commence à remballer son matériel.

Après son départ, je rumine ma déconvenue. Était-ce à cause de la caméra en face de moi ou de la mallette sous mon lit ? Maintenant que je suis riche, se peut-il que je sois incapable de raisonner en habitant de bidonville ?

Dix jours se sont écoulés depuis que j'ai pris possession de la mallette, et personne n'est venu la réclamer. Le plan, c'est de continuer à vivre comme avant à l'intérieur du temple, une vie de frugalité et d'abstinence. Mais à l'extérieur je peux me permettre d'être totalement différent. Le moment est venu de profiter de la chance qui m'a été donnée. Pour commencer, je décide de m'offrir un trajet en taxi.

La station se trouve à deux rues du temple. Un véhicule jaune et noir est garé le long du trottoir. Le chauffeur lit le journal. Je tape sur la vitre.

— Vous êtes libre ?

Le chauffeur, un vieux sikh à la barbe touffue, baisse la vitre et recrache quelque chose.

— Qui a besoin d'un taxi ?

— Moi.

Il contemple mes vêtements sales et mon visage poussiéreux avec un mépris non déguisé.

— *Oy*, tu as déjà pris un taxi une fois dans ta vie ? Sais-tu combien ça coûte ? demande-t-il d'un ton peu amène.

155

— Je me déplace en taxi depuis toujours, *sardarji*, dis-je, surpris de l'arrogance de ma voix.

J'agite devant ses yeux deux billets de mille roupies.

— Allez, conduisez-moi à Ansal Plaza. Et vite.

— Bien, sahib.

Son attitude change du tout au tout.

— Montez, je vous prie.

Il jette le journal et enclenche le compteur.

Je m'installe sur la banquette arrière d'un taxi pour la première fois de ma vie, je replie les mains derrière ma tête et j'allonge les jambes. Ça y est, c'est le début de la belle vie.

J'écume avec un acharnement vindicatif les boutiques chic du centre commercial. Tout ce dont j'ai toujours rêvé mais que je n'avais pas les moyens de m'offrir, je l'achète. Une chemise chez Marks & Spencer, un blouson de cuir chez Benetton, un jean Levi's, des lunettes de soleil Guess, un parfum Lacoste et une paire de Nike. Dix ans de lèche-vitrine compressés en une heure de fièvre acheteuse, et vingt mille roupies claquées dans ces six boutiques seulement. Puis je vais aux toilettes, aussi élégantes que le reste, où je me débarbouille au lavabo, avant d'enfiler le jean, la chemise et les chaussures, avec le blouson de cuir par-dessus. Je m'asperge d'un parfum coûteux et me plante devant le grand miroir en pied. J'ai devant moi un séduisant inconnu, grand et mince, aux joues rasées de près et aux boucles emmêlées comme celles de l'acteur Salim Ilyasi. Je fais claquer mes doigts et prends une pose à la Michael Jackson. Après quoi je fourre mes vieux vêtements dans un sac en plastique et sors des toilettes d'un pas chaloupé avec mes lunettes noires. Une fille au look branché, en jean et tee-shirt, me jette un regard appréciateur. Il y a dix minutes, elle ne m'aurait même pas remarqué. C'est là que je me rends compte à quel point les habits vous changent un homme. Et que les riches ne sont pas intrinsèquement différents des autres. Ils sont mieux habillés, c'est tout.

J'ai envie de danser et de chanter : « *Saala main to sahab ban gaya*[1] *!* ». Munna Mobile est devenu un gentleman. Maintenant, il lui faut une copine ad hoc.

---

1. Chanson extraite d'un film connu, dont les paroles signifient : « Me voici devenu un sahib ! »

Je passe la soirée à South Extension Market, à lorgner les filles riches dans leurs habits de riches. Elles descendent de leurs voitures de luxe pour pénétrer dans des boutiques de luxe qui vendent des sacs de créateurs et des chaussures de marque. Je suis un groupe de filles chez Reebok ; le vigile à l'entrée me salue et me tient la porte. À l'intérieur, le directeur me demande si je veux une boisson fraîche ou une tasse de thé. Je ris et bavarde avec les vendeuses. Elles me font les yeux doux. Une sensation de chaleur et de bien-être m'envahit. En sortant du show-room chauffé, je décide d'essayer le restaurant d'à côté. Je m'offre un festin de poulet au beurre, de *seekh kebabs* et de *naans*, pour la modique somme de huit cents roupies. De retour dans l'artère principale, je jette un dernier regard aux grands magasins brillamment illuminés, dont les vitrines regorgent de trésors. Cet étalage d'opulence indécent ne me semble pas étranger aujourd'hui. Désormais, je fais partie de cet univers tape-à-l'œil.

Mon escale suivante est l'Infra Red, la boîte la plus branchée et la plus prisée des noctambules de la capitale. Dinoo, un copain du bidonville qui y a brièvement travaillé comme serveur, m'a dit qu'on y trouvait les plus belles filles, et les « plus dénudées » aussi.

Le taxi me dépose pile à l'entrée du night-club, qui brille de tous ses néons. Il n'est que neuf heures du soir, mais une file d'attente s'est déjà formée devant la porte en bois sculpté, dont l'accès est fermé par un cordon de velours. Deux videurs chauves et musclés, vêtus de costumes noirs identiques, font le tri parmi les clients. Deux mendiants sur le trottoir se lèvent avec empressement à l'arrivée de chaque nouvelle voiture. Je rejoins la file et, après un quart d'heure d'attente, me retrouve devant la porte. L'un des videurs me jauge d'un regard et hoche la tête à l'adresse de son collègue, qui me demande d'aligner trois mille roupies à titre de « supplément d'entrée individuelle ». « Trois mille roupies ? Mais c'est exorbitant ! » ai-je envie de crier. Cependant, je ne dis rien et retire trois autres billets de ma liasse. On me donne un ticket, on décroche le cordon de velours et on me laisse franchir la porte. Je descends une bonne vingtaine de marches jusqu'à une espèce de sous-sol. Au loin, on entend une musique rythmée. Je m'approche d'une deuxième porte, et la musique devient plus forte. Un portier en uniforme contrôle mon ticket d'entrée et presse un bouton.

La porte s'ouvre, et je pénètre dans une salle faiblement éclairée, grouillante de monde. La musique est si assourdissante que j'ai peur pour mes tympans. Sur ma droite trône un bar en forme d'îlot entouré de petits canapés jaunes. Sur ma gauche, c'est la piste de danse, un vaste espace presque entièrement cerné de miroirs. Au plafond, un gros stroboscope lance à intervalles réguliers des éclairs verts, bleus et jaunes. L'humeur est à la fête, la piste est remplie de corps oscillants, transpirants, qui dansent avec frénésie. Le DJ est perché dans une loge de verre et d'acier. De temps à autre, une fumée blanche s'élève au milieu de la piste, telle une fontaine fantomatique.

Dinoo ne m'a pas menti. Presque toutes les filles portent des robes moulantes, des tops à bretelles au décolleté plongeant qui dévoilent une bonne partie de leurs seins, des tee-shirts courts qui leur laissent le nombril à l'air et des microjupes qui dissimulent à peine leurs dessous. Il y a plus de chair nue sur cette piste de danse que sur Fashion TV.

La fumée, les lumières, la musique créent une ambiance d'abandon insouciant, comme si l'Inde était derrière nous et que nous étions dans un pays neuf et audacieux avec ses propres us et coutumes.

Tandis que je m'habitue au décor fluorescent et à l'éclairage tamisé, je remarque quelques visages connus du côté du bar. Il y a là Smriti Bakshi, la star des séries télé, l'actrice Simi Takia, et l'ancien joueur de cricket Chetan Jadeja. Un autre homme au physique familier, cheveux gominés et biceps saillants, bavarde avec une étrangère. Voilà un groupe de filles en jean couture et stilettos qui ressemblent à des top models. Ici, tout le monde a l'air d'être quelqu'un. J'ai l'impression d'avoir infiltré une fête pleine de stars de cinéma et de célébrités.

Le barman, un jeune homme aux cheveux lissés qui arbore un nœud papillon, me demande si je désire boire quelque chose. Je demande :

— Qu'est-ce que vous avez ?

— Tout, monsieur.

Il désigne les rangées de bouteilles derrière lui. Je tends l'oreille pour essayer de savoir ce que vont commander les top models. Elles choisissent des boissons dont je n'ai jamais entendu parler, Long Island ice tea, piña colada ou strawberry margarita, en brandissant négligemment leurs cartes de crédit.

Pris d'une envie de pisser, je me dirige vers les toilettes pour hommes. Mais, en ouvrant la porte, j'entends des bruits bizarres. Deux filles *firang*, deux étrangères blanches, gloussent en sniffant de la cocaïne sur le rebord du lavabo. Elles me foudroient du regard ; je sens que je gêne.

— Va-t'en, dit l'une d'elles.

Je bats en retraite vers la piste de danse. Le DJ, qui jusque-là avait passé de la musique anglaise, met un remix du film *Dhoom 2*, aussitôt acclamé par la salle. Cette chanson, je la connais par cœur, ayant vu le film une bonne dizaine de fois. J'ai mémorisé jusqu'au moindre geste de l'éblouissante chorégraphie de Hrithik Roshan. Et je ne suis pas le seul. Tout gamin des bidonvilles est un Michael Jackson qui attend son heure de gloire. J'ai toujours nourri l'espoir secret d'aller un jour dans une boîte où le DJ mettrait mon morceau préféré, pour montrer mes talents peaufinés par plus de dix ans d'émissions de danse à la télé. Je ferais le moonwalk et le spot shimmy, je tournoierais sur la tête et marcherais sur les mains. La foule s'écarterait et formerait un cercle autour de moi, applaudissant chacun de mes mouvements. Mais, maintenant que j'en ai l'occasion, je me sens nerveux et mal à l'aise, comme si ma façon de danser allait révéler mon imposture.

J'étouffe. La piste ne m'attire plus du tout. Soudain, je m'aperçois que derrière s'ouvre un autre espace, séparé par une cloison du reste de la salle. Je me fraie un passage dans la masse compacte des corps qui se trémoussent et se bousculent, et pénètre dans un salon, beaucoup plus feutré. À la place des canapés et des tabourets de bar, il y a des tapis et des coussins, un téléviseur à écran géant et des plantes artificielles, ainsi qu'un petit bar, avec un serveur qui bâille. Et une poignée de gens : un couple qui échange des confidences dans un coin, une fille qui a l'air de s'ennuyer, accompagnée d'un type plus âgé, et qui essaie d'envoyer un texto, et un groupe d'étrangers chevelus qui fument le narguilé à tour de rôle.

Je remarque alors une fille seule qui me tourne le dos ; elle regarde la télé, branchée sur NDTV au lieu de MTV. Elle est mince, avec de longs cheveux noirs, et doit être la seule de tout le club à être habillée à l'indienne, d'une *salwar kameez* bleue.

Je fais un pas dans sa direction. Elle a dû sentir ma présence car elle se retourne. J'entrevois un visage ovale, un nez droit, des lèvres pulpeuses et une paire d'yeux noirs qui semblent au bord des larmes. Des filles aussi jolies qu'elle, j'en ai rarement croisé.

— Hello ! dis-je, vu que les gens riches ne s'expriment qu'en anglais.

Elle me regarde d'un air désemparé et ne répond pas. Je la vois se mordre la lèvre.

Une autre fille, vêtue d'un jean et d'une ceinture cloutée, se matérialise soudain à côté d'elle. Elle porte un rouge à lèvres écarlate, assorti à son tee-shirt rayé, au décolleté plongeant.

— J'espère que tu ne t'ennuies pas trop, Ritu chérie, dit-elle en hindi. Tony et moi, on se fait encore deux danses, et après on rentre.

Tout à coup, elle m'aperçoit.

— Salut ! lance-t-elle en anglais. Vous allez bien offrir un verre à ma copine ?

Mais j'ai déjà épuisé mes connaissances linguistiques.

— Je préfère parler hindi, lui dis-je, penaud.

— Cool.

Elle me tend la main.

— Je m'appelle Malini. Et elle, c'est mon amie Ritu. Elle aussi ne parle que l'hindi châtié.

Tandis que Malini disparaît sur la piste de danse, je tends la main à Ritu, et cette fois elle la prend. Sa main est douce et délicate. Je m'assieds à côté d'elle.

— Tu connais mon prénom. Et toi, comment t'appelles-tu ? demande-t-elle en hindi.

Je réalise aussitôt que Munna Mobile, ça ne va pas le faire dans cette boîte huppée. Il me faut un nouveau nom, vite… un nom qui en jette. Le personnage le plus important que je connaisse est le Boucher de Mehrauli, l'inspecteur Vijay Singh Yadav. Sans réfléchir, je bredouille :

— Vijay Singh, je m'appelle Vijay Singh.

Son visage s'éclaire.

— Tu es donc un Thakur, comme moi ?

Je hoche la tête.

— Oui, je suis un Thakur.

— Et que fais-tu dans la vie, Vijay ?

160

Ça, c'est facile. Je fais ce que font tous les camelots dans cette ville.

— Je suis dans l'import-export.

— Et où habites-tu ?

Là, ça se corse. Je n'ose pas répondre : « *Kholi* numéro un. »

— Ici et là.

J'esquisse un geste vague. Puis, sans lui laisser le temps de poursuivre son interrogatoire, je passe à la contre-offensive :

— Et toi ? Où habites-tu ?

— Oh, je ne suis pas de Delhi. Je viens de Lucknow. Je suis de passage.

Voilà qui explique la langue et la tenue vestimentaire.

— Et qu'est-ce que tu fais ?

— Je prépare mon diplôme de conseillère en économie sociale et familiale à l'université. Ça fait combien de temps que tu as fini, toi ?

— Deux ans.

— Et tu as étudié où ? insiste-t-elle.

— À l'université de Delhi, dis-je, désinvolte, sans prendre la peine de préciser qu'il s'agissait de cours par correspondance et qu'il m'a fallu quatre ans pour décrocher une malheureuse licence.

Nous bavardons à bâtons rompus pendant deux bonnes heures. Elle m'interroge sur les livres que j'ai lus et, l'air de rien, j'oriente la discussion sur les films que j'ai vus au cinéma. Elle me parle de Lucknow. Je lui parle de Delhi. Il s'avère que nous avons des tas de points communs. Ni l'un ni l'autre nous ne faisons confiance aux hommes politiques ; nous dénonçons le pouvoir de l'argent, et nous sommes tous les deux fans de Shabnam Saxena.

Vers onze heures et demie, Ritu s'apprête à partir.

— C'était sympa de discuter avec toi, Vijay. J'espère qu'on se reverra.

Et elle me glisse un papier, avec son numéro de portable.

Je suis Ritu et son amie dehors. La file d'attente à l'entrée s'est allongée. Une BMW noire s'arrête devant les filles, et un grand moustachu en uniforme d'agent de la sûreté nationale, armé d'un AK-47, leur ouvre la portière. Ritu s'engouffre à l'intérieur avec Malini en évitant soigneusement de me regarder. La voiture démarre, me laissant sur le trottoir. Pendant toute la soirée, Ritu a éludé avec tact les questions personnelles sur sa famille, mais la présence de ce garde armé m'intrigue. Qui est cette fille mystérieuse, et pourquoi m'a-t-elle donné son numéro de portable ?

Là-dessus, je me fais accoster par un mendiant qui pue et qui, de son bras tordu, m'agrippe la jambe comme une sangsue, histoire de me rappeler que je suis de retour en Inde.

— Ça fait trois jours que je n'ai pas mangé. S'il vous plaît, donnez-moi un peu d'argent ! supplie-t-il.

Je fouille dans mes poches et j'en tire deux pièces d'une roupie. Une fois débarrassé de lui, je me réfugie dans une ruelle sombre pour enfiler mes vêtements habituels. Vijay Singh a bien profité de sa soirée. Il est temps que Munna Mobile aille se pieuter.

Je saute dans un bus pour rentrer au temple. Mère dort déjà, mais pas Champi.

— Tu as changé d'odeur, dit-elle sitôt qu'elle m'entend.

Je me fige. Elle est comme ça, Champi. Elle a beau être aveugle, elle y voit mieux que les gens qui ont leurs deux yeux.

— Oui, je me suis mis du parfum.

— Un parfum cher, on dirait. Ça y est, tu es en train de dépenser cet argent.

— Ben, ça fait dix jours.

— Tu as rencontré une fille ?

— Quoi ?

— Tu as aussi son odeur sur toi.

La clairvoyance de Champi me laisse sans voix.

J'attends qu'elle s'endorme avant de sortir la mallette et de l'ouvrir, à la fois pour ressentir ce frisson d'excitation si particulier et pour compter les liasses qui restent. Peine perdue, de nouveau. Non que je ne sache pas compter, mais ce sont d'autres chiffres – un numéro à dix chiffres, plus précisément – qui m'obsèdent ce soir. Le numéro du portable de Ritu.

Pas de doute, je suis tombé amoureux de sa beauté. Le vieux désir refoulé de séduire une riche memsahib refait surface, comme un serpent lové dans un coin de mon esprit. Je m'interroge sur le meilleur moment pour la recontacter. Si j'appelle demain, je risque de paraître trop pressé, d'être accro, et de tout gâcher. Mais si je tarde trop, elle va croire que je me la joue ou qu'elle ne m'intéresse pas.

Alors que je me creuse les méninges, je réalise que je n'ai même pas de téléphone portable. Le lendemain matin, je vais donc à la boutique m'acheter un Nokia 1110, un modèle de base, pour ne pas éveiller les soupçons. Le buraliste du coin et le laveur de linge d'à côté ont le même. Ça fait drôle de payer un téléphone portable pour la première fois de ma vie avec mon propre argent. Car il est bien à moi, cet argent, non ?

Malgré tous mes efforts, je ne résiste pas à la tentation d'appeler Ritu. Dix minutes après avoir inséré la carte SIM, je me surprends à composer son numéro. On dirait qu'elle attendait mon appel : elle décroche à la première sonnerie.

— Salut, Ritu. Vijay Singh à l'appareil, dis-je, plutôt platement.

— Salut, Vijay, répond-elle plutôt coquettement.

S'ensuit un silence gêné, pendant lequel je cherche mes mots. Je n'ai jamais eu l'occasion de baratiner une fille riche au téléphone. Qu'est-ce qu'elles aiment faire, ces filles-là ? La seule chose qui me vient à l'esprit, c'est le shopping.

— Ça te dit d'aller faire du shopping ?

Nouvelle pause. Elle semble réfléchir à ma suggestion.

— Oui, ce serait sympa. Tu me proposes d'aller où ?

— Où loges-tu ?

— À Mehrauli, dit-elle, à mon étonnement.

— Ça alors ! Moi aussi j'habite Mehrauli. On se retrouve à Ambawata ? Il y a toutes les boutiques de créateurs, là-bas.

— Non, réplique-t-elle après un silence. Je préfère un endroit éloigné de Mehrauli. Que dirais-tu de Connaught Place ?

— Ah oui, j'y vais tout le temps.

— Parfait. Rendez-vous à trois heures ?

— Où ?

— Tout ce que je connais là-bas, c'est le Wimpy. J'y suis allée une fois avec Malini.

— Ça marche. Je vois très bien où est le Wimpy. Allez, à tout à l'heure.

Notre conversation n'est pas encore terminée que j'ai déjà cerné Mlle Ritu et décidé de ma stratégie de séduction. Il est clair que c'est une fille de province venue chercher le frisson dans la grande méchante ville, en cachette de ses parents. Je suis sûr qu'elle n'aurait rien contre une petite aventure avec un Thakur – sa propre caste. Pour une fille aussi canon, je serais prêt à dépenser jusqu'à vingt mille roupies. Je l'emmènerai faire les boutiques, l'éblouirai par mon extravagance puis l'entraînerai au lit !

Pour commencer, je m'achète une chemise de flanelle et un pantalon de velours au Metropolitan Shopping Mall. Je ne veux pas paraître devant Ritu avec les mêmes vêtements que la veille. Puis, sur un coup de tête, je vais voir un film anglais au multiplexe. Je ne saisis que quelques bribes par-ci, par-là, mais un délicieux sentiment de bien-être m'envahit face à ces acteurs à la peau blanche qui parlent anglais pendant une heure et demie non-stop. Curieusement, je me sens mieux équipé pour un rencard avec une nana riche. Je sors du cinéma, chausse mes lunettes noires et hèle un auto-rickshaw.

Il me dépose à Connaught Place à moins le quart, et j'attends Ritu devant le Wimpy. Elle arrive peu après trois heures, dans une auto différente cette fois – une Mercedes SLK 350 gris métallisé –, mais avec le même garde moustachu armé d'un AK-47 sur le siège avant.

Elle descend, dit quelque chose au garde, et la voiture s'éloigne. Aujourd'hui elle porte un *churidar*, un pantalon moulant, avec une *kameez* assortie. Une *chunni* rouge lui couvre pudiquement la poitrine. En plein jour, elle semble encore plus belle et rayonnante. J'admire les contours délicats de son visage, l'arc gracile de son cou, et je m'émerveille d'avoir réussi à pêcher une splendeur pareille.

Elle me repère presque immédiatement, et un sourire chaleureux éclaire son visage.

— Salut, Vijay.

Elle jette un coup d'œil à droite et à gauche, comme si elle craignait qu'un proche parent ne soit là pour l'espionner.

Il est temps que j'en sache plus sur sa famille.

— Hier aussi tu es venue avec un garde armé. Comment ça se fait ?

— Mon père tient à ce que je me fasse escorter. Question de sécurité.

— C'est un homme d'affaires important ?

— En quelque sorte.

Puis elle change de sujet :

— Que comptes-tu acheter à Connaught Place ? Je n'ai encore jamais fait mes courses ici.

— Moi, je n'ai besoin de rien. C'est toi qui vas te faire plaisir.

Je l'emmène dans une boutique climatisée qui vend du prêt-à-porter de luxe. Ritu fouille sur les portants, regarde les étiquettes et lève les yeux au ciel.

— C'est complètement insensé comme prix ! Pour la même somme, je m'achète dix tenues à Lucknow.

— Oui, mais nous sommes à Delhi. Les tarifs ne sont pas les mêmes. Ne t'inquiète pas, aujourd'hui c'est moi qui paie, dis-je avec la morgue de qui a cent mille roupies en poche.

Elle me jette un drôle de regard.

— *Arrey*, pourquoi irais-tu dépenser de l'argent pour moi ? Tu es mon frère ou quoi ?

Légèrement ébranlé, je scrute ses yeux, qui semblent limpides et sincères. Se pourrait-il que j'aie commis une erreur à son sujet, une coûteuse erreur de jugement ?

— Allons voir là-dedans.

Je désigne la boutique d'à côté, avec le mot « Soldes » placardé sur la vitrine.

Ritu secoue la tête.

— Ces soldes, c'est du pipeau. On devrait plutôt aller faire un tour à Palika Bazaar. On m'a dit que les prix étaient plus raisonnables sur un marché.

Pourquoi discuter, puisque mon budget séduction s'en trouvera divisé par deux ? Je la conduis donc jusqu'au marché souterrain situé au milieu du parc, plein d'échoppes de vêtements, de bibelots et de gadgets électroniques. La foule qui s'y presse est composée en majorité d'étudiants et de petits employés. Je me fais aussitôt harponner par des camelots au regard fuyant, assis derrière des étals de CD-Rom et de DVD.

— Un film porno ?... Nous avons des triples X, monsieur, excellente qualité, murmurent-ils, tandis que je passe devant leurs guérites.

Je suffoque dans cette atmosphère confinée, mais Ritu est emballée par les boutiques brillamment illuminées. Après un rapide survol, elle décrète que Palika Bazaar, bien que plus cher dans l'ensemble que le marché d'Aminabad à Lucknow, offre plus de choix. Fidèle à ses racines provinciales, elle n'accorde pas un regard aux magasins de jeans et de tee-shirts et se dirige droit vers les portants alignés dans le passage. Pendant une demi-heure, elle marchande avec le vendeur pour une paire de costumes *salwars*. Elle les veut pour trois cents roupies, et lui en réclame cinq cents. Ils finissent par se mettre d'accord sur trois cent soixante-quinze. Je lui tends un billet de cinq cents roupies, mais Ritu refuse catégoriquement. Elle sort de son sac à main un portefeuille élimé et paie son achat avec son propre argent. Sa probité me trouble et m'impressionne tout à la fois.

Porte numéro trois, je me fais accoster par un garçon dégingandé, avec une cargaison de ceintures sur le dos.

— Ce sont des ceintures importées, sahib, des ceintures de marque, mille roupies à Connaught Place, et seulement deux cents ici.

Il m'en tend une avec une boucle estampillée « Lee ». Je le congédie d'un geste de la main, mais il s'accroche.

— Jetez un œil.

Il allume un briquet et l'approche d'une des extrémités de la ceinture.

— Vous voyez, sahib, c'est du cuir véritable !

Je m'esclaffe.

— Tu me prends pour un gogo ou quoi ? Tes ceintures, c'est du PVC, ça vaut rien.

— Mais non, monsieur. C'est du vrai cuir. Allez, je vous les fais à cent roupies.

— Ça ne m'intéresse pas.

— S'il vous plaît, sahib. Prenez-en une. Rien qu'une seule, implore-t-il. Je vous la laisse à cinquante roupies seulement.

— Cinquante roupies ? dit Ritu. C'est très raisonnable.

— Vous voyez, sahib ? Même Memsahib veut que vous en achetiez une. Prenez-la, et Dieu vous gardera ensemble toute votre vie, affirme-t-il avec la véhémence d'un mendiant professionnel.

Ritu rougit. Son visage empourpré est la preuve que ses sentiments pour moi sont plus que fraternels. Je souris et sors un billet de cinquante roupies.

— Tiens, prends ça et garde ta ceinture. Toi aussi, tu te souviendras de ta rencontre avec un homme riche.

Le colporteur accepte l'aumône d'un air surpris. Ritu me donne une tape sur le bras.

— Tu es toujours aussi généreux avec tous les pauvres diables que tu croises ?

— Non, dis-je d'une voix enjouée. Mais je respecte la requête qu'il a adressée à Dieu.

Elle rosit de plus belle, et une vague de désir me submerge. Je sens que je suis sur la bonne voie, que cette virée dans les magasins aura une issue mémorable. Pendant que Ritu s'engouffre dans une autre boutique de vêtements, je fouille dans mon esprit à la recherche d'un hôtel où je pourrais l'emmener.

Dès qu'elle émerge, je me jette à l'eau :

— Ça te dit d'aller boire un café ?

Elle me regarde, la tête penchée.

— Un café ? Ici ?

— Non, à l'hôtel d'à côté.

Elle hésite, consulte sa montre.

— Oh, mon Dieu, cinq heures moins le quart, déjà ! J'ai promis à Ram Singh d'être de retour à cinq heures.

— Qui c'est, ce Ram Singh ?

— Mon garde du corps. Il faut que je retourne au Wimpy. C'est là qu'il viendra me chercher. Je dois y aller, maintenant, Vijay.

Au fond, Ritu n'est peut-être pas aussi naïve qu'elle en a l'air. À sa façon de ne pas mordre à l'hameçon, je me demande si elle n'a pas vu à travers mes lunettes noires et deviné mes véritables intentions. Je tente de masquer ma déception en faisant preuve de galanterie :

— Pas de problème. Viens, je te raccompagne.

Elle regarde ses pieds.

— En fait, je préfère y aller seule.

— OK. Quand est-ce qu'on se revoit ?

— Je t'appellerai. J'ai ton numéro sur mon portable. Allez, salut, Vijay.

Une semaine passe sans aucune nouvelle de Ritu. Chaque fois que j'appelle, je tombe sur le message préenregistré disant que mon correspondant n'est pas disponible. Si ça se trouve, elle est rentrée à Lucknow, mais je brûle d'en savoir davantage sur cette jolie fille qui voyage comme une princesse et fait ses courses comme une pauvresse. J'écume le quartier autour du temple, scrutant les manoirs et les fermes des riches, au cas où j'apercevrais l'une des deux voitures de Ritu, mais la plupart des propriétés sont protégées par un haut portail métallique, et les vigiles à l'entrée font la chasse aux rôdeurs.

J'ai presque abandonné l'espoir de la revoir un jour quand elle me téléphone.

— Salut, Vijay.

J'entends son adorable voix, et mon cœur bondit de joie.

— Où étais-tu pendant tout ce temps ? Je devenais fou à essayer de te joindre.

— Je suis allée à Farrukhabad avec ma mère. On est rentrées aujourd'hui seulement.

— Tu m'as manqué.

— Tu m'as manqué aussi. Tu veux qu'on se retrouve pour déjeuner ?

— Déjeuner ? Mais oui, avec plaisir.

— Où aimerais-tu aller ? me demande-t-elle.

S'il ne tenait qu'à moi, je l'emmènerais dans un bon indien bien de chez nous, genre Kake da Dhaba, mais je sais que les filles avec pedigree préfèrent les restaurants gastronomiques où l'on mange de tout sauf du *dhal roti*. Je me creuse la cervelle pour trouver un endroit suffisamment exotique, mais le seul restaurant non indien que je connaisse est un troquet proche du temple qui sert du *chow mein* aux légumes bien gras. Je hasarde :

— Que dirais-tu d'un chinois ?

— Chinois ? Tu aimes la cuisine chinoise ?

— J'adore.

— Moi aussi ! piaille-t-elle.

— Alors, allons dans le meilleur restaurant chinois de Delhi. Dans un hôtel cinq étoiles.

— Ça va coûter cher, non ?

— Ne t'inquiète pas pour le prix. C'est moi qui régale.

— Parfait. Dans ce cas, on se retrouve vers une heure à La Maison de Ming ?

— Ça marche, dis-je. À une heure, à La Maison de Ming.

Il me faut une demi-heure pour trouver les coordonnées de cette Maison de Ming. Une opératrice sympa aux renseignements téléphoniques finit par me donner la bonne adresse. Il s'agit d'un luxueux restaurant chinois situé à l'intérieur de l'hôtel Taj, dans Mansingh Road.

Mon taxi m'arrête sous le portique du cinq-étoiles à une heure moins le quart. Je descends, vêtu d'une saharienne Van Heusen et d'un jean Levi's. Un garde à l'allure imposante, en uniforme blanc à boutons en cuivre et turban coloré, me salue et ouvre la porte vitrée. Je pénètre dans un hall somptueusement décoré, au sol de marbre orné de motifs tarabiscotés. Assis sur des canapés, des hommes et des femmes élégamment habillés conversent à voix basse. Des instruments invisibles jouent une musique douce. Un lustre massif est suspendu au plafond. Il y a même un petit bassin artificiel avec des fleurs de lotus.

Pendant quelques minutes, je reste là sans bouger, intimidé par tout ce faste. Une hôtesse me dirige vers le restaurant, déjà bien rempli. Le plafond est en bois, avec des lanternes en cuivre. Des dragons dorés crachent des flammes aux murs. Le mobilier est raffiné : tables rectangulaires à plateau en mica et chaises noires à haut dossier.

La serveuse, une fille aux yeux bridés moulée dans une longue robe bleue fendue ornée de dragons, m'accueille chaleureusement ; cet enthousiasme-là, on le réserve en principe aux gros pourboires. Elle m'escorte vers une table dans un coin tranquille et me tend la carte, épaisse et reliée de cuir. Je jette un œil sur les prix et manque de m'étouffer.

Ritu arrive à l'heure, flanquée de son incontournable garde armé, qui l'accompagne à la porte du restaurant avant de s'éclipser discrètement. Elle porte une *salwar kameez* bleue délicatement brodée. Bon nombre de têtes se tournent dans sa direction, et j'intercepte des coups d'œil envieux de la table voisine, occupée par un groupe de cadres supérieurs.

Elle s'installe en face de moi et pose son sac à main à côté.

La serveuse reparaît pour prendre la commande.

— Qu'est-ce que tu veux ? demande Ritu.

— Ce que tu voudras.

— Tu as déjà mangé ici ?

— Oui, une fois ou deux.

— Et c'est quoi, ton plat préféré ?

Je sèche momentanément, avant de m'en tirer en citant le seul et unique plat chinois que je connais :

— Les nouilles Maggi.

— Ce que tu es drôle ! dit-elle en riant.

Et elle commande des soupes et d'autres plats aux noms étranges. La serveuse s'en va, et Ritu se tourne vers moi.

— Alors, raconte-moi, Vijay, dans quoi travailles-tu ?

— Je te l'ai déjà dit, import-export.

— Oui, mais quel secteur ?

— Le carton.

— Le carton ?

— Oui. Je possède une usine de carton dans M. G. Road.

— Super. Et où habites-tu dans Mehrauli ?

Je m'étais préparé à cette question.

— Ramoji Road. Un cinq pièces.

— Tu as de la famille ?

— Juste ma mère et ma sœur.

— Elle est mariée, ta sœur ?

— Pas encore. Mais assez parlé de ma famille. Raconte-moi plutôt la tienne.

— Qu'est-ce que tu veux savoir ?

— Tout.

Elle me regarde, l'air mi-suppliant, mi-désespéré.

— On ne peut pas remettre ça à une autre fois ?

— Pourquoi pas maintenant ?

— Parce que je n'y tiens pas. Mais je te le promets, Vijay, quand je te connaîtrai mieux, je te dirai tout.

Je hausse les épaules.

— OK, comme tu voudras.

Ritu me presse la main.

— Merci de ta compréhension.

La serveuse arrive avec deux bols de liquide dans lequel nagent des choses visqueuses.

— La soupe *won tong*, annonce-t-elle.

— Alors, dis-moi, quel est ton film préféré de Shabnam Saxena ? demande Ritu en s'attaquant au contenu de son bol.

L'ambiance est détendue ; nous bavardons, plaisantons et rions ; tout cela a de forts relents de flirt. L'idylle est quelque peu gâchée par l'addition : neuf mille roupies net, pourboire compris. Le déjeuner le plus cher de ma vie. Je détache neuf billets d'une liasse fraîche, sous l'œil appréciateur de Ritu. J'espère bien qu'elle vaudra tout cet argent au lit. Mais, une fois de plus, elle déjoue mes plans. Aussitôt l'addition réglée, elle s'apprête à partir.

— Il faut que j'y aille, Vijay, ou ma famille va avoir des soupçons.

— Mais tu ne m'as rien dit sur elle. Les amis n'ont pas de secret l'un pour l'autre.

À nouveau, elle me prend la main.

— Je promets de tout te dire, Vijay. Bientôt.

Elle ne m'embrasse pas, ne me serre même pas la main, mais son regard d'adieu n'est que langueur et promesse. Ma déception s'évanouit. Ce n'est qu'une question de temps avant que je parvienne à mes fins avec elle. *Bole toh*, je la tiens !

Je n'en reviens pas de la facilité avec laquelle elle s'est laissé séduire. Ces petites provinciales sont de véritables fleurs bleues. À peine si elles mettent le nez dehors pour tester les limites de la tolérance parentale. Ces filles-là voient la vie à travers des lunettes roses. Elles vont voir *L'Amour au Canada* en matinée et veulent vivre leur propre histoire d'amour à Mehrauli. Jusqu'à offrir leur virginité au premier Roméo de quartier en blouson de cuir et lunettes noires.

Justement, je compte là-dessus. Dès notre prochain rendez-vous.

Aujourd'hui, nous sommes le 16 février, et je suis à Sanjay-Gandhi, où Barkha Das tourne une émission pour ITN. Je n'ai pas vu une telle effervescence depuis que l'Inde a remporté la coupe du monde de cricket Twenty20. Le temple est en émoi : on vient d'apprendre l'acquittement de Vicky Rai. Mes copains du bidonville tirent une tête de six pieds de long ; à croire que la fille assassinée, Ruby Gill, était leur sœur adoptive. Les médias sont sens dessus dessous ; chaque chaîne organise son propre débat autour du verdict, et les équipes de télévision campent devant la ferme de Vicky Rai. Depuis hier, la route qui mène au Numéro Six est encombrée de voitures formant un cortège triomphal ; les klaxons mugissent ; les militants du parti du Bien public agitent leurs drapeaux rouge et vert en braillant :

— Vive Jagannath Rai ! Vive Vicky Rai !

Une arche géante a été dressée à l'entrée de la ferme, avec le sourire électoral de Jagannath Rai sur papier glacé.

Franchement, j'ai du mal à comprendre tout ce battage autour de l'acquittement de Vicky Rai. Comme s'il était le premier homme riche à s'en tirer à bon compte. Mais même moi, je ne résiste pas à la tentation de voir Barkha Das en chair et en os. Une foule de près de cinq cents personnes est massée autour d'elle, l'œil rivé à ce visage que nous voyons tous les soirs sur le petit écran. Mère est là également, alléchée par l'odeur de la célébrité. Elle admire le teint de pêche de Barkha et sa fameuse veste de photographe, portée sur un pantalon noir et un chemisier blanc.

Barkha tient à la main un micro enveloppé de fourrure rose.

— Alors, dites-moi, que pensez-vous du verdict dans l'affaire du meurtre de Ruby Gill ? lance-t-elle à la cantonade en scrutant la foule.

Un jeune homme basané avec une grosse bosse sur le front est le premier à réagir.

— C'est très grave. Ce jugement est le signe qu'il n'y a pas de justice pour les pauvres, déclare-t-il avec la solennité qu'on adopte quand on passe à la télé.

Dans l'assistance, il y a un copain à moi, un camé nommé Shaka qui se vante d'exercer je ne sais quelle fonction au sein du Parti communiste. Il a les cheveux longs et se balade avec un bandana rouge autour de la tête. Avant que Barkha ne s'adresse à quelqu'un d'autre, il lui arrache le micro des mains.

— Ce pays va à vau-l'eau. Les riches impérialistes enfreignent la loi en toute impunité. Moi je dis : qu'on les fusille tous. Seule une révolution peut sauver ce pays. Seule une révolution. *Inquilab Zindabad*[1] ! proclame-t-il en brandissant les poings.

Barkha Das lui confisque le micro et lui décoche un regard noir.

— Croyez-vous que nous ayons besoin d'une révolution, *maaji* ?

Elle se tourne brusquement vers ma mère. Mère recule, mais Barkha ne la lâche pas.

— Répondez-moi, *maaji*.

---

1. « Vive la révolution » en langue urdu, slogan des révolutionnaires du temps du mandat britannique.

— La révolution ne résoudra pas nos problèmes, *beti*[1], dit mère dans le micro de sa voix râpeuse. Il faut travailler dur et faire des bonnes actions dans cette vie, pour que Dieu pardonne les méfaits de notre vie passée. Alors seulement, nous renaîtrons riches dans la suivante.

Je secoue la tête. Cela a toujours été un sujet de discorde entre nous. Mère croit dans le karma et la réincarnation. Je crois dans le hasard de la naissance et le moment présent. Et cet abruti de Shaka a tort, lui aussi. Il n'y aura pas de révolution. Les riches peuvent dormir sur leurs deux oreilles. Nos révolutions ne durent que tant qu'on n'a pas raté notre prochain repas.

En fait, je ne devrais pas parler ainsi. Puisque j'ai moi-même rejoint les rangs des riches impérialistes. Grâce à une certaine mallette !

Ritu m'appelle le lendemain matin, l'air légèrement tendu.

— Vijay, on peut se voir aujourd'hui ? Quelque part dans un endroit tranquille. Et loin d'ici.

— Je connais le lieu idéal. Retrouvons-nous au parc Lodhi. C'est à l'autre bout de la ville.

— Oui, je sais où est le parc Lodhi. Rendez-vous là-bas à deux heures.

J'ai comme le pressentiment qu'aujourd'hui je vais enfin conclure avec cette fille de riches. Dans le cadre naturel du plus célèbre jardin public de Delhi.

Je prends un taxi et l'attends à l'entrée du parc. Elle arrive avec un quart d'heure de retard, dans un auto-rickshaw, vêtue d'une *salwar kameez* rose. J'aime bien le choix de la couleur. Ce que j'aime encore plus, c'est qu'elle a laissé tomber la voiture familiale et le garde du corps ; ce qui est incontestablement bon signe.

Le parc Lodhi est un vaste espace vert plein de tombeaux et d'arbres. Il est réputé pour deux choses : le jogging et la drague. Le matin, il est envahi par les amoureux du sport qu'on voit courir, le tee-shirt trempé, et l'après-midi, ce sont les amoureux tout court qui s'envoient en l'air dans les recoins cachés des

---

1. « Ma fille. »

monuments en ruine, s'embrassent derrière les buissons, se pelotent sur des bancs stratégiquement placés.

À deux heures, le parc ressemble à un zoo pour couples en manque d'amour. Je vois bien que Ritu ne se sent pas très à l'aise au milieu de tout cet étalage d'affection. Dans une petite ville comme Lucknow, un couple qui se bécote en public serait en prison pour moins que ça.

— Si on allait dans un autre parc ? demande-t-elle, jetant autour d'elle des regards inquiets.

— Ce sera la même chose dans tous les parcs de Delhi.

Sur quoi, je la guide en douceur vers un banc qu'un couple vient juste de libérer. Nous nous asseyons côte à côte. Ritu est toujours nerveuse, comme si son père allait surgir des fourrés d'une minute à l'autre. J'essaie de la rassurer :

— N'aie pas peur, tu ne verras aucun membre de ta famille ici. À cette heure-ci, le parc appartient aux amoureux.

Elle rougit et, doucement, je lui prends la main. Elle ne résiste pas, mais ne m'encourage pas non plus. Je doute qu'elle se laisse embrasser dans un lieu public, mais c'est justement le moment d'en avoir le cœur net. Me penchant, je dépose un baiser sur sa joue, vite fait, histoire de tâter le terrain. Elle se couvre aussitôt le visage, mais j'écarte ses mains pour m'apercevoir qu'elles cachent un sourire timide. Je sonde son regard, lui adresse un clin d'œil et l'embrasse à nouveau, sur la bouche cette fois. Elle me rend mon baiser. Je goûte son rouge à lèvres, j'inhale le parfum de sa peau et je constate que les riches n'ont pas la même façon d'embrasser. Le baiser tiède, mesuré de Ritu n'a rien à voir avec les patins baveux que je me suis fait rouler par les filles du quartier. Et le délicieux picotement qu'il me laisse dans la bouche se propage jusque dans mon cerveau, balayant les doutes au profit d'un grisant sentiment de victoire.

— Je t'aime, Ritu, dis-je avec la ferveur d'un héros romantique.

— Je t'aime aussi, Vijay, murmure-t-elle.

J'ai très envie de me lever et de saluer. Ce n'est pas la première fois qu'une fille me dit ça. Des mots doux, j'en ai entendu plein, mais c'étaient les filles du bidonville, frustes et noiraudes, qui sentaient le talc bon marché et la crème Boroline. C'est autre chose de les entendre dans la bouche d'une jeune beauté qui roule en Mercedes sous la protection d'un garde du corps. Je décide de jouer mon va-tout :

— Viens, allons quelque part où on sera plus tranquilles.

Je me lève du banc.

— Où ça ? demande-t-elle.

— Je connais un endroit.

Elle se laisse entraîner sans protester à la station de taxis. J'ai certes largement les moyens de l'emmener dans un luxueux cinq-étoiles, mais ils posent trop de questions, et ça risque de l'effaroucher. Mieux vaut aller dans un hôtel anonyme, où le gérant n'est pas trop regardant et où on loue les chambres à l'heure.

— Conduisez-nous à Paharganj, dis-je au chauffeur.

Le Decent Hotel est situé dans une ruelle étroite de Paharganj, à deux pas de la gare. Un immeuble gris de trois étages aux plâtres défraîchis et à l'enseigne fissurée... Au fond, la seule chose qui inspire confiance là-dedans, c'est le nom. Les murs de la réception sont moisis, l'ambiance est faussement conviviale. Les grooms nous inspectent, Ritu et moi, de la tête aux pieds et se lancent dans un conciliabule, comme s'ils fomentaient à voix basse quelque complot contre nous. Le gérant me décoche un regard entendu quand je demande une chambre.

— Pour une heure ou pour la journée ?

— Pour une heure.

Il me déleste promptement de cinq cents roupies et me tend une clé cliquetante.

— Chambre 315, troisième étage. L'ascenseur est juste derrière.

Je sens la gêne grandissante de Ritu tandis que je la pilote vers l'ascenseur. La chambre 315 est tout au bout du couloir, et des cafards courent sur la moquette rouge poussiéreuse et râpée. Je regrette déjà d'avoir choisi ce bouge, mais il est trop tard pour faire machine arrière. J'ouvre la porte : l'ordre et la propreté qui règnent dans la chambre me surprennent agréablement. Il y a un grand lit double avec des draps immaculés et des oreillers moelleux. Les murs sont rose pastel, assortis à la tenue de Ritu, et les tableaux représentent des paysages de Delhi. Une horloge égrène même bruyamment les secondes. Les rideaux rouges, taillés dans une toile grossière, ont l'air neufs, mais ne sont pas suffisamment épais pour masquer les bruits de la rue. Une vague odeur de parfum à la rose pénètre dans mes narines, souvenir des occupants précédents ou touche romantique apportée par la direction. Mais le fin du fin, c'est le paquet de capotes Nirodh posé discrètement sur la tablette inférieure de la table de chevet.

Je ferme la porte à clé et prends Ritu dans mes bras. Elle se prête volontiers à l'étreinte, mais je sens comme une raideur dans tout son corps. Elle se crispe un peu quand je l'embrasse à nouveau sur les lèvres, plus avidement cette fois.

Mes mains défont sa *chunni* et entament leur descente le long de son dos, savourant la chaleur de sa peau à travers la fine étoffe de sa *kameez*. Elle se met à grelotter, tandis que je déboutonne sa chemise et la fais glisser par-dessus sa tête, la dénudant à partir de la taille. Il ne reste plus qu'un soutien-gorge en dentelle blanche dont la vue m'embrase de plus belle. C'est alors que Ritu a une réaction bizarre. Elle n'essaie pas de m'arrêter, ne se couvre pas pudiquement la poitrine avec les mains ; simplement, elle éclate en sanglots. J'ai connu suffisamment de filles pour me douter que ses larmes ne sont pas tant un signe de protestation qu'un appel à la prudence – c'est probablement la première fois pour elle –, et cependant je m'affole. Je peux certes passer outre à ce contretemps mineur et poursuivre ma conquête. Mais Ritu semble si vulnérable, son visage est tellement candide que mon désir dévorant m'apparaît sous un jour grossier et vulgaire. Abuser d'elle serait aussi répréhensible que chiper une pièce à un mendiant aveugle. J'essuie donc ses larmes avec mes doigts et je lui rends sa *kameez*. Puis, entièrement habillés, nous nous asseyons sur le lit en nous tenant la main. J'ignore combien de temps ça dure, mais peu à peu un curieux changement se produit en moi. Ma vision se brouille. Mes yeux ne voient plus le lit, ni la tête de lit, ni les tableaux, ni les murs. Mes oreilles ne captent plus les sons. Elles n'entendent ni les klaxons des auto-rickshaws, ni les cris des marchands de fruits, ni les croassements des corbeaux. Pendant que les secondes filent, ponctuées par le tic-tac de l'horloge, je sens seulement ma peau qui palpite et les battements réguliers de mon cœur. En regardant les yeux humides de Ritu, j'ai l'impression que le monde entier est contenu dans leurs profondeurs miroitantes.

Le charme est rompu par des coups insistants frappés à la porte.

— C'est l'heure, monsieur. Nous avons besoin de la chambre, clame le gérant.

Je jette un œil sur l'horloge et réalise avec stupeur que cela fait plus d'une heure que nous sommes dans cette chambre. Je me lève précipitamment pour aller ouvrir. Le gérant a l'air contrit, mais c'est la vue de la femme de chambre armée de draps frais qui me coupe le souffle. J'entends la porte de l'ascenseur, et un couple entre deux âges émerge dans le couloir, sans doute les prochains occupants. L'homme, habillé comme un employé de bureau, ricane en me voyant ; la femme, épaisse mais vêtue d'un pantalon et d'un chemisier à la mode, pouffe telle une collégienne quand nous passons devant elle. Son appétit sexuel se lit sur son visage.

La rencontre de ce couple en rut me mortifie. Mais Ritu m'agrippe la main avec une possessivité que je ne lui connaissais pas jusqu'ici.

Lorsque nous sortons, la rue baigne dans la clarté brumeuse du crépuscule. Le paisible ronron de l'après-midi a cédé le pas au vacarme de la circulation, à la cacophonie des klaxons, aux bus qui font rugir leur moteur dans la grande artère.

— Je suis en retard, s'inquiète Ritu. Il faut que je rentre tout de suite, ou Ram Singh va venir me chercher.

— Quand est-ce qu'on se revoit ?

— Je ne sais pas. Je rentre à Lucknow ce soir.

Je m'écrie :

— Mais comment vivrai-je sans te voir ?

— L'amour ne finit pas juste parce qu'on ne se voit pas, réplique-t-elle.

— Quand comptes-tu revenir à Delhi ? Donne-moi au moins une idée.

— Dans trois semaines. Pour mon anniversaire.

— Ton anniversaire ? Quand est-ce ?

— Le 10 mars.

— Il faut que je t'offre un cadeau, alors.

— Tu m'en as déjà offert un.

— Comment ça ? dis-je, interloqué. Je ne t'ai rien offert du tout.

Elle sourit.

— Tu m'as offert le plus beau cadeau : le respect. À bientôt, Vijay.

Elle presse doucement ma main et grimpe dans un auto-rickshaw.

Le véhicule démarre, laissant derrière lui un panache de fumée, et mon cœur se serre si violemment que je manque de gémir tout haut. Je prends alors conscience d'une chose. C'est un gamin qui est venu à Paharganj, un gamin en quête de plaisirs faciles, mais c'est un homme qui en repart, un homme fou amoureux.

Cette nuit-là, couché dans mon lit, je suis obsédé par la pensée de Ritu. Elle qui au début n'était qu'un objet de désir, un fantasme inaccessible, est devenue réelle à un moment donné. Je ne suis que trop conscient de l'énorme fossé qui nous sépare. Elle est la fille d'un magnat richissime, membre d'une caste supérieure, et je suis le fils indigne d'une balayeuse. Le gouffre entre nous est si vaste qu'il ne peut être comblé qu'en rêve. Mais je me pince et me rassure en songeant que Ritu m'aime aussi. Comme on dit dans les chansons des films hindis, l'amour ne connaît pas de frontières. Le nôtre jettera un pont au-dessus du gouffre. Avec un petit coup de pouce de la mallette VIP.

Je décide de mettre à profit les trois semaines qui me séparent du retour de Ritu pour améliorer mon statut social. Je prends des cours particuliers d'anglais, je rencontre un agent immobilier pour envisager la location d'un cinq pièces dans Ramoji Road, je visite l'usine de carton de M. G. Road pour me familiariser avec son fonctionnement. Je songe également à son cadeau d'anniversaire. Je veux lui offrir une bague de fiançailles, avec un diamant. À mes yeux, ce sera le meilleur moyen de convaincre sa famille que je suis plein aux as et d'officialiser notre relation.

J'entre dans une joaillerie huppée à Janpath et je m'installe confortablement dans la salle climatisée tandis qu'une vendeuse en haut rose me montre des bagues plus splendides les unes que les autres. Les diamants étincelants sont de toutes les formes et de toutes les tailles, certains pas plus gros qu'un grain de sel, d'autres grands comme une punaise, mais tous affichent des prix indécents. Le moins cher de leur gamme coûte dans les cinquante mille roupies. Ce qui me gêne, c'est que des bagues similaires, tout aussi brillantes, on en trouve à la pelle dans les boutiques du quartier pour cinq cents roupies.

— Ce ne sont pas des diamants, monsieur, glousse la vendeuse. Ce sont des imitations en zircon cubique. Sous un microscope, on repère la différence tout de suite.

Brièvement, je suis tenté d'acheter un faux diamant. Je trouve stupide de dépenser autant d'argent pour un caillou. Ritu n'ira pas l'examiner sous un microscope. Mais très vite, je me reproche de raisonner comme un traîne-misère et choisis une bague ornée d'une pierre scintillante, qui coûte la somme astronomique de cent vingt mille roupies. Je paie cash, je demande qu'on me fasse un joli paquet-cadeau et j'appelle Ritu sur son portable.

— J'ai une surprise pour toi. On peut se voir le 10 mars ?

— C'est la date à laquelle j'arrive à Delhi. Ma famille ne me laissera pas sortir le jour de mon anniversaire.

— Mais il est absolument vital que je te voie. Trois heures au parc Nehru, ça t'irait ?

— Ça sera compliqué, mais je ferai mon possible pour venir, promet-elle.

Le 10 mars, je me rends au parc Nehru avec dans ma poche le cadeau le plus cher que j'aie jamais fait, les mains moites de sueur. Ritu arrive à l'heure, et seule. Nous nous asseyons sur un banc, à l'écart sous un arbre ombreux.

Je sors le paquet enrubanné de ma poche de poitrine et le dépose doucement dans sa main.

— Ouvre-le.

Elle défait le papier doré, dévoilant l'écrin en velours rouge. Lentement, elle soulève le couvercle. Je m'attends à la voir éblouie par l'éclat du diamant, je guette l'expression de stupeur et de ravissement sur son visage, au lieu de quoi j'ai droit à un regard douloureusement pensif.

— On dirait une bague de fiançailles, dit-elle d'un ton choqué.

— C'est une bague de fiançailles. Ritu, veux-tu m'épouser ?

— Je suis déjà fiancée, chuchote-t-elle.

— Quoi ?

— Mon père m'a fiancée à Kunwar Inder Singh, prince héritier de la principauté de Pratapgarh. J'ai réussi à faire repousser le mariage jusqu'à la fin de mes études, mais je n'ai pas pu empêcher ces fiançailles.

— Tu n'as donc pas vraiment envie de te marier avec ce gars-là ?

— Je déteste Inder. Il m'importunait tellement à Lucknow que je suis partie chez mon frère à Delhi. Je t'aime, Vijay, mais je ne peux pas t'épouser. Si je tiens tête à mon père, non seulement il me tuera moi, mais il te tuera aussi. C'est pour ça que je ne peux pas accepter cette bague.

Elle referme le couvercle et me rend l'écrin de velours.

J'esquisse une moue.

— Je crois que c'est le moment de me parler de ta famille.

— Oui, je le crois aussi.

Elle prend une profonde inspiration.

— Je suis la fille de Jagannath Rai.

Je sens une décharge électrique me parcourir l'échine.

— Bonté divine ! Le ministre de l'Intérieur de l'Uttar Pradesh ? Le redoutable parrain de la mafia ?

— Lui-même, répond-elle à voix basse.

— Alors où loges-tu ? Dans une résidence réservée aux membres du gouvernement ?

— Non, chez mon frère, à Mehrauli. Au Numéro Six.

— Tu veux dire que tu es la sœur de Vicky Rai ?

— Tu le connais ?

— Qui ne le connaît pas ? On ne parle que de lui dans les médias, de la façon dont il s'en est tiré dans l'affaire Ruby Gill.

— Je peux tolérer le verdict, dit-elle avec amertume. Ce que je ne supporte pas, c'est cette jubilation à la maison. Ça me rend malade. J'ai honte d'appartenir à une famille pareille.

— On dirait que tu ne t'entends pas bien avec ton père et ton frère.

— Nous ne nous sommes jamais entendus. Il y a deux camps chez nous. Ma mère et moi d'un côté, mon père et mon frère de l'autre. C'est la guerre permanente. Bien sûr, les hommes ont toujours le dessus.

Elle baisse la tête, et une larme roule sur sa joue.

Une larme que je chasse d'un baiser.

— À partir de maintenant, tu as un allié de plus dans ton camp. Je serai toujours là pour toi.

— Alors tu veux bien qu'on reste amis, Vijay ?

À mon tour d'inspirer profondément. Après ses aveux, l'heure est venue de me mettre à table.

— Il faut que je te dise la vérité à mon sujet, Ritu. Ce sera plutôt à toi de décider si tu veux qu'on reste amis.

— Ne parle pas par devinettes.

— Non, plus maintenant. La vérité, la voici. Je ne suis pas Vijay Singh. Mon vrai prénom est Munna. Je ne suis pas un Thakur. Je ne possède pas un cinq pièces. Je vis dans une cabane à l'intérieur du temple de Bhole Nath, où ma mère travaille comme balayeuse. Tout ce que je t'ai raconté jusqu'ici est faux. Si j'ai fait ça, c'est parce que je suis raide amoureux de toi et que j'avais peur de te perdre.

Ritu s'effondre devant moi, pliée de douleur comme si je l'avais frappée. Il lui faut un moment pour digérer l'information. Puis elle se tourne vers moi.

— Je suppose que tu n'es pas non plus propriétaire d'une usine. Que faites-vous réellement, monsieur Munna, à part mentir et tricher ? lance-t-elle sur un ton accusateur en serrant les poings.

J'hésite à lui parler de ma carrière de voleur de téléphones portables. L'amour rend peut-être aveugle, mais pas stupide. J'étais obligé de lui dire la vérité sur ma famille car un personnage tel que Jagannath Rai aurait vite fait de démasquer mon imposture. Mais même Jagannath Rai ne peut être au courant pour la mallette. J'ai toutefois le funeste pressentiment que c'en est fini de mon histoire d'amour. Tout l'argent de la mallette ne suffira pas à me rendre la confiance de Ritu.

— J'ai un poste d'encadrement dans une usine de carton, dis-je, les yeux baissés.

— Et d'où vient ce diamant, hein ? Tu l'as volé ? demande Ritu.

Ayant choisi de taire l'existence de la mallette, je n'ai pas d'autre solution. Pour prouver l'authenticité de mon amour, le diamant doit devenir un faux.

— Non. C'est juste du zircon cubique. Le seul qui soit dans mes moyens.

Ritu serre les poings de plus belle ; je la sens très émue. Dans les films hindis, c'est le moment où l'héroïne se lève pour gifler le héros menteur. Je cille, m'attendant à ce qu'elle fasse de même, mais sa réaction me prend totalement au dépourvu. Au lieu de me gifler, Ritu saisit ma main.

— Tu as sacrifié pour moi ton argent durement gagné ? Et ce déjeuner dans un restaurant de luxe… Tu as dû claquer un mois de salaire rien que pour m'impressionner.

Je hoche la tête, et ses yeux s'embuent à nouveau.

— Tu as bien fait de me dire la vérité, Munna, ajoute-t-elle d'une voix brisée. Je peux tolérer la pauvreté, mais je n'accepte pas le mensonge.

Elle me regarde dans les yeux.

— Tu m'as demandé si je voulais qu'on reste amis. Voici ma réponse.

Elle m'embrasse sur la joue et reprend la bague.

Je ne sais si je dois remercier Dieu ou Bollywood pour ce revirement spectaculaire. L'histoire d'amour entre la jeune fille riche et le jeune homme pauvre est un grand classique du cinéma hindi. Je me demande si Ritu Rai n'est pas du genre nunuche qui croit aux contes de fées et qui aime s'encanailler avec des pauvres. Une autre idée me traverse l'esprit : peut-être que, comme la réalisatrice Nandita Mishra, elle aussi prépare un documentaire sur la vie dans les bidonvilles. Mais, quand je la regarde, je ne vois nulle trace de perfidie dans ses yeux. Leur expression est profondément sincère. Une vague de soulagement me submerge ; mon amour déborde, inonde notre banc et m'apaise. Je rends son baiser à Ritu et la serre dans mes bras comme si nous étions les deux seuls survivants sur cette planète.

Notre étreinte est interrompue par quelqu'un qui me secoue violemment l'épaule. Je lève les yeux et découvre un grand gaillard à la moustache drue et recourbée ; il me fusille du regard. C'est Ram Singh, l'ange gardien de Ritu.

— Ma puce, tonne-t-il avec l'autorité du fidèle serviteur, toute la famille t'attend à la maison avec le gâteau d'anniversaire, et c'est à ça que tu occupes ton temps ? Si Bhaiyyaji te voyait dans cet état, tu ne t'en sortirais pas vivante. Viens tout de suite.

Ritu s'arrache à moi avec un cri de terreur et se lève. L'empoignant par le bras, Ram Singh la traîne vers le parking. Elle n'a même pas le courage de se retourner.

Je reste là à méditer sur l'étendue de l'influence de son père. Si Ram Singh est capable d'inspirer une telle crainte, que doit-on ressentir face à Jagannath Rai ? Que me fera-t-il subir quand il apprendra mes frasques avec sa fille ? La seule chose à espérer c'est qu'à l'instar des gangsters dont j'ai volé la mallette Jagannath Rai ne réussira pas à me localiser.

De retour au temple, je trouve Champi à sa place habituelle, bavardant avec un inconnu à la peau foncée. C'est bien la première fois que je la vois parler à quelqu'un. Je m'approche du flamboyant. L'homme assis sur le banc est l'être le plus étrange que j'aie jamais vu. Haut comme trois pommes, un mètre cinquante à tout casser, et couleur d'ébène, tels ces Noirs qui, dans les films, dansent avec l'héroïne, un pagne en peau de léopard autour des reins, en scandant : « *Hougou bougou !* » et en brandissant leurs lances.

Le lendemain matin, je demande à Champi :

— Qui c'était, cet inconnu à qui tu parlais ?

— Un ami à moi. Il loge dans la cabane d'à côté. Comment est-il physiquement, Munna ?

Je lui jette un regard perçant. Elle guette ma réponse comme pour avoir la confirmation de ce qu'elle a visualisé mentalement. Cette roseur timide, j'ai déjà vu ça sur les joues de Ritu. Choqué, je prends conscience que Champi est peut-être en train de tomber amoureuse de cet aborigène. Bizarrement, à cause de sa laideur, cette éventualité ne m'a jamais effleuré. Je m'en veux d'avoir été aussi égoïste et insensible.

— Comment est-il ? répète Champi.

— Il est grand, brun et très beau.

Un sourire s'épanouit sur ses lèvres. À quoi bon lui dire que son Roméo est un nabot noir qui a l'air d'un clown ?

La semaine qui suit est un véritable supplice. Ritu n'appelle pas, et son portable semble éteint. La tête farcie de mauvais présages, je suis incapable de trouver le sommeil. Mon inquiétude se justifie quand, le 17 mars, je reçois un coup de fil affolé de Malini, l'amie de Ritu que j'avais croisée dans la boîte de nuit.

— Munna, Ritu veut te voir. J'ai eu un mal fou, mais j'ai réussi à l'amener chez moi. Peux-tu venir maintenant à West End ?

Je note l'adresse et fonce chez Malini, qui habite une villa chic dans une banlieue verte. Elle m'accueille, hagarde, et me conduit dans sa chambre, où je reçois le choc de ma vie. Ritu clopine vers moi ; elle ressemble à ces femmes battues qu'on voit à la télé. Elle a des bleus sur le front et le menton, des zébrures sur les joues, et des cernes noirs sous les yeux.

Je crie :

— Qui t'a fait ça ?

— Il y a eu une grosse dispute à la maison, le jour de mon anniversaire. Ram Singh a craché le morceau. Mon père a menacé de me tuer. Mais c'est Vicky qui m'a tapé dessus.

Une rage incandescente monte en moi.

— Comment ose-t-il te faire ça ? Je le tuerai.

— On m'a interdit de quitter la maison et on m'a confisqué mon portable, ajoute Ritu. Heureusement, Malini est passée me voir aujourd'hui et elle a réussi à m'amener ici. Je voulais t'avertir : il faut que tu fasses très attention. Ta vie pourrait être en danger.

— Et ta vie à *toi* ? Ces bouchers sont tout à fait capables de te tuer.

— Une femme, c'est fait pour souffrir. Mais j'ai pris au moins une décision courageuse. J'ai dit à mon père que je n'épouserais pas Kunwar Inder Singh, même s'il devait me tuer. C'est lui qui a arrangé cette alliance, uniquement à des fins politiques. Je refuse d'être un pion dans son sale jeu.

— Dans ce cas, épouse-moi.

— Ma famille n'autorisera jamais ce mariage.

Ritu secoue lentement la tête.

— Mais je leur ai fait clairement comprendre que je n'épouserais personne d'autre.

— Eh bien, épouse-moi contre leur avis. On n'a qu'à aller direct au temple. Une fois qu'on sera légalement mariés, ton père ne pourra rien contre nous. La police nous protégera.

Elle lâche un rire sans joie.

— J'ai vu des policiers trembler à la seule mention du nom de mon père. Ils seront les premiers à me traîner à la maison.

— Alors qu'est-ce qui nous reste, Ritu ?

— Rien. On dit qu'en amour comme à la guerre, tous les coups sont permis. Mais je sais par expérience que ce n'est pas vrai. Ça ne marche pas, Munna. Pour nous, c'est impossible.

— Simplement parce que tu appartiens à une caste supérieure, et pas moi ? Je ne suis pas d'accord. Il y a quarante ans, on nous appelait des intouchables, ma mère et moi. On nous aurait interdit l'entrée du temple. Aujourd'hui, non seulement elle y travaille, mais elle habite sur place. Et plus personne n'ose nous traiter d'intouchables.

— Mais qu'elle vienne chez nous avec ta demande en mariage, et tu verras ce qui se passera.

— Quoi ? Au pire, ta famille dira non.

— Ne sois pas naïf, Munna. Tu sais ce qui est arrivé à ce pauvre garçon musulman qui a osé épouser la fille d'un industriel de Calcutta. Ils l'ont tué.

— Je ne suis pas musulman.

— Alors jette un œil sur cette coupure de presse.

Elle tire une page de journal froissée de son sac. C'est un journal hindi.

— Ça dit quoi ?

— Que deux jeunes amants ont été lynchés dans l'Uttar Pradesh parce qu'ils n'appartenaient pas à la même caste. Pritam, dix-neuf ans, et Sonu, dix-huit ans, ont été pendus l'un après l'autre au toit d'une maison de leur village. Lui était de la caste supérieure des brahmanes, tandis qu'elle venait d'une caste inférieure. Des centaines de personnes ont assisté à la pendaison. Le plus terrible, c'est que les parents du garçon et de la fille ont non seulement approuvé le châtiment, mais regardé leurs enfants se balancer sur le gibet improvisé.

Elle frissonne en lisant.

— Qu'ils me tuent, je m'en fiche. Je veux t'épouser quand même.

— Pas moi, Munna, je ne m'en fiche pas. Si mon frère a pu me faire ça à moi, sa propre sœur, imagine ce qu'il te ferait à toi.

— Tu noircis le tableau, dis-je en agitant la main. Je n'ai pas peur de Vicky Rai.

À ce moment précis, mon téléphone portable se met à sonner. Cela me surprend, car la seule personne à connaître ce numéro, c'est Ritu. Je presse le bouton, et une voix inconnue grince dans l'appareil :

« Écoute-moi bien, fils de pute. Je m'appelle Vicky Rai. Et tu as osé poser les yeux sur ma sœur Ritu. Je vais te découper en morceaux comme un porc, je briserai tous les os de ton corps et je jetterai ta carcasse à mes chiens. Compris ? »

Fin de la communication. L'air s'est considérablement refroidi dans la chambre. Ritu n'a pas entendu le message, mais à voir ma tête elle comprend aussitôt qui a téléphoné.

— C'était mon frère, n'est-ce pas ?

— Oui, dis-je, toujours sous le choc. Comment a-t-il eu mon numéro ?

— Il a dû le trouver sur mon portable. Qu'a-t-il dit ?

— Il a menacé de me tuer.

— Oh, mon Dieu !

Elle se cache le visage dans les mains. Un grand silence se fait pendant une minute ou deux. Lorsqu'elle se redresse, elle pince les lèvres avec un air de sombre détermination.

— Il ne nous reste plus qu'une solution. Nous enfuir, déclare-t-elle.

— Entièrement d'accord.

Je lui saisis la main.

— Nous devons songer à notre avenir commun.

— Mais de quoi vivrons-nous ? Je n'ai pas d'argent.

— J'ai ce qu'il faut pour nous faire vivre.

— Combien ? demande-t-elle.

— Plus que tu ne saurais l'imaginer. Je te promets que tu ne manqueras de rien.

— Où irons-nous ?

— Choisis la ville que tu veux.

— J'ai toujours eu envie de visiter Bombay.

— Moi aussi. On n'a qu'à aller à la gare et prendre le premier train.

— Non. Si on fait ça maintenant, Malini aura de gros ennuis.

— Alors quand ?

— J'ai une idée. Le 23 mars, Vicky donne une grande fête pour célébrer son acquittement. Il y aura près de cinq cents invités à la maison, et je profiterai de la cohue pour m'éclipser. Attends-moi à l'entrée de service du Numéro Six. C'est dans une allée perpendiculaire à la route principale. Je sortirai à vingt-trois heures pile. Nous prendrons un taxi pour aller à la gare, et nous filerons à Bombay.

— Formidable ! D'ici là, j'aurai réservé nos billets de train.

Notre pacte est conclu : je suis sur le point de tourner une nouvelle page de ma vie. L'avenir, nébuleux jusqu'ici, commence à prendre forme. J'ai hâte d'aller vivre à Bombay. C'est, paraît-il, la ville des rêves. Là-bas, quelqu'un qui dort sur le trottoir peut du jour au lendemain devenir chef d'entreprise ou star de cinéma. Qui sait ce qui m'attend.

Je suis tenté, de retour au temple, de me rendre au saint des saints pour me prosterner devant le seigneur Shiva. Ce serait le moment de mettre fin à mon contentieux avec Dieu et de demander sa bénédiction. Je grimpe même les marches de marbre. L'amour de Ritu me donne envie de croire aux chansons bollywoodiennes. Je commence à penser que, tout compte fait, il y a une justice dans ce monde. Mais une toute petite voix continue à protester dans ma tête. Où était Dieu quand on a pendu les deux jeunes amants ? Était-il impuissant à empêcher leur assassinat ? Ou a-t-il assisté à ces atrocités en spectateur muet ?

Je vais à la gare, au guichet des réservations, et j'achète deux billets de première classe. Le Punjab Mail quitte Delhi à cinq heures et demie du matin le 24 mars et nous conduira tout droit, Ritu et moi, à la gare centrale de Bombay.

Reste la question de mère et de Champi. Champi est tombée sous le charme de son aborigène. Tous les jours, je la surprends sur le banc, lui parlant avec animation. Et, pour la première fois, je l'entends rire à gorge déployée. Je ne lui en veux pas de ce bonheur minuscule. Mais il est temps de faire part de mon projet à mère.

— Dans trois jours, je pars pour Bombay, lui dis-je.

— Si soudainement ? C'est pour ton travail ?

— Non. Pour tout te dire, je vais me marier.

— Ah ! Et puis-je savoir qui est la jeune fille ?

— Elle s'appelle Ritu.

— Et elle vit à Bombay ?

— Non, elle habite Delhi. Mehrauli, plus précisément.

— Une fille de Sanjay-Gandhi ?

— C'est de la racaille, mère ; il ne me viendrait même pas à l'idée d'épouser une de ces traînées. Non, ta future belle-fille appartient à l'une des familles les plus riches et les plus puissantes du pays.

— Tu rêves trop, Munna.

— Non, mère. C'est la vérité. Ritu et moi, on va se marier et aller vivre à Bombay. Dès qu'on sera installés, je vous ferai venir toutes les deux. Champi se fera opérer. Et toi, tu pourras enfin profiter d'un repos bien mérité.

Mère s'enquiert, soupçonneuse :

— Pourquoi Bombay, si la jeune fille est de Delhi ? Vous voulez vous enfuir, ou quoi ?

— En quelque sorte.

— Tu ferais mieux de me parler de cette Ritu. Qui est son père ? D'où vient-elle ?

— Son père est Jagannath Rai, le ministre de l'Intérieur de l'Uttar Pradesh. Son frère, c'est l'industriel Vicky Rai.

Mère porte une main à sa bouche.

— Non… non… non, murmure-t-elle.

— Tu dis qu'on est pauvres à cause de ce qu'on a fait dans une autre vie. Eh bien moi, j'ai réussi à échapper au sort que le mauvais karma m'a réservé dans cette vie-ci.

Mais mère n'écoute pas. Elle est déjà en conversation avec ses dieux, apostrophant les calendriers sur le mur :

— Comment as-tu pu jouer un tour aussi cruel, Ishvar ?

— Quel tour ? Qu'est-ce que tu racontes ?

— Tu ne le sais pas, mon fils, répond-elle d'une voix atone. C'est Vicky Rai qui a tué ton père. Sa voiture l'a fauché pendant qu'il dormait sur le trottoir.

Je sens la terre trembler sous mes pieds.

— Quoi ? Tu en es sûre ?

— Une femme n'oublie pas la mort de son mari. C'est comme un film, cette scène. Je me la repasse dans la tête depuis quinze ans.

— Mais tu me l'as caché ! C'était mon père, tout de même !

— Jagannath Rai m'a fait jurer de garder le silence. Il m'a donné de l'argent pour la maison, pour ton éducation, contre la promesse de ne pas dénoncer Vicky.

Le passé a une vilaine tendance à vous rattraper sans crier gare. Je soupçonnais bien mère d'avoir touché une compensation pour la mort de mon père. Mais tout ce temps j'avais vécu dans la bienheureuse ignorance de l'identité du chauffard. Ou peut-être m'étais-je volontairement abstenu de creuser plus loin. Je m'étais fait une raison : la vie continuait, mon père ne reviendrait pas d'entre les morts. Sauf que là, il est revenu. Une petite bombe à retardement qui sème le désordre dans mon existence. J'oscille entre la tristesse, la colère et l'étonnement.

— Peut-être que c'était écrit, dis-je, après un moment de rumination.

— Comment ça, Munna ?

— Ne vois-tu pas ? C'est le moyen que Dieu a choisi pour nous venger. Autrefois, Vicky Rai nous a pris quelque chose. On va lui rendre la monnaie de sa pièce.

— Tu as toujours l'intention d'épouser sa sœur ?

— Ritu hait sa famille autant que toi. Et nous nous aimons très fort. Père lui-même aurait approuvé ma décision.

— Je t'interdis de mêler ton père à ça. Ou Dieu, fulmine mère. J'irai personnellement chez Vicky Rai pour empêcher ce mariage.

Je lui barre le passage.

— Il n'en est pas question. Si Vicky Rai découvre notre projet, il tuera Ritu, et ensuite me tuera, moi. C'est ça que tu veux ?

Mère me fusille du regard, puis fond en larmes.

Un calme tendu règne à la maison. Personne n'a dîné ce soir. Mère boude dans son coin, et Champi la réconforte. Couché sur mon lit, j'essaie de ne pas penser. Le sommeil vient beaucoup plus tard, peuplé d'un tas de rêves. Je rêve de mon père étendu dans une mare de sang, et de Vicky Rai souriant de toutes ses dents au-dessus du cadavre. Je rêve de Ritu qui gît, inerte, sur un sol de marbre froid, drapée dans un linceul blanc. Je rêve de Lallan qu'on fouette dans un poste de police. Je rêve qu'on me tire les cheveux, m'arrachant un cri de douleur. J'ouvre les yeux et aperçois trois individus autour de moi. J'ignore comment ils ont réussi à soulever le verrou pour pénétrer dans la pièce, mais je sais que ce n'est pas un rêve.

— Réveille-toi, enfoiré.

L'un d'eux me tire à nouveau les cheveux d'un geste brutal. Je m'assieds, et la lumière qu'on allume m'éblouit. À présent, je peux voir clairement les trois intrus. Le premier est un chauve au cou saillant, vêtu d'un jean serré et d'un tee-shirt Reebok blanc. Le deuxième est un type court sur pattes, à la chemise crème chatoyante, et le troisième est grand et noueux, avec des cheveux bouclés et une mâchoire carrée, en pantalon et chemise noirs. Leur allure ne me dit rien qui vaille.

— C'est toi, Munna Mobile ? demande le chauve, celui qui me tirait les cheveux.

— Pourquoi ?

Il se tourne vers le grand bouclé.

— Dis-lui, Brijesh.

— Tu as volé un portable dans ma voiture.

Brijesh darde sur moi un regard accusateur, et peu à peu la lumière se fait dans mon esprit. Je reconnais l'homme de la Maruti Esteem à qui j'ai piqué le Nokia. Le passé m'a encore rattrapé.

Le chauve a un rictus menaçant.

— Tu détiens quelque chose qui nous appartient.

Je tente de m'en tirer par un coup de bluff :

— Vous faites erreur. Qu'est-ce qu'on peut avoir, quand on est pauvre comme moi ?

Le chauve claque dans ses doigts, et ses deux acolytes entreprennent de fouiller la pièce. Ils examinent les posters aux murs, la torche métallique sur la petite table en bois, et leurs yeux reviennent se poser sur le matelas. La bosse que forme la mallette est clairement visible.

— Debout, ordonne le nabot.

J'obéis ; il saisit le matelas par un bout et le lève d'un coup. La mallette apparaît, îlot noir dans une mer de poussière.

— Tiens, tiens !

Le chauve siffle. Se baissant, il la ramasse. Un pistolet surgit comme par magie dans la main de Brijesh.

Au même moment, mère entre, dans son sari jaune défraîchi et sa blouse bordeaux.

— Qui êtes-vous ? Que faites-vous chez moi ?

En réponse, le chauve la repousse sans ménagement.

— Ne pose pas de questions, la vieille.

Mais mère ne se laisse pas intimider facilement :

— Je vais vous apprendre à vivre, bande de voyous !

Elle s'empare de la torche sur mon bureau et en assène un coup sur les fesses du chauve, qui lâche la mallette. Malgré sa corpulence, l'homme pivote sur lui-même avec la rapidité d'un chat. D'un mouvement fluide, il arrache la torche à ma mère et lui envoie son poing dans la figure, l'expédiant à terre. Mère relève la tête en geignant. Elle saigne de la bouche. Elle tente de se redresser, quand Brijesh l'assomme avec la crosse de son pistolet. Je pousse un cri d'horreur en la voyant s'écrouler sans connaissance, mais au fond c'est aussi bien, car elle n'aurait pas supporté ce qui se passe ensuite.

Le chauve récupère la mallette et ouvre les deux fermoirs. Soulevant le couvercle, il en inspecte le contenu.

— Hmm... on dirait que tout est là. Il manque juste deux ou trois liasses. Tu viens de sauver ta peau, Munna Mobile. Mais tu devras quand même payer pour nous avoir volés.

— Que... que comptez-vous faire ?

Je recule contre le mur. La voix qui sort de ma bouche paraît rauque, artificielle.

— Quelque chose qui te fera passer l'envie de voler les téléphones portables.

Le chauve esquisse un nouveau sourire et claque dans ses doigts.

Brijesh lui tend le pistolet et m'agrippe soudain les deux bras. Je me tortille pour me dégager, mais il est beaucoup trop fort. Le nabot lève la main pour me frapper quand une sonnerie de portable retentit dans la pièce. Les trois bandits échangent un regard interrogateur, puis le chauve sort de sa poche un Motorola et jette un œil sur l'écran d'affichage.

— Oui, patron ?

Le téléphone collé à l'oreille, il s'éloigne vers la porte, d'où me parviennent des bribes de conversation.

— On a retrouvé la mallette... Ç'a l'air passablement intact... Là, tout de suite ?... OK... OK... Je laisse Brijesh et Natu sur place. Attendez-moi. J'arrive.

Il se retourne vers ses comparses.

— C'était le patron. Il veut que je lui rapporte la mallette. Vous deux, finissez ce que vous avez à faire. Allez, à demain.

Il pointe le pistolet vers moi, fait mine de tirer, puis pousse la porte et sort. Un instant plus tard, j'entends le vrombissement d'une moto.

Brijesh me tient toujours serré comme dans un étau. Mais c'est Natu, le nabot, qui me fiche la frousse.

— Tu as vu le film *Sholay* ? demande-t-il, son visage tout près du mien.

Je sens son haleine fétide dans mon cou.

— Oui.

— Tu te souviens de la scène où Gabbar demande à Thakur de lui donner ses mains ? Thakur refuse, et Gabbar lui tranche les deux mains. Je ne te demanderai pas tes mains, mais tes doigts. Les dix. Tu veux bien me les donner ?

Il sourit, révélant des dents inégales tachées de bétel.

Je sens un frisson glacé me courir dans le dos, déjà trempé de sueur. Natu reprend mon bras gauche à Brijesh. Puis, m'attrapant le poignet, il lève mon index et commence à le tordre en arrière. Brijesh m'enfonce précipitamment un mouchoir dans la bouche pour étouffer mes hurlements. La chair et l'os sont tendus à se rompre, jusqu'à ce que l'articulation saute, avec un bruit de plastique à bulles qu'on crève, et mon index gauche retombe, tout flasque. Souriant, Natu s'attaque alors au majeur.

Le seul avantage de la douleur, c'est qu'elle vous vide l'esprit de tout le reste. Elle accapare votre cerveau au point d'oblitérer tout sentiment d'amour et de haine, d'envie et de jalousie, pour ne laisser qu'une brûlure fulgurante qui se propage par tous les pores de votre peau. Et qui finit par se dissiper à son tour, remplacée par une souffrance diffuse. Quand Natu me brise le pouce gauche, ce stade est déjà atteint. Mais alors la panique me saisit. Champi débarque dans la chambre, en *salwar kameez* vert clair, sans *chunni*.

— Qu'est-ce qui se passe, Munna ? demande-t-elle d'une voix ensommeillée.

Brijesh jette un coup d'œil à Champi et détourne la tête. Sa laideur le dégoûte. Mais Natu a l'air enchanté.

— Oh, oh ! Regardez qui est là !

Il émet un sifflement strident pendant que Champi tâtonne pour essayer de me rejoindre.

— Qui est-ce ? Ta sœur ? aboie Brijesh, retirant le mouchoir de ma bouche.

— Oui. Laissez-la tranquille. Cette affaire me concerne moi, pas elle.

Je parle d'un ton saccadé, aspirant l'air à grandes goulées.

— En plus, elle est aveugle.

— Aveugle ?

Natu scrute les yeux de Champi.

— On dirait pas.

— Mais si, je vous le promets.

J'essaie de masquer la détresse de ma voix.

— OK, voyons ça.

Natu tapote le sein gauche de Champi. Elle gémit en signe de protestation et remue la tête pour tenter de localiser son agresseur. Natu tape dans ses mains.

— C'est rigolo. Elle a des nichons bien fermes. Qu'en dis-tu, Brijesh, j'ai ta permission de m'amuser un peu ?

— Je t'interdis de toucher à ma sœur.

Je foudroie Natu du regard et me cabre contre Brijesh comme un chien tenu en laisse.

— Si tu la touches, je te tuerai, fils de pute.

Natu me gifle à la volée, et Brijesh fourre le mouchoir dans ma bouche. Le nabot, considérant qu'on vient de lui donner le feu vert, empoigne Champi et plaque une main velue sur sa bouche. De sa main libre, il soulève son chemisier tandis qu'elle gigote contre lui telle une chèvre sur le point d'être égorgée.

La panique, comme le mal de dents, est impossible à décrire. On ne peut que la vivre. Je reste planté là, morceau de chair frémissante sous la poigne de Brijesh, alors que Champi risque de se faire violer d'une minute à l'autre.

Je voudrais que la terre s'ouvre pour m'engloutir tout entier, car je me sais directement responsable de la scène qui se déroule devant mes yeux. Et j'ai ma petite idée de ce qu'il adviendra de Champi, une fois que Natu en aura fini avec elle. En plus d'être aveugle, elle deviendra sourde et muette. Elle passera ses journées assise dehors à s'éventer lentement, une expression démente sur le visage. La nuit, elle hurlera dans son sommeil.

Toute sa vie, elle sera hantée par des cauchemars. Je ne souhaiterais pas ce sort à mon pire ennemi.

Moi qui ai vécu vingt et un ans sans croire en Dieu, en cet instant je deviens croyant. Je me mets à prier – tous les dieux que je connais, et même ceux que je ne connais pas – pour demander juste une chose, une seule supplique : s'il vous plaît, sauvez ma petite Champi. Je repense aux films dans lesquels Dieu exauce les prières et intervient miraculeusement. Mais je n'entends pas les cloches du temple, je ne vois pas le plancher trembler.

Tout à coup, une image me traverse l'esprit. Celle de Lallan suspendu la tête en bas au poste de police, en train de se faire torturer par le Boucher de Mehrauli. Lui non plus, je n'ai pas pu le sauver. Mais s'il était plus qu'un frère pour moi, alors Champi est plus qu'une sœur. Les liens de l'esprit sont plus forts que ceux du sang.

Tel un soldat blessé qui s'élance au combat pour la dernière fois, je rassemble ce qui me reste de force et décoche à Natu un coup de pied au genou. Pris au dépourvu, il lâche Champi, qui s'effondre avec un cri perçant. Natu rugit, tire de sa poche une chaîne de vélo, se l'enroule autour du poing et me la balance au visage. J'essaie d'éviter le coup, et c'est l'arrière de mon crâne qui prend. Je crois voir la porte s'ouvrir avant de sombrer dans le néant, un néant tout noir, sans fond, bienvenu au plus haut point.

Je reprends mes esprits dans une chambre d'hôpital. Ma main gauche est plâtrée, une douleur lancinante me vrille l'arrière de la tête. Je me tâte prudemment, m'attendant à sentir du sang coagulé. Mais mes doigts effleurent un tissu léger. On a dû me bander. Mère est couchée dans le lit à côté de moi. Champi, une amulette noire autour du cou, lui prodigue des soins.

Je lui demande d'une voix pâteuse :

— Que… qu'est-ce qui s'est passé ?

— Un miracle, répond-elle, énigmatique.

Un médecin arrive et m'annonce que j'ai de la chance d'être en vie.

— Vous avez subi un grave traumatisme. Tous les doigts de votre main gauche sont cassés. Il vous faudra garder le plâtre au moins six semaines pour les récupérer.

— Et ma mère, ça va ?

— Elle vivra, dit-il en examinant la feuille de température fixée au montant du lit.

— Ça fait combien de temps que je suis ici ?

— Deux jours.

— Combien je vous dois ?

— Rien du tout, répond-il en souriant. Ceci est un hôpital caritatif où tout est gratuit, y compris l'IRM, les radios et les médicaments.

— Merci, dis-je. Je peux partir, maintenant ?

Je quitte l'hôpital Dayawati et rentre à pied au temple, malgré les mises en garde du médecin et ma tête qui menace d'imploser. Ma chambre a l'air d'avoir été ravagée par un cyclone. Même le bureau en bois a été mis en pièces. Je prends les deux billets de train première classe dans la poche de mon blouson Benetton et me rends à la gare pour les annuler. Je n'irai pas à Bombay. Comme Delhi, c'est la ville du paraître, fière de ses Mercedes et de ses résidences de luxe. Une ville qui appartient aux riches. Il n'y a pas de place pour les pauvres dans les mégapoles. Mes rêves de grandeur se sont évanouis avec la mallette.

La vie me paraît soudain précaire et sans intérêt. Bizarrement, je ne suis pas en colère contre mes bourreaux. La mallette n'était pas à moi, pour commencer. Non, ma fureur est dirigée contre Vicky Rai. L'homme qui a osé lever la main sur Ritu. L'homme qui m'a privé de père. Si l'amour rend aveugle, le désespoir peut vous pousser à commettre des actes extrêmes. Je décide d'acheter une arme.

La plus grosse bande criminelle dans notre coin, c'est celle de Birju Pehelwan. Je connais plusieurs gangsters qui se baladent dans Sanjay-Gandhi en exhibant leurs flingues comme des accessoires de mode. C'est Pappu, une recrue de fraîche date, qui m'envoie chez Girdhari, un vendeur d'armes clandestin, à Mangolpuri.

Ce dernier n'expose pas sa marchandise dans une boutique climatisée. Je dois emprunter une ruelle nauséabonde et grimper trois étages jusqu'au cagibi sombre et miteux où il trône devant un imposant coffre-fort en acier.

— Je voudrais un pistolet pas cher, lui dis-je.

Il hoche la tête et me sort un *desi katta*, une arme improvisée de fabrication locale à un seul coup.

— Celui-ci coûte seulement onze cents roupies, dit-il en souriant.

— Vous n'auriez pas quelque chose de mieux ?

— Combien tu as ? demande-t-il.

Je tire de ma poche les quatre mille deux cents roupies qu'on m'a rendues au guichet de la gare.

Il ouvre le coffre et y prend un objet enveloppé d'un linge blanc. Il déplie soigneusement le linge, révélant un pistolet noir.

— Ça aussi, c'est un *katta*, mais d'excellente qualité. Il ressemble au Black Star chinois et ne coûte que quatre mille roupies. Tiens, essaie-le.

Il me tend le pistolet, la crosse en avant. Je le soupèse, palpe ses bords relevés, son long canon lisse. Ça me donne la chair de poule. Cette promesse de mort violente et instantanée me fascine.

— Je le prends.

— Malheureusement, je suis à court de munitions, dit le marchand à regret. Il ne me reste plus que cinq cartouches pour ce modèle-là. Tu peux repasser demain ?

— Non, cinq balles me suffisent amplement. En fait, il ne m'en faut qu'une.

10

Opération Échec et mat

— BONJOUR.

— Bonjour.

— Suis-je bien à la résidence du sous-secrétaire d'État ?

— Oui.

— Est-il là ? Le ministre de l'Intérieur Jagannath Rai souhaite lui parler.

— Un instant, monsieur. Je transfère la communication au sous-secrétaire sahib.

(MUSIQUE.)

— Allô, Baglay à l'appareil.

— Un instant, monsieur. Le ministre sahib va vous parler.

Bip. Bip. Bip.

— Allô, Gopal ?

— Bonjour, monsieur. Pardonnez-moi, je n'ai pas pu vous appeler dans la matinée. Mon fax est tombé en panne. Mais j'ai les données, maintenant. Depuis hier, nous avons eu sept meurtres. Deux braquages ont été signalés, à Hardoi et à Moradabad. Il y a eu quatre viols à Azamgarh, Bahra…

— Votre rapport sur la criminalité ne m'intéresse pas, Gopal. Je vous téléphone au sujet d'une chose bien plus importante. Dites-moi, avez-vous entendu parler d'un film américain qui s'appelle *Donchi* ?

— *Donchi* ?

— Ou *Vinchi… Vinchiko* ?

— Vous voulez parler de *Da Vinci Code*, monsieur ?

— Oui, oui. C'est ça. Vous l'avez vu ?

— Oui, monsieur. C'est plutôt un bon film.

— Je veux qu'il soit interdit de distribution en Uttar Pradesh.

— Interdit ? Mais, monsieur, ça date. Il n'est plus à l'affiche.

— Peu importe. Faites-le interdire, point barre. Il paraît qu'il a offensé la communauté chrétienne de l'État. On y trouve des tas d'insinuations délirantes, comme quoi Jésus aurait eu une relation avec une prostituée. Comment peut-on diffuser des choses pareilles, hein ?

— Ne pensez-vous pas, monsieur, que vous devriez voir ce film avant de le faire interdire ?

— Depuis quand faut-il voir un film pour l'interdire ? N'interdisons-nous pas tout le temps des livres sans les lire ?

— Mais, monsieur, cela soulève d'autres problèmes, comme la liberté d'expression. L'article 19 de la Constitution...

— Au diable la Constitution, Gopal. Pratiquement personne ne la lit, ici. Qui a le temps de lire la Constitution ? L'avez-vous lue en *entier*, vous ?

— Euh... non, monsieur. Puis-je vous demander qui vous a parlé de ce film ?

— Le père Sebastian. C'est un brave homme. J'aime bien les chrétiens. Ils sont si gentils, si dociles. Toujours tirés à quatre épingles, et leur anglais est impeccable. Il m'a dit que si je faisais interdire le film notre parti récolterait des voix chrétiennes aux élections locales. Ça ne peut pas nous faire de mal. Mais je n'ai pas envie de perdre des électeurs au passage. Voyons un peu, si nous faisons interdire le film, les hindous de notre État seront-ils malheureux ?

— Je ne le crois pas, monsieur.

— Les musulmans seront-ils malheureux ?

— Ça m'étonnerait, monsieur.

— Les sikhs seront-ils malheureux ?

— Non, monsieur.

— Dans ce cas, il n'y a aucun problème. Faites interdire ce fichu film. C'est un ordre.

— Comme vous voudrez, monsieur. Je ferai publier l'avis dans le journal officiel d'aujourd'hui.

— Au fait, Gopal...

— Oui, monsieur ?

— Je crois bien que vous n'avez toujours pas suivi mes instructions concernant ce commissaire de police Navneet Brar.

Tant que je serai au ministère de l'Intérieur, il ne recevra ni primes ni décorations.

— Monsieur, je voulais en discuter avec vous. Navneet Brar est un officier exemplaire. Il a à lui seul liquidé deux cellules naxalites qui opéraient à la frontière indo-népalaise. Si nous le rayons de la liste des lauréats du prix du Courage décerné par l'État le jour de la fête de la République, cela risque de démoraliser les forces de police et...

— Gopal... Gopal ! Qui c'est, le ministre, vous ou moi ?

— Vous, bien sûr.

— Et qui donne les ordres, vous ou moi ?

— Vous, monsieur.

— Dans ce cas, exécution. Sans quoi, demain, vous serez muté au service d'aide à l'enfance. Compris ?

— Oui, monsieur.

— Bonjour, Bhaiyyaji, Alok Agarwal à l'appareil.

— Bonjour. C'est un immense privilège qu'un grand industriel comme vous daigne se rappeler mon existence tous les trois ou quatre mois.

— S'il vous plaît, ne m'enfoncez pas, monsieur. Je fais de mon mieux pour garder le contact, mais que voulez-vous ? Mon travail m'oblige à aller voir mes partenaires un peu partout dans le monde. Je suis rentré du Japon hier soir seulement.

— *Arrey*, vous autres, hommes d'affaires, passez votre temps dans les avions. Aujourd'hui le Japon, demain l'Amérique. Pendant que des gens comme moi restent là à moisir dans cet État.

— Ne dites pas ça, Bhaiyyaji. Vous faites tant de choses pour la population de l'Uttar Pradesh. J'ai suivi votre campagne pour les élections locales. Apparemment, vous drainez des foules sur votre passage.

— Je suis content de vous l'entendre dire. Les journaux ne cessent de me critiquer. D'ailleurs, j'ai arrêté de les lire.

— Avouez que ce n'est pas le cas de notre chaîne Mashaal. J'ai personnellement recommandé de couvrir tous vos meetings.

— Oui, oui. Mashaal fait un boulot d'enfer. Comme son nom l'indique, c'est un flambeau. Le flambeau de la vérité. Et votre reportrice est parfaite. Comment s'appelle-t-elle, Seema ?

— Seema Bisht ? Oui, elle est très bonne. Elle a raté de peu le prix du Reporter de l'année.

— Je suis sûr qu'elle le méritait plus que n'importe qui d'autre. Elle est vraiment jolie. Et tellement claire de peau. Suggérez-lui donc de venir m'interviewer un jour. Comment dit-on déjà... en tête à tête.

— Mais certainement, Bhaiyyaji. Je demanderai à Seema de prendre rendez-vous avec votre secrétariat.

— Ce serait bien. Mais laissez mon secrétariat en dehors de ça. Dites-lui de m'appeler directement sur mon portable. Alors, que puis-je faire pour vous ?

— Voilà, Bhaiyyaji, vous savez que nous avons présenté une offre pour la deuxième centrale électrique près de Dadri.

— Oui. Vous l'avez mentionné lors de notre dernière conversation. Mais vous êtes en concurrence avec Tata et Ambani. Et Singhania, du groupe JP, est également sur le coup.

— Je sais bien, Bhaiyyaji, c'est pour ça que j'ai besoin de vous. Vous m'avez promis la première centrale électrique à Rewa. Je croyais qu'on avait conclu un accord, or c'est le groupe JP qui a décroché le contrat.

— Oui, Mohan Kumar, l'ex-secrétaire général, a fait son possible, mais le ministre en chef nous a doublés à la dernière minute. Tout le monde sait qu'il lui mange dans la main, à Singhania. Maintenant que Mohan Kumar a pris sa retraite, la concurrence est d'autant plus rude.

— J'ai appris par la bande que Singhania se comporte comme s'il avait déjà emporté le morceau. Si tel est le cas, il se peut que je me retire complètement de l'Uttar Pradesh.

— *Arrey*, croyez-vous que cet État est le fief du ministre en chef ? Il ne peut pas attribuer les marchés uniquement à ses hommes. Il nous faut notre part du gâteau. Ne vous inquiétez pas, vous l'aurez, ce contrat, dans les mêmes conditions que pour la première centrale. Nous sommes bien d'accord ?

— Tout à fait, Bhaiyyaji. Je peux donc dire à mes partenaires de commencer à préparer l'expédition du matériel ?

— Sans problème. Mais n'oubliez pas Seema, hein ?

— Sûrement pas, Bhaiyyaji. Elle viendra vous voir cette semaine. Je m'en occupe.

— Parfait.

— Bonjour. Ici Rukhsana Afsar. Puis-je parler au ministre de l'Intérieur ?

— Jagannathji n'est pas à la maison. Il participe à un meeting électoral à Gopiganj. C'est aujourd'hui le dernier jour de la campagne pour les élections locales.

— Qui êtes-vous ?

— Son secrétaire particulier.

— Jagannathji ne répond pas sur le portable non plus. Que se passe-t-il ? Ça fait quinze jours qu'il n'a pas pris un seul de mes appels.

— Madame, ne savez-vous pas que Bhaiyyaji change de maîtresse plus souvent que vous ne changez de coiffure ? (RIRES.) Vous auriez dû comprendre, depuis le temps... Allô ?... Allô ?...

(CLIC.)

— Papa ?

— Oui, Vicky ? Tu as l'air inquiet.

— J'ai reçu une lettre par courrier, aujourd'hui. Elle est signée du Centre révolutionnaire maoïste, une faction naxalite ; ils menacent de me tuer si je poursuis mon projet de Zone économique spéciale dans le Jharkhand.

— (RIRES.) Et depuis, tu chies dans ton froc ? *Arrey*, n'oublie jamais que tu es le fils de Jagannath Rai, l'homme le plus redouté de tout l'Uttar Pradesh.

— Mais mon projet, c'est dans le Jharkhand. Et si ces foutus naxalites mettaient leur menace à exécution ?

— Pas de panique. Je ferai poster un détachement de police devant chez toi.

— Ta police, c'est de la daube, papa. Je vais écrire au préfet de Delhi pour qu'il m'envoie un commando des services spéciaux.

— Tu t'affoles pour rien. Les naxalites n'ont pas tué un seul industriel jusqu'ici.

— Je n'ai pas envie d'être le premier, papa. Allez, bye.

(CLIC.)

— Jagannath, avez-vous vu les résultats des élections ?

— Oui, ministre en chef sahib. Ce n'est pas aussi bon que ce qu'on attendait.

— Pas aussi bon ? C'est un désastre. Notre parti a perdu soixante et onze sièges. Comment est-ce arrivé ? Vous aviez assuré que tout se passait bien.

— Je vais ouvrir une enquête. À mon avis, l'opposition a dû acheter les fonctionnaires en charge du scrutin. Et les indépendants ont largement contribué à brouiller la donne.

— Moi, on m'a informé que les musulmans nous ont désertés. Ils nous ont coûté une bonne cinquantaine de sièges.

— Pourquoi auraient-ils fait ça ? Nous nous sommes mis en quatre pour eux.

— À cause des émeutes communautaires que vous avez orchestrées à Kanpur. Vous disiez que cela nous rapporterait des voix hindoues. Eh bien, on n'a pas eu un vote hindou de plus, et les musulmans nous ont laissés tomber.

— Ne vous inquiétez pas, ministre en chef sahib. J'ai mis au point une nouvelle stratégie qui nous servira pour les prochaines élections.

— À savoir ?

— Je vais courtiser les chrétiens. J'ai déjà pris des mesures en ce sens ; comme ça, les votes chrétiens viendront compenser l'éventuelle désertion des électeurs musulmans.

— Vous avez du yaourt dans la tête, Jagannath ? *Arrey*, les musulmans représentent dix-huit pour cent de la population. Les chrétiens, moins d'un pour cent.

— Il faut penser qualité plutôt que quantité. Chaque fois que je rencontre un chrétien, ça me réchauffe le cœur. Ce sont des gens charmants.

— Faites ce que vous voulez. Mais ne vous mêlez pas des affaires du parti. La direction a commis une grosse erreur en vous confiant ces élections.

— Inutile de rejeter la faute sur moi. Si les électeurs n'ont pas voté pour nous, c'est en partie à cause de vous. C'est vous qui êtes le ministre en chef, non ? Qui plus est, vous ne m'avez jamais donné carte blanche. Si vos copains ne m'avaient pas mis des bâtons dans les roues, j'aurais accompli des miracles.

— Ce n'est pas la peine que je vous parle, Jagannath.

(Clic.)

— Bonjour. Ici Seema Bisht de la chaîne Mashaal. Puis-je parler à Jagannathji ?

— Un instant, je vais voir.

Bip. Bip. Bip.

— Bonjour, Seema. Alok ne vous a pas donné mon numéro de portable ?

— Si, mais je ne voulais pas vous appeler sur votre portable avant de vous avoir vu face à face.

— Eh bien, voyons-nous face à face.

— Entendu. J'aurais aussi aimé avoir votre réaction à la mort du député Lakhan Thakur.

— Quoi ? Lakhan Thakur est mort ?

— Oui. Notre chaîne vient de diffuser un flash spécial. Il a été abattu il y a une demi-heure, au moment où il sortait de son domicile.

— Je n'arrive pas à le croire ! A-t-on arrêté l'assassin ?

— Non, mais d'après le directeur général de la police B. P. Maurya, le crime aurait été commandité par la mafia de l'industrie du bois. Alors, on peut se voir ?

— Oui, tout à fait. J'ai un très joli pavillon à Gomti Nagar. On se retrouve là-bas ce soir, disons vers dix heures ?

— N'est-ce pas un peu tard ?

— Ce sera un dîner de travail. On a beaucoup de choses à se dire.

— OK, à ce soir alors.

— À ce soir.

Bip. Bip. Bip.

— Bhaiyyaji, Prem Kalra désire vous parler.

— Qui ça ?

— Prem Kalra. Le rédacteur en chef du *Daily News*.

— Ah, cette racaille ? OK, passe-le-moi.

Bip. Bip. Bip.

— Salut, Prem. Tu as fini par te souvenir de mon existence ?

— Je ne vous prendrai pas beaucoup de temps, ministre de l'Intérieur sahib. Je voulais juste avoir votre commentaire sur la mort de Rukhsana Afsar.

— Ma foi, c'est bien triste. C'était une fidèle militante du parti.

— Pourquoi s'est-elle suicidée, à votre avis ?

— Comment veux-tu que je le sache ? Demande à la police.

— Elle a laissé un mot d'adieu, vous étiez au courant ?

(PAUSE.)

— Et elle dit quoi, dans ce mot ?

— Elle dit : « Jagannath chéri », après quoi il y a une strophe de Ghalib. Plutôt bien choisie :

Hum ne maanaa ke tagaaful na karoge lekin
Khaak ho jaayenge ham tumko khabar hone tak.

« Je te l'accorde que tu ne tarderas pas,
Mais je mourrai le temps que tu arrives. »

— C'est très beau, en effet. Mais quel rapport avec moi ?

— On dit qu'elle a été votre maîtresse et que vous l'avez laissée tomber.

— Faux. Archifaux. Je l'ai à peine connue.

— On l'a vue à de nombreuses occasions en votre compagnie.

— Je suis un personnage public. Et dans la vie publique, comme tu le sais, on rencontre des tas de gens, y compris des femmes. Ça ne veut pas dire que je les courtise toutes. Je suis un homme marié et heureux en ménage.

— Il y a aussi une cassette.

(PAUSE PROLONGÉE.)

— Quel genre de cassette ?

— Une cassette audio.

— Et qu'y a-t-il sur cette cassette ?

— Plein de choses. Vos conversations avec elle, où vous citez des vers de Ghalib. J'ai particulièrement aimé le passage où vous lui dites ce que vous pensez du ministre en chef.

— Comment as-tu eu cette cassette ?

— C'est Rukhsana qui me l'a envoyée juste avant sa mort. Elle a dû vous enregistrer quand vous étiez dans sa chambre.

— La police est au courant ?

— Non. La cassette est en ma possession. Voulez-vous entendre quelques morceaux choisis ?

(PAUSE.)

— Alors, ministre de l'Intérieur sahib ?

— Qu'est-ce que tu veux, Prem ?

— La vérité.

— (Rires.) C'est la première raison d'être du journalisme. Chaque homme a un prix. Dis-moi le tien.

(Pause.)

— Vingt *lakhs* cash, et un an de publicité gouvernementale pour mon journal. Je ne négocierai pas.

— Je peux satisfaire la première demande, mais pas la seconde. Pour la publicité, adresse-toi au ministre de l'Information.

— Dans ce cas, ça vous coûtera trente *lakhs*.

— Vingt-cinq.

— Marché conclu.

— Mukhtar ?

— Oui, patron.

— Il faut aller récupérer une cargaison d'armes au Népal.

— Ça risque d'être délicat, patron. La frontière est très surveillée, ces temps-ci. Ce serait dommage qu'ils interceptent la marchandise, non ?

— Aucun problème. Prends une de mes voitures de fonction. Celle avec le gyrophare bleu. Va chercher la marchandise de l'autre côté de la frontière et rapporte-la directement dans notre entrepôt.

— Excellent, patron. Personne n'osera arrêter la voiture du ministre de l'Intérieur.

— Bonjour, ici Seema.

— Bonjour, *jaaneman*. Où étais-tu ? Je ne t'ai pas vue depuis une semaine.

— J'étais occupée. Je devais couvrir le festival d'Awadh. Et la cérémonie d'ouverture, le plus grand événement théâtral que Lucknow ait jamais connu. La reine en titre de Bollywood était là.

— *Arrey*, qu'est-ce que tu as à courir après ces stars de cinéma ? Ces gens-là n'ont aucune dignité. Ils sont prêts à danser comme des eunuques qu'on engage pour un mariage, du moment qu'on les paie.

— N'empêche, la moitié de Lucknow était là pour assister au spectacle. Et ils n'avaient d'yeux que pour Shabnam.

— Qui est Shabnam ?

— Shabnam Saxena. L'actrice la plus sexy du pays.

— Je ne connais rien au cinéma d'aujourd'hui. Le dernier film que j'ai vu, c'était *Mother India*. Quel talent, ce Nargis !

— Tu ne connais pas le nom des actrices, mais ton fils est un grand producteur, maintenant.

— Oui, Vicky aime bien ça. Moi, ça me passe largement au-dessus de la tête. Et je trouve que tu vaux toutes les stars de cinéma.

— Arrête avec la brosse à reluire. Dis-moi, tu as fait ce que je t'avais demandé ?

— C'était quoi, déjà ?

— Le contrat de vente d'alcool pour mon oncle à Phaphamau.

— Oui, oui, c'est comme si c'était fait. Mais ça m'a coûté bonbon.

— Comment ça ?

— Normalement, c'est un de mes hommes, Shakeel, qui approvisionne Phaphamau en spiritueux. J'ai dû lui dire de renoncer à ce marché pour arranger ton oncle. Maintenant, il va falloir que je lui trouve une compensation.

— Et toi, tu auras ta compensation au lit.

— Je l'espère bien.

(Rires.)

— Puis-je parler au ministre de l'Intérieur Jagannath Rai ?

— C'est moi. Qui est à l'appareil ?

— Ici le commissaire de police Navneet Brar, monsieur. Je vous appelle de Bahraich.

— Ah, Navneet ! Comment allez-vous ? J'espère que ce séjour forcé à Bahraich vous a mis un peu de plomb dans la tête. Vous appelez pour me présenter vos excuses ?

— Non, monsieur. J'appelle pour vous informer que je viens de saisir votre véhicule de fonction. Il revenait du Népal quand il a été stoppé à un poste de contrôle dans mon secteur, avec un chargement clandestin de fusils d'assaut AK-47. Votre chauffeur a réussi à prendre la fuite, mais j'ai confisqué l'ensemble de la cargaison, et je suis en train de faire établir un mandat d'arrêt à votre encontre pour association de malfaiteurs.

— Quoi ? Vous osez arrêter le ministre de l'Intérieur ?

— J'arrête un criminel notoire en flagrant délit d'abus de pouvoir.

— Navneet, vous savez ce qu'il en coûte de s'attaquer à quelqu'un comme moi ? Ne vous faites pas d'illusions, ce n'est pas parce que vous portez l'uniforme que vous êtes protégé. Je peux vous écraser comme une mouche en quelques minutes.

— Comment ferez-vous ? Vous direz à ce pantin de directeur général Maurya de me muter à nouveau ? Eh bien, ça ne marchera pas, car cette fois j'ai parlé directement au ministre en chef, et il m'a donné le feu vert pour entamer des poursuites contre vous. Dieu merci, il y a encore quelques hommes politiques honnêtes dans cet État.

— D'accord, faites ce que vous voulez. Et moi, je ferai ce que j'ai à faire.

(Clic.)

— Papa ?

— Oui, Vicky.

— Il reste une semaine avant le 15 février. Le jour J.

— Pourquoi tu te mets dans un état pareil ? Le verdict, on le connaît depuis le mois de novembre.

— J'ai appris que le juge a demandé un supplément d'information.

— C'est la règle du jeu. Un lion se doit de nourrir les vautours.

— Alors je peux dormir tranquille ?

— Oui. J'aimerais bien pouvoir en dire autant.

— Pourquoi ? Qu'est-ce qui te tracasse ?

— Un policier maboul m'a fait perdre le sommeil. Il a eu le culot d'émettre un mandat d'arrêt contre moi. J'ai mis deux jours à convaincre le ministre en chef que l'arrestation de son ministre de l'Intérieur nuirait à l'image du parti.

— Il va falloir t'occuper de ce ministre en chef, papa.

— J'y songe. Mais d'abord, il faut que je m'occupe du policier. J'ai mis Mukhtar sur le coup.

— Jagannath ?

— Oui, ministre en chef sahib.

— La mort de Navneet Brar dans l'explosion d'une mine terrestre a été un grand choc pour moi.

— Pour moi aussi, ministre en chef sahib. C'était un de nos meilleurs policiers. Toute sa vie, il a courageusement combattu les terroristes, mais ils ont fini par l'avoir.

— Dites-moi, Jagannath, vous n'avez rien à voir avec sa mort ?

— De quoi parlez-vous ? Tout le monde sait qu'il a été tué par les naxalites qui opèrent à la frontière avec le Népal.

— Oui, mais vous avez eu un accrochage avec Brar dernièrement. Il a saisi votre véhicule de fonction et projetait de vous faire arrêter.

— Je n'ai jamais pris ça pour moi personnellement, ministre en chef sahib. N'oubliez pas, c'est moi en premier lieu qui ai nommé Brar à ce poste à Bahraich. Et ce n'était pas vraiment ma voiture. Les trafiquants d'armes se sont servis de fausses plaques d'immatriculation et d'un gyrophare illicite. En interceptant cette voiture, Brar n'a fait qu'accomplir son devoir. Il serait bon, à mon sens, de lui décerner une décoration à titre posthume.

— À quoi pensiez-vous ?

— Une nomination pour la médaille du courage de la police. Une prime de vingt *lakhs* pour la famille, et un poste échelon 1 pour la veuve.

— Je suis d'accord. Au fait, irez-vous à Delhi demain pour entendre le verdict dans le procès de votre fils ?

— Non, j'assisterai aux obsèques de Brar à Lucknow. C'est le moins que je puisse faire, en tant que ministre de l'Intérieur.

— J'avoue que c'est très chic de votre part, Jagannath. Bonne chance.

— Merci, ministre en chef sahib.

— Papa ?

— Oui, Vicky.

— Je voulais juste te dire merci. Cet acquittement m'a ôté une grosse épine du pied. À un moment, j'ai vraiment eu peur d'aller en prison.

— Ne me remercie pas, remercie Guruji. Tout ça, c'est grâce à sa bénédiction. Depuis qu'il m'a conseillé de porter un saphir bleu, il y a eu miracle sur miracle. Tous mes rivaux ont mordu la poussière. Guruji vient de rentrer de sa tournée mondiale. Je le remercierai personnellement.

— Et moi, je ferai la fête ! Il faut marquer le coup. Ce sera la plus énorme bringue de ma vie. J'ai consulté un astrologue ; il dit que la date la plus propice serait le 23. Je ferai ça au Numéro Six. Tu viendras, dis ?

— Ce n'est pas une bonne idée, Vicky. L'affaire est trop récente. Attends que l'opinion se calme, ensuite on verra.

— Je ne suis pas inquiet. Le juge m'a complètement blanchi, que je fasse ou non mon mea-culpa, ça n'y changera rien. Alors note bien la date sur ton agenda : le 23 mars. Et je te promets, papa, que personne ne se prendra une balle pendant la fête. (RIRES.) OK, il faut que je file. Bye.

— Bye.

— Ici le bureau du ministre en chef. Le ministre en chef sahib désire parler au ministre de l'Intérieur.

— Alors comme ça, ton patron appelle pour féliciter Bhaiyyaji ? Il a trois jours de retard.

— Qu'est-ce que j'en sais ? Passez-le, c'est tout.

— Pourquoi êtes-vous toujours aussi mal embouché ? Je vous mets en relation avec Bhaiyyaji.

Bip. Bip. Bip.

— *Namaskar*, ministre en chef sahib.

— Avez-vous vu la réaction à l'acquittement de Vicky, Jagannath ?

— Oui. Mais vous connaissez les médias, ils ne sont jamais contents. Ils présentent tout sous un jour négatif. Enfin, qu'ils écrivent ce qu'ils veulent, ça ne changera rien au verdict. Les charges contre Vicky ont été levées, c'est tout ce qui compte.

— Et l'opinion publique, Jagannath ?

— Ça ne m'intéresse pas. Ça ne m'a jamais intéressé.

— Mais moi, si. Et le parti aussi. Le pays tout entier est en ébullition. Des veillées aux chandelles ont lieu d'Amritsar à Alleppey pour protester contre l'acquittement de Vicky. Les ONG organisent des manifestations dans dix-huit États. Des étudiants de l'université de Lucknow menacent de s'immoler. Les syndicats lancent un appel à la grève illimitée. Les chaînes de télé ne parlent que de ça. Les magazines préparent des tonnes d'articles. Même le *Daily News* a créé un fonds Ruby-Gill afin de récolter de l'argent pour les proches de la victime. Aucun procès n'a fait autant de bruit dans l'histoire de l'Inde. Le jugement a été condamné à l'unanimité. On parle même d'une révision du procès. Tout cela nous place dans une position intenable.

— Que voulez-vous que j'y fasse ? Un père ne peut pas désavouer son propre fils.

— Quand le fils est une brebis galeuse, le père se doit de faire un choix, si pénible soit-il.

— Je n'en crois pas mes oreilles. Mon fils a été acquitté, non ?

— Peu importe. Il a perdu la bataille de l'opinion publique. Et pour un homme politique, ce qui compte en dernier ressort, c'est l'opinion publique.

— Mais, ministre en chef sahib, les médias sont fous. Vous savez bien qu'ils ont tendance à tout banaliser. On ne montre pas cinquante mineurs bloqués au fond d'une mine de charbon, mais qu'un chat tombe dans un puits, et toutes les chaînes rappliquent pour couvrir l'événement.

— Oui, je sais. Ceci ne fait que prouver l'influence des médias. Ils nous dictent ce qu'il faut regarder, et quand il faut regarder. Ce sont eux qui font et défont l'opinion publique. Nous ne tiendrons pas, face au tollé général que déclenche ce procès. Il va nous balayer, à moins d'une réaction immédiate de notre part.

— Que me suggérez-vous ?

— La direction a pris sa décision. Vous devez choisir entre Vicky et votre fonction de ministre. Je veux votre lettre de démission sur mon bureau d'ici demain après-midi. Si vous le souhaitez, nous dirons que vous avez démissionné pour des raisons de santé.

— Vous avez peut-être des problèmes de santé, mais pas moi. Je suis un battant. Et je ne courberai pas l'échine. Que les choses soient claires : si vous me renvoyez, demain après-midi votre gouvernement de coalition ne sera plus qu'un souvenir.

— (RIRES.) Vous êtes peut-être un parrain de la mafia, Jagannath, mais en politique vous êtes un néophyte. Acceptez votre défaite et un jour, qui sait, vous reviendrez aux affaires. En politique, tout le monde finit par refaire surface. Si vous contestez la sentence de la direction, non seulement ce sera la fin de votre carrière politique, mais ça pourrait aussi nous obliger à mettre fin à votre carrière criminelle.

— Gardez vos menaces pour les eunuques de votre cabinet, ministre en chef sahib. Personne dans cet État n'est de taille à se mesurer à moi.

— Vous me forcez à vous congédier.

— Et vous, vous me forcez à passer à la rébellion.

— Soit. Les dés sont jetés. On verra qui gagnera la bataille.

— Oui, on verra.

(Clic.)

— *Pranam*, Guruji.

— *Jai Shambhu.*

— Quand revenez-vous d'Allahabad ?

— Dès la fin du Magh Mela[1]. Pourquoi ?

— Guruji, j'ai besoin de votre bénédiction.

— Pourquoi ?

— Pour gagner la bataille de ma vie.

— Je croyais que c'était déjà fait. Vicky a été acquitté. Mon anneau de corail s'est révélé très puissant.

— Malgré ça, le ministre en chef a l'intention de me congédier. J'ai donc décidé de descendre dans l'arène. Je me battrai jusqu'au bout. Soit c'est lui qui tombera, soit c'est moi.

— Tu as ma bénédiction, Jagannath. J'ai consulté récemment l'horoscope du ministre en chef. Ses astres sont en déclin, tandis que les tiens montent.

— Merci, Guruji. Avec vous à mes côtés, je pourrai affronter n'importe qui, même le ministre en chef.

— *Jai Shambhu*, Jagannath. Que la victoire soit avec toi !

— *Jai Shambhu*, Guruji.

— Bonjour, Tripurari. Vous êtes toujours à Hardoi ?

— Oui. C'est ce qui s'appelle de la télépathie, Bhaiyyaji : j'allais vous téléphoner afin de vous féliciter pour votre prestation

---

1. Pèlerinage annuel sur les rives du Gange à Allahabad.

à l'Assemblée. L'attaque contre le ministre en chef a été une merveille de subtilité. C'est ce qui s'appelle tuer en douceur.

— On a jeté les masques, Tripurari. Il veut me renvoyer. Sous prétexte que la direction s'inquiète de la mauvaise publicité liée à l'acquittement de Vicky.

— Comment ose-t-il ? On démantèlera le gouvernement brique par brique, s'il songe seulement à une chose pareille.

— C'est pour ça que j'ai besoin de votre aide. Si demain je ne suis plus ministre de l'Intérieur, d'ici la fin de la semaine le ministre en chef doit perdre son poste lui aussi. À nous de provoquer sa chute. Combien de députés seraient prêts à me suivre, à votre avis ?

— Faisons le calcul, Bhaiyyaji. Pour faire tomber le gouvernement, il suffit d'organiser la défection de quinze membres de l'Assemblée législative. Nous avons déjà un noyau dur de vingt députés qui font tous bloc derrière vous. Nous pouvons courtcircuiter le ministre en chef avant la prochaine panne de courant dans notre État.

— Ce n'est pas aussi simple, Tripurari. Je joue gros, cette foisci. Il ne s'agit plus seulement de faire tomber le ministre en chef. J'ai envie de l'écraser pour de bon. J'ai donc décidé de me porter candidat à son poste.

— De ministre en chef, vous voulez dire ?

— Pourquoi croyez-vous que j'ai passé cinquante-cinq ans de ma vie dans ce trou à rats ? Avec ma fortune, j'aurais pu aller à Delhi ou à Bombay, voire en Amérique. Je suis resté parce que je briguais la plus haute fonction, celle de ministre en chef.

(PAUSE.)

— En effet, vous jouez très gros, Bhaiyyaji.

— Oui. Je me disais, qui se souvient d'un malheureux ministre de l'Intérieur ? Dans dix ans, on ne saura même pas que j'ai fait partie de ce gouvernement. Mais on se souviendra du ministre en chef. C'est comme entrer dans l'Histoire. Et l'Histoire, ça ne s'oublie pas. Regardez Jagdambika Pal. En 1998, il est devenu ministre en chef pour vingt-quatre heures seulement, mais son nom est inscrit dans les livres d'Histoire pour les siècles à venir. Moi aussi, je veux cette renommée-là. Imaginez, dans cent ans, mon nom figurera toujours dans les annales de l'État en tant que chef du gouvernement. Ça vaut le coup, non ?

— Bien sûr, Bhaiyyaji. Mais comment faire pour y arriver ?

— Il faut scinder le parti. On a déjà vingt députés dans la poche. Encore cinq, et on atteindra le tiers requis pour légitimer la scission. Et éviter de tomber sous le coup de la loi anti-défection.

— Mais comment va-t-on former le gouvernement ?

— J'ai déjà parlé aux chefs des partis d'opposition, notamment à Tiwariji, qui bénéficie d'une cinquantaine de sièges à l'Assemblée. Ils sont prêts à m'apporter leur soutien. Et les indépendants me suivent comme un seul homme. Évidemment, j'en ai fait élire un sur deux. Alors, qu'en pensez-vous ? On peut y arriver ?

— Éblouissant, Bhaiyyaji. Quelle stratégie !

— Je vais l'appeler opération Échec et mat. Et maintenant, c'est à vous de jouer.

— Mettons bien les choses au point. On commence par isoler notre noyau de vingt. Ensuite, on mobilise les cinq qui nous manquent pour réaliser la scission. Et, pour finir, on recueille les lettres de soutien des partis d'opposition en vue de votre candidature au poste de ministre en chef. Je m'y attelle tout de suite.

— Parfait. Prenez les moyens qu'il faut pour réussir.

— On aura besoin d'argent. L'opération Échec et mat va nous coûter les yeux de la tête. Vous avez des liquidités à votre disposition, Bhaiyyaji ?

— Ne vous inquiétez pas pour ça.

— Je peux déjà acheter des valises ? Il nous en faudra une bonne vingtaine, à mon avis.

— Allez-y. Quand je serai ministre en chef, je vous nommerai à la tête de la manufacture de bagages de l'État.

(Rires.)

— Bonjour, puis-je parler à Alok Agarwal ?

— Qui est à l'appareil ?

— Jagannath Rai.

— *Arrey*, Bhaiyyaji ? Désolé, je n'ai pas reconnu votre voix.

— Comment, Alok, le jour où je cesse d'être ministre, vous oubliez ma voix ? Est-ce ainsi qu'un grand industriel dirige ses affaires ?

— Pas du tout… Dites-moi plutôt, comment se fait-il que vous vous souveniez de moi ?

— Vous savez bien, Alok, que je vous ai toujours considéré comme mon jeune frère. Aujourd'hui, je traverse une passe difficile et j'ai besoin de vous.

— Que puis-je faire pour vous ?

— J'ai décidé de briguer le poste de ministre en chef de l'Uttar Pradesh.

— C'est un grand pas, Bhaiyyaji.

— Oui, je sais. Et je le franchis en connaissance de cause. Je suis sûr de recueillir le nombre de voix nécessaire. Mais pour m'assurer le soutien de certains députés, je dois leur offrir une compensation. C'est là que vous intervenez. Vous connaissez bien le système.

— Je comprends. Vous avez un ordre d'idée ?

— Cent vingt à cent trente millions de roupies minimum.

(PAUSE.)

— C'est une très grosse somme, Bhaiyyaji.

— Pas pour un homme d'affaires de votre stature. Vous n'avez qu'à considérer ça comme un prêt. Vous en récupérerez plus du double quand je serai à la tête du gouvernement.

— Je ne me fais pas de souci pour ça, Bhaiyyaji. Simplement, je n'ai pas d'argent disponible, pas ce montant-là. Si j'avais décroché le marché de Dadri, ç'aurait été différent, mais…

— Je sais que vous avez été déçu par cette affaire, mais que vouliez-vous que j'y fasse ? L'offre de Singhania était deux fois supérieure à la vôtre, c'est donc lui qui l'a emporté. Combien pourriez-vous mettre dans l'immédiat ?

— Dans les vingt millions, trente, grand maximum.

— Hein ? On croirait entendre un misérable prêteur sur gages.

— Je vous dis la stricte vérité. Les affaires marchent mal, depuis quelque temps.

— C'est votre dernier mot ?

— Croyez-moi, Bhaiyyaji, je ne peux pas me permettre…

— N'en dites pas plus. J'ai eu tort d'accorder mon amitié à un petit joueur comme vous. J'aurais mieux fait de cultiver quelqu'un de l'envergure de Singhania. Écoutez-moi bien, fils de pute. À partir d'aujourd'hui, l'Uttar Pradesh vous est interdit d'accès. Ne songez même pas à décrocher un quelconque contrat ici. Si vous remettez les pieds dans mon État, je vous taillerai en pièces, vous m'entendez ?

— Bhaiyyaji, essayez de com…

(CLIC.)

— Vicky ?

— Je peux te rappeler, papa ? Je suis en pleine réunion, là.

— Laisse tomber ta réunion. Il faut que je te parle.

— Voulez-vous m'excuser un instant ? Je reviens tout de suite… Oui, papa, qu'y a-t-il ?

— Pourquoi tu t'énerves ?

— Je ne m'énerve pas. Je t'écoute, je n'ai pas beaucoup de temps.

— J'ai besoin de cent millions.

— Oooh ! Papa, depuis quand tu en veux à mon argent ?

— Écoute, Vicky, moi non plus je n'ai pas beaucoup de temps. Peux-tu me les envoyer d'ici la fin de la semaine ?

— Impossible, papa. J'ai de gros problèmes de trésorerie. On a tout investi dans le projet de Zone économique spéciale dans le Jharkhand. C'est pour quoi faire, tout cet argent ?

— Je t'expliquerai plus tard.

— De toute manière, je ne peux pas t'aider, papa. Et s'il te plaît, ne me rappelle pas dans les deux prochaines heures.

— C'est une manière de se conduire avec son père ?

— Écoute, papa, je ne…

— Non, toi, écoute-moi, Vicky. Tout comme il y a des fils qui passent leur vie à essayer de répondre aux attentes de leur père, il y a des pères qui passent leur vie à recoller les morceaux derrière leur fils. Après ça, oublie que tu as un père qui sera là pour te sortir du pétrin.

— Pas la peine de te mettre dans tous tes états. Crois-moi, je t'aurais aidé, si j'avais pu. Quant à me sortir du pétrin, ne t'inquiète pas. Je ne tuerai plus de barmaid. (RIRES.) Bon, j'éteins mon portable.

(CLIC.)

— Bonjour, Seema.

— Bonjour.

— C'est quoi, cette froideur ? Toi aussi, tu me renies, mainte-nant que je ne suis plus ministre ?

— Ça n'a rien à voir.

— Quand est-ce que je te revois, *jaaneman* ?

— Je m'en vais à Delhi pour quelques jours. J'ai deux ou trois petites choses à régler.

— Du genre ? Dis-moi, je les réglerai à ta place. Tu as d'autres oncles négociants en alcool ? (Rires.)

— Ne rigole pas. C'est à moi que je pense, pour changer.

— Dis-moi ce que tu veux, et tu l'auras.

— Je ne sais pas ce que je veux. C'est juste que parfois j'ai l'impression d'étouffer. Comme si j'étais dans une ornière, à regarder passer la vie.

— Tout le monde traverse ces moments-là. L'essentiel, comme dit Guruji, est de ne pas perdre son objectif de vue.

— J'ai toujours eu le sentiment que j'étais faite pour autre chose. Ce boulot de reporter minable à la télé n'est pas pour moi. Je suis jeune, je suis jolie, j'ai remporté le prix de la meilleure actrice au concours universitaire d'art dramatique. Tu ne crois pas que je pourrais faire carrière au cinéma ?

— *Arrey*, c'est le pire choix qui soit. N'y songe pas, même en rêve.

— Si seulement tu parlais de moi à Vicky. Il ne te dirait pas non.

— Je ne peux pas faire ça, et Vicky ne m'écouterait pas. Allez, ne fais pas la difficile.

— C'est toi qui fais le difficile.

— Voyons, Seem…

(Clic.)

— Quoi de neuf, Tripurari ?

— La tâche a été rude, Bhaiyyaji. On a téléphoné à droite et à gauche, tenu des réunions toute la journée, et on a beaucoup appris sur les amis et les ennemis. Rien de tel que l'adversité pour connaître les gens sous leur véritable jour. Même les vingt sur lesquels on tablait nous ont posé problème. Seuls huit d'entre eux étaient prêts à se rallier à nous. J'ai dû faire des pieds et des mains pour les convaincre. Au bout du compte, on en a réuni quatorze. Il en manque donc six. Plus les cinq dont on avait besoin de toute façon pour scinder le parti, ce qui fait onze au total. On a ensuite soigneusement analysé le dossier des députés susceptibles de changer de camp. Exploiter leurs points faibles a donné de bons résultats. Le premier qu'on a retourné, ç'a été Ramakant Sharma, de Chillupur. La direction l'avait dans le collimateur depuis que sa femme a rejoint l'opposition. On n'a donc pas eu trop de mal avec lui. Ashok Jaiswal, Prabha Devi, Champaklal Gupta, Madan Vaishya et Ras Bihari se sont laissé acheter par la promesse d'un portefeuille ministériel dans votre cabinet. Ras Bihari a demandé expressément l'élevage. Dans un deuxième temps, on a ciblé Suresh Singh Baghel. Il n'adresse plus la parole au ministre en chef depuis sa destitution du poste de président de la Coopérative de la canne à sucre ; du coup, il a réagi très favorablement. Qui plus est, il nous a amené Rakesh Yadav et Pappu Singh. Pour finir, Iqbal Mian a réussi à enrôler Saleem Mohammad. Ce qui nous en fait dix.

— Bon boulot, Tripurari. Mais il en manque encore un.

— Je sais, Bhaiyyaji. J'ai tout essayé : il n'y a plus un seul député du parti qui pourrait se laisser fléchir. On continue à se creuser les méninges, mais cet unique député reste aussi insaisissable qu'Oussama Ben Laden. Que fait-on maintenant, Bhaiyyaji ?

(PAUSE.)

— Tripurari, connaissez-vous la différence entre un meneur et un suiveur ?

— Quelle est-elle, Bhaiyyaji ?

— Un suiveur s'en tient au chemin tracé par le meneur. Le meneur, lui, ouvre une nouvelle voie. Votre problème, c'est que vous ne voyez pas plus loin que le bout de votre nez. Vous ne voyez pas ce qu'il y a au tournant. Moi, je vois au-delà de trois tournants d'affilée. Dites-moi, quel est le député qui nous a invités au Clarks Awadh l'an dernier pour fêter l'anniversaire de son fils… qui a eu trois ans, si mes souvenirs sont bons ?

— Ça fait un bout de temps, Bhaiyyaji. Voyons voir… C'était en janvier dernier. J'y suis. Gopal Mani Tripathi, non ?

— Exact. Gopal Mani est député de Bareilly, je crois. L'avez-vous contacté ?

— De quoi parlez-vous, Bhaiyyaji ? Ce gars-là est un fidèle du ministre en chef. D'après les rumeurs, il pourrait être nommé aux Forêts. L'idée même d'une désertion semble inconcevable.

— L'amour d'un fils peut être une motivation solide. (Pause.) Ça y est, votre cervelle obtuse capte quelque chose, Tripurari, ou dois-je vous faire un dessin ?

(Pause.)

— N'en dites pas plus, Bhaiyyaji. Décidément, j'ai beaucoup à apprendre de vous. Faut-il que je contacte Mukhtar ?

— Oui, mettez-le au boulot. Comme ça, vous aurez les onze dont nous avons besoin.

— J'appelle d'Allahabad. Guruji désire parler au ministre de l'Intérieur Jagannath Rai.

— Ah, Guruji en personne ? Je lui passe Bhaiyyaji tout de suite.

Bip. Bip. Bip.

— C'est bien vous, Guruji ?

— Jagannath, j'ai de gros ennuis. J'ai besoin de ton aide.

— Qu'est-ce qui vous arrive, Guruji ? J'étais très inquiet pour votre sécurité quand j'ai entendu parler de l'attentat. Ces terroristes n'ont même pas épargné le Magh Mela ! Mais Tripurari m'a confirmé que vous étiez sain et sauf.

— Oui, Jagannath, grâce à Dieu, j'ai échappé à l'attentat. Mais aujourd'hui, la police a fait une descente dans mon QG de Mathura. Les services sanitaires prétendent que mes remèdes à base de plantes contiennent des os humains et animaux.

— Comment est-ce possible, Guruji ? C'est sûrement un coup des labos pharmaceutiques qui cherchent à vous nuire.

— C'est exactement ce que je pense, Jagannath. Mais mes ennuis ne s'arrêtent pas là. Trois femmes qui se font passer pour des adeptes, et que je n'ai jamais rencontrées, ont porté plainte contre moi pour abus sexuels. Tu sais que je suis un ascète et que j'ai fait vœu de célibat. Il ne me viendrait pas à l'esprit de commettre un acte aussi immoral. Pourtant, la police a un mandat d'arrêt. Je suis toujours à Allahabad, je me cache chez un disciple. Que dois-je faire ?

— On dirait qu'il y a un sacré complot contre vous, Guruji.

— Je soupçonne une faction rivale, et surtout ce porc de Swami Brahmdeo qui, comme tu le sais, est proche du ministre en chef. À tous les coups, c'est son œuvre. Maintenant, il n'y a plus que toi pour me sortir de là.

— Malheureusement, Guruji, je ne peux pas empêcher votre arrestation, vu que je ne suis plus ministre de l'Intérieur. Mais je peux vous aider à fuir.

— À fuir ?

— Oui. Vous devez partir immédiatement pour l'Europe ou l'Amérique, autrement on vous collera en prison pour dix ou quinze mois. Avec toutes ces ONG qui ont fleuri un peu partout dans l'État, les plaintes pour abus sexuels sont prises très au sérieux.

— Ah oui ? Dans ce cas, je dois bouger tout de suite.

— Je demanderai à un de mes hommes de vous contacter dans l'heure. Il vous conduira à la frontière avec le Népal. De là, vous pouvez vous rendre à Katmandou et prendre l'avion pour un pays dont vous avez le visa.

— Merci, Jagannath. Je n'oublierai pas le service que tu me rends. Puis-je t'en demander un deuxième ?

— Bien sûr, Guruji.

— Mon bien le plus précieux était un ancien *shivling*[1] offert par un disciple du Tamil Nadu. Il y a deux jours, profitant du chaos engendré par l'attentat terroriste, quelqu'un l'a volé dans ma tente, où il était exposé. C'est pour ça que tous ces fléaux se sont abattus sur moi. Il est impératif que je récupère le *shivling*. Tu m'as dit que le directeur général de la police était un homme de confiance. Veux-tu lui demander d'ouvrir une enquête pour retrouver le coupable ? Il se peut qu'il soit encore à Allahabad. Une fois qu'il lui aura repris le *shivling*, il n'a qu'à le laisser en dépôt chez toi jusqu'à mon retour. Tu peux faire ça pour moi ?

— Ce serait de bon cœur, Guruji, mais vous ignorez peut-être que le jour où j'ai été démis de mes fonctions, le ministre en chef a également suspendu Maurya. Je n'ai plus aucune influence sur la police.

— *Arrey*, c'est bien malheureux. Mais ne t'inquiète pas, le seigneur Shiva va y remettre de l'ordre. Crois-moi, les jours de ce ministre en chef sont comptés.

— J'espère que votre prophétie se réalisera.

---

1. Objet de culte dédié au dieu Shiva, la plupart du temps un cylindre de couleur noire.

— OK, Jagannath, j'attends que ton homme me contacte. *Jai Shambhu.*

— *Jai Shambhu*, Guruji.

— Bhaiyyaji, j'ai une bonne et une mauvaise nouvelle.

— Commencez par la bonne, Tripurari.

— La bonne nouvelle, c'est que nous avons le nombre de députés nécessaire pour faire sécession et former notre propre parti.

— Excellent. Transférez-les immédiatement dans notre pavillon à Badaun et assignez-les à résidence. Confisquez leurs téléphones portables. Ils ne doivent pas communiquer avec l'extérieur. On les ressortira le jour où le gouverneur m'invitera à faire défiler mes députés dans sa résidence.

— Je m'en suis déjà occupé, Bhaiyyaji. On les a transportés en car à Badaun. Et j'ai mis quelqu'un pour les surveiller.

— Alors, quelle est la mauvaise nouvelle ?

— Tiwariji a fait savoir que les partis d'opposition ne soutiendront pas votre candidature au poste de chef du gouvernement.

— Quoi ? Mais je leur ai parlé, et ils n'ont émis aucune réserve. Tiwari lui-même a approuvé ma décision.

— Ça n'a rien à voir avec vous, Bhaiyyaji. C'est à cause de Vicky.

— Comment ça ?

— Toute cette publicité à la télé, et les articles quotidiens dans la presse sur son acquittement... ça fait des vagues dans l'opinion. Résultat, les membres du législatif se dégonflent. Ils croient que vous apporter leur soutien risque de rejaillir sur eux.

— *Arrey*, les salopards, ils sont tous mouillés jusqu'au cou dans des affaires de corruption. Qu'est-ce que ça peut faire, quelques éclaboussures de plus ?

— Je sais bien, Bhaiyyaji, mais ce n'est pas une simple excuse. Ils estiment que vous devriez lever le pied, vous retirer de la scène publique, le temps que les esprits s'apaisent. Tiwari est prêt à soutenir votre réintégration au poste de ministre de l'Intérieur, mais pas votre candidature à la fonction de ministre en chef, à ce stade. Certains des indépendants auxquels j'ai parlé partagent ce point de vue. Votre plus gros handicap, c'est Vicky.

— Alors, qu'est-ce qu'on fait maintenant ?

— Tiwari dit qu'il va intercéder auprès du ministre en chef. Il aidera à trouver un compromis. En échange, il demande dix millions.

— C'est ridicule. Pourquoi le paierais-je pour quelque chose qui me revient légitimement ? Ce n'est tout de même pas moi qu'on a poursuivi en justice.

— Bhaiyyaji, il arrive que les péchés du fils retombent sur le père. Sans ce ministère, nous deviendrons vulnérables. Le ministre en chef peut toujours nous faire harceler par la police. Nous n'avons même plus la protection du directeur général. Je trouve qu'on devrait accepter l'offre de Tiwari.

— D'accord, mais dites-lui que la rétribution prendra un certain temps.

— C'est bon, Bhaiyyaji. Votre parole suffira.

— *Jaaneman*, tu es toujours à Delhi ?

— Oui. C'est un tel changement d'air, après Lucknow. Comparé à l'effervescence qui règne ici, Lucknow ressemble à un cimetière.

— Ne dis pas ça, Seema. Je suis là, moi. Et tu me manques terriblement. Même Guruji est parti dans un endroit qui s'appelle Pays-Plat.

— Pays-Bas, monsieur le ministre. Pays-Bas.

— Plat ou bas, quelle importance ? Tout ce qui m'intéresse, c'est toi. Quand rentres-tu ?

— Rien ne presse.

— Veux-tu que je vienne à Delhi, alors ? On pourrait se retrouver dans un bel hôtel.

— Non, non. Je te contacterai dès que j'aurai fini mon travail.

— OK, *jaaneman*. Allez, donne-moi un baiser.

(Bruit de baiser.)

— Bhaiyyaji, Tripurari à l'appareil. Tiwari a tenu sa promesse. Un compromis a été trouvé. La direction vous réintègre au poste de ministre de l'Intérieur, à condition que vous ne briguiez pas la fonction de chef du gouvernement et que vous exprimiez publiquement votre soutien au ministre en chef.

— Ils peuvent toujours attendre, il n'est pas question que j'accepte.

— A-t-on vraiment le choix, Bhaiyyaji ? Nous avons déjà constaté que vous avez le pouvoir de faire tomber le ministre en chef, mais pas de prendre sa place. Je vous en prie, faites cette petite concession. Je trouverai une formule qui vous permettra de ne pas perdre la face.

— Jamais je n'aurais cru en arriver là !

— Si seulement vous n'aviez pas un fils comme Vicky, Bhaiyyaji, aujourd'hui vous occuperiez le siège du ministre en chef. Et qui sait, vous seriez même devenu Premier ministre de l'Inde. Mais en attendant, nous devons revoir nos ambitions à la baisse.

— Donc, le ministre en chef a gagné le premier round.

— Pas tout à fait. Nous en sommes à un partout, dirais-je. L'opération Échec et mat est au point mort.

— Je ne m'avoue jamais vaincu, Tripurari. On finira par l'avoir, notre échec et mat, vous verrez.

— Je te félicite, papa, d'avoir récupéré ton ministère. Depuis ton renvoi, je m'inquiétais sérieusement de savoir comment j'allais rouler avec ma nouvelle Lamborghini à deux cent quatre-vingts à l'heure dans Noida. (Rires.)

— Vicky, tu n'imagines pas le tort que tu m'as causé. Sans toi, j'aurais été… bref, oublie ça. Tu comptes toujours donner une fête le 23 mars ?

— Bien sûr, papa. Les invitations sont en train de partir. Mais ma cruche de secrétaire a fait une grosse bourde. Elle a pris un vieux fichier et, du coup, envoyé des cartons à des gens comme Mohan Kumar et Singhania. Crois-tu que je les appelle pour décommander ?

— Ton problème, Vicky, c'est que tu choisis tes secrétaires pour leur plastique plutôt que pour leur intelligence. Mais on ne revient pas sur une invitation. Ce n'est pas dans nos traditions.

— Attends, Mohan Kumar a complètement disjoncté, et Singhania est maintenant un concurrent direct.

— Tu connais le vieil adage : « Garde tes amis près de toi, et tes ennemis plus près encore. » Et puis Kumar peut être très distrayant dans son nouveau rôle de Gandhi Baba.

— En parlant de Gandhi, papa… ces rumeurs sur une éventuelle révision du procès, dois-je m'en inquiéter ?

— Ça va se tasser, Vicky. Comme tout le reste, même l'amour d'un fils pour son père.

— Tu m'en veux toujours de ne pas t'avoir envoyé l'argent ?

— Non, Vicky. Je ne suis pas du genre à ressasser le passé.

— Au fait, papa, tu connais une fille qui s'appelle Seema Bisht ?

— Oui, très bien même. Elle travaille pour une chaîne de troisième zone nommée Mashaal. D'où tu la connais, toi ?

— Elle est venue à la ferme, hier soir, en se recommandant de toi.

— Oui, elle m'a dit qu'elle allait à Delhi. C'était pour une interview ?

— Plus que ça. Elle voulait un rôle dans mon prochain film.

— Et qu'as-tu fait ?

— À ton avis ? (Rires.) Elle avait l'air d'un bon coup. Et largement consentante.

(Pause prolongée.)

— Papa ?

(Clic.)

— Salut, ici Seema. Ça fait deux jours que j'essaie de te joindre. Félicitations, monsieur le ministre.

— Ne m'adresse pas la parole, espèce de sale petite traînée !

(Clic.)

— Allô ? Allô ?

— Novotel à votre service, j'écoute.

— Je suis bien au 00 31 20 5411123 ?

— Oui, monsieur. Vous désirez ?

— Passez-moi, je vous prie, la chambre 567.

— Un instant, monsieur. Ne quittez pas, s'il vous plaît.

Bip. Bip. Bip.

— Allô, qui est à l'appareil ?

— Bonjour, puis-je parler à Guruji ?

— Guruji est occupé et ne souhaite pas être dérangé.

— Je sais. Dites-lui simplement que c'est Jagannath Rai qui appelle de Lucknow. C'est très urgent.

— (En chuchotant.) Guruji, c'est quelqu'un du nom de Jagannath Rai. Il dit que c'est urgent.

— Passe-moi le téléphone et va dans la salle de bains. (PAUSE.) Bonjour, Jagannath. Alors, tu as réussi à retrouver ma trace même à Amsterdam ? (RIRES.) *Jai Shambhu.*

— *Jai Shambhu*, Guruji. Qui est la femme qui m'a répondu ?

— C'est... sœur Reena. Ma coordinatrice en Europe. Mais parle-moi de toi. Comment vas-tu ?

— J'ai eu de très mauvaises pensées, ces derniers jours.

— Ça n'a rien d'étonnant. Ceux qui n'ont pas saisi les vérités fondamentales de l'existence sont la proie des énergies négatives.

— J'ai l'impression de m'être fait des illusions, et vous seul pouvez me montrer la vraie voie. Tout comme Arjuna est venu à Krishna sur le champ de bataille de Kurukshetra pour solliciter sa guidance divine, je viens dans votre refuge, Guruji, malgré les milliers de kilomètres qui nous séparent.

— Le raisonnement est anéanti quand l'esprit est dérouté, Jagannath. L'esprit est dérouté par l'illusion. Et l'illusion naît de la colère. Y a-t-il quelque chose qui te met en colère ?

— Beaucoup de choses me mettent en colère, Guruji. Vous m'avez toujours conseillé d'éviter les tensions, mais comment faire ? Qui dit politique dit tensions.

— Et ta campagne pour le poste de ministre en chef, comment ça se passe ? J'ai lu dans le *Times of India* que pas mal de députés se sont ralliés à toi.

— C'est de l'histoire ancienne, Guruji. Pour le moment, j'ai récupéré l'Intérieur.

— Mais voilà une excellente nouvelle ! Je peux donc rentrer en Inde ? Tu feras annuler le mandat d'arrêt ?

— Pas dans l'immédiat, Guruji. Il reste encore quelques problèmes à régler. Mais j'ai un plan qui me mènera droit à la tête du gouvernement.

— Très bien. Je reviendrai quand tu seras devenu ministre en chef. Quel est ce plan ?

— Je n'ai pas envie d'en parler, Guruji. Ma préoccupation est d'ordre existentiel. Je veux connaître la vérité sur la vie, ce que c'est.

— (RIRES.) N'est-ce pas ce que nous voulons tous connaître ?

— Guruji, vous me fréquentez depuis longtemps, bien avant que je ne fasse de la politique. Dites-moi, est-ce qu'un meurtre est l'acte le plus terrible que puisse commettre un homme ?

— (Rires.) Tuer quoi ? Ce corps-ci ? Mais, Jagannath, je te l'ai assez répété, ce corps, comme l'univers tout entier, est *mithya*, un concept fallacieux, telle une corne de lapin ou l'eau dans un mirage. Il n'a qu'une existence temporaire. De toute façon, il doit mourir tôt ou tard.

— Alors, pourquoi pleurons-nous les morts ?

— Le sage ne se lamente ni sur les morts, ni sur les vivants. Car la mort est certaine pour quiconque vient au monde, et la naissance est certaine pour celui qui meurt. Par conséquent, seul l'imbécile déplore l'inévitable.

— Et même si le corps meurt, l'âme ne meurt jamais ?

— Évidemment. L'âme est éternelle, immortelle et primordiale. L'*atma* demeure même après la destruction du corps physique.

— Donc, si quelqu'un est tué, il ne meurt pas vraiment. Il migre simplement dans un autre corps, n'est-ce pas ?

— Tout à fait. Sachant que l'*atma* est indestructible, éternelle, immortelle et impérissable, on ne tue pas et on ne provoque la mort de personne.

— Même si cette personne est un parent proche ?

— Parent, ça ne veut rien dire. L'essence du véritable yogi, c'est le détachement. Le yogi est détaché de son fils, de sa femme, de sa famille et de son foyer. C'est quelqu'un dont l'esprit n'est pas troublé par le chagrin.

— Vous avez levé mes doutes, Guruji, éclairé ma lanterne.

— Rappelle-toi ce que Krishna a dit à Arjuna : « Ne sois pas triste car je te délivrerai de tous les péchés. »

— C'est vrai, vous m'avez délivré, Guruji.

— Je vais te laisser, Jagannath, j'ai une conférence tout à l'heure. S'il te plaît, fais quelque chose pour ce mandat. Je ne peux pas rester à l'étranger indéfiniment. Mon visa Schengen expire dans deux mois. Il paraît que cette ordure de Brahmdeo a donné une interview à Devotion Channel, dans laquelle il a multiplié les insinuations à mon égard. J'avais donc vu juste.

— Ne vous inquiétez pas, Guruji. Le jour même où je serai ministre en chef, un mandat d'arrêt sera lancé contre Swami Brahmdeo. *Jai Shambhu.*

— *Jai Shambhu.*

— Mukhtar ?

— Oui, patron.

— Tu es à Lucknow ?

— Oui, patron.

— Dis-moi, Mukhtar, es-tu pratiquant ?

— Pas vraiment, patron. Mais j'essaie d'assister au *namaz* au moins tous les vendredis.

— En tout cas, tu dois être familiarisé avec la notion de sacrifice. As-tu entendu parler d'Abraham ?

— Comme tous les musulmans. C'était un grand homme qui n'aurait pas hésité à sacrifier son fils pour plaire à Allah.

— Ça n'a pas dû être facile pour lui. La mission que je vais te confier maintenant est tout aussi difficile.

— *Hukum*. Je suis prêt. Dites-moi ce que je dois faire.

— Pas au téléphone. Peux-tu venir à la maison ?

— J'arrive, patron. *Khuda hafiz.*

— *Khuda hafiz.*

11

La fiancée VPC

LE VOL UNITED AIRLINES S'EST POSÉ À L'AÉROPORT DE NEW DELHI à trois heures dix tapantes. Les passagers semblaient tous pressés de descendre, comme s'il y avait une distribution gratuite de bonbons à la sortie. Moi, j'ai pris mon temps pour fourrer dans mon sac le chouette magazine de la compagnie aérienne et la carte avec les consignes de sécurité ; j'ai même utilisé les toilettes après le départ des autres passagers.

Il y avait une longue file d'attente au contrôle des passeports, et le type au guichet était plus lent qu'une tortue à trois pattes. Toutes les dix minutes, il faisait une pause pour boire un thé ou causer avec ses potes. Le temps que mon tour arrive, je piaffais d'impatience.

— Bonjour, monsieur, a-t-il dit en ouvrant mon passeport.

Il m'a regardé, a examiné la photo, puis m'a regardé à nouveau.

— Ceci est votre passeport ?

— Ouais.

— Vous ne ressemblez pas à la photo.

— C'est parce que maman m'a dit d'envoyer ma plus belle photo. Alors j'ai envoyé ma plus belle photo. C'était à l'époque où j'étais au lycée.

— Attendez ici, s'il vous plaît.

Et il est parti consulter son chef. Au bout de dix minutes, il était de retour.

— Désolé, nous ne pouvons vous autoriser à entrer en Inde. Nous vous soupçonnons d'être en possession d'un faux passeport. Vous serez renvoyé aux États-Unis.

Il m'a rendu le passeport et a désigné un coin.

227

— Allez vous asseoir sur ce banc.

— Quoi ? me suis-je exclamé. Vous n'êtes pas sérieux, là. Vous me faites marcher, hein ? J'ai un mariage qui m'attend.

Il a secoué la tête.

— Je ne peux rien pour vous.

— S'il vous plaît, ne dites pas ça. J'ai fait tout ce chemin depuis Waco pour rencontrer ma fiancée. Il y a sûrement un moyen de moyenner, non ?

— Ma foi…

Il a regardé autour de lui pour s'assurer que personne n'écoutait.

— Je pourrai éventuellement vous aider, si vous me rendez un service.

— Tout ce que vous voulez.

— Je collectionne les devises étrangères, a-t-il chuchoté. J'ai tous les billets américains, sauf celui de cent dollars. Pouvez-vous me donner un billet de cent dollars ? Mettez-le dans votre passeport et faites-le glisser.

Dieu merci, il ne lui manquait pas un billet de mille dollars dans sa collection, vu que moi non plus je n'en ai jamais eu entre les mains. J'ai aussitôt tiré un billet de cent de mon porte-feuille et je l'ai mis dans mon passeport, que j'ai tendu au fonctionnaire. Il l'a tamponné promptement et me l'a rendu.

— Bon séjour, monsieur Page, a-t-il dit en souriant.

J'ai ouvert le passeport. Le billet vert avait disparu.

Il m'a fallu vingt minutes pour récupérer ma valise Delsey sur le manège à bagages et dix autres pour convertir des dollars en roupies. Après quoi, nerveux comme un chat à longue queue dans une pièce pleine de rocking-chairs, je suis sorti du terminal.

L'Inde m'a accueilli par une bouffée d'air chaud. C'était plus brûlant qu'une sauce au piment. Une foule de gens criaient et gesticulaient ; ça klaxonnait de partout ; des chauffeurs en uniforme couraient avec des pancartes, et des hommes en chemise brune demandaient à la cantonade :

— Taxi ? Taxi ?

J'ai cherché Sapna dans la cohue. Il y avait des tas de filles à l'aéroport, mais aucune ne lui ressemblait.

J'ai poireauté trois heures sur le trottoir, ma fiancée ne s'est pas manifestée. Tous les autres passagers sont partis. L'aéroport s'est à moitié vidé. Je me suis dirigé vers la station de taxis, au cas où elle m'aurait attendu dehors, et c'est là que je l'ai vue. Vêtue d'un sari rouge, les mains jointes en un *namaste*, le cou chargé de bijoux, elle arborait un grand sourire, et à côté de sa photo, on lisait sur l'affiche en grosses lettres bleues : BIENVENUE EN INDE.

Je n'ai pas la larme facile. La dernière fois que j'ai pleuré pour de bon, c'était en 1998, quand Mankind (alias Mick Foley) a perdu contre l'Undertaker[1] lors du fameux match Hell in a Cell de la WWF[2]. Mais là, ça m'a scié grave. J'ai eu envie de courir me réfugier dans le giron de maman pour pleurer tout mon soûl. J'ai regretté qu'on ne m'ait pas renvoyé aux États-Unis. J'ai regretté d'être venu en Inde. Mais comme on fait son lit on se couche. Le soir tombait, et il me fallait un endroit où crécher. Lentement, je me suis approché d'un taxi noir et jaune.

Le chauffeur était un gars enturbanné avec une grosse moustache et une épaisse barbe noire.

— Vous pouvez m'emmener dans un hôtel pas cher ? lui ai-je demandé.

— Mais bien sûr, monsieur. J'ai exactement l'adresse qu'il vous faut. De quel pays venez-vous ?

— L'Amérique.

— J'aime bien les Américains, a-t-il fait en hochant la tête. La moitié de mon village habite dans le New Jersey. C'est la première fois que vous venez à New Delhi ?

— La toute première fois que je viens en Inde, ai-je répondu.

— Montez, monsieur.

Il m'a ouvert la portière arrière et a rangé mon sac et ma valise dans le coffre.

Les sièges du taxi étaient déchirés, et ça sentait une drôle d'odeur de graisse. Sur le tableau de bord, j'ai vu plein de photos de vieillards à longue barbe blanche. Le chauffeur a allumé le compteur et mis le moteur en marche.

New Delhi semblait plus grand que Waco, et la circulation m'a fait halluciner. En plus des voitures, il y avait des bus, des vélos, des motos, des scooters et des engins bizarroïdes qu'on appelait des

---

1. En français Le Fossoyeur, surnom du catcheur américain Mark William Calaway.

2. World Wrestling Federation : Fédération mondiale de catch.

auto-rickshaws. Tout ça roulait côte à côte sans se rentrer dedans ni faucher les piétons au bord de la route. Soudain, j'ai aperçu un énorme éléphant gris qui venait dans notre direction.

— Dites donc, il s'est échappé du zoo ou quoi ? ai-je demandé, sidéré.

— Non, monsieur, a dit le chauffeur en riant. Ici on n'a pas besoin de zoos. Vous trouverez toutes sortes d'animaux en ville. Tenez…

Il a pointé le doigt.

— … vous pouvez voir là-bas de beaux buffles et quelques vaches aussi.

On a roulé comme des malades pendant près de deux heures. À un moment, j'ai cru qu'on était revenus à l'aéroport. Je commençais à m'inquiéter, mais le chauffeur a rigolé.

— La ville est très loin de l'aéroport, presque cent cinquante kilomètres. Mais rassurez-vous, monsieur, on va y arriver. En Inde, il faut apprendre à être patient.

Pour finir, il m'a conduit à un marché éclairé d'ampoules jaunes et de néons blancs. J'ai vu des ruelles étroites grouillant de gens et de vaches. Des hommes couverts de poussière tiraient des charrettes à bras chargées à ras bord de sacs de marchandises. De grosses dames se faisaient véhiculer par des pousse-pousse bringuebalants. Les auto-rickshaws fonçaient comme des modèles réduits de voitures. Les cyclistes se faufilaient en faisant tinter leurs sonnettes métalliques. Partout, des échoppes vendaient des fruits, de l'épicerie, des téléviseurs et des livres. Les murs étaient couverts d'affiches publicitaires pour tout et n'importe quoi, depuis les ventilateurs jusqu'aux huiles parfumées. Accrochées de traviole, elles semblaient pouvoir tomber d'un instant à l'autre sur les piétons au-dessous.

Le chauffeur s'est arrêté devant une bâtisse jaune décrépite portant l'enseigne « Pension Ruby, Paharganj ». Sous le nom, on lisait : « Établissemant de lux, toute comodité, pour routars. »

— Voici votre hôtel, monsieur. Très bien, très raisonnable.

Là-dessus, il m'a fait payer mille roupies pour la course.

Au moment où j'allais entrer dans l'hôtel, une énorme vache s'est plantée devant moi.

— Ouste ! lui ai-je dit.

Mais le bestiau a secoué la tête. J'ai dû le pousser avec mon sac. L'instant d'après, je suis parti en vol plané pour atterrir lourdement sur un vélo garé à proximité. La vache a renâclé, prête à charger de nouveau. J'ai regardé autour de moi, cherchant de l'aide, mais les gens ont simplement rigolé. Je me suis relevé lentement, j'ai épousseté mon pantalon et refait une tentative pour entrer. La vache refusait de me laisser passer. Un vrai pot de colle.

J'ai été sauvé par un camelot qui vendait des bananes. La vache a mugi et foncé sur lui. Vite, je suis entré dans la bâtisse.

La réception comportait un canapé vert élimé, une moquette rouge poussiéreuse et des plantes rabougries. Le gérant était un jeune type genre mielleux, aux cheveux noirs et brillants.

Il m'a salué :

— Bienvenue, monsieur, dans notre pension cinq étoiles.

Il m'a demandé deux mille roupies d'acompte pour la semaine et m'a donné illico la chambre 411, au deuxième étage. Un gamin en caleçon crasseux a pris ma valise et on a monté un escalier qui craquait à chaque pas.

La chambre ne cassait pas trois pattes à un canard. À peine plus grande qu'un cagibi, elle se composait d'un lit à une place, d'un placard et d'un petit bureau avec une chaise. Les murs étaient peints en gris ; une moquette bon marché recouvrait le sol. Il y avait aussi un chiotte avec une cuvette qui puait, un robinet, un seau et un mug.

— Petit déjeuner de sept heures à sept heures et demie au salon télé, a annoncé le garçon en posant ma valise sur le bureau. Vous désirez autre chose ? Manger ? Une fille ? Coke ? Cigarettes ?

J'ai réfléchi au choix qu'il m'offrait.

— Un coke, ça me dit bien.

— Ça vous fera cinq cents roupies.

Plus de dix dollars pour une canette de coke ! Franchement, il abusait. Je lui ai quand même donné l'argent.

Une fois le garçon parti, j'ai ouvert les rideaux vert foncé pour regarder la vue. Mon œil s'est posé sur une masse de câbles emmêlés tendus d'un bâtiment à l'autre comme un toit au-dessus de la rue. Il y avait là assez de fils en charpie pour électrocuter tout le Texas. Une sorte de brume noirâtre flottait dans l'air. Deux personnes s'engueulaient très fort, sur un toit au-dessous de moi. Une radio diffusait une chanson hindie. Je me suis demandé comment j'allais faire pour dormir, avec tout ce raffut.

Le garçon d'hôtel est revenu au bout de dix minutes et m'a remis un petit sachet en plastique avec de la poudre blanche.

— C'est quoi, ça ? J'ai demandé un coke, moi.

— C'est de la coke. Super-qualité. Le top du top.

— Eh, attends ! ai-je crié.

Mais il avait déjà déguerpi.

J'ai reniflé la poudre. Ça n'avait pas du tout une odeur de coke. J'étais en train de me dire qu'il fallait peut-être mélanger ça avec de l'eau quand la porte s'est ouverte à la volée, et un gros policier s'est pointé dans la chambre.

— Un instant, monsieur, a-t-il fait d'un ton sévère. Qu'est-ce que vous avez dans la main ?

— J'en sais rien. J'ai demandé un coke et on m'a apporté ça.

— Ah, ah ! Vous avouez donc que vous avez demandé de la cocaïne ?

— De la cocaïne ? Comment ça ?

— Ne faites pas l'innocent. À Paharganj, quand un étranger réclame une cigarette, c'est de la marijuana. Et coke veut dire cocaïne. La détention de cocaïne est considérée comme un délit grave dans notre pays. Vous risquez dix ans de prison.

Dix ans de prison ? Pour avoir commandé un coke ? J'en ai presque gerbé.

— Venez, je vous emmène au poste, a déclaré le flic en sortant de sa poche une paire de menottes.

J'ai flippé en voyant les menottes, puis je me suis souvenu de ce qui s'était passé à l'aéroport. En un éclair, j'ai tiré de mon portefeuille un billet de cent dollars et je l'ai agité sous son nez.

— Ça vous dirait, un petit quelque chose pour votre collection ?

Une lueur dans l'œil, il a grogné et m'a arraché le biffeton.

— Je vous pardonne pour cette fois. Ne consommez pas de drogue en Inde, m'a-t-il averti.

Il a pris le sachet en plastique et est reparti en tapotant l'escalier avec sa matraque.

Je me suis écroulé sur le lit, complètement vanné par ce qui m'était arrivé en une seule journée. Mon premier voyage à l'étranger, la fille dont je suis tombé amoureux qui me pose un lapin, je manque me faire renvoyer chez moi, une vache m'expédie dans le décor, et un flic vient m'arrêter.

J'ai ouvert l'enveloppe kraft et sorti les photos que j'avais reçues. J'ai regardé cette femme – Sapna ou Shabnam – dans les yeux et je lui ai demandé : *Pourquoi tu m'as fait ça ?*

Le lendemain matin, réveillé par un battement d'ailes, j'ai ouvert les yeux et aperçu deux pigeons en train de baiser à côté de mon lit. Je les ai chassés et me suis penché par la fenêtre pour regarder la vue matinale. Le soleil n'était pas encore levé, mais les gens s'activaient déjà. Des petites filles en robe remplissaient tout un tas de bouteilles en plastique sous un robinet. Un homme était en train de faire sa toilette sur le trottoir. Vêtu d'un caleçon rayé, il s'est savonné et a puisé de l'eau dans un seau en plastique pour se rincer.

Un peu plus tard, je me suis déshabillé moi aussi pour aller prendre ma douche. Je me suis mis sous le robinet et l'ai ouvert à fond. Un petit filet d'eau tiède en est sorti. Cinq minutes plus tard, ça s'est complètement arrêté, me laissant à moitié lavé. Je comprenais mieux maintenant pourquoi l'eau était au prix de l'or dans cette ville.

Après le petit déjeuner, je suis allé à la réception.

— D'où puis-je téléphoner en Amérique ? ai-je demandé au gérant.

— Le plus simple, c'est d'aller dans un PCO.

— Kézako ?

— Un local avec des cabines publiques. Il y en a plein dans le quartier. C'est le mieux pour passer un coup de fil international. Et c'est ouvert vingt-quatre heures sur vingt-quatre.

En sortant dans la rue, j'ai constaté qu'une boutique sur deux était un PCO. Il y avait plus de taxiphones à Paharganj que de boîtes de strip-tease à Houston. Je suis entré dans la cabine la plus proche et j'ai composé le numéro de maman. Ça m'a fait du bien d'entendre sa voix.

— Larry, quand est-ce que tu nous la ramènes, ma jolie belle-fille ? a-t-elle demandé, tout excitée. Et n'oublie pas de m'envoyer les photos du mariage.

Je l'appelais pour annoncer qu'il n'y aurait pas de mariage, mais tout à coup, le courage m'a manqué.

— Je n'oublierai pas, maman. Tout va bien, ai-je marmonné avant de raccrocher.

Dès l'ouverture du marché, j'ai cherché une agence de voyages pour réserver mon billet de retour. Coup de bol, Lucky Tours se trouvait juste en face, dans un centre commercial plein de petites boutiques. Le patron, un bonhomme affable, a examiné mon billet avec soin et pianoté longuement sur le clavier de son ordinateur.

— Désolé, monsieur Page, a-t-il dit en secouant la tête, votre billet est parmi les moins chers, et tous les vols sont complets. Comme vous le savez, nous sommes en pleine saison touristique. La seule disponibilité que j'aie pour Chicago, c'est le 24 novembre.

— Mais c'est dans longtemps ! ai-je crié. Je veux rentrer tout de suite, aujourd'hui si possible.

— Dans ce cas, vous devez racheter un aller simple. Je peux vous arranger ça maintenant. Nous avons une offre spéciale sur Tadjikistan Airways. Delhi-Douchanbe-New York pour seulement trente mille roupies.

J'ai inspecté le contenu de mon portefeuille.

— Je n'ai que treize mille, moi.

— Je regrette, vous devrez attendre le 24 novembre. D'ici là, bon séjour en Inde.

Je suis ressorti de l'agence énervé comme une guêpe. Soudain j'ai remarqué une plaque qui disait : « Agence Shylock, détective privé. Spécialiste des affaires conjugales. » Mon regard s'est illuminé. Un privé, voilà ce qu'il me fallait.

J'ai frappé, et la plaque a failli tomber. Pendant que j'essayais de la remettre en place, la porte s'est ouverte en grinçant.

L'endroit semblait avoir été ravagé par une tornade. Il y avait des cartons partout et des objets éparpillés sur le sol : cadres, boîtes à fiches, une grosse pile de journaux, et même un marteau et deux tournevis. Les murs n'avaient pas dû être repeints depuis des lustres, et à l'odeur on se serait cru dans une pissotière.

Un nuage de fumée s'élevait dans la pièce, si bien qu'au début j'ai cru à un incendie.

— Entrez, entrez, mon ami, a fait une voix.

Je me suis approché. Le nuage s'est dissipé, et j'ai découvert un Indien âgé, en veste de tweed et casquette marron, assis derrière un bureau en bois. D'une main, il se curait l'oreille, de l'autre il tenait une pipe.

Dès qu'il m'a vu, il a jeté le coton-tige, épousseté sa veste et s'est levé.

— Bienvenue à l'agence Sherlock. Je suis K. P. Gupta, le patron. Que puis-je pour vous ?

— Pourriez-vous me retrouver quelqu'un ?

— Élémentaire, mon cher Watson, a-t-il répondu en tirant sur sa pipe.

— Page.

— Pardon ?

— Mon nom n'est pas Watson. C'est Larry Page.

— Oui, bien sûr.

Il a tiré une nouvelle bouffée.

— Alors, qui est cette personne que je dois retrouver, monsieur Larry ?

— Vous êtes en train de déménager ?

J'ai désigné les piles de cartons.

— Ma foi, ce n'est pas vraiment Baker Street, ici. Et ces crétins ne connaissent pas assez l'anglais pour orthographier correctement le nom de mon agence. Mais ne vous inquiétez pas, je n'ai pas l'intention de m'en aller. On est en train de refaire les locaux, c'est tout. Asseyez-vous, je vous prie.

Je me suis posé sur une chaise qui ne semblait tenir que par la peinture. J'avais peur qu'elle ne s'écroule d'une minute à l'autre.

— Pourriez-vous retrouver la fille qui m'a envoyé ces photos ?

Je lui ai tendu l'enveloppe kraft.

Il les a parcourues rapidement en fronçant les sourcils.

— Mais c'est notre célèbre actrice Shabnam Saxena. Pourquoi voulez-vous la contacter ?

Je lui ai raconté alors mon amitié avec Sapna Singh et la raison de ma venue en Inde.

— Tss, tss, a-t-il fait en secouant la tête. Cette Sapna vous a grugé dans les grandes largeurs, monsieur Larry. Qu'attendez-vous de moi ?

— Retrouvez-la. J'aimerais la rencontrer au moins une fois avant de rentrer aux States. Vous serait-il possible de la localiser ?

— Mais naturellement. Je pourrais même localiser Oussama Ben Laden, si le gouvernement me le demandait. Avez-vous des lettres écrites par cette personne ?

— Oui.

J'ai sorti une grosse liasse de mon sac.

— Je peux vous donner son adresse, mais je ne vous montrerai pas ses lettres. C'est du domaine privé, en quelque sorte.

— Et moi, je suis détective privé.

Il a souri et me les a arrachées.

— Hmm, a-t-il dit en lisant les premières lignes. Elle a utilisé une boîte postale à Delhi. Très futé de sa part. Mais je suis encore plus futé qu'elle. C'est comme si c'était fait, monsieur Larry. Dans quelques jours, j'aurai tous les renseignements qu'il vous faut sur cette fille. Évidemment, cela a un prix.

— Combien ?

— Mon tarif normal est de dix mille roupies, mais étant donné que vous êtes en visite dans notre pays, je vous fais une remise de cinquante pour cent. Disons donc cinq mille roupies. La moitié à titre d'acompte, l'autre moitié quand j'aurai fini mon enquête.

J'ai sorti mon portefeuille et compté deux mille cinq cents roupies.

— Parfait, a-t-il opiné en exhalant un nuage de fumée par la bouche. Revenez me voir lundi 8 octobre.

Je suis rentré à la pension, non sans avoir vérifié si la vache vacharde était dans les parages. Aujourd'hui, elle était assise au milieu de la route façon terre-plein, avec une guirlande de soucis fraîchement cueillis autour du cou. Les autos et les scooters la klaxonnaient, les cyclistes l'insultaient, mais elle trônait là comme une reine en mâchonnant un sac en plastique. J'ai secoué la tête, consterné par ce pays où les vaches sont traitées comme des déesses. Chez nous, il y a longtemps qu'elle aurait fini en steak.

Arrivé à la pension, je suis allé au salon télé. Il n'y avait qu'un seul gars là-dedans, assis dans un fauteuil avec un coussin sur les genoux. Il avait la peau claire, des yeux bruns et une barbe clair-semée.

La télé, branchée sur CNN, montrait des gravats dans une rue, puis des gens dans un hôpital, couverts de sang et de bandages.

— Qu'est-ce qui s'est passé ? ai-je demandé au gars.

— Nouvel attentat suicide à Bagdad. Soixante-dix morts, a-t-il répliqué, laconique. Vous êtes Larry Page, d'Amérique, hein ?

— Ouais, j'ai fait. Comment le savez-vous ?

— J'ai vu votre nom dans le registre.

— Et vous-même, vous êtes qui ?

— Bilal Beg, du Cachemire.

J'ignorais totalement où était le Cachemire, mais j'ai hoché la tête.

— Dites-moi, monsieur Page, pourquoi votre pays ne quitte pas l'Irak ? a demandé Bilal de but en blanc.

— Je n'en sais rien. Parce qu'on doit choper ce type, Saddam, non ?

— Mais Saddam a déjà été pendu !

— Ah bon ? Désolé, ça doit faire un an que je n'ai pas regardé CNN.

Il m'a dévisagé comme si je lui avais piqué son portefeuille et il est sorti de la pièce.

Ce soir-là, j'ai commis l'erreur de manger dans une gargote en plein air. La nourriture était archi-épicée, une sorte de galette fourrée aux pommes de terre et aux pickles qui m'a mis le feu à l'estomac. Dès mon retour à la pension, j'ai dû me précipiter aux cabinets.

Les journées de vendredi et de samedi, je les ai passées dans ma chambre avec un mal de bide comme je n'en ai jamais connu. À chier des lames de rasoir. Le seul à venir prendre de mes nouvelles, ç'a été Bilal. Il m'a même monté une sorte de sirop vert qui m'a soulagé. Dimanche matin, j'avais hâte de mettre le nez dehors, vu que j'avais été bloqué deux jours par la courante.

Les rues de Paharganj étaient plus calmes le dimanche. Même les *rickshaws-wallahs*, normalement sur le pied de guerre dès sept heures du matin, semblaient faire une pause. Deux d'entre eux dormaient, les pieds sur le guidon. Les petites filles étaient à nouveau là, remplissant leurs seaux et bouteilles en plastique au robinet municipal.

La plupart des boutiques étaient fermées ; en revanche, les petits snacks de plein air étaient tous ouverts. L'un d'eux vendait des omelettes entre deux tranches de pain. Un autre confectionnait des friandises en forme de bretzels frites dans une grosse cuve d'huile brûlante avant d'être plongées dans du sirop. Les gens s'agglutinaient autour de réchauds où du thé bouillait et rebouillait.

Je ne sais pas pourquoi, les Indiens préféraient exercer leurs activités dehors. J'ai vu des échoppes de barbier à ciel ouvert où les clients se faisaient savonner et raser sous les yeux des passants, des tailleurs installés sur le trottoir avec leur machine à coudre. On pouvait même se faire nettoyer les oreilles au bord de la route. J'ai croisé un vieil homme en habits crasseux qui enfonçait un truc long et pointu dans l'oreille d'un client. J'en ai eu mal rien qu'à le voir.

Un homme vendait des DVD dans une charrette. J'en ai acheté trois, une super-affaire : *Spiderman 3*, *Batman 4* et *Rocky 5*, pour l'équivalent de cinquante cents pièce !

En poursuivant mon chemin vers le sud, je suis tombé sur un marché de fruits et légumes où régnait une grande animation. Des femmes assises sur des toiles à sac devant des montagnes de tomates et d'oignons, de citrons et de gombos, s'égosillaient à qui mieux mieux.

— Vingt roupies le kilo de tomates !... Cinq citrons pour le prix de deux !... Elles sont belles, mes pommes de terre !

Elles pesaient les légumes sur de vieilles balances en cuivre avec des poids en fonte et glissaient l'argent sous leur toile. Soudain, quelque chose m'a frôlé le visage. Je me suis retourné et me suis retrouvé nez à nez avec la vache vacharde. J'ai pris mes jambes à mon cou avant qu'elle charge et j'ai atterri aux abords de la gare ferroviaire de New Delhi.

Cette gare-là était un monde à part. La pauvreté de l'Inde m'a heurté de plein fouet. J'ai vu des familles entières vivant sur le trottoir dans des tentes bricolées avec des feuilles de plastique. Et des gens qui n'avaient même pas ça. Un homme était allongé au milieu de la route, tel un ivrogne à la sortie d'un bar. Un autre, assis sur le trottoir, nu comme un ver et couvert de boue, se grattait le torse avec ses ongles.

Une femme à l'air hagard m'a abordé. Vêtue d'un sari vert et d'un chemisier jaune, elle était maigre comme un pain de savon après une journée de lessive, et on aurait dit qu'elle s'était coiffée avec un batteur. Elle tenait dans ses bras un petit garçon squelettique, tout en os et en yeux creux, qui semblait n'avoir pas mangé depuis un an. La femme n'a pas dit un mot ; elle a simplement joint les mains et les a portées de son estomac à sa bouche. Il ne m'en fallait pas plus pour dégainer mon portefeuille et lui filer cinq cents roupies.

À peine l'avais-je fait que j'ai été encerclé par une armée de mendiants. Ils se sont dirigés vers moi comme les zombies dans *La Nuit des morts vivants*. Des manchots, des aveugles, des qui se propulsaient sur un skateboard et des qui marchaient sur les mains. Tels les marchands de fruits exhibant pommes et oranges, ils m'ont montré leurs blessures et leurs plaies infectées, leurs membres estropiés et leurs dos courbés, tout en me tendant leurs sébiles en fer-blanc aussi tordues qu'eux. Impossible de faire un pas de plus. Je suis retourné en courant à l'hôtel, je me suis enfermé dans ma chambre et j'ai enfoui ma tête dans l'oreiller.

En trois jours à peine, Delhi m'avait brisé le cœur, mis la tête à l'envers et fichu l'estomac en l'air.

Le privé m'a accueilli lundi habillé exactement comme la première fois, la pipe en moins. La plupart des cartons étaient partis, et la pièce était aussi vide qu'une église un lundi matin.

— Fidèle à ma promesse, j'ai retrouvé celle qui vous a écrit ces lettres, a annoncé M. Gupta dès que je me suis assis.

— Qui est-ce ? ai-je demandé avec empressement.

— Ça va vous surprendre, mais l'auteur de ces lettres n'est autre que Shabnam Saxena.

— Vous voulez dire l'actrice ?

— Absolument.

— Comment le savez-vous ? Vous en êtes sûr ?

— N'avez-vous pas remarqué les initiales – le double S – dans le pseudonyme aussi ?

— Alors là, vous m'en bouchez un coin ! Ça m'avait complètement échappé.

— L'investigateur chevronné que je suis a relevé la similitude d'entrée de jeu. Néanmoins, pour plus de sécurité, j'ai également comparé son écriture à celle des lettres que vous avez reçues. Les deux sont parfaitement identiques. Je vous assure, monsieur Larry, ces lettres ont été écrites par Shabnam Saxena.

— Mais alors, pourquoi n'est-elle pas venue à l'aéroport ?

— Ça, c'est déjà plus compliqué. Le mieux serait de lui poser la question directement.

— Mais...

— Je sais ce que vous pensez. Vous vous demandez pourquoi une actrice célèbre voudrait se lier d'amitié avec un Américain lambda. N'est-ce pas ?

— Ouais. Pourquoi ?

— Parce que l'amour régit le monde, monsieur Larry. Vous comprendrez quand je vous aurai raconté l'histoire de Shabnam. C'était une provinciale qui rêvait de métropole. Elle est née et a grandi à Azamgarh, une petite ville du nord de l'Inde célèbre pour ses gangsters. Elle est issue de la classe moyenne : son père est employé de banque ; sa mère institutrice. Elle est la deuxième de trois sœurs, et aussi la plus jolie. Toute sa vie, elle a entendu ses parents se plaindre du fardeau que représentaient leurs trois filles. Ils s'inquiétaient de savoir comment faire pour les marier, où trouver l'argent de la dot. Shabnam a étudié au lycée de filles, puis est allée faire ses humanités à l'université de Lucknow.

» De retour à Azamgarh, elle a trouvé sa ville natale sordide et crasseuse. Ses parents voulaient la marier, mais les seuls prétendants faisaient tous partie de la mafia locale. Un gangster particulièrement violent, qui traficotait entre Azamgarh et Dubaï, l'a poursuivie de ses assiduités. Elle lui a tenu tête, et ses parents ont commencé à recevoir des menaces de mort. Elle savait qu'en restant à Azamgarh elle finirait inévitablement maîtresse ou femme de gangster. Une nuit, elle a pris de l'argent dans le portefeuille de son père et s'est enfuie pour tenter sa chance à Bombay dans l'industrie du film. Elle a galéré un peu, jusqu'au jour où le producteur Deepak Hirani lui a offert son premier rôle. Maintenant qu'elle a réussi, elle a désavoué ses origines. Ses parents l'ont reniée. Elle n'a plus aucun contact avec les membres de sa famille et vit toute seule dans son appartement de Bombay. Vous en déduisez quoi ?

— Quoi ?

— Qu'elle a soif d'amour. A-M-O-U-R. C'est pour ça qu'elle vous a écrit. Elle a besoin de votre amitié.

— Mais pourquoi n'a-t-elle pas donné son vrai nom ? Elle doit être pétée de thune. Pourquoi elle m'a pris de l'argent ?

— Pour vous mettre à l'épreuve. Si vous aviez su qu'elle était célèbre, vous auriez peut-être fini par la traiter comme les autres. Tous les hommes lui courent après, ici. Mais elle, elle veut votre amour et votre respect, monsieur Larry.

— Ouais, j'ai approuvé, ça se tient.

— Si ça se trouve, elle cherche à vous faire passer un message. Peut-être qu'elle est de nouveau harcelée par la mafia. Du coup, elle est obligée d'endosser une fausse identité. C'est un appel à l'aide qu'elle vous lance.

— Ben mon cochon ! Il y a du vrai dans ce que vous me dites. Vous croyez que je devrais la contacter moi-même ?

— Pourquoi pas ? Peut-être qu'elle n'attend que ça. Mais dites-moi, vous avez un téléphone portable ?

— Non. Je n'ai pas eu le temps d'en acheter un.

— Eh bien, faites-le, parce que, exceptionnellement, je vous ai obtenu le numéro de Shabnam Saxena. Son numéro de portable, qu'elle ne donne à personne.

Baissant la voix, il a ajouté dans un murmure :

— Il y en a qui tueraient pour avoir cette information.

— C'est vrai ?

— Oui. Mais ceci est un extra. Ça vous coûtera deux mille cinq cents roupies de plus. Si vous le voulez, il faudra me régler un total de cinq mille roupies maintenant.

J'ai mis moins d'une minute à me décider. Le privé a compté les billets et les a enfouis dans la poche de son veston.

— Notez, a-t-il dit en prenant un bout de papier. C'est le 98333 81234. C'est bon ? J'ai eu beaucoup de mal à obtenir ce numéro. Alors s'il vous plaît, utilisez-le avec discernement.

— Je peux appeler tout de suite d'une cabine publique ?

— Oui, mais vous n'arriverez pas à la joindre. J'ai appris que Shabnam est actuellement en tournage au Cap. Son portable ne sera de nouveau en service qu'à son retour en Inde. Essayez d'ici une semaine.

Il a entrelacé ses doigts.

— Ce sera tout ?

— Ouais. Merci pour votre aide.

Je me suis levé.

— Laissez-moi vous souhaiter tout le bonheur possible, monsieur Larry, a dit le privé en me serrant la main énergiquement. Votre fiancée incarne le rêve de tous les Indiens. Je vous envie beaucoup, vous savez. Vraiment.

Je suis sorti de son bureau, heureux comme un chat tombé dans une jatte de crème. Pour la première fois, il me semblait entrevoir une éclaircie.

L'après-midi même, j'ai acheté un Nokia haut de gamme, avec une carte prépayée. Une fois dans ma chambre, j'ai composé le numéro avec des doigts tremblants. Ç'a sonné, mais personne n'a répondu. Au bout d'un moment, j'ai eu droit au message préenregistré : « Le numéro que vous avez demandé n'est pas disponible actuellement. Veuillez rappeler ultérieurement. »

J'ai raccroché, déçu. Le privé avait raison : j'allais devoir attendre. Une semaine entière.

Soigneusement, j'ai rangé le papier avec le numéro de Shabnam dans mon portefeuille, et j'ai découvert qu'il était pratiquement vide. Il ne me restait plus que deux cents dollars et mille roupies. Et encore quarante jours à tenir dans cette ville. Ce soir-là, j'ai abordé Bilal au salon télé :

— Tu ne connaîtrais pas quelqu'un qui aurait besoin d'un cariste ? Il faut que je me fasse du fric, ça urge.

— Tu peux prétendre à beaucoup mieux ici. Comme prof d'anglais, par exemple. On va te trouver un boulot.

Il a pris un journal sur la table et l'a feuilleté.

— Tiens, voilà peut-être le job qu'il te faut.

Il m'a montré l'annonce, dans la rubrique « Offres d'emploi » :

Recherchons coachs voix et diction pour un important BPO. Description du poste : diriger stages de remise à niveau en phonétique, grammaire et culture selon les besoins. Suivi journalier comprenant bilan de fin de formation et évaluation des stagiaires. Conditions requises : ni expérience ni qualification particulière. Seulement une bonne maîtrise de l'anglais américain. Envoyer CV et références pour une embauche immédiate.

J'y comprenais que couic.

— C'est quoi, un BPO ?

— *Business Process Outsourcing*, externalisation des processus d'affaires. Un nom ronflant pour centre d'appels, m'a expliqué Bilal. Normalement, c'est dans la poche. Tu n'auras qu'à parler comme un Américain, c'est tout.

Il m'a dit de ne pas m'inquiéter pour le CV et les références et de me présenter directement à l'entretien.

J'ai passé le reste de la semaine à attendre le week-end. Tous les jours, je composais au moins cinquante fois le numéro de Shabnam, pour tomber toujours sur le même automate. Au bout de dix jours, j'ai fini par perdre patience et je me suis repointé à l'agence Shylock. J'ai trouvé la porte close, condamnée, avec une affiche imprimée épinglée dessus : « Local professionnel parfait état. Pour location/vente contacter Navneet Immobilier : 98333 45371. » J'ai appelé le numéro, et on m'a dit que M. Gupta avait libéré les lieux et était parti sans laisser d'adresse.

Pour la première fois, l'idée m'a effleuré que ce privé était peut-être faux comme un jeton et m'avait mené en bateau. Mais le Seigneur ne ferme jamais une porte sans en ouvrir une autre. Sur le chemin du retour, j'ai repéré dans un kiosque une revue de cinéma avec la photo de Shabnam en couverture, et je l'ai achetée.

M'zelle Henrietta Loretta, mon instit de CM1, nous avait parlé d'un gars complètement allumé, Archie Quelque-chose, qui vivait il y a très très longtemps dans un pays appelé la Graisse. Ce gars-là, il a plongé dans une baignoire et a été le premier à découvrir qu'elle déborde quand on la remplit trop. Il était tellement excité qu'il a sauté, totalement à poil, hors de son bain en hurlant : « Eurêka ! Eurêka ! » C'est exactement ce que j'ai ressenti en lisant l'article sur Shabnam Saxena. J'ai découvert une vraie mine d'or dans ce magazine. Ça racontait l'histoire de l'actrice, et ça correspondait mot pour mot à ce que m'avait dit le privé. Mon respect pour M. Gupta est monté d'un cran. Il avait tout bon. Mais j'ai trouvé deux infos supplémentaires qu'il ne m'avait pas données. L'adresse de Shabnam à Bombay et le jour de son anniversaire, le 17 mars... précisément la date que m'avait indiquée Sapna Singh. Cette coïncidence a achevé de me convaincre que Sapna et Shabnam étaient une seule et même personne. J'étais si heureux que j'ai sifflé quatre canettes de coke !

Ce soir-là, je me suis installé devant le petit bureau dans ma chambre, j'ai pris une feuille de papier et j'ai composé une lettre à Shabnam. « Ma chère Shabnam chérie, ai-je commencé. Je parie qu'un amour comme le nôtre, ça ne se trouve pas sous le sabot d'un cheval. » Sans m'en rendre compte, j'ai noirci vingt pages. Je les ai mises dans une enveloppe sur laquelle j'ai marqué « Ultraconfidentiel », j'ai écrit l'adresse de Shabnam et j'ai posté le tout à la première heure le lendemain matin.

Ce jour-là, je lui ai écrit une nouvelle lettre. Très vite, c'est devenu un jeu d'enfant. En une semaine, j'ai dépensé plus de liquide en timbres qu'en nourriture, et j'ai été obligé d'emprunter de l'argent à Bilal.

— Tu ferais bien de prendre ce job au BPO, m'a-t-il averti.

C'est comme ça que le 25 octobre j'ai atterri à Connaught Place, dans mes plus belles fringues, pour passer l'entretien d'embauche. On m'a fait entrer dans un bureau huppé avec des peintures tape-à-l'œil, de moelleux fauteuils en cuir et une jolie réceptionniste.

Le type qui menait les entretiens, la quarantaine dégarnie, s'appelait Bill Bakshi. Assis derrière une table en acier luisant, il portait un jean, un sweat Buffalo Bills et une casquette de base-ball au logo des Yankees. Il m'a regardé d'un air perplexe.

— Monsieur Larry Page... Je croyais que vous étiez un Indien chrétien de Goa. Mais vous avez l'air d'être américain. Est-ce exact ?

Il s'exprimait comme un fichu Yankee de New York.

— Ouais. Je suis américain. Depuis toujours. Ça pose un problème ?

— Non... non... pas du tout, a-t-il répondu précipitamment. En fait, nous ne saurions rêver mieux qu'un Américain pour enseigner l'accent américain. J'imagine que vous êtes un vrai de vrai, quelqu'un qui a vécu aux States ?

— Ouais. Je suis de passage en Inde. J'habite Waco, au Texas.

Il a souri, étendu les jambes et croisé les mains derrière sa tête.

— Je suis un inconditionnel des Buffalo Bills, comme vous pouvez le voir. Et vous, Larry ? Vous aimez le football américain ?

— Un peu, mon neveu ! Vu que je viens du grand État du Texas, je supporte les Dallas Cowboys, la seule équipe de la NFL à avoir gagné trois Super Bowls en quatre ans.

— Et les Houston Texans ?

— Je m'excuse, mais c'est une équipe de merde.

— Pourquoi vous dites ça ?

— Parce qu'ils perdent tous leurs matches. Ils ont eu leurs chances pendant la saison de 2004, mais d'avoir perdu 22 à 14 contre les Cleveland Browns les a rétamés. Depuis, ils s'autodétruisent. Franchement, avoir choisi Mario Williams de préférence à Reggie Bush ou Vince Young, ç'a dû être la plus grosse erreur de recrutement de l'histoire de la NFL. Ce gars-là ne sait pas viser !

— Ben dites donc, vous connaissez l'histoire de la NFL sur le bout des doigts. Et sinon, avez-vous une quelconque expérience en entreprise ?

— Eh, j'en suis pas à mon premier rodéo. Ça va faire cinq ans que je bosse chez Walmart.

— Walmart ? Monsieur Larry Page, vous êtes embauché. Bienvenue à bord.

Il s'est levé pour me serrer la main.

— Ça alors, merci beaucoup. Mais au fait, c'est quoi, le boulot ? Vous pouvez m'en dire plus sur votre société ?

— Bien sûr. Rai IT Solutions est une filiale de BPO. Nous gérons toutes sortes de secteurs pour nos clients étrangers. Assistance téléphonique, service consommateurs, études de marché, réservations de billets d'avion, calcul d'impôt sur le revenu et gestion de dossiers d'assurance. Mais notre principale activité, ce sont les systèmes d'information géographique. Notre plus gros client est l'ARA, American Roadside Assistance. Vous avez entendu parler d'eux ?

— Ouais. Mais nous, nos véhicules de société sont assurés chez triple A.

– Eh bien, l'ARA est très semblable à l'AAA. Mettons que vous soyez client chez eux. Votre voiture tombe en panne, votre contrat arrive à expiration ou vous êtes perdu sur l'autoroute.

— Dans quel coin ?

— Peu importe. Ça peut aussi bien être en Alaska qu'à Hawaï. Nous avons tous les atlas routiers, ici. Alors, que faites-vous si vous êtes perdu ? Vous composez un numéro vert. Cet appel arrive chez nous, dans notre centre d'appels de Gurgaon. Et c'est notre service d'assistance qui gère les appels des clients américains. Le tout est de ne pas montrer qu'on leur répond depuis l'Inde. Le client doit penser que son appel est géré en Amérique par des Américains. C'est là que vous entrez en scène.

— Ben, pour ne rien vous cacher, je ne suis pas très doué pour indiquer la route. Je me perds tout le temps sur l'I-35. Un jour, j'ai pris une mauvaise sortie et je me suis retrouvé au Nouveau-Mexique.

— On ne vous demande pas de travailler au service clients. Votre rôle sera d'enseigner l'Amérique aux employés de notre nouveau centre d'appels : la façon de parler des Américains, leurs sports préférés, ce qu'ils mangent, ce qu'ils regardent. Comme ça, quand Deepak, de Moradabad, dira qu'il est Derek,

245

de Milwaukee, l'appelant ne mettra pas sa parole en doute. Croyez-vous pouvoir nous aider là-dessus ?

— Pas de souci. Ça m'a l'air d'être du tout cuit.

— Parfait. Vous voyez, jamais un Indien n'emploierait une expression comme « du tout cuit ».

Il s'est tapé sur les cuisses.

— Un Américain blanc comme coach diction… c'est un sacré coup de bol !

Il s'est penché vers moi.

— Vous savez, j'espère, que les centres d'appels en Inde travaillent comme les cambrioleurs, de nuit, entre huit heures du soir et huit heures du matin. Est-ce un problème pour vous ?

— Nan. Je dormirai dans la journée. À propos, je vais toucher combien pour ce job ?

— Ma foi, nous payons nos coaches indiens vingt mille roupies par mois. Pour vous, nous pouvons aller jusqu'à trente mille. Ça vous convient ?

Trente mille roupies ! Ça voulait dire que dans un mois j'aurais assez d'argent pour rentrer chez moi.

— Quand est-ce que je commence ?

J'ai débuté chez Rai IT Solutions dès le lendemain, dans leurs bureaux de Gurgaon. Une navette de la société venait me chercher à Paharganj tous les soirs à sept heures et m'emmenait – une heure de trajet, en passant devant l'aéroport international – dans une ville animée, pleine de centres commerciaux et de grandes tours. Gurgaon ressemblait plus à Dallas qu'à Delhi.

Leurs bureaux en jetaient aussi, tout en marbre et verre teinté. À l'intérieur, on se serait cru dans un atelier de Walmart : un immense espace climatisé avec des rangées de cabines, chacune équipée d'un ordinateur. Et des centaines de jeunes Indiens assis sur des chaises pivotantes devant leur écran, un casque sur les oreilles. Ça bourdonnait comme une ruche géante ; une vraie boîte de strip-tease pour un enterrement de vie de garçon.

Mon boulot consistait à apprendre à une bande délurée de gars et de filles à parler comme des Américains. J'ai été droit au but :

— Il y a trois sortes d'élèves, ai-je annoncé à la classe. Primo, ceux qui apprennent en lisant. Deuzio, ceux qui apprennent en observant. Les autres n'ont qu'à se la mettre derrière l'oreille.

Une petite mignonne moulée dans un tee-shirt à ras du nombril a levé la main.

— Excusez-moi, professeur Page, que veut dire « se la mettre derrière l'oreille » ?

« Professeur » ? Rien qu'à entendre ce mot, j'ai senti ma tête enfler. Dommage que maman ne soit pas là pour voir ça.

— Ça veut dire qu'on n'a rien sans rien dans la vie, pigé ? Exercez-vous, et en moins de deux vous parlerez comme moi. OK, les gars, on se sort les doigts du cul et on met la semelle.

C'était aussi simple que ça. De l'argent facile, comme je n'en avais jamais gagné de ma vie. Le reste du boulot consistait à aller m'asseoir dans un bureau à l'entresol avec un casque sur les oreilles pour observer l'activité à l'étage du dessous, écouter les conversations et marquer d'une croix les employés dont l'anglais ou les manières n'étaient pas top.

Cet endroit me faisait halluciner. Voilà de jeunes Indiens aux prénoms indiens pur jus qui la nuit devenaient Robert, Susan, Jason et Jane. En fait, le règlement les obligeait à s'appeler par leurs prénoms américains même aux heures de pause.

— C'est ça, l'ennui, m'a dit un chef d'équipe du nom de M. Devdutt.

C'était un petit bonhomme d'une cinquantaine d'années avec des cheveux en brosse et des lunettes cerclées de métal.

— Ces jeunes se croient devenus américains pour de bon. Non seulement ils parlent et s'habillent comme des Américains, mais maintenant ils flirtent comme des Américains. J'ai beau travailler dans un centre d'appels, monsieur Page, jamais je ne laisserai ma fille entrer ici.

— Pourquoi ?

— Parce que les centres d'appels sont devenus le repaire du vice et de la corruption. Vous n'imaginez pas ce à quoi j'ai affaire tous les jours. Comment puis-je faire régner la discipline, avec toutes ces filles habillées comme des prostituées ? Elles mettent des corsages tellement décolletés qu'on voit leurs seins. L'une d'elles est venue avec un jean taille basse, si basse qu'on apercevait ses dessous. En fouillant dans leurs sacs au hasard, j'ai trouvé des capotes à côté du rouge à lèvres. Je soupçonne fortement certains employés de se livrer à des ébats sexuels aux toilettes, à l'heure du dîner.

— C'est rien. Chez nous, j'ai vu des gars et des filles s'envoyer en l'air dans les salles de classe du lycée.

— Ha ! C'est peut-être toléré dans votre Amérique morale-ment corrompue, mais je ne puis autoriser les pratiques qui vont à l'encontre de notre culture et de nos traditions.

Il a désigné fièrement une affiche collée au mur. « Pas de sexe, s'il vous plaît, nous sommes en Inde », disait-elle.

J'ai secoué la tête, consterné. Ce type-là était tellement borné qu'il était inutile d'insister.

— Et alors, qu'est-ce que vous comptez faire ? ai-je demandé.

Il a souri comme une hyène.

— Je suis en train de faire installer des caméras vidéo dans les toilettes. De cette façon, nous fermerons les portes de l'écurie avant que les chevaux s'emballent.

— Ouais. Mais faites gaffe, la porte de votre propre écurie est ouverte.

— Quoi ?

— Votre braguette, ai-je dit.

Il a baissé les yeux et rougi comme une pivoine.

Je n'ai pas vu le mois passer. Ma vie suivait un train-train confortable. La nuit, je travaillais au centre d'appels ; le matin, je rentrais à la pension et dormais la majeure partie de la journée. Le soir, réglé comme une horloge, j'écrivais une lettre à Shab-nam et je composais son numéro de portable. Les deux restaient sans réponse, mais je ne perdais pas espoir.

J'ai appris plein de mots techniques au centre d'appels et je me suis fait tout un tas de copains parmi les employés. C'étaient des petits jeunes fraîchement diplômés, ils en étaient à leur premier job. Ils voulaient faire la fête, s'acheter des fringues, s'amuser. Il y avait Vincent (alias Venkat), un beau parleur capable de vendre un verre d'eau à un homme qui se noie. AJ (Ajay), à qui il manquait toujours dix-neuf sous pour faire vingt sous. Penelope (Priya) était la mieux notée, vu qu'elle remplissait ses objectifs hebdomadaires plus vite que les autres, et Gina (Geeta) faisait baver d'envie la moitié des gars du service. Reggie (Raghvendra) était si court sur pattes qu'il aurait dû grimper sur une brique pour botter les fesses à un canard ! Et le *sambar vada* de Kelly (Kamala) était ce que j'avais mangé de meilleur depuis le jour de ma naissance.

J'ai appris à regarder avec les garçons un jeu nommé cricket. C'était aussi excitant que regarder l'herbe pousser, mais faire exploser les pétards le jour de Diwali était bien plus drôle que notre 4 Juillet. Les filles partageaient leur casse-croûte et leurs secrets avec moi. Les célibataires parlaient des gars qui leur plaisaient, les mariées râlaient contre leur belle-doche, toutes s'escrimaient à me brancher sur quelqu'un, sans se douter que c'était comme vouloir tondre une poule.

Le temps avait passé si vite, on était déjà le 23 novembre. J'étais censé rentrer en Amérique le lendemain. C'est là que j'ai eu le déclic… je n'avais pas envie de partir. C'était dingue. Tout à coup, cette ville grouillante, congestionnée, où les vaches se baladaient dans les rues et les mendiants dormaient nus, me semblait le nombril du monde. Dans la pension bondée, infestée de moustiques, je me sentais chez moi. Et je m'éclatais comme un fou au centre d'appels. L'Inde avait un drôle d'effet sur moi. J'avais pris l'habitude de tremper les biscuits dans le thé. Je mangeais le *masala dosa* avec les doigts. J'aimais bien me doucher avec un seau. Je n'avais aucune honte à me faire couper les cheveux en pleine rue. Quelquefois même, je me baladais dans Paharganj en pyjama, chose impensable chez nous. L'Inde, c'était comme des vacances prolongées. Pas de factures à payer, pas de trajets sur la I-35, pas de cuisine à faire, pas de prises de tête avec Johnny Scarface. Et puis il n'y avait pas grand-monde qui m'attendait à la maison. Même maman, la dernière fois que je lui avais parlé, se passionnait plus pour son quatrième divorce que pour mon premier mariage. Mais la vraie raison pour laquelle je ne voulais pas rentrer tenait à Shabnam. Une petite voix me disait dans mon cœur que peut-être elle n'avait pas fini son tournage dans cette ville du Cap. Ou qu'elle n'avait pas reçu mes lettres. J'ai donc décidé d'attendre quinze jours de plus et changé mon billet pour un départ le mercredi 5 décembre. Si je n'avais pas de nouvelles d'ici là, je lui dirais au revoir, l'éjecterais de ma vie et rentrerais chez moi.

À dire vrai, dix jours plus tard, Shabnam ne s'était toujours pas manifestée. Mais je n'ai pas pu partir le 5 décembre. Vu qu'il m'est arrivé un truc incroyable le 3. J'allais à la banque pour convertir mes roupies en dollars. J'avais laissé mon portefeuille à la pension et rangé tout mon argent liquide, mon téléphone portable et mon passeport dans une ceinture porte-monnaie nouée autour de ma taille. Au moment de traverser la rue, j'ai vu toute une foule qui se dirigeait vers moi. En tête du cortège se trouvait la fille la plus monstrueuse que j'aie jamais vue. Elle avait une tête à fêter Halloween sans masque. Aveugle, avec ça, et elle marchait avec une canne. Derrière elle, il y avait trois personnes drapées de blanc, on aurait dit des fantômes. Venait ensuite un gars en costume noir de squelette. Puis tout un groupe de jeunes habillés comme des étudiants. Ils brandissaient des pancartes LES CROISÉS DE BHOPAL et scandaient des slogans comme « Nous exigeons une compensation » et « Donnez ou mourez ».

Le cortège s'est arrêté tout près de l'endroit où je me tenais. Les personnes en blanc se sont couchées au milieu de la route, faisant semblant d'être mortes, pendant que le gars déguisé en squelette dansait autour d'elles.

— Vous êtes en train de fêter Halloween, ou quoi ? ai-je demandé à une demoiselle en jean et babouches, avec un sac en toile à l'épaule et un cercle rouge sur le front.

Elle m'a toisé comme si j'étais un cafard.

— Pardon ?

— J'ai dit, c'est une version indienne de Halloween ? Parce que, chez nous, on fête ça le 31 octobre. Et pourquoi réclamez-vous une compensation, hein ? On ne vous donne pas de friandises, ici ?

La fille a pété une durit.

— Vous trouvez ça drôle de protester contre le plus grave accident industriel du monde ?

J'ai essayé de la calmer :

— Allons, allons, pas la peine de vous mettre les couilles à l'envers !

— Et tu m'insultes, espèce de porc ? À tous les coups, tu bosses pour Dow Chemical ! a-t-elle glapi.

— Écoutez, ma p'tite dame, je ne vois pas de quoi vous parlez. Votre Dow, je ne le connais ni d'Ève ni d'Adam. C'est quoi, ce délire ?

J'ai levé les mains.

Un autre étudiant, un jeune type avec un bouc, m'a tapoté l'épaule.

— Tu as dit quoi, là ? Que ma collègue était folle ?

Un troisième, bizarrement coiffé, l'air méchant comme une teigne, a fait claquer ses doigts sous mon nez.

— Tu n'es pas américain, toi ?

— Si, ai-je répondu, je suis américain.

— Eh, on le tient, le fils de cet enfoiré de Warren Anderson, a-t-il crié en m'empoignant par le col.

— Allez, donne-nous notre argent, a exigé un homme vêtu d'un *kurta* crasseux.

— Oui, on en a marre d'attendre, a grincé le type avec le bouc.

— Non, les gars.

J'ai secoué la tête.

— Je n'ai pas d'argent à vous donner. C'est pas comme ça qu'on réclame des friandises.

— Ce salopard ne veut pas lâcher le pognon. On va lui apprendre, à cet enfoiré d'Américain ! a hurlé le gars à la drôle de coiffure.

Et la foule s'est ruée sur moi comme une meute de chiens à la curée. Les hommes ont commencé à me taper, les femmes à m'arracher mes vêtements. Je me suis débattu, mais j'étais comme un moucheron sous une averse de grêle. En un clin d'œil, on m'a enlevé mon pull. Deux minutes plus tard, ma chemise était en lambeaux, mon blouson en loques, j'avais perdu une basket, et je me bagarrais contre une grosse nana avec des couettes qui essayait désespérément de me retirer mon jean. J'ai réussi à me débarrasser d'elle. C'est là que je me suis aperçu que ma ceinture avait disparu.

M'zelle Henrietta Loretta nous avait parlé des coutumes bizarres des tribus étrangères. Les Aztèques, en Argentine, qui mangeaient des crânes humains, et les Maoris du Mexique qui vendaient leurs filles. Mais j'ignorais qu'en Inde aussi, ils avaient de drôles de coutumes, comme tabasser les Américains qui refusent de leur donner des chocolats.

Je suis rentré à la pension… on aurait dit Shawn Michaels après la raclée que l'Undertaker lui avait mise lors du fameux match Hell in a Cell de 1997.

— Qu'est-ce qui t'est arrivé ? s'est écrié Bilal.

— Je me suis frité avec une bande d'allumés. Ils m'ont pris tout mon argent. Et mon passeport aussi. Je fais quoi, maintenant ?

— Il faut aller à l'ambassade américaine te faire faire un nouveau passeport, m'a conseillé Bilal.

L'ambassade américaine à Chanakyapuri en jetait plein la vue, avec son immense pelouse et ses fontaines dominées par un énorme aigle doré. Les marines à l'entrée n'ont pas été particulièrement ravis de voir un gars du pays. Ils m'ont dit d'aller à côté, dans un autre bâtiment où on délivrait passeports, visas et tout le toutim.

Il y avait deux files d'attente, une pour les Indiens, une autre pour les Américains. La file indienne faisait bien quinze cents mètres. Les gens semblaient vivre par communautés entières devant l'ambassade, avec babouches et valises. Une famille sikhe était en prière. Une mère épuisée faisait manger ses enfants. Deux hommes jouaient aux cartes à l'ombre. Par chance, aucun Américain n'avait besoin d'un visa et j'ai pu entrer au bout d'une dizaine de minutes.

On m'a fouillé comme un détenu fraîchement incarcéré. Quatre contrôles de sécurité plus tard, je suis enfin arrivé à l'accueil.

— Je m'appelle Larry Page et j'ai perdu mon passeport, ai-je annoncé à la dame.

— Asseyez-vous, je vous prie !

La dame a décroché son téléphone. Trois minutes après, une porte vitrée s'ouvrait, et une grande blonde perchée sur des talons hauts sortait à ma rencontre. Avec sa jupe grise et sa veste assortie à boutons dorés, elle était top canon.

— Bienvenue, monsieur Page, a-t-elle dit avec un grand sourire en me serrant chaleureusement la main. Nous savions que vous veniez en Inde pour le congrès du Nasscom. C'est un immense honneur de vous accueillir à l'ambassade. J'adore ce que vous faites. Par ici, je vous prie.

Elle m'a précédé dans le couloir ; ses hanches ondulaient comme deux chats en train de se bagarrer dans un sac. Son bureau se trouvait tout au bout du bâtiment. Elle a ouvert la porte à l'aide d'une carte magnétique et m'a fait entrer.

Je me suis assis sur un canapé beige et j'ai jeté un œil autour de moi. La pièce était vaste et très bien meublée, avec des tas de cartes aux murs et plein de gadgets à antennes pointues.

La blonde s'est assise à côté de moi.

— Je suis Elizabeth Brookner, a-t-elle dit en croisant ses longues jambes, chef du service consulaire de l'ambassade. C'est très malheureux que vous ayez perdu votre passeport, monsieur Page, mais nous allons tâcher de vous le refaire dans les vingt-quatre heures.

— Ce serait drôlement sympa, vu que j'ai un avion à prendre demain.

— Voyons, a-t-elle répondu en me tapotant le bras. Quelqu'un qui voyage en 767 privé n'a pas à s'inquiéter des horaires des vols.

Comme j'ignorais ce qu'était un 767, je n'ai rien dit.

— Et Sergey Brin, que nous mijote-t-il ces temps-ci ?

N'ayant jamais entendu parler de Sergey Brin, j'ai gardé le silence.

— Vous n'êtes pas très bavard, hein, monsieur Page ?

— Ben, comme dit maman, à force d'ouvrir son sucrier, on finit par attirer les mouches.

Elle m'a regardé d'un drôle d'air.

— Si je m'attendais à avoir Larry Page dans mon bureau ! J'utilise Google, quoi, depuis une éternité. J'ai même acheté quelques actions au moment de l'introduction en Bourse en 2004… Il fait chaud ici, vous ne trouvez pas ?

Elle a défait les deux premiers boutons de sa veste.

— Et où êtes-vous descendu, monsieur Page ? Au Sheraton ?

Elle a battu des cils et m'a adressé un sourire enjôleur.

— Écoutez, m'dame, je ne suis pas…

— Mes amis m'appellent Lizzie. Tenez, je vais vous donner mon numéro de portable. Vous pouvez me joindre à n'importe quelle heure du jour et de la nuit.

Elle a griffonné un numéro sur un bout de papier que j'ai mis dans mon portefeuille, lequel était aussi vide que le tombeau de Jésus le matin de Pâques.

— Oui, vous me parliez de l'hôtel où vous étiez descendu. Au fait, n'avez-vous pas récemment remporté le prix du Meilleur Innovateur de l'année ?

— Non, m'dame. Le seul prix que j'ai failli gagner, c'est le rodéo de chariots élévateurs, l'an dernier, à Cisco. Avec mon Hyster H130F, j'ai été dans les premiers à charger et décharger la remorque et à empiler les palettes. Mais j'ai calé à l'écrit sur des questions pièges comme : « Si un chariot élévateur qui roule à

15 km/h a besoin de 55 cm pour s'arrêter sur une surface sèche, combien en faut-il à un chariot élévateur qui roule à 30 km/h ? » J'ai répondu 55 × 2 = 110 cm, mais on m'a dit que la bonne réponse était : « Un chariot élévateur n'a pas à rouler à cette vitesse. »

— Vous avez un sacré sens de l'humour, monsieur Page... puis-je vous appeler Larry ? Comment se fait-il que vous en sachiez autant sur les chariots élévateurs ?

— Parce que je suis cariste au supermarché Walmart de Round Rock, Texas. Celui sur l'I-35, vous voyez, sortie 251 ?

— Quoi, vous n'êtes pas le célèbre Larry Page, de Google ?

— C'est ce que je me tue à vous dire. Je m'appelle Larry Page, mais je n'ai rien à voir avec ce M. Google. J'étais venu en visite en Inde, mais maintenant je ne peux plus rentrer, vu que j'ai perdu mon passeport.

— Oh !

Elle s'est empressée de reboutonner sa veste et s'est levée. On aurait dit Johnny Scarface quand il va passer un savon à un ouvrier.

— Désolée pour ce malentendu, monsieur Page. Vous devez remplir les formulaires DS-11 et DS-64, disponibles à l'accueil. Ensuite, il faudra présenter une copie du rapport de police, ainsi qu'une preuve de votre citoyenneté, régler quatre-vingt-dix-sept dollars et prendre rendez-vous avec un membre du service consulaire.

— Mais j'aurai quand même un nouveau passeport demain, non ?

— Non, monsieur Page. La procédure accélérée n'est valable que pour les plus éminents de nos concitoyens, ce que vous n'êtes manifestement pas. Ma secrétaire va vous raccompagner.

Je suis sorti de l'ambassade en maudissant ma scoumoune. Si seulement je n'avais pas ouvert ma grande gueule ! Mais bon, j'ai retenu la leçon. Si les gens veulent croire que je suis M. Google, ce n'est pas moi qui irai les détromper.

Je suis allé à l'agence de voyages pour changer de nouveau ma réservation. Cette fois, la première date disponible était le 15 janvier. Je n'avais pas d'autre choix que de rester en Inde quarante jours de plus.

Je n'ai pas arrêté d'écrire à Shabnam, mais comme elle ne répondait pas mes lettres devenaient de plus en plus courtes. Je continuais également à appeler son portable d'une cabine publique, mais là non plus, rien. La seule bonne nouvelle, c'est que M. Devdutt a été renvoyé le 15 décembre. On l'avait pris en flag avec des photos de filles nues sur son ordinateur. Et on a découvert que depuis deux ans il utilisait le téléphone du bureau pour papoter avec une dénommée Sexy Sam, à Las Vegas.

Le temps filait : ni une ni deux, on était déjà le 31 décembre. J'ai reçu plein d'invitations pour le réveillon, de la part de Vincent, Reggie et Gina, qui avaient tous pris des vacances. Mais, après ce qui m'était arrivé, je n'avais pas le cœur à faire la fête. C'est là que la direction m'a fait une offre. Ils cherchaient des volontaires pour travailler au centre le soir du réveillon, payés trois fois le tarif horaire. Comme je n'avais rien d'autre à faire, je me suis proposé, et pour la première fois je me suis assis sur ce que Priya appelait la « chaise électrique ».

Gérer les coups de fil dans un centre d'appels n'est pas aussi simple que c'en a l'air. C'est même assez stressant. Comme disait Vincent, il s'agit d'un énorme jeu de dés. On ne sait jamais à qui on aura affaire. Il n'y avait pas beaucoup de circulation, ce soir-là, et j'ai dû attendre deux heures pour avoir mon premier appel. Un nommé Jim Bolton.

J'ai rajusté le casque et suivi les instructions qui s'affichaient à l'écran.

— Merci d'avoir appelé American Roadside Assistance. Larry Page à votre service. En quoi puis-je vous aider ?

— Merci, fiston. Nous sommes de San Francisco. On était chez des amis à New York, et de là on est partis fêter le nouvel an à Philadelphie, mais on s'est trouvés pris dans le blizzard. Du coup, on est un peu perdus. Apparemment, on a passé Dallas et on est maintenant à White Haven, sur I-476. Pouvez-vous nous dire comment aller de là jusqu'à Philly ? Et vite, s'il vous plaît, la batterie de mon portable est quasiment à plat.

— Mais bien sûr, monsieur. À partir de Dallas, je peux vous indiquer le trajet jusqu'à la Lune. Puis-je avoir votre numéro client, s'il vous plaît ?

Le gars me l'a donné, et j'ai sorti l'itinéraire depuis Dallas, Texas, jusqu'à Philadelphie, État de New York, sur l'ordinateur. Il semblait s'être écarté de près de deux mille cinq cents kilomètres de son chemin. Pire, j'ai été incapable de localiser White Heaven[1] sur la carte. J'ai essayé toutes les autres couleurs, y compris Black Hell, mais avec le même résultat. Rien. Que dalle. Nada. Ça n'existait tout simplement pas. J'étais aussi déboussolé qu'une vache sur un champ de course.

Les employés sont censés traiter les appels en moins de trois minutes, mais dix minutes plus tard, j'en étais toujours au même point. M. Bolton commençait à s'impatienter.

— Je ne trouve pas les indications pour Philadelphie, monsieur. Vous ne voulez pas aller à Waco ? ai-je demandé avec espoir.

Le gars a pété un plomb.

— Dis donc, salopard ! a-t-il crié. Ça fait une demi-heure que tu me fais tourner en rond. Avoue que tu n'y connais rien au réseau routier des États-Unis ! Tu n'es pas Larry Page. Tu es un abruti d'Indien dans un putain de bureau à Bangalore qui cherche à plumer d'honnêtes Américains. Allez, crache le morceau, peut-être que je ne t'en voudrai pas.

— Non, monsieur. Je m'appelle Larry Page et je suis aussi américain que vous.

— Tu persistes à te faire passer pour un Américain, hein ? Tu crois que je vais gober ça ? Je sais comment ça fonctionne, vos centres d'appels à deux balles en Inde. On va être fixés tout de suite. Dites-moi, monsieur Page, quelle est la population des États-Unis ?

— J'en sais rien. Un milliard ?

— Faux. Citez-moi les dix amendements de la constitution américaine.

— Nom d'un chien, c'est plus dur que l'arithmétique chinoise. Au fait, c'est quoi, une constitution ?

— Vous n'avez pas entendu parler de la Déclaration des droits ? Je suppose qu'il est inutile de vous demander qui a écrit notre hymne national ?

— Je peux tenter ma chance ?

— Allez-y.

---

1. et 2. Jeu de mots sur Heaven, « paradis », et Hell, « enfer ».

— Stevie Wonder ?

— Faux, encore une fois. Pouvez-vous au moins réciter les paradis de *La Bannière étoilée* ?

— Mince, on le chantait à l'école, mais ça fait un bail. Je me rappelle seulement que ça parle de roquettes qui explosent en l'air et de bombes qui pénètrent dans les foyers des braves.

— Ça suffit. Je n'en peux plus. Vous êtes un affront au peuple américain.

— Désolé, monsieur. Je n'ai pas fait de grandes études comme vous.

— Tu n'as pas besoin d'étudier, fiston. Ce qu'il te faut, c'est un trou dans la tête. Allez, quel est ton vrai nom ?

— Je vous l'ai dit, monsieur. Larry Page.

— Pas la peine de faire semblant, j'ai déjà prouvé que tu n'étais pas américain. Quel est ton vrai nom indien ? Sitaram ? Venkatswamy ?

— Ma foi, monsieur, vous pouvez toujours demander de la laine à un âne. Je vous dis que je suis Larry Page, Américain du grand État du Texas.

— Pour la dernière fois, quel est ton vrai nom ? Ton nom indien, bordel !

— Pour la dernière fois, c'est Larry Page et je ne suis pas indien, je suis américain.

— Vous autres, enfoirés d'Indiens, vous nous prenez notre travail et vous avez le culot de vous faire passer pour des Américains ? C'est honteux.

— Ce qui est honteux, monsieur, c'est d'employer un langage pareil. Maman dit : « Il vaut mieux glisser du pied que de la langue. »

— Tu sais quoi, conard, tu vas rentrer vite fait chez ta moricaude d'Indienne de mère. C'est la dernière fois que tu mets les pieds dans ce putain de trou à rats indien pour faire perdre leur précieux temps aux Américains. Qui est ton chef ? Je vais lui en toucher deux mots.

— De quoi je me mêle ?

— Je vais te dire, conard, de quoi je me mêle. J'appartiens au syndicat des transports. Je suis chef de train et je vais te faire dégager. Et si ta boîte refuse de te virer, je ferai dégager ta boîte de merde. J'exige de parler à ton supérieur, tout de suite. Que les choses soient…

On a été coupés brutalement. Sa batterie a fini par le lâcher. Je me passais la main sur le visage, soulagé d'être débarrassé d'un client aussi teigneux, quand un message s'est mis à clignoter sur mon écran : « Venez me voir immédiatement. M. K. »

Madhavan Kutty était le grand chef, un type carré avec une crinière blanche et un caractère de cochon. Quand je suis entré dans son bureau à l'entresol, il était debout à côté d'un autre gars qui occupait son fauteuil. L'inconnu, sapé chic et cher, portait un blouson de cuir noir et des chaussures blanches pointues. J'ai cru un instant qu'il était aveugle, vu qu'il avait des lunettes noires à une heure du mat'. Il avait un beau visage, défiguré par une longue cicatrice qui courait de l'œil gauche jusqu'à la joue, et l'air aussi sournois qu'un vendeur de voitures d'occase.

À voir la tête de Madhavan, on aurait dit que sa tartine était tombée par terre du côté du beurre.

— Je vous présente M. Vicky Rai, le propriétaire de notre société. Il passait par là et a décidé de s'arrêter pour voir comment on se débrouillait. Il a écouté une seule conversation téléphonique au hasard, et c'est tombé sur vous, Larry. Vous avez battu le record de ce qu'il ne faut pas faire quand on prend un appel.

— Écoutez, je vais tout vous expliquer. Ce gars-là était un malade. Même un aveugle sur un cheval au galop s'en serait rendu compte, ai-je commencé.

Mais le type chic et frime m'a coupé la parole :

— Inutile de discuter avec ce crétin. Monsieur Page, vous êtes viré.

Et il est parti, ses chaussures d'une blancheur immaculée cliquetant sur le sol carrelé.

Le lendemain après-midi, j'étais en train de shooter dans une canette devant la pension quand Bilal est venu me trouver.

— Tiens, Larry, maintenant que tu ne bosses plus au centre d'appels, ça te dirait d'aller quelques jours avec moi au Cachemire ? Je pars aujourd'hui avec des amis.

Je n'avais rien de mieux à faire et j'avais deux semaines à tuer.

— Ouais, ai-je dit en expédiant la canette dans le caniveau.

Le lendemain soir, nous arrivions à Srinagar. Quand je suis descendu du car, il faisait un vent à décorner les bœufs et un froid à geler les couilles d'un singe en laiton. Une rafale d'air glacé m'a fouetté si fort que j'ai failli tomber dans les pommes. Bilal a couru me chercher une couverture et m'a propulsé vers une maison, où je me suis endormi et j'ai rêvé de chèvres.

Le matin suivant, nous sommes partis en balade. La journée était très froide, mais Bilal m'a donné ce qu'il fallait : un habit long et ample aux manches retroussées appelé *phiran*, à l'intérieur duquel je serrais une petite chaufferette… mon chauffage personnel. Avec ça, j'étais comme un coq en pâte.

Srinagar était mignon tout plein, et les gens dans la rue avaient tous l'air sympas. Les enfants vêtus de châles colorés me saluaient de la main ; des essaims d'écolières aux yeux brillants, la tête couverte, gloussaient timidement ; des femmes croulant sous les bijoux en argent se penchaient par la fenêtre de leur maison, et des hommes en robe et chapeau noir murmuraient des paroles de bienvenue à Bilal. Tout le monde souriait.

Notre premier arrêt a été le lac Dal. Je n'ai jamais rien vu d'aussi impressionnant. Il était bordé de grands arbres, et il y avait plein de petites maisons flottantes avec des balustrades sculptées à tomber par terre. Le lac lui-même était envahi d'herbes et parsemé de fleurs de lotus. Des oiseaux magnifiques volaient au-dessus de sa surface. De petites embarcations se faufilaient entre les lotus. Quand le brouillard s'est levé, j'ai vu des montagnes enneigées encore plus hautes que le mont Livermore.

De l'autre côté du lac se dressait une mosquée coiffée d'un dôme blanc, le sanctuaire de Hazratbal, dont les haut-parleurs diffusaient un appel assourdissant à la prière. Bilal m'a expliqué que c'était un lieu saint très vénéré qui abritait un cheveu du prophète Mahomet. Même les mendiants étaient gentils ici. Ils offraient une fleur avant de demander de l'argent.

Notre prochain arrêt a été la mosquée Jama Masjid à Nowhatta, au cœur de la vieille ville. Pendant que Bilal disait ses prières, j'ai fait un tour au bazar animé, juste devant.

Pour déjeuner, Bilal m'a emmené à Lal Chowk, un genre de grand-rue où nous avons fait un super-gueuleton dans un petit resto en plein air.

Le soir, toutefois, il y a eu un attentat à la gare routière, et un couvre-feu a été décrété à partir de vingt-trois heures, ce qui n'avait pas grande importance, vu que toute la ville fermait ses portes et s'endormait après six heures du soir.

Au beau milieu de la nuit, j'ai senti que Bilal me secouait.

— Lève-toi, Larry, il va y avoir une rafle. Il faut qu'on parte.

— Qu'est-ce qui se passe ? ai-je demandé.

— Quelqu'un t'a dénoncé comme un individu suspect. L'armée risque de venir t'arrêter. On doit filer.

Hébété, je me suis levé et je suis sorti de la maison dans mon *phiran*. La rue était aussi calme et déserte qu'un cimetière. Des tas de détritus brûlaient ici et là, et deux ou trois hommes se réchauffaient les mains dans un coin, au-dessus d'un brasero. Quelques chiens errants hurlaient au loin. Bilal connaissait la ville comme sa poche. Il m'a guidé à travers un dédale de ruelles, contournant un pont, évitant un poste de contrôle, jusqu'à une petite maison délabrée avec une porte verte.

Dedans, il y avait trois types bizarres. Leur chef était un costaud avec une longue barbe noire et un turban noir. Il avait un visage taillé à la serpe avec une drôle de marque foncée sur le front. Le deuxième, plus jeune, portait une veste en laine par-dessus une chemise et un pantalon. Il faisait à peu près ma taille et ses dents de lapin étaient si proéminentes qu'il aurait pu manger du maïs à travers une palissade. À côté de lui se tenait un gars grand et maigre à la peau claire, aux cheveux longs et au beau visage buriné. Il était affublé d'un ample pantalon de pyjama crème et d'une longue chemise noire.

Bilal semblait pressé de partir.

— *Bas*, ma mission s'arrête là. Voici mes amis. Ils te conduiront en lieu sûr. Allez, il faut que j'y aille, Larry. Bonne chance.

Et, sans me laisser le temps de réagir, il a détalé comme s'il avait le diable à ses trousses.

Les trois types dans la pièce me mataient comme Mike Benson, dit Chien Enragé, chef de la sécurité à Walmart, regarde les chapardeurs. Bilal les avait présentés comme ses amis. Moi, ils m'avaient l'air aussi amicaux que des fourmis rouges.

— Enlève ton *phiran*, a ordonné l'enturbanné.

— Pourquoi ?

— On veut s'assurer que tu n'es pas armé.

— Comme vous voulez.

J'ai retiré la robe.

Le gars aux dents de lapin a palpé mon jean et mon sweat-shirt.

— Il est clean, a-t-il annoncé.

L'atmosphère s'est quelque peu détendue.

— Bien le bonjour ! ai-je dit en tendant la main. Je suis Larry Page.

Dents-de-Lapin s'est ragaillardi aussitôt.

— Bilal nous a dit votre nom, mais je ne l'ai pas cru. Vous êtes vraiment le Larry Page qui a inventé Google ?

J'ai maudit papa de m'avoir prénommé Larry (d'après maman, c'était son idée à lui). Mais si j'avais l'armée indienne aux fesses et que ma seule chance de lui échapper, c'étaient ces trois bouffons, mieux valait jouer le jeu. Visiblement, Dents-de-Lapin s'y connaissait autant qu'une truie en épices, et s'il avait envie de croire que j'étais M. Google, ça ne me posait aucun problème. Mais alors, aucun.

— Pourquoi, vous pensez que je suis incapable d'inventer une machine ?

Il a écarquillé les yeux.

— Vous êtes donc le vrai Larry Page ?

— Est-ce que la grenouille a le cul étanche ?

— Ce qui veut dire ?

— Ça veut dire oui. Je suis le gars qui a inventé Google.

Dents-de-Lapin était à deux doigts de tourner de l'œil.

— Mon nom est Rizvan, monsieur Page, mais tout le monde m'appelle Abou Teknikal. C'est un grand honneur de vous rencontrer. Je suis un inconditionnel de Google. Je l'utilise tout le temps.

Il ne se sentait plus de joie.

— Eh oui, ai-je acquiescé, on me dit que c'est la meilleure chose depuis le fil à couper le beurre. Mais pourquoi Teknikal ?

— Parce que c'est un ordinateur, a dit le gars en pyjama. Il sait tout sur tout.

— C'est vrai ?

— Montre-lui, Teknikal.

— Monsieur Page, j'en sais probablement plus sur vous que n'importe qui d'autre sur terre, s'est vanté Teknikal.

— Vous rigolez ou quoi ?

— Mais si. Et je vous le prouve. Vous êtes né le 26 mars 1973 à Lansing, Michigan, chez le Dr Carl Victor Page et Gloria Page. Alors que vous étiez étudiant en informatique à l'université de Stanford, vous avez rencontré Sergey Brin, et ensemble vous avez mis au point le moteur de recherche Google, en 1998. Le Forum économique mondial vous a nommé Leader international de l'économie du futur. Vous êtes actuellement président produits chez Google, et votre valeur nette est estimée à 16,6 milliards de dollars, ce qui fait de vous le vingt-sixième homme le plus riche du monde. Alors, qu'en dites-vous ?

Le vingt-sixième homme le plus riche du monde ! Non mais il déraillait complètement. Comme dit maman, mieux vaut la fermer au risque de passer pour un imbécile que de l'ouvrir et de balayer le doute. J'ai fait l'épaté.

— Eh ben, là, vous m'en bouchez un coin !

— Ce qui m'a fasciné, monsieur Page, c'est votre technologie Page Rank. Comment, au nom du ciel, avez-vous eu l'idée de recourir à un algorithme itératif qui correspond au vecteur propre principal de la matrice normalisée des liens du web pour déterminer le rang d'un site individuel ?

J'y pigeais que dalle, à son blabla, mais j'ai hoché la tête deux ou trois fois.

— Ouais… Ouais. Page Rank. Génial comme idée, hein ? La troisième meilleure chose après le fil à couper le beurre.

Le gars était du genre crampon.

— Qu'est-ce qui a marqué le tournant, monsieur Page ?

— Vous voulez dire, quel panneau indicateur ?

— Je veux dire, quand Sergey et vous avez-vous su que vous alliez faire un malheur ?

— Au mois d'avril, je dirais. Ouais, c'est en avril qu'on a su qu'on allait faire un malheur.

Ça lui a cloué le bec.

— Vous ne me présentez pas vos potes ?

— Ah oui, excusez-moi, monsieur Page. Voici Abou Khaled, a-t-il dit en parlant de l'enturbanné. C'est notre émir, notre chef, notre *zimmedar*.

— Et lui ?

J'ai désigné le gus en pyjama.

— Lui, c'est Abou Omar.

— Vous êtes frères ou quoi ? Vous vous appelez tous Abou.

— Nous sommes frères par les armes, monsieur Page, a-t-il répondu en souriant. Mais nous n'avons aucun lien de parenté. À vrai dire, nous ne parlons même pas la même langue. Je suis pakistanais, de Rawalpindi. Abou Khaled est égyptien, et Abou Omar afghan. Je parle l'urdu, Abou Khaled parle l'arabe et Abou Omar parle le pachto. Du coup, entre nous, on communique uniquement en anglais.

— Tant mieux pour moi. Mais que faites-vous ici, au Cachemire ?

— On aide des amis comme Bilal dans leur combat contre les infidèles. Je suis heureux que vous souteniez notre cause, monsieur Page. C'est formidable, de la part d'une personnalité telle que vous.

— À votre service. Mais quand croyez-vous que je pourrai rentrer à Delhi ? J'ai un avion à prendre, vous savez... mon 767 privé, ai-je ajouté avec un clin d'œil.

— Bientôt, monsieur Page, très bientôt. Mais avant tout, il faut qu'on vous mette en lieu sûr. Reposez-vous, maintenant, demain nous avons une longue route à faire.

Nous avons dormi dans une petite pièce, beaucoup moins confortable que la maison de Bilal. Surtout que j'étais pris en sandwich entre Abou Teknikal à ma gauche et Abou Omar à ma droite. Qui m'ont bombardé de questions la moitié de la nuit.

— Vous savez quoi, m'a dit Teknikal. Depuis l'âge de sept ans, je rêve d'aller en Amérique, patrie d'Internet et de la Xbox 360. Le pays du Blue Gene et du BigDog. J'ai pleuré pour de bon quand j'ai vu une photo du Cray X-MP à l'école. Mais votre invention éclipse même celles de Vinton Cerf et de Robert Kahn. Si Internet est le paradis, alors Google est Dieu. Et vous, savez-vous ce que vous êtes, monsieur Page ?

— Quoi ?

— Le Messie, a-t-il déclaré avec un large sourire.

Abou Omar avait d'autres centres d'intérêt.

— Alors, combien de filles vous avez tringlées, monsieur Page ? m'a-t-il demandé.

— Pardon ?

— Avec combien de filles vous avez couché ? Abou Khaled dit qu'en Amérique, les filles couchent à partir de dix, onze ans. C'est vrai, ça ?

— J'en sais rien. Faudrait que je pose la question à ma nièce Sandy. Elle a dix ans.

— Je sais bien que c'est défendu par l'islam, mais je ne peux pas m'empêcher d'avoir des pensées lubriques. Tout ça à cause de cette actrice indienne.

— Laquelle ?

— Shabnam Saxena. Elle est tellement chaude, la salope, que j'en deviens fou de désir.

J'ai dû me retenir pour ne pas lui mettre mon poing dans la gueule, à ce pervers.

— Vous avez vu ses films ? ai-je demandé.

— Je ne peux pas. Ce n'est pas compatible avec l'islam.

— Tant mieux, ai-je murmuré en posant une main protectrice sur mon portefeuille, qui contenait une photo de Shabnam ainsi que son numéro.

— N'en parlez pas au patron, a chuchoté Omar, mais j'ai vu une fois un film américain dans un vidéoclub, à Kaboul, ça s'appelait *Debbie Does Dallas*. Vous connaissez ?

— Jamais entendu parler. C'est sur le tourisme à Dallas ? J'espère qu'on y voit le stade de base-ball d'Arlington et…

— Non, non, monsieur Page, c'était tout plein de femmes nues. Dieu merci, les talibans ont fermé ce vidéoclub, sans quoi je serais devenu aveugle.

Il avait un problème, ce type !

— Il paraît qu'en Amérique, on peut trouver ce genre de films dans les épiceries. C'est vrai ?

— J'en sais rien. Je n'achète que du lait et du pain au Quik-Pak.

Sur ce, je lui ai tourné le dos.

Teknikal me guettait de l'autre côté.

— Quel est votre point de vue sur les réseaux anonymes P2P, monsieur Page ? D'après *PC Mag*, la prolifération de ces réseaux accroît le risque d'une attaque dévastatrice contre l'infrastructure multimédia. Vous êtes d'accord ?

Lui, il était constipé de la pensée et incontinent de la parole.

— Avec tout le respect que je dois à M. Mag, si la cervelle était de la poudre à canon, il n'aurait pas de quoi faire sauter son chapeau.

Le temps qu'il comprenne, j'ai remonté la couverture sur ma tête.

— Si vous voulez bien m'excuser, les gars, je vais me piquer un petit roupillon.

J'étais coincé entre deux frappadingues. Les pavés dans la tête de Teknikal auraient pu boucher les trous dans celle d'Omar. J'ai fini par m'endormir, je ne sais plus comment, et j'ai rêvé de Shabnam dans une vallée pleine de chèvres.

Le lendemain, nous avons levé le camp vers neuf heures du matin. Quelques minutes plus tard, je me suis retrouvé dans une rue bordée de maisons en ruine et de temples calcinés.

— Nom de Dieu, qu'est-ce qui s'est passé ici ?

— On a débarrassé les lieux des pandits hindous, a répondu Teknikal en ricanant.

Ils semblaient bien connaître le coin. Comme Bilal, ils ont évité tous les postes de contrôle, et au bout d'une heure de crapahutage à travers la ville, nous sommes arrivés sur un marché de fruits et légumes.

Ils m'ont fait voyager dans un camion à grain, caché entre les sacs de blé avec une bâche bleue sur la tête. Le camion nous a emmenés dans un patelin perdu au milieu de montagnes et de forêts impénétrables.

Nous avons passé la nuit dans une maisonnette pittoresque avec, dehors, un chien hurlant à la mort. Par chance, cette fois on m'a mis dans une chambre avec Abou Khaled. Il ne m'a pas adressé la parole, mais, malgré ça, je n'ai pas fermé l'œil car il se levait toutes les deux minutes, tantôt pour aller aux toilettes, tantôt pour prier. Ce gars-là priait même à quatre heures du matin.

— C'est quoi comme prière ? ai-je demandé en me frottant les yeux.

— Ça s'appelle Tahajjud. Elle n'est pas obligatoire pour les musulmans, mais un vrai croyant ne la manquera jamais.

Il s'est agenouillé et a posé le front sur le sol.

Je comprenais maintenant d'où lui venait cette marque sur le front.

Le lendemain matin, nous sommes montés dans une jeep décapotable que Teknikal avait dégotée Dieu sait où. De part et d'autre, la forêt semblait déferler sur nous comme des vagues géantes. Les nuages étaient si bas qu'on avait l'impression de pouvoir les toucher. Heureusement, il n'y avait pas de vent, sinon même mon épais *phiran* m'aurait été aussi utile qu'un essuie-glaces sur le cul d'une chèvre.

Le seul problème, c'était la route. Tellement mauvaise que même un vautour n'aurait pas été capable de la survoler, et tellement sinueuse qu'on pouvait voir ses propres feux arrière. À de nombreuses reprises, la jeep a évité de justesse les nids-de-poule ou le précipice, et j'ai dû fermer les yeux et serrer les fesses dans les virages en épingle à cheveux.

On a croisé très peu de monde en chemin, juste un paysan ici ou là en train de labourer son champ, ou un berger faisant paître son bétail. La jeep s'est arrêtée brusquement devant une mosquée, et Khaled m'a ordonné de descendre. Teknikal a dit qu'il y avait un grand camp militaire dans les parages et que voyager en jeep risquait d'attirer l'attention. Du coup, nous avons continué à pied, le long d'un sentier escarpé ; Omar ouvrait la marche.

Nous avons fini par arriver dans un endroit nommé Trehgam. Au sommet de la colline, Omar m'a pris à part et montré le village en contrebas. J'ai vu un amas de maisons aux toits de tôle ondulée.

— Vous voyez cette maison de plain-pied avec le toit peint en vert ? C'est la maison de ma *zerrgay*, mon amour. Elle vit là avec sa mère.

— Ben, pourquoi vous n'allez pas la rejoindre ? Je suis sûr qu'elle sera heureuse de vous voir.

— Ça ne va pas, la tête ? L'armée a son QG à Trehgam, et la maison est surveillée nuit et jour. S'ils me voient, je serai arrêté sur-le-champ. Je n'ai pas peur de me faire prendre, je suis prêt à mourir, mais je ne veux pas être torturé.

Nous ne sommes pas restés à Trehgam. Khaled nous a fait escalader une autre montagne. J'étais sur le point de tomber d'épuisement quand nous avons débouché dans une clairière.

Un bosquet d'arbres dissimulait une cachette. Une espèce d'abri creusé à même le sol, un trou rectangulaire profond de deux mètres. Deux troncs d'arbre plantés de part et d'autre soutenaient une plaque de tôle ondulée qui servait de toit. La tôle était recouverte de branchages et de feuilles ; de loin, ça ressemblait à un buisson. Il n'y avait qu'une seule entrée. Je suis descendu dans le gourbi et j'ai découvert que quatre hommes se trouvaient déjà là-dedans, tous jeunes et barbus. L'un d'eux était penché sur ce qui ressemblait à une radio, un autre lisait un bouquin, et les deux derniers étaient occupés à faire la popote. Le terrier était bien équipé : provisions, gazinière et même cocotte-minute. Les murs en terre étaient tendus de couvertures. On voyait des fusils et des mitraillettes partout, et aussi des chargeurs et des boîtes de cartouches... bref, assez de munitions pour attaquer la Fidelity Bank du Texas.

— Faites comme chez vous, monsieur Page, m'a dit Teknikal. On va rester ici un petit moment.

Il y avait tout juste de la place pour six dans ce gourbi, or nous étions huit. J'aurais préféré sauter pieds nus dans une fosse pleine de porcs-épics que moisir dans ce trou. En deux temps, trois mouvements, je suis remonté à la surface.

— Désolé, les gars, mais ça me branche pas plus que ça.

— On n'a pas d'autre endroit où aller, a protesté Teknikal.

— Je vais descendre au village, je suis sûr qu'il y a un hôtel, là-bas.

— Si vous allez à Trehgam, vous vous ferez arrêter par l'armée.

Je l'ai regardé direct au fond des yeux.

— Une chose me turlupine, pourquoi l'armée indienne en aurait après moi, hein ? Je n'ai rien fait de mal.

Il y a eu une longue pause.

— Vous avez raison, a dit Teknikal en hochant la tête. L'armée n'en a pas après vous. C'est nous qu'elle recherche.

— Pourquoi ?

— Oh, deux ou trois bricoles. On a fait sauter la gare routière de Srinagar, un marché à Delhi, un temple à Akshardham, la Bourse de Bombay, et nous nous sommes évadés récemment de la prison de Tihar.

— Ben, mon vieux ! Vous êtes des terroristes ! Dans ce cas, je n'ai rien à faire avec vous, les gars. Et moi qui croyais qu'on était amis.

Abou Khaled m'a posé la main sur l'épaule.

— On n'est pas vos amis, espèce d'abruti. On est vos ravisseurs.

— Mes ravisseurs ?

— Oui. Vous avez été enlevé.

J'ai éclaté de rire.

— Vous êtes de sacrés farceurs, les gars. Je trouve ça aussi drôle que péter dans une église.

— Monsieur Page, nous sommes on ne peut plus sérieux. Vous avez été enlevé. Maintenant, nous allons exiger une rançon de trois milliards de dollars pour votre libération. Nous obligerons George Bush à se retirer d'Irak. Nous ferons pression sur lui afin qu'il force Israël à évacuer la Palestine. Nous l'obligerons à ne plus intervenir en Somalie. Nous lui demanderons de renverser le régime impie en Arabie Saoudite. Nous le pousserons à accorder une réparation à…

— Holà, holà, doucement ! l'ai-je interrompu.

Il était temps de remettre les pendules à l'heure avant que ces dingos demandent au Président d'envoyer un homme sur la Lune.

— Vous vous trompez de bonhomme, les gars. Je ne suis pas ce Larry Page-là.

— Quoi ?

— Eh oui, vous avez bien entendu. Je ne suis pas ce Larry Page. Je n'ai rien à voir avec le type de Google. Je n'ai pas une thune. Alors, si vous croyez que je vais manger des épinards et chier des billets verts, il va falloir repasser.

On aurait entendu une mouche voler.

— Redites-nous ça, a fait Teknikal.

— Je ne suis pas riche. Je vous ai fait marcher, les gars. S'il fallait vingt sous pour faire le tour du monde, je n'aurais pas de quoi traverser la rue.

J'ai regardé Abou Khaled.

— Vous saisissez ?

Il était rapide, le bougre. Sans crier gare, il m'a balancé un coup de poing en pleine figure. Je me suis ramassé contre un arbre et me suis étalé comme un naze. Quand je me suis relevé, j'avais la bouche en sang et un sifflement dans l'oreille gauche. J'ai touché mon visage. L'entaille, sur mes lèvres, me brûlait les doigts.

Abou Khaled continuait à me fixer, mauvais comme un crotale.

— Euh... dites, les gars, vous prenez la carte Visa ? ai-je demandé, hésitant.

Teknikal était un peu dur de la comprenette, mais l'info a fini par atteindre son cerveau.

— Vous n'êtes donc pas le célèbre Larry Page de Google ? J'avais un doute depuis le début. Mais qui êtes-vous, bordel ?

— Je suis cariste à Walmart.

— Cariste ! Putain, il doit gagner moins de quatre cent cinquante dollars par semaine. Et nous qui le prenions pour un milliardaire ! Mieux, nous avons payé un million de roupies à cet escroc de Bilal pour qu'il nous le livre.

Teknikal s'est mis à rire comme une hyène sous acide.

Abou Khaled l'a foudroyé du regard.

— Abou Teknikal, reprends-toi ! Et veille à ce que cet infidèle ne nous échappe pas.

Deux choses étaient claires, à présent. Primo : Bilal était un voyou et un moins que rien. Deuzio : j'étais dans la merde jusqu'au cou.

On m'a attaché les mains et les pieds et on m'a jeté dans un coin du gourbi comme un vieux sac de linge sale. Les jeunes m'ont regardé avec curiosité, puis ils ont pris leurs armes et quitté l'abri. Je les ai entendus réciter des prières et courir dans tous les sens, comme dans un camp d'entraînement.

Teknikal et Abou Khaled sont rentrés en début de soirée. Teknikal m'a badigeonné la lèvre avec une sorte de pommade.

— Vous êtes qui, au juste ? leur ai-je demandé.

— Abou Al-Khaled Al-Hamza, a répondu le chef. Le numéro quatre dans la hiérarchie de Lashkar-e-Shahadat. L'armée des Martyrs. Nous faisons partie d'al-Qaida. Notre commandant est Abou Abdullah Oussama ben Muhammad Ben Laden. Vous avez entendu parler de lui, non ?

— Ouais. Ce n'est pas lui qui a fait sauter les tours à New York ?

— Exact.

— Et le Président ne devait pas le virer d'un endroit qui s'appelle Caboule ?

— Vous voulez dire l'Afghanistan. C'est tout à fait vrai, sauf que c'est nous qui avons gagné la guerre. Vos pays sont ravagés par la terreur, la peur et la panique, tandis que nous, nos forces sont intactes. Abou Teknikal, dis à cet infidèle quelle récompense son Président a promise pour ma capture.

— Quinze millions de dollars, ni plus ni moins ! a annoncé Teknikal.

Quinze millions, mon cul, me suis-je dit. Si les couillons faisaient de la musique, ce gars-là dirigerait une fanfare !

— Et qu'est-ce que vous faites ?

— Nous combattons pour la révolution... la création d'un califat islamique, le Nizam-i-Islami, a dit Abou Khaled. Notre royaume sera gouverné par la charia fondée sur le saint Coran et sur la sunna. Nous répondons à l'appel d'Allah et de son Prophète pour mener le djihad et défendre la cause d'Allah.

— Et qui est M. Allah ?

Khaled m'a frappé au visage.

— On ne parle pas comme ça de notre Dieu.

Je me suis frotté la joue.

— Et alors, qu'est-ce que vous me voulez, les gars ?

— Vous allez dire à ce scélérat de Bush de convertir tous les Américains à l'islam. Il devra supprimer vos banques usuraires, jeter en prison tous ces porcs d'homosexuels, empêcher les femmes de se rabaisser en se montrant dans des magazines immondes. Il devra protéger l'environnement et...

— Je vois, monsieur Khaled. Je vous le promets, je ferai des pieds et des mains pour que le Président exauce vos souhaits. Mais je ne peux rien faire tant que je serai coincé dans ce trou à rats de pays.

Cette fois, j'ai eu droit à un aller et retour.

— C'est pour quoi ?

— L'une pour m'avoir interrompu, et l'autre pour avoir insulté mon pays.

— Mais qu'est-ce que vous allez me faire, hein ?

— Nous pouvons toujours vous utiliser comme monnaie d'échange, a répliqué Khaled. Vous n'êtes peut-être pas milliardaire, mais vous êtes américain. Teknikal, rédige un communiqué de presse pour CNN. Nous l'enverrons demain avec une vidéo. On va donner à M. George Bush une leçon qu'il ne sera pas près d'oublier.

Je me suis tourné vers Teknikal.

— Dites, je ne vous sers à rien ici. Le Président ne m'écoutera pas. Pourquoi ne pas me laisser partir ? Je vous le jure, je ne dirai rien à personne. Ça restera entre vous, moi et la grille du jardin.

— Non. Maintenant, écoutez-moi bien, monsieur Page.

Les yeux de Teknikal brillaient comme deux ampoules électriques.

— Nous sommes l'armée des Martyrs. Nous sommes prêts à mourir. Et nous sommes prêts à tuer.

Il a mimé le geste de me trancher le cou.

— Ne vous avisez donc pas de vouloir vous évader.

J'ai compris à ce moment-là que Teknikal était aussi dangereux qu'Abou Khaled. Ils étaient comme deux doigts de la main. Tout de même, je n'ai pas pu m'empêcher de faire remarquer :

— Je croyais que vous aimiez l'Amérique ?

— Parfaitement, a-t-il dit. C'est juste que je hais les Américains.

Ça m'a coupé la chique.

Il faisait plus noir dans l'abri que dans le cul d'une vache, et j'avais si faim que mon nombril menaçait de faire copain-copain avec mon épine dorsale. L'un des gars a allumé une lanterne. À sa lumière jaune, j'ai enfin pu regarder vraiment les autres occupants du gourbi. Les jeunes se nommaient Altaf, Rachid, Sikandar et Mounir. Minces et dégingandés, ils avaient tous entre seize et vingt-deux ans. Altaf m'a dit qu'il était de Naupura, au Cachemire, tandis que les trois autres venaient de Gujranwala, au Pakistan. Pour moi, ils étaient comme les garçons du centre d'appels, tout aussi candides et juvéniles, sauf qu'à la place de téléphones et d'ordinateurs ils manipulaient des fusils et des grenades.

Il faisait bon dans l'abri, mais coucher là-dedans était très inconfortable. Vu que l'espace était réduit, il fallait dormir coincé dans une seule position. Cette fois, j'étais entre Sikandar et Mounir, et c'était aussi bien, car j'aurais eu du mal à regarder Teknikal en face, après le sale coup qu'il m'avait fait.

Le lendemain, ils m'ont emmené dans le pré voisin, m'ont bandé les yeux, m'ont fait agenouiller et m'ont dit de joindre les mains.

— Maintenant supplie qu'on te laisse en vie, espèce de porc, a aboyé Abou Khaled, pendant que Teknikal pointait un caméscope dans ma direction.

— J'ai été kidnappé par les mecs d'al-Qaida. L'eau monte, et je suis le cul dans les alligators. Maman, sors-moi de là.

J'ai été récompensé par un coup de pied au train.

— Cette vidéo est destinée à ton Président, pas à ta mère, crétin ! a hurlé Khaled.

Je suis resté presque cinquante jours dans ce gourbi. C'était aussi passionnant que de regarder sécher la peinture. Je profitais de la moindre occasion pour sortir prendre l'air : les oiseaux qui gazouillaient chaque matin et la brume qui montait lentement vers les nuages me faisaient oublier un moment ma condition d'otage. Mais il y avait toujours quelqu'un pour me surveiller, même quand j'allais couler un bronze.

Leur bouffe était infecte : un simple *roti*, du *dhal*, du riz et des légumes cuisinés par l'un des garçons. Seule consolation, le lait caillé qui était à se lécher les doigts. Quelquefois, Omar allait chercher une vache ou un buffle dans un troupeau, et là, c'était le festin.

Tous les jours, Teknikal et Omar entraînaient les quatre jeunes recrues à manier armes et munitions. Après la prière du soir, Abou Khaled prononçait un sermon, assis sous un arbre.

— Dieu récompense le martyr qui donne sa vie pour sa terre, disait-il en caressant sa barbe. Quand on devient un martyr, Dieu vous offre soixante-douze vierges, quatre-vingt mille serviteurs et un bonheur éternel.

— Je suis prêt à devenir un martyr pour Allah ! a crié Sikandar. Je ferai de mon corps une bombe qui sèmera le chaos parmi les infidèles.

Rachid ne voulait pas être en reste :

— Je ferai exploser ces fils de chien et de singe, ils souffriront comme ils n'ont jamais souffert de leur vie.

Entendre ces petits jeunes parler de se tuer me faisait dresser les cheveux sur la tête, mais Abou Khaled approuvait.

— Vos portraits seront affichés dans les écoles et les mosquées. À l'instant même où vous perdrez la vie, une autre vie commencera pour vous au paradis... celle que vous attendez depuis si longtemps. Une vie de bonheur éternel. Que les vierges vous comblent de plaisir.

— Allahou Akbar, a répondu en chœur le reste de la classe. Dieu est grand.

Seul Omar n'avait pas l'air enchanté.

— Moi aussi, je veux mourir en martyr, mais le *zimmedar* a confié le boulot à Rachid et Sikandar.

— Quel boulot ?

— Je ne peux pas en parler.

— Mais pourquoi veux-tu te tuer ?

— Pour avoir soixante-douze vierges au paradis. En tant que martyr, je pourrai aussi recommander soixante-dix de mes proches pour aller là-bas.

— Comment sais-tu qu'il y a un paradis ?

— C'est ce que les sages nous ont toujours dit.

— Parce que les sages y ont été, au paradis ?

— Non, d'abord il faut mourir.

— Moi, je ne prendrais pas ce risque. Je ne suis pas sûr qu'on s'y éclate tant que ça, au paradis.

— Mais à Las Vegas, si. Un cousin m'a dit qu'on peut avoir plus de soixante-douze filles au Chicken Ranch, dans le Nevada. Tu es déjà allé à Las Vegas ? m'a-t-il demandé avec empressement.

Vegas, je n'y avais jamais mis les pieds, mais j'ai eu envie de le faire bisquer :

— Oui, et au Chicken Ranch aussi. Ils font des offres spéciales, genre six filles pour le prix de deux.

Omar a fait la gueule ; je jubilais.

Teknikal, lui, ne s'intéressait ni aux vierges ni à Vegas.

— Comment diable en es-tu arrivé à fricoter avec un type comme Abou Khaled ? lui ai-je demandé, un jour où il semblait de bonne humeur.

— J'étais un brillant étudiant à l'école d'ingénieurs de Pindi, monsieur Page, a-t-il rétorqué. Seulement, votre pays m'a pris mon père. Il est détenu à Guantánamo. Ce n'est pas un terroriste. Moi, je le suis devenu grâce à l'Amérique.

Je n'avais rien à répondre à ça.

Plus les jours passaient, plus mon inquiétude grandissait ; Teknikal disait que le Président n'avait toujours pas répondu. Aucun journal n'avait parlé de ma disparition. Aucune chaîne de télé n'avait annoncé ma capture. Je m'étais purement et simplement volatilisé dans la nature.

Abou Khaled ne décolérait pas.

— C'est quoi, ce gouvernement, hein ? criait-il. Ils n'en ont rien à faire de toi. Qu'ils n'aient pas réagi à nos menaces, passe encore, mais ils n'ont même pas accusé réception de notre message. Attendons le 21 février, on va montrer au monde de quoi on est capables.

— Pourquoi ? ai-je demandé. Qu'est-ce qu'il y a de spécial le 21 février ?

— C'est une grande fête hindoue. Et le jour où nous commettrons notre attentat le plus spectaculaire contre les infidèles.

— Qu'allez-vous faire ?

— Tu verras bien.

J'ai eu beau tourner et retourner leur plan dans ma tête, je ne voyais toujours pas ce qu'ils manigançaient. C'est Sikandar qui a fini par vendre la mèche. Une semaine avant le 21 février, je l'ai vu essayer une grosse ceinture en cuir, comme celles qu'on gagne dans les championnats de catch.

— Eh, c'est cool, ai-je dit. Où tu l'as eue ?

— Abou Teknikal l'a fabriquée.

— Waouh ! Il y aura donc un match, le 21 février ? ai-je demandé, tout excité. Est-ce que Randy Orton sera de la partie ?

Comme Sikandar n'avait jamais entendu parler de Randy Orton, j'ai décidé de lui apprendre deux ou trois trucs. Je lui ai arraché la ceinture et l'ai passée autour de ma taille. J'allais fermer la boucle, mais Sikandar me l'a retirée.

— Imbécile, a-t-il glapi. Tu aurais pu nous tuer tous.

— Vous tuer ? Comment ? ai-je fait, interloqué.

— Parce que ce n'est pas une ceinture, espèce d'idiot. C'est un EEI, un engin explosif improvisé, est intervenu Teknikal. Il y a là de quoi tuer une cinquantaine de personnes, simplement en appuyant sur le détonateur… qui est dans cette boucle.

En un éclair, j'ai compris quel genre de boulot on avait confié à Sikandar et Rachid. Ils allaient mettre les ceintures, descendre en ville et défier les Indiens pour un combat de catch à quatre. Puis ces enfoirés appuieraient sur le bouton et se feraient exploser en compagnie de Dieu sait combien d'innocents.

Cette nuit-là, couché à côté de Sikandar, je me suis penché vers lui.

— Tu aimes bien ça, tuer les gens ?

— Ce n'est pas moi qui tue, c'est la bombe, a-t-il répondu d'une voix atone.

— Oui, mais c'est toi qui presses le bouton.

— Je suis un soldat, et nous sommes en guerre. Un soldat est obligé de tuer ses ennemis. Sinon c'est eux qui le tuent.

— Tu n'as pas une famille ? Une mère ? Tu as pensé à elle, quand elle apprendra ce qui t'est arrivé ?

— Ça fait longtemps que j'ai quitté la maison de ma mère.

— Et tu l'as complètement oubliée ?

— Je me rappelle les fenêtres carrées qui laissaient entrer le soleil. Une petite porte donnait sur la rue. Un escalier étroit menait dans une pièce avec une photo de mon grand-père. Je ne me souviens de rien d'autre.

Ces souvenirs d'un foyer perdu seraient bientôt ensevelis avec lui. J'ai frissonné en regardant ses yeux. Ils étaient figés. Je me suis demandé si son cœur était aussi froid.

Cette nuit-là je n'ai pas pu dormir. Il y avait des guerres dans le monde dont j'ignorais tout. Des gens mouraient, des gamins étaient prêts à sacrifier leur vie, et je ne savais même pas pour quoi ils se battaient. C'était aussi effrayant que c'était réel.

Sikandar et Rachid ont quitté la tanière le lendemain, chargés de provisions. Visiblement, ils partaient pour un long voyage.

— Maintenant, on n'a plus qu'à attendre, a déclaré Khaled en se frottant les mains.

Le 21 février, mes ravisseurs sont restés scotchés devant le télé-phone satellite. La nouvelle est tombée aux alentours de midi.

Sikandar et Rachid s'étaient fait sauter avec une trentaine d'infidèles.

Ce soir-là, on a eu droit à un festin de roi. Mounir et Altaf ont découpé en morceaux une vache entière. Moi, je n'ai rien pu avaler. Pas après avoir vu les yeux de Sikandar. La nuit, j'ai eu l'impression qu'il régnait un froid polaire dans le gourbi.

Nous avons quitté l'abri aussitôt après la prière de quatre heures. Teknikal a expliqué pourquoi :

— L'armée va boucler et fouiller la zone avant le lever du soleil. On doit partir tout de suite.

Khaled, Teknikal, Omar et moi avons pris par le flanc nord de la montagne. Mounir et Altaf sont restés pour effacer toute trace de notre passage. Teknikal avait le téléphone satellite. Khaled et Omar arboraient des AK-47.

La marche a été difficile. Nous sommes passés par des pentes escarpées et des défilés où il gelait à pierre fendre. Vers la fin de la soirée, nous sommes arrivés dans une vallée tranquille. Une maison en bois vide nous a servi de refuge pour la nuit. Omar a été envoyé chercher du ravitaillement et il n'est pas rentré. Teknikal et Khaled ont passé la nuit à se demander s'il n'avait pas été arrêté par l'armée.

— Vous n'auriez pas dû envoyer Omar, ai-je dit à Abou Khaled. Il lui manque un quart d'heure de cuisson, à celui-là.

Omar a finalement débarqué à l'aube, bourré comme un coing. Il a passé le seuil en titubant et a vomi sur notre couchage.

Il lui a fallu deux bonnes heures pour dessoûler.

— Ça y est, Larry, jubilait-il. Je suis un vrai homme, maintenant.

Malheureusement pour lui, Abou Khaled l'a entendu. Il y a eu une engueulade monstre entre Omar et le *zimmedar*. Teknikal m'a dit plus tard qu'Omar avait couché avec une bergère âgée de treize ans à peine, et qu'en guise de punition il devrait subir trente jours de *roza*. Ça voulait dire ne rien manger du matin au soir. L'ennui, c'est que Khaled a décidé que j'étais de mèche avec Omar. Du coup, j'ai été mis au régime sec aussi.

Le lendemain, on est repartis pour le voyage le plus dangereux de ma vie : passer du Cachemire indien au Cachemire pakistanais. Nous marchions la nuit et nous nous cachions le jour. Teknikal nous guidait, équipé de lunettes à vision nocturne. Nous l'avons suivi littéralement à l'aveuglette, à travers montagnes et prairies, collines et tranchées, rivières glacées et neige fondue. Il a fallu éviter les mines indiennes, les fusées éclairantes et les patrouilles frontalières. Dieu merci, on m'avait équipé de bottes en caoutchouc, d'une veste imperméable et même de chiffons en laine pour protéger mes mollets des engelures.

Une semaine plus tard, je me suis retrouvé dans un vaste pré vert au milieu de nulle part. Au fond se dressait une vieille maison en bois à étage, avec une cheminée noircie. La peinture était écaillée, les poutres semblaient fissurées, mais l'un dans l'autre c'était beaucoup mieux que notre ancien gourbi.

— Voici notre nouveau logis, a annoncé Abou Khaled. Nous sommes au Pakistan. Plus besoin de se cacher. Plus de souci à se faire.

Sauf que moi, j'avais largement de quoi m'en faire, du souci. Le Président n'avait toujours pas réagi à mon enlèvement, et ces gars-là commençaient à s'énerver sérieusement.

— On n'a qu'à fixer un ultimatum aux Américains, a dit Khaled à Teknikal. Allez, choisis une date.

— Le 20 mars, le jour de Milad al-Nabi ? a proposé Omar.

— Trop tard, a dit Khaled. Je veux quelque chose de plus proche.

Teknikal m'a regardé.

— Choisissez une date, *vous*, monsieur Page.

— Le 17 mars, ai-je répondu instantanément.

— Y a-t-il une raison particulière à ce choix ?

— C'est l'anniversaire de quelqu'un qui m'est très cher.

— Ça aussi, c'est trop tard. Je choisis le 12 mars, a tranché Khaled.

— Pourquoi ?

— Parce que c'est mon anniversaire.

Le Cachemire pakistanais ressemblait comme deux gouttes d'eau au Cachemire indien : mêmes bergers nomades, mêmes maisons en bois, même nourriture, même type de temps. Je passais mes journées à attendre des nouvelles du Président et à rêver de Shabnam.

Et voilà que nous étions déjà le 10 mars. J'ai interrogé Omar au sujet de l'ultimatum.

— Et si vous n'avez aucune réponse de chez moi dans les deux jours qui viennent ?

— C'est simple, a rétorqué Omar, on te tue.

Ce gars-là était aussi délicat qu'une bouse dans un pot de crème.

Les deux nuits suivantes, je n'ai pas pu dormir. Chaque fois que j'essayais de me concentrer sur quelque chose, une dame voilée avec une faux surgissait devant mes yeux. Et je me mettais à trembler comme une feuille.

Pour ne rien arranger, le 11 mars, une tempête nous est tombée dessus, avec des vents violents et plus de pluie en une seule journée que pendant ces cinq derniers mois. Un vrai déluge, avec tonnerre, éclairs et tout le toutim. Sous les trombes d'eau qui s'abattaient sur la maison, je pensais à maman. À m'zelle Henrietta Loretta. À l'Undertaker. À la neige d'avril à Waco. Même à papa. Mais, surtout, je pensais à la femme que je n'avais pas vue.

Je me suis réveillé le 12 mars, et Teknikal m'a dit qu'on était toujours sans nouvelles du Président. J'ai eu droit à un bon petit déjeuner, auquel je n'ai pas touché, puis on m'a emmené à Abou Khaled.

— Larry Page, on dirait que ton peuple a décidé de te sacrifier. Tu comprends maintenant pourquoi je trouve que les Américains n'ont pas de cœur. Tu ferais mieux de dire tes prières, va.

— Laissez-moi le tuer, patron, a dit Omar, le pisse-vinaigre.

Depuis qu'il avait baisé cette fille, il avait des grillons dans la tête.

— Non, chef, je m'en charge, a dit doucement Teknikal.

On m'a fait sortir de la maison et on m'a emmené dans un champ que la pluie avait transformé en bourbier. Omar m'a tendu une pelle.

— Allez, creuse ta tombe, cochon d'Américain, a-t-il éructé.

Pendant une demi-heure, j'ai trimé à pelleter la terre du trou qui allait devenir ma dernière demeure. Finalement, la tombe a été prête. Le soleil était encore haut dans le ciel. Quelques oiseaux gazouillaient dans l'air tiède. Difficile d'imaginer que quelqu'un allait mourir.

Teknikal a tiré un chiffon noir de son pantalon.

— Je te bande les yeux ?

— Non, je veux voir ce que vous faites, ai-je répondu.

— Très courageux, exactement comme Saddam, a-t-il marmonné.

Son AK-47 m'a frôlé la jambe. Je faisais le bravache, mais intérieurement je jouais des castagnettes.

On dit que, quand on est sur le point de mourir, toute votre vie défile devant vos yeux. Ben, c'est même pas vrai ; la seule chose que j'ai vue, c'est une corneille, très moche par-dessus le marché.

— Allez, vas-y, Abou Teknikal, l'a pressé Omar en me regardant à travers le caméscope.

Abou Khaled a récité une prière en arabe. Pour moi ou pour lui-même, je n'en savais rien.

— Un dernier souhait ? m'a demandé Teknikal à voix basse.

Il m'aimait bien, comme on aime bien le chien de la maison. Mais même un chien, on l'euthanasie le moment venu.

— Un dernier souhait ? a-t-il répété.

J'ai réfléchi un instant. Ils ne devaient pas avoir de brownies, dans ce trou paumé. C'est alors que j'ai remarqué le téléphone satellite dans la poche de Teknikal.

— Je peux passer un coup de fil ?

— À qui veux-tu parler ?

J'ai d'abord pensé à maman, mais elle allait flipper à mort, et je ne voulais pas lui couper la digestion.

— Il n'y a qu'une seule personne à qui je voudrais parler avant de mourir. C'est la femme que j'aime.

— Et qui est-ce ?

— Elle s'appelle Shabnam Saxena.

— Shabnam Saxena ? L'actrice ?

Omar s'est animé tout à coup.

— Oui. C'est ma fiancée. On allait se marier.

— Il ment, ce bâtard ! a crié Omar. C'est impossible qu'il connaisse Shabnam Saxena.

— J'ai sa photo dans mon portefeuille, et aussi son numéro de portable.

— On va voir ça.

Omar a accouru et sorti le portefeuille de ma poche revolver. Je l'ai entendu siffler.

— Il n'a pas menti, ce chien. Il a la photo de Shabnam.

— Fais voir, fais voir.

Teknikal la lui a arrachée. Lui aussi a émis un sifflement.

— Bon Dieu ! C'est la plus belle femme que j'aie jamais vue.

Je suis intervenu :

— Abou Teknikal, puis-je lui parler une dernière fois ?

Omar s'est tourné vers Abou Khaled.

— Patron, cette salope est très peu vêtue dans ses films. C'est totalement contraire à l'islam. Puis-je monter une opération pour la kidnapper ?

Abou Khaled a secoué la tête.

— Je ne veux pas avoir affaire à cette femme-là.

— Donne-moi son numéro, a dit Teknikal. J'ai le Thuraya et je l'ai mis sur haut-parleur.

— Non, c'est moi qui vais lui parler.

Omar s'est emparé du téléphone et a tiré un bout de papier de mon portefeuille.

— J'ai le numéro de cette salope.

Il a composé le numéro et obtenu la tonalité.

Je m'attendais au message préenregistré, comme d'habitude, quand soudain quelqu'un a décroché.

— Qui est-ce ? a demandé une voix de femme.

Mon cœur a manqué un battement.

— Tu sais à qui tu parles, salope ? Ici le commandant Abou Omar. Le numéro cinq de Lashkar-e-Shahadat.

— Je vous demande pardon ?

— Fais gaffe, salope. Tu tournes presque à poil dans des films obscènes. Nous allons te kidnapper, te torturer et te tuer.

— C'est une blague ou quoi ?

— Non, Shabbo, ce n'est pas une blague.

— Shabbo ? Vous vous trompez de numéro.

— Tu n'es pas Shabnam Saxena ? Alors qui es-tu ?

— Ici Elizabeth Brookner, ambassade des États-Unis.

— Elizabeth Brookner ? a fait Omar.

— Elizabeth Brookner ? a fait Khaled. Qui est-ce ?

— Chef, Elizabeth Brookner dirige le bureau de la CIA en Inde depuis 2006, a répondu Teknikal. Diplômée avec mention très honorable de l'université de Stanford, elle est entrée dans la CIA en 1988 et a travaillé en Ukraine, en Jordanie et au Koweït. C'est une spécialiste d'al-Qaida. Merde !

— Ça veut dire que ce bâtard nous a trahis.

Khaled m'a menacé du doigt.

— Tue-le. Tue-le tout de suite ! a glapi Omar.

— Non, tout d'abord il faut qu'on sache quel est son lien avec la CIA, a déclaré Khaled.

Du coup, pendant les dix minutes qui ont suivi, j'ai dû expliquer comment le numéro du portable d'Elizabeth Brookner avait atterri dans mon portefeuille. Puis Khaled a donné le signal, et Teknikal m'a collé l'AK-47 sur la tête. Il se cachait les yeux, évitant de me regarder.

— Ne t'inquiète pas, a-t-il chuchoté. Tu ne souffriras pas. Dans une seconde, ce sera fini.

Soudain, on a entendu comme un battement d'ailes géant, un *rat-tat-tat-tat*.

— Par Allah, qu'est-ce que c'est ? a demandé Abou Khaled en montrant un objet étrange qui montait comme un nuage au-dessus de la colline.

— Chef, ça ressemble à s'y tromper à un drone MQ-1 Predator, à savoir un appareil sans pilote, altitude de croisière moyenne et longue autonomie, équipé qui plus est de deux missiles AGM-114 Hellfire à guidage laser, a croassé Teknikal. Cette garce de Brookner nous a triangulés. D'ailleurs, au moment où je parle, les missiles ont été tir…

Il y a eu un éclair suivi d'une énorme explosion. Le sol a tremblé, quelque chose de coupant m'a touché à la jambe et je suis tombé dans le trou. Toute la terre que j'avais pelletée s'est écroulée sur moi, manquant m'ensevelir.

J'ai mis presque un quart d'heure à m'extirper de la tombe. J'ai émergé en toussant. J'avais de la boue dans les oreilles, dans les yeux, dans la bouche. Ma jambe gauche semblait être passée sous une tronçonneuse. Une plaie profonde de deux centimètres juste au-dessous du genou continuait à saigner.

Tout autour, on se serait cru après le passage de Terminator. Le champ avait été labouré, avec des cratères de la taille d'une salle de bains.

Abou Khaled et Abou Omar avaient été déchiquetés. J'ai vu une main arrachée par-ci, une jambe en lambeaux par-là.

Teknikal était allongé, en sang, de l'autre côté du trou. Je me suis traîné jusqu'à lui et j'ai posé sa tête sur mes genoux. Sa poitrine se soulevait, il avait du mal à respirer.

Il m'a regardé.

— Crois-tu qu'ils ont la 3G au paradis, Larry ?

Sa tête est retombée, et il a fermé les yeux. Pour être mort, il était bien mort.

J'ai couru aussi vite que ma jambe valide pouvait me porter. Le vent tourbillonnait, geignant et gémissant comme une femme en couches. J'ai dépassé des maisons en terre sèche et des villageois médusés, dispersé des troupeaux de chèvres et des nuées de pigeons, dévalé une colline. En bas coulait une rivière. J'ai sauté dedans. De l'autre côté, j'ai trouvé une route gravillonnée, qui aboutissait à une espèce de hangar. Une enseigne rouillée à l'entrée disait « Export bois Hafiz, Keran ». J'ai poussé les portes métalliques. À l'intérieur se trouvaient des piles de bois de charpente, mais je ne voyais pas âme qui vive.

— Il y a quelqu'un ? ai-je crié.

Je n'ai entendu que l'écho de ma propre voix. En m'aventurant plus avant, j'ai découvert des machettes et des tronçonneuses, des haches et des coupe-racines. Le sol était couvert de taches d'huile séchée. En suivant une traînée de lubrifiant, je suis tombé sur un spectacle extraordinaire. Un chariot élévateur dans un coin du hangar. C'était un Nissan Nomad AF30, et on aurait dit qu'il y avait du diesel dans le réservoir. J'ai démarré l'engin, et ç'a marché ! Mon moral est remonté en flèche. Deux minutes plus tard, je roulais sur la route gravillonnée en braillant « You-hou ! » et en battant tous les records de vitesse jamais établis par ce type d'engin. Si seulement ils avaient pu me voir, ces abrutis du rodéo de Cisco ! Je leur aurais montré comment un chariot à vitesse maximale de 16 km/h pouvait rouler à 22 sans faire péter le moteur.

Ma jambe saignait toujours, mais, dans mon excitation, je l'avais complètement oubliée. Arrivé à un croisement, j'ai décidé de tourner à droite, et j'ai bien fait, car au bout de cinq minutes, j'ai croisé une patrouille de l'armée. Cinquante soldats pakistanais se sont massés autour du chariot et, pointant leurs fusils vers moi, m'ont ordonné de descendre.

— Holà, doucement, les gars, je me rends.

Les mains en l'air, j'ai mis pied à terre et je me suis évanoui.

J'ai su plus tard qu'on m'avait transporté dans une ville nommée Muzaffarabad et placé dans un hôpital militaire. J'ai mis une semaine à récupérer. Entre-temps, maman a téléphoné pour raconter que le Président l'avait appelée, et patati et patata, même si elle était plus excitée par l'idée de pouvoir porter toutes les chaussures qu'elle voulait, vu qu'elle venait d'épouser M. Hinson, propriétaire d'un grand magasin de chaussures au centre-ville.

Un fonctionnaire de l'ambassade américaine à Islamabad est venu me rendre visite. Il se nommait John Smith et portait un costume sombre et des lunettes noires.

— Nous savons tout de vous, monsieur Page. Ça fait deux mois que nous vous recherchons.

— Ben, je suis là, ai-je répondu. Qu'allez-vous faire ? Me coller au trou ?

— Non, monsieur, vous envoyer à New Delhi dans un avion de l'US Air Force. La personne responsable de votre dossier est Mlle Elizabeth Brookner. Elle va vous débriefer.

— Me dégriffer ? Vous voulez dire m'arracher les ongles ?

— Non, monsieur, dans le jargon de la maison ça signifie extraire la substantifique moelle, a répondu John Smith, ce qui m'a encore plus embrouillé.

Deux jours plus tard, le 22 mars, j'étais de retour à l'aéroport de New Delhi.

La matinée était fraîche, mais Mlle Brookner m'attendait à côté d'une longue limousine, directement sur le tarmac.

— C'est un honneur de vous accueillir à nouveau à New Delhi, monsieur Page. Vous avez changé.

Un peu, mon neveu ! J'avais perdu trente kilos de graisse depuis notre dernière rencontre. J'étais plus mince, plus tonique.

— Vous aussi, ai-je répondu.

— J'ai une bonne et une mauvaise nouvelle pour vous. Je commence par quoi ?

— J'ai été servi, côté mauvaises nouvelles. Allons-y pour la bonne d'abord.

— Eh bien, compte tenu du rôle crucial que vous avez joué dans l'élimination de trois dangereux terroristes, dont un qui figurait sur la liste des hommes les plus recherchés, sur la recommandation du secrétaire d'État et du ministre de la Justice, vous allez recevoir la prime de quinze millions de dollars prévue par la loi. L'argent vous attend à l'ambassade. Et en plus, c'est net d'impôts. Félicitations !

J'ai mis une minute à digérer l'info.

— Quinze millions de dollars !

Je n'en revenais pas. Cette ordure d'Abou Khaled ne bluffait pas.

— Et c'est quoi, la mauvaise nouvelle ?

— Un processus inter-agences a établi qu'al-Qaida et d'autres éléments terroristes cherchaient à vous éliminer. Vous êtes en conséquence incité à accepter notre programme de protection des témoins et à changer de domicile.

— Vous voulez dire, comme dans le film *L'Effaceur* ?

— En quelque sorte. Vous aurez une nouvelle identité, un nouveau nom… et même un nouveau visage, si vous le désirez.

— Pas de problème. Pour être honnête, je n'aime pas trop mon nom. Pourrai-je me faire le look d'Arnie Schwarzenegger ?

Elle a souri.

— Ça ne va pas être facile. Et question carrière, vous avez une idée ? C'est le moment de réaliser vos rêves. Avec quinze millions de dollars, vous pourriez même vous retirer dans un ranch au Texas, si ça vous chante.

— Vous savez quoi, j'ai toujours été fasciné par les gens du Fib.

— Fib ? Ah, vous voulez parler du FBI ?

— Ouais. J'étais devant Mount Carmel, en 93, quand les gars du Fib ont assiégé les cinglés dans ce ranch.

— Les davidiens ? Et que faisiez-vous là-bas ?

— Maman pensait que papa était peut-être avec ce type, Koresh, mais il n'y était pas.

— Vous voulez donc entrer au FBI ?

— Ouais.

— Désolée, monsieur Page, mais c'est hors de question. Pour devenir agent du FBI, il faut avoir son bac, et au minimum trois ans d'expérience professionnelle.

— Est-ce qu'il faut un diplôme pour devenir producteur à Hollywood ?

— Producteur à Hollywood ?

— Ouais. Ces mecs qui font des films.

— Je ne crois pas.

— Alors je peux le faire ?

Lizzie a réfléchi un instant.

— À mon avis, ça devrait être possible. On pourrait régler ça d'ici huit jours.

— Ce serait génial. Je pourrai rencontrer Arnie Schwarzenegger, Harrison Ford et…

Lizzie m'a interrompu :

— On en reparlera au moment de votre débriefing. J'ai programmé ça à quinze heures à la Moulinette.

— La Moulinette ? Kézako ?

— Pièce sécurisée, dans le jargon de la maison. Allez, montez.

Plus tard ce jour-là, je suis allé à l'ambassade, où l'on m'a remis quinze millions de dollars dans une valise Samsonite flambant neuve, avec une lettre de remerciement du Président. Je croyais qu'il habitait Washington, alors qu'en fait il vivait dans un endroit nommé Maison Blanche.

— Votre vœu a été exaucé, Larry, m'a annoncé Lizzie. Dans le cadre du programme de protection des témoins, vous allez être transféré à Los Angeles, Californie. Une société de production appelée Hot Films a été créée en votre nom. Des équipes composées de deux agents du FBI opérant sous couverture se succéderont nuit et jour pour assurer votre sécurité.

— Ça baigne ! Alors quand est-ce que je vais rencontrer Brad Pitt et Julia Roberts ?

— À vrai dire, ça ne vous arrivera pas.

— Ah bon ? Pourquoi ?

— Parce que Julia Roberts et Brad Pitt facturent vingt millions de dollars par film. Avec quinze millions, inutile de songer à produire des films à gros budget. Nous avons fait de vous un producteur de films… euh, pour adultes.

— Vous voulez dire, uniquement avec des acteurs adultes ?

— Non, c'est une formule polie pour films pornos.

— Oh non ! Et si ma maman l'apprenait ?

— Aucun risque. Nous vous offrons une identité totalement neuve. Maintenant, dites-moi, que savez-vous de l'industrie du film pour adultes ?

— Que couic. Maman m'aurait tué si elle m'avait pris en train de regarder ces cochonneries.

— C'est bien ce que je pensais. C'est pour ça que je me suis procuré leur dernier annuaire, la base de données la plus complète de tous les acteurs et actrices travaillant dans le cinéma porno aux États-Unis. Potassez-le, ou vous ferez sauter votre couverture.

Lizzie m'a tendu un gros bouquin rouge.

J'ai feuilleté les premières pages, et je me suis arrêté d'un coup. Pris en sandwich entre Busty Dusty et Honey Bunny, il y avait un bel homme vêtu en tout et pour tout d'un chapeau de cow-boy.

— Nom d'un chien !

Lizzie a jeté un œil sur la photo.

— D'après la légende, il s'appelle Harry LaTrique et il exerce depuis 1989. Vous le connaissez ?

— Oui, ai-je dit, me trémoussant comme un ver sur des braises. C'est mon papa !

— Vous êtes sûr ?

— Ben, il ressemble comme deux gouttes d'eau à mon papa, en un peu plus vieux.

— Je vais contacter notre QG de Langley. D'ici quarante-huit heures, nous l'aurons identifié avec certitude. Et voici votre nouveau passeport.

Lizzie m'a remis une enveloppe.

En l'ouvrant, j'ai découvert un passeport au nom d'un M. Rick Myers.

— Eh, vous vous êtes trompée !

— Non. C'est votre nouveau nom, Rick Myers. Un jet privé attend pour vous ramener aux États-Unis. Y a-t-il quelque chose que vous désiriez faire avant de quitter l'Inde ?

— Ben, ai-je hésité, il y a bien une chose…

— Dites-moi, et ce sera fait, monsieur Myers.

— J'aurais bien aimé rencontrer l'actrice Shabnam Saxena, juste une fois, avant de partir.

— On peut vous arranger ça.

— Elle vit à Bombay.

— Eh bien, demain elle sera à Delhi.

— Comment le savez-vous ?

— Vous oubliez, monsieur Myers, que vous parlez au chef de bureau de la CIA. Je suis payée pour savoir. Pour être franche, j'ai été invitée chez un industriel de mes amis, Vicky Rai, à une fête dans sa ferme de Mehrauli, demain soir, et on m'a dit qu'elle y serait. Je ne m'intéresse pas à Bollywood et je n'avais pas l'intention de m'y rendre, mais je peux m'arranger pour que vous y alliez.

— Waouh ! ce serait super.

— Bien. Mais soyez très prudent. L'Inde aussi est dans le collimateur d'al-Qaida. Tant que vous êtes sur le sol indien, vous êtes sous ma responsabilité. Je ne tiens pas à perdre mes lauriers simplement parce que vous aurez oublié de PVA... dans le jargon de la maison, Protéger Vos Arrières. Tenez, prenez ça.

Elle a ouvert un tiroir pour en sortir un objet long et agressif.

— C'est un Glock 23 avec un silencieux Abraxas titanium. L'arme de service de tous les agents du FBI. Un bijou. Gardez-le sur vous en permanence, même quand vous dormez.

Elle me l'a passé, crosse la première.

— J'imagine qu'un Texan comme vous sait manier les armes à feu ?

— Yep ! ai-je dit en agitant la main. Je manie les armes depuis l'âge de sept ans.

Lizzie allait ajouter quelque chose quand son portable a sonné. Elle a écouté avant de lâcher un juron :

— Merde !

— Qu'est-ce que c'est ? ai-je demandé.

— Une info top secret. On a infiltré un indigène pour une opération souterraine au Tibet. Maintenant, la plomberie a sauté et il faut que j'organise une retraite de neuf millimètres pour le touriste.

— Quel genre de retraite ?

— Une retraite pour laquelle on n'a pas besoin de se presser, a répondu Lizzie en rigolant. C'est un nom de code pour arrêt

287

immédiat avec dommages extrêmes. Je dois partir. J'envoie quelqu'un pour vous raccompagner.

Lizzie a filé plus vite qu'un pet sur une toile cirée, mais personne n'est venu me chercher. J'ai attendu une demi-heure avant de sortir de la pièce sécurisée par mes propres moyens. Je me suis retrouvé dans un beau jardin. Il n'y avait pas un chat en vue. Avec les quinze millions de dollars dans une main et le flingue dans l'autre, j'étais fier comme Artaban. Je jouais avec de faux fusils de cow-boy depuis que j'avais sept ans, mais c'était la première fois que je détenais une vraie arme. Un joujou d'enfer avec un canon long comme une queue de chien. J'étais en train de trifouiller le magasin quand soudain il y a eu un déclic, et ce fichu pétard a reculé dans ma main comme une mangouste effrayée. De fines volutes de fumée s'échappaient du canon. Vu qu'il semblait vivre sa vie, je l'ai enfermé dans la Samsonite et me suis dirigé vers la sortie.

Une grosse limousine noire était garée devant les marches, et un type aux cheveux blancs en costume bleu était allongé à plat ventre par terre. Les marines grouillaient autour de lui comme des mouches sur un tas de merde.

— Qu'est-ce qui lui arrive ? ai-je demandé au gars penché sur le vioque.

— Un sniper a tenté d'assassiner l'ambassadeur ! a-t-il sifflé. Baissez-vous, baissez-vous !

Le trouillomètre à zéro, je me suis précipité vers le portail, où un garde a repris mon badge de visiteur et m'a fait signe de passer.

Une fois dehors, j'ai tapoté la Samsonite. S'il y avait des barjos qui se promenaient dans la nature en tirant sur les gens, j'étais bien content d'avoir de quoi me protéger. Avec le flingue de Lizzie, je pouvais dire aux mecs d'al-Qaida d'aller SFV... ce qui, dans notre jargon familial, veut dire Se Faire Voir !

12

La malédiction de l'*onkobowkwe*

ASSIS DANS LE TRAM NUMÉRO 30 QUI RELIAIT KALIGHAT AU PONT DE HOWRAH, l'aborigène de Petite Andaman sentait la caresse de la brise sur son visage.

Il était neuf heures et demie du matin, le 19 octobre. L'air était agréablement doux, le smog matinal s'était levé dans un ciel sans nuages… une étendue d'azur infinie, ponctuée seulement de sommets irréguliers de gratte-ciel. Le soleil tiède chatouillait la peau d'Eketi. Il inhala l'odeur épaisse, âcre de la ville, écarta les bras, renversa la tête et savoura le bonheur grisant d'être en vie. Comme sur un signal, deux pigeons gris le survolèrent de concert, partageant sa jubilation.

Il était à l'Esplanade, le cœur animé de la mégapole, et où qu'il posât le regard il voyait des gens, et encore des gens. Les enfants le pointaient du doigt, les hommes écarquillaient les yeux, les femmes se plaquaient la main sur la bouche ; il souriait et saluait tout ce monde. Le tram était pris dans un flot de circulation : voitures, taxis, rickshaws, scooters, vélos. Les klaxons tintaient, mugissaient, cornaient, grinçaient. Des essaims de bus cabossés colonisaient la chaussée, des receveurs en uniforme accrochés à leurs flancs annonçant les destinations à tue-tête. Des publicités criardes pour dentifrices et shampooings tapissaient les énormes panneaux d'affichage. Des deux côtés s'étirait le relief ancien de hauts immeubles décadents. Eketi avait l'impression de flotter dans un rêve merveilleux.

Deux semaines s'étaient écoulées depuis le jour fatidique où il s'était porté volontaire pour récupérer la pierre sacrée volée par Banerjee. Les anciens avaient été pris de court par Ashok Rajput, l'employé du bureau d'aide sociale qui avait entendu leurs délibérations. Il les avait encore plus surpris en offrant d'emmener Eketi en Inde et de l'aider à retrouver l'*ingetayi*. N'ayant guère le choix, ils avaient accepté à contrecœur. Non seulement il avait découvert leurs plans, mais il était le seul à connaître l'adresse de Banerjee. Ils avaient toutefois mis Eketi en garde contre lui. L'agent des services sociaux devait servir à accéder à la pierre sacrée, après quoi il fallait s'en débarrasser comme d'une mouche importune.

Les préparatifs du voyage avaient duré plus de huit jours. Ashok devait demander un congé au ministère. Et Nokai, le sorcier, avait pris son temps pour constituer le « kit de survie » d'Eketi : tubercules et lambeaux de viande de sanglier séchée en guise de nourriture, boulettes médicinales pour guérir les maladies, morceaux d'argile rouge et blanche pour les peintures corporelles, poche de graisse de porc pour lier l'argile et, surtout, le *chauga-ta*, un talisman pour éloigner le mal, fait avec les os du grand Tomiti lui-même. Eketi avait caché le tout dans un sac en toile noire – un faux Adidas qu'il avait déniché à Hut Bay – sous une pile de vieux vêtements. Après une nuit de festivités où on l'avait traité en héros, il avait quitté Petite Andaman avec Ashok à destination de Port-Blair à bord d'une vedette rapide. Le soir même, on l'avait fait embarquer en douce sur le *MV Jahangir*, un gros navire de passagers qui se rendait trois fois par mois à Calcutta et dont Ashok connaissait le capitaine. Le fonctionnaire s'était installé dans une cabine de première classe, Eketi étant relégué dans un réduit à côté de la salle des machines pour éviter d'attirer l'attention.

— Rappelle-toi, lui avait enjoint Ashok, personne ne doit savoir que tu es un Onge de Petite Andaman. Tu dois cacher tes cheveux sous ta casquette et veiller à ce que cette mandibule autour de ton cou ne dépasse pas de ton tee-shirt. Si on t'interroge, tu diras que tu es un *adivasi*, un indigène nommé Jiba Korwa, du Jharkhand. Le Jharkhand est un État indien où l'on trouve beaucoup de tribus primitives comme la tienne. Tu as compris ? Allez, répète ton nouveau nom.

— Eketi est Jiba Koba de Jakhan.

— Imbécile !

Ashok l'avait tapé sur la tête.

— Tu dois dire : « Je suis Jiba Korwa, du Jharkhand. » Mets ta casquette et répète vingt fois après moi.

Eketi avait enfilé sa casquette Gap rouge et répété son nouveau nom jusqu'à l'avoir mémorisé.

Le bateau avait effectué la traversée de mille deux cent cinquante-cinq kilomètres en trois jours pour accoster la veille au Kidderpore Dock de Calcutta. Ils avaient attendu le départ de tous les passagers et la tombée de la nuit pour débarquer à leur tour et prendre un taxi.

À peine celui-ci quitta-t-il le port que le ciel nocturne s'illumina d'un gigantesque feu d'artifice. La terre tremblait, secouée par les explosions des pétards.

— C'est pour me souhaiter la bienvenue ? s'exclama Eketi.

Ashok le fit taire et tapota l'épaule du chauffeur.

— Comment se fait-il que vous fêtiez Diwali avec vingt jours d'avance ?

L'homme s'esclaffa.

— Quoi, vous ne saviez pas que vous arriviez à Calcutta au moment de notre plus grande fête ? Aujourd'hui c'est Saptami, et demain Mahashtami.

— Et merde, jura Ashok dans sa barbe. Je n'avais pas réalisé que nous allions débarquer ici en pleine Durga Puja.

La ville en effet bouillonnait de ferveur. De magnifiques *pandals* étaient installés à presque tous les coins de rue, scintillant dans la nuit tels des palais illuminés. Assis à l'avant, Eketi contemplait bouche bée ces temples éphémères d'étoffe et de bambou rivalisant de splendeur tapageuse. Certains avaient des coupoles, d'autres des minarets. L'un d'eux imitait un temple pyramidal du sud de l'Inde, tandis qu'un autre rappelait une pagode tibétaine. Il y en avait en forme d'amphithéâtre grec et de *palazzo* italien. Les abords de ces *pandals*, recouverts de tapis rouges, étaient éclairés par des panneaux lumineux.

Les rues grouillaient de monde. Eketi n'avait jamais vu ça de toute sa vie et le tintamarre était assourdissant. Chaque *pandal* faisait beugler ses haut-parleurs. Les roulements de tambour se réverbéraient d'un carrefour à l'autre, appel primitif pour rassembler la tribu. Et ils se regroupaient par millions, saris empesés, chemises et pantalons impeccablement repassés, transformant la ville en un carnaval géant. Le taxi dut faire plusieurs détours car des rues entières étaient bloquées par la police, qui hurlait aux piétons des consignes de sécurité dans des porte-voix.

Une heure et dix minutes plus tard, ils arrivaient à Sudder Street, le ghetto des routards avec ses hôtels miteux et ses échoppes délabrées où l'on pouvait acheter de la nourriture, des souvenirs et un accès Internet. Ashok descendit à l'hôtel Milton, où régnait une sinistre atmosphère de décrépitude. Le gérant regarda Eketi d'un air soupçonneux et demanda à voir son passeport. Ashok dut sortir sa carte d'agent administratif pour couper court à l'interrogatoire.

Ils longèrent des couloirs faiblement éclairés jusqu'à une chambre des plus sommaires, au premier étage, meublée de deux lits séparés par une petite table. Dans la lumière crue du néon, Eketi remarqua des taches d'humidité sur les murs et des toiles d'araignée dans tous les coins. À côté, on entendait l'eau goutter dans les W.-C.

— Eketi n'aime pas cet hôtel.

Il fronça le nez.

Le visage d'Ashok s'empourpra de colère.

— Tu t'attendais à quoi, espèce de macaque ? Que je t'installe à l'Oberoi ? Même ce taudis est mieux que vos huttes minables. Maintenant, ferme-la et couche-toi par terre.

Sous l'œil maussade d'Eketi, le fonctionnaire savoura un poulet au curry avec du pain *naan* commandé au restaurant de l'hôtel. Puis il sortit son briquet et alluma une cigarette.

L'aborigène lorgnait le paquet ouvert.

— Eketi pourrait en avoir une aussi ?

Ashok fronça les sourcils.

— Je croyais que tu avais fait le vœu de ne plus toucher au tabac avant d'avoir retrouvé l'*ingetayi* ?

— Oui, mais ce n'est pas mon île. Ici, je peux faire ce que je veux.

— Non, moricaud, gronda Ashok. Ici, tu fais ce que je veux. Dors, maintenant.

Allongé sur le sol froid, avec le sac de toile pour oreiller, Eketi mâchonna un bout de viande séchée. Bientôt, il entendit les ronflements sonores d'Ashok, mais lui-même avait du mal à trouver le sommeil. Les tambours semblaient se rapprocher, faisant trembler le plancher. Il se leva et s'assit devant la fenêtre ouverte, contemplant les lumières d'un *pandal* lointain, observant les junkies et les chiens réfugiés sous les auvents, respirant l'air de cette vaste et mystérieuse cité avec un frémissement de plaisir coupable.

Le lendemain matin, il suivit Ashok, qui avait décidé de faire le tour du quartier à pied. En deux heures, il découvrit le dôme blanc du planétarium Birla, l'inexpugnable octogone de brique et de ciment de Fort William et le Maidan noyé dans la verdure, avec ses jardins, ses monuments et ses fontaines. Il vit des hommes s'entraîner avec des poids énormes, courant, sautillant et promenant leur chien. Il sourit en apercevant un groupe de gens qui formaient un cercle et riaient, tout simplement, et se tut devant la splendeur baroque du Victoria Memorial dont le marbre blanc se teintait de rose au soleil levant. Jamais il n'avait vu édifice aussi imposant ni aussi beau. Il en frissonna d'excitation.

Poursuivant leur balade, ils dépassèrent la haute colonne de Shahid Minar, au nord du Maidan, et atterrirent à l'Esplanade. L'incessant ballet des bus, les gratte-ciel, la cacophonie de sons stupéfièrent et enthousiasmèrent l'aborigène. Il fut fasciné par les trams sonores glissant paresseusement au milieu de la chaussée.

— Eketi pourrait monter dedans ?

Il tira Ashok par la manche, et celui-ci accepta de mauvaise grâce. Le premier tram qui passa était modérément bondé, et ils réussirent à se faufiler à l'intérieur. Mais, à l'arrêt suivant, une foule de voyageurs s'engouffra dans la voiture, qui se trouva ainsi pleine à craquer. Séparé d'Ashok, Eketi fut coincé entre deux cadres avec des attachés-cases. La bousculade était insupportable, il commença à suffoquer. Pantelant, il se baissa et se fraya un passage entre les jambes des passagers, centimètre par centimètre, en direction des portes arrière. Arrivé enfin à la sortie, il se glissa dehors par le cadre métallique et, prenant appui sur une fenêtre ouverte, se hissa prestement en haut. À présent, assis en haut du tram, son sac de toile à côté de lui, il jouissait de la liberté comme un oiseau délivré de sa cage.

Le tram atteignit Dalhousie Square, aujourd'hui connu sous le nom de BBD Bagh, l'épicentre administratif de la cité, et ce fut là que son voyage prit fin. Un agent de la circulation écarquilla les yeux, puis se précipita au-devant du tram et l'obligea à s'arrêter en sursaut.

Dans le véhicule bondé, Ashok Rajput avait finalement réussi à trouver une place assise. Il épongea la sueur et la crasse de son front et, regardant avec aversion la masse humaine agglutinée autour de lui, songea que c'était peut-être la dernière fois qu'il prenait les transports en commun. Calcutta, décida-t-il, n'était pas pour lui. Il y avait quelque chose dans l'air de cette ville… ça s'accumulait comme les glaires au fond de la gorge. Et le trafic bruyant, les mendiants estropiés, les rues sales n'arrangeaient rien. D'ici ce soir, si tout allait bien, il tiendrait la pierre sacrée entre ses mains.

Il avait fait pas mal de recherches sur l'*ingetayi*, un morceau de grès noir d'environ soixante-quinze centimètres de haut en forme de phallus et couvert de hiéroglyphes indéchiffrables, vieux d'au moins soixante-dix mille ans. Il se servirait d'Eketi pour le voler à Banerjee, après quoi il en ferait faire une copie exacte par un sculpteur qu'il connaissait à Jaisalmer. Puis il renverrait discrètement Eketi avec la copie dans son trou perdu à Petite Andaman et vendrait l'original au magasin d'antiquités Khosla, qui avait déjà accepté de lui verser dix-huit *lakhs* pour le plus ancien *shivling* gravé du monde.

Ashok Rajput pensa à tout ce qu'il ferait avec cet argent. Tout d'abord, il irait voir Gulabo. Il avait pris ce boulot minable au bureau d'aide sociale dans une île lointaine, coupée de toute civilisation, uniquement par dépit, parce qu'elle l'avait éconduit. Il ne l'avait pas revue depuis cinq ans, même s'il avait continué à lui envoyer des mandats, deux mille roupies par mois, pour payer l'éducation de Rahul. Mais il avait été incapable de l'oublier. Gulabo l'appelait, par-dessus ces milliers de kilomètres de terre et de mer qui séparaient le Rajasthan des îles Andaman, accaparait ses rêves, le tourmentait, le rendait fou de désir.

Il irait à Jaisalmer, ferait pleuvoir sur elle des liasses de billets de mille roupies et se moquerait : « Tu m'as toujours pris pour un bon à rien. Eh bien, qu'en dis-tu, maintenant ? » Puis il lui redemanderait sa main. Il éprouvait la tranquille certitude que cette fois elle accepterait. Sans condition. Il quitterait son emploi de troisième zone chez ces satanés sauvages du bout du bout du monde et s'installerait au Rajasthan. L'*ingetayi*, roi des talismans, allait lui changer radicalement la vie.

Il fut tiré de sa rêverie par l'arrêt brutal du tram.

— Qu'est-ce que tu fabriques ? aboya le flic, pointant le doigt vers Eketi et lui ordonnant d'un geste de descendre. *Namun dada namun.*

À peine Eketi eut-il mis pied à terre que le receveur du tram s'en prit à lui :

— Tu veux te suicider ou quoi ? Où est ton ticket ?

Par les fenêtres, les passagers se démanchaient le cou pour l'apercevoir.

— Qui es-tu ? demanda l'agent.

Eketi se borna à secouer la tête.

— Ce gars-là n'est pas indien, déclara le receveur. Voyez comme il est noir. Moi, je dirais qu'il est africain. Vérifions son sac. Ça doit être un trafiquant de drogue.

Il voulut enlever le sac de toile de l'épaule d'Eketi.

— Non ! cria celui-ci en le repoussant.

L'agent l'attrapa par l'oreille et la tordit.

— Tu as un ticket ?

— Oui.

— Où est-il ?

— C'est Ashok sahib qui l'a.

— Et où est cet Ashok ?

Eketi désigna l'intérieur du véhicule.

— Je ne vois aucun Ashok, fit l'agent en le prenant au collet. On va aller au poste pour voir ce que contient ton sac.

Il s'apprêtait à traîner Eketi de l'autre côté de la rue quand Ashok finit par s'extirper du tram et arriva en courant.

— Pardonnez-moi, monsieur l'agent, haleta-t-il. Ce garçon est avec moi. J'ai son ticket.

Il sortit deux coupons de sa poche de poitrine.

L'agent s'en empara et les examina de près. À contrecœur, il relâcha Eketi.

Dès qu'ils se furent éloignés, Ashok gratifia Eketi d'une gifle retentissante.

— Écoute-moi bien, espèce de sale babouin, fulmina-t-il. Un autre coup comme celui-ci, et je te laisse pourrir en prison jusqu'à la fin de ta vie. Nous sommes en Inde, ici, pas dans la jungle, où tu peux faire ce que bon te semble.

Eketi le regarda d'un œil torve et ne dit rien.

De retour à l'hôtel, ils déjeunèrent légèrement. Vers dix-huit heures, Ashok décida d'aller jeter un œil sur la maison de Banerjee.

Ils hélèrent un auto-rickshaw, et Ashok tendit au conducteur l'adresse notée sur un bout de papier.

— Emmenez-nous à Tollygunge. À l'angle du parc Indrani et de JM Road.

L'auto-rickshaw emprunta les petites ruelles tranquilles pour éviter la cohue des grandes artères commerçantes. Arrivés à l'angle d'Indrani, ils aperçurent presque immédiatement l'étang qu'ils cherchaient. À peine plus grand qu'une mare, rempli d'eau de pluie sale et envahi d'herbes pourrissantes, il était bordé de cinq maisons. Celle le plus à droite avait un toit vert vif.

— La maison de Banerjee ! s'exclama Eketi.

C'était une résidence typique des classes moyennes, modeste et sans charme particulier. Une maison en brique, avec un petit jardin entouré d'une clôture en bois. La plaque sur le portail branlant disait : « S. K. Banerjee. »

— Eketi va chercher l'*ingetayi* ? s'enquit l'aborigène.

— Tu crois que tu peux entrer comme ça et le réclamer à Banerjee ? fit Ashok en s'esclaffant. Il vous l'a volé, à toi de le lui voler, maintenant.

— Comment Eketi va-t-il faire ça ?

— Laisse-moi réfléchir.

Pendant près d'une heure, ils examinèrent la maison sous toutes les coutures, à la recherche d'une fenêtre ouverte ou d'une porte latérale. Ashok ne voyait aucun moyen d'y pénétrer facilement.

— Eketi sait comment entrer là-dedans, déclara soudain l'aborigène.

— Comment ?

— Par là.

Il indiqua la cheminée noirâtre sur le toit.

— Ne sois pas stupide. Tu ne pourras jamais grimper sur ce toit, et encore moins t'introduire dans la cheminée.

— Ce n'est pas un problème pour Eketi, affirma-t-il avec assurance. Je peux vous montrer tout de suite.

Il allait sauter par-dessus la clôture quand Ashok l'attrapa par l'épaule.

— Non, non, espèce de crétin. On n'entre pas par effraction chez quelqu'un en plein jour. Il faut attendre que Banerjee et ses voisins aillent se coucher.

Pour tuer le temps, ils flânèrent entre les innombrables étals de marché qui avaient envahi Tollygunge durant la *puja*. Après un délicieux dîner de poisson et de riz au curry, ils retournèrent à la maison au toit vert.

Tout était calme autour de l'étang. Les lumières, dans les maisons voisines, étaient éteintes, seul un néon continuait à luire chez Banerjee.

Ils attendirent sous l'auvent d'un kiosque à lait que le néon s'éteigne, peu après minuit. Aussitôt, Eketi ouvrit son sac et en sortit les mottes d'argile rouge et blanche, ainsi que la graisse de porc. Il ôta sa casquette et entreprit de se déshabiller.

— Qu'est-ce que tu fais ? fit Ashok, alarmé.

— Eketi se prépare à retrouver l'*ingetayi*. Onge doit le traiter avec respect.

Il disparut derrière le kiosque et en émergea de nouveau une demi-heure plus tard, vêtu en tout et pour tout d'un cache-sexe et du maxillaire qu'il portait au cou. Son visage s'ornait de traits horizontaux rouges et blancs, et un délicat motif à chevrons courait sur son thorax et son abdomen. On aurait dit une vision sortie d'un mauvais rêve.

— J'espère que personne ne te verra comme ça. Même moi, ça me donne la chair de poule.

Ashok eut un frisson ostensible et consulta sa montre.

— Il est presque une heure. C'est le moment de grimper sur le toit.

Sans un mot, Eketi bondit vers la maison de Banerjee.

Il sauta la clôture sans effort et monta sur le toit avec l'agilité d'un singe. Pieds nus, il ne faisait aucun bruit. La cheminée était étroite, mais en se contorsionnant il parvint à s'introduire dans le conduit. La suie noire lui collait aux paumes. S'aidant de ses mains et de ses pieds, l'aborigène descendit le long de la cheminée et atterrit sur le comptoir de la cuisine avec un petit bruit mat.

Il lui fallut quelques secondes à peine pour s'accoutumer à l'obscurité. Ouvrant la porte de la cuisine, il sortit sur une galerie. Il y avait trois portes sur sa gauche. Il poussa la première. C'était une salle de bains, vide, sans aucune trace de la pierre sacrée. S'approchant à pas de loup, il essaya la deuxième porte. Elle n'était pas fermée à clé, mais au moment où il la franchit, il y eut un déclic, et la lumière l'éblouit. Un vieil homme à lunettes en pyjama bleu clair était assis sur le lit.

— Entre, je t'attendais, fit Banerjee d'une voix blanche, en langue onge.

— Où est notre *ingetayi* ? interrogea Eketi d'un ton sévère.

— Je vais te le dire. Mais d'abord, dis-moi qui tu es. Je sais que vous autres pouvez vous déplacer en dehors de votre corps. Es-tu réel ou n'es-tu qu'une ombre ?

— Qu'est-ce que ça change ?

— Tu as raison, opina l'homme d'un air morne. Même un rêve peut tuer. Alors comme ça, tu vas me tuer pour avoir volé votre pierre sacrée ?

— Les Onge ne sont pas comme les Jarawa. Eketi vient seulement pour la pierre. Où est-elle ?

— Je ne l'ai plus. Je m'en suis débarrassé il y a dix jours.

— Pourquoi ?

— Parce qu'elle est maudite, non ? J'aurais dû m'en douter. Elle m'a pris mon fils, mon fils unique.

La voix de Banerjee se brisa.

— Comment est-ce arrivé ?

— Il faisait ses études en Amérique. Il y a quinze jours, il s'est tué dans un horrible accident de la route. Je sais bien que c'est ma faute. Si je n'avais pas pris votre *ingetayi*, Ananda serait toujours en vie, sanglota Banerjee.

— Où est-il, maintenant ?

— Je te le dirai, mais à une condition.

— Laquelle ?

— Que tu m'expliques comment ramener un mort à la vie.

Eketi secoua la tête.

— Même Nokai est incapable de faire ça. Personne ne peut s'opposer à la volonté de Puluga.

— Je t'en supplie, ma femme devient folle à force de pleurer notre fils. Je ne peux plus continuer comme ça ! s'écria Banerjee, les mains jointes.

Eketi haussa les épaules.

— C'est la malédiction de l'*onkobowkwe*. Tu l'as cherché. Maintenant dis-moi où est l'*ingetayi*.

— Non, riposta Banerjee avec une violence soudaine. Puisque tu ne peux pas me rendre mon fils, tu n'auras pas non plus l'*ingetayi*.

Rapide comme l'éclair, il sauta du lit, se précipita hors de la chambre et s'enferma dans la salle de bains.

— Ouvre !

Eketi cogna à la porte, mais Banerjee ne voulait rien entendre.

Furieux et dépité, l'aborigène fouilla soigneusement dans toutes les pièces de la maison, saccageant deux ou trois placards au passage et brisant des idoles en porcelaine, mais il ne trouva pas l'objet sacré. Dans la chambre de Banerjee, en revanche, il découvrit un portefeuille en cuir noir sur la table de chevet. Il s'en empara, alla à la porte d'entrée, tira le verrou et sortit dans le jardin. Deux minutes plus tard, il était de retour au kiosque à lait.

— Que s'est-il passé ? J'ai vu la lumière s'allumer. Tout va bien ? demanda Ashok, hors d'haleine.

— Oui.

— As-tu la pierre sacrée ?

— Elle n'était pas dans la maison.

— Non ? Ça veut dire que Banerjee l'a vendue. Il ne t'a rien dit ?

— Non. Mais je vous ai rapporté ceci.

Eketi lui tendit le portefeuille en cuir. Ashok l'ouvrit. Il y avait très peu de liquide à l'intérieur, mais il siffla en extrayant une carte professionnelle. « Les Antiquités de Calcutta, lut-il. Sanjeev Kaul. 18B Park Street, Calcutta 700016. »

— Je te parie que Banerjee a vendu l'*ingetayi* à cet antiquaire.

— Comment allons-nous faire ?

— J'irai lui rendre visite demain.

— Mais comment fait-on pour rentrer à l'hôtel ? Où trouver un taxi à cette heure-ci ?

Eketi n'avait pas fini sa phrase qu'un auto-rickshaw se manifestait en pétaradant dans la ruelle voisine. Ils coururent vers lui.

— Pouvez-vous nous conduire à Sudder Street ? demanda Ashok au conducteur, un homme entre deux âges qui empestait l'alcool.

Ce dernier le regarda avec des yeux ronds et, en voyant Eketi, s'enfuit en hurlant de son véhicule.

Park Street était une rue commerçante moderne, avec des boutiques branchées et des enseignes de créateurs de mode. Les Antiquités de Calcutta se révélèrent être un grand magasin situé à côté d'un luxueux restaurant européen. Ashok Rajput poussa la porte en bronze ouvragé pour se retrouver au milieu d'un véritable chantier. Le plafond était noir de suie, et une forte odeur de brûlé flottait dans l'air. Un homme de haute taille, à la peau claire et doté d'un très long appendice nasal, le regarda d'un air interrogateur.

— Qu'est-ce qui vous est arrivé ? s'enquit Ashok.

— On a eu un gros incendie il y a trois jours. La moitié du magasin a brûlé. On a perdu une bonne partie du stock, mais par chance personne n'a été blessé.

— Êtes-vous M. Sanjeev Kaul ?

— Lui-même. Que puis-je faire pour vous ?

— Mon nom est Ashok Rajput. Je représente le Bureau d'aide sociale aux indigènes des îles Andaman, déclara-t-il d'un ton officiel en sortant sa carte écornée. Je suis ici à la suite du vol d'un objet en pierre ancien appartenant à la tribu onge. M. S. K. Banerjee ne vous aurait-il pas vendu un *shivling* ?

— Si, il y a une dizaine de jours.

— Êtes-vous conscient, monsieur Kaul, de violer la loi de 1972 sur les antiquités et les objets d'art ?

— Banerjee ne m'a pas dit que c'était une antiquité des Andaman.

Kaul fronça les sourcils.

— Écoutez, je n'avais pas réalisé que j'étais en infraction. J'ai cru que c'était juste une vieille pierre, rien de plus.

— J'aimerais la voir.

— Désolé, je ne l'ai plus. Je l'ai vendue lundi dernier à un client de Madras.

— Madras ?

— Oui.

— Oh non ! éclata Ashok en serrant les poings. Je veux des informations complètes sur cette personne.

Dix minutes plus tard, il émergeait du magasin avec une adresse griffonnée sur un morceau de papier. Quand il rentra à l'hôtel, Eketi dormait toujours.

— Lève-toi, sagouin, et prépare tes affaires.

— Où est-ce qu'on va ?

— À Madras, répondit Ashok. Voir un certain S. P. Rajagopal.

— Et on y va comment ?

— En train.

La gare de Howrah était plus animée que d'ordinaire, en raison des fêtes. Eketi contempla la cohue sur les quais, les rangées de passagers avachis sur le sol froid, les colporteurs à la voix stridente qui vendaient des journaux et des boissons, et surtout les porteurs en rouge, avec valises et cartons empilés sur la tête. En voyant la sueur qui ruisselait sur les visages, il se tourna vers Ashok.

— Pourquoi travaillez-vous si dur, vous autres ?

— Parce qu'on n'est pas nourris à l'œil, comme votre tribu, répondit Ashok avec mépris. Tu sais ce que ça m'a coûté, ces billets pour Madras ? Ce voyage est en train de virer au cauchemar.

— Mais Eketi adore ça !

Lorsque le train arriva dans un vacarme assourdissant, le petit homme se raidit, alarmé. Il se cacha quelques instants derrière Ashok avant de se décider à monter dans la voiture couchettes. Les femmes eurent un mouvement de recul en l'apercevant et agrippèrent nerveusement leurs sacs à main. Les enfants, effrayés, se blottirent contre leurs pères. Eketi sourit. Un sourire éblouissant, d'un blanc immaculé. Le wagon se détendit.

Il trouva un siège à côté de la fenêtre et n'en bougea plus pendant les vingt-sept heures de trajet. Il sentait le soleil dans ses yeux, le vent sur son visage ; il observait le kaléidoscope des couleurs à mesure que les champs de blé bruns faisaient place aux rizières verdoyantes, émerveillé par l'immensité de ce pays où l'on pouvait voyager des heures, traversant village sur village, sans arriver à destination. Peu à peu, le jour s'effaça devant la nuit, et le rythme lancinant du train se transforma en berceuse qui le fit glisser vers le sommeil.

Tout était différent à Madras. Le temps était plus chaud et plus humide qu'à Calcutta. Les hommes, plus basanés, portaient la moustache. Les femmes étaient vêtues de saris colorés et avaient des fleurs dans les cheveux.

Sitôt qu'ils eurent quitté l'édifice gothique en briques rouges de la gare centrale, l'aborigène renifla l'air.

— Il y a la mer par ici ?

— Oui. Comment le sais-tu ?

— À l'odeur.

Ils montèrent dans l'un des omniprésents auto-rickshaws noir et jaune, et Ashok demanda au chauffeur de les conduire directement chez Rajagopal, à Sterling Road, dans Nungambakkam. La ville regorgeait de panneaux publicitaires vantant les derniers films tamils, mais ce qui fascina le plus Eketi, ce furent les silhouettes géantes d'hommes politiques et de stars de cinéma qui envahissaient les rues, certaines aussi hautes qu'une maison de deux étages. Madras était une ville en carton-pâte. Une énorme femme souriante, en sari, candidate à une élection, rivalisait dans sa campagne avec un vieil homme aux lunettes noires. Des héroïnes aux yeux lascifs et des héros moustachus à la coiffure outrancière dominaient la circulation de leur stature colossale.

Sterling Road était une artère animée où commerces, banques et bureaux voisinaient avec de spacieuses résidences. L'auto-rickshaw les déposa à l'entrée de la villa de Rajagopal, une élégante demeure vert et jaune. Deux gardes en uniforme se tenaient en faction de part et d'autre du haut portail métallique. Celui-ci était ouvert.

— Vous venez pour la réunion de prière ? demanda l'un d'eux.

Ashok hocha la tête d'un air vague.

— Entrez, je vous prie. C'est au grand salon.

— Tu m'attends ici, ordonna Ashok à Eketi avant de franchir le portail.

Il remonta une allée en demi-lune bordée de pelouses bien entretenues. La porte d'entrée, en teck massif, était également ouverte, et il pénétra dans une vaste pièce dont tous les meubles avaient été retirés. Le plancher était recouvert de draps blancs sur lesquels étaient assises une cinquantaine de personnes, vêtues pour la plupart de couleurs claires. Les hommes d'un côté, les femmes de l'autre. Au fond trônait dans un cadre la grande photo d'un homme jeune, cheveux en brosse et épaisse moustache, ornée d'une guirlande de roses rouges, devant laquelle brûlaient des bâtonnets d'encens dont la fumée montait en fines volutes. Une jolie femme, légèrement enrobée, était assise à côté. Elle devait avoir une trentaine d'années. Avec son simple sari en coton blanc sans parures ni fanfreluches, c'était l'image même de la veuve éplorée.

Ashok s'assit au dernier rang côté hommes et prit la mine grave de circonstance. En interrogeant discrètement les autres membres de l'assistance, il apprit qu'ils étaient là pour rendre hommage à l'industriel Selvam Palani Rajagopal – S. P. pour les intimes –, décédé deux jours plus tôt d'une crise cardiaque à la suite d'un brutal et inattendu revers de fortune.

Ashok dut attendre deux heures avant que la cérémonie se termine. Le dernier convive parti, il s'approcha de la veuve et joignit les mains.

— Mon nom est Amit Arora. Je suis vraiment désolé d'apprendre la mort de S. P., Bhabhiji, tellement désolé, marmonna-t-il. Difficile de croire qu'un homme de trente-cinq ans puisse succomber à une crise cardiaque. On s'est vus il y a dix jours à peine, à Calcutta.

— Oui. Mon mari y allait souvent pour affaires. Comment avez-vous connu Raja ?

Elle parlait d'une voix étranglée, qu'il trouva étonnamment érotique.

— Il était dans la promo juste avant la mienne à l'Institut de technologie de Madras.

— Ah, vous êtes aussi un ancien élève de l'IIT-M ? C'est curieux, Raja ne m'a jamais parlé de vous.

— On s'est perdus de vue après la fin des études. Vous savez ce que c'est.

Il écarta les mains et se tut. Quelque part dans la maison, un cuiseur à vapeur se mit à siffler.

— Vous habitez donc Madras ? s'enquit Mme Rajagopal. On n'a pas beaucoup d'Indiens du Nord par ici.

— Non. Je vis maintenant à Calcutta. J'ai quitté Madras après mes études.

Une bonne lui apporta du thé dans une tasse en porcelaine.

— Si cela ne vous ennuie pas, il y a une chose que j'aimerais vous demander, Bhabhiji, fit Ashok, du ton onctueux qu'on emploie pour aborder un sujet délicat.

— Oui ? répondit-elle, méfiante.

— S. P. m'a dit qu'il avait acheté un *shivling* chez un marchand d'antiquités à Kolkata. Puis-je le voir ?

— Oh, le *shivling* ? *Adu Poyiduthu !* On ne l'a plus. Il est chez Guruji.

— Guruji ? Qui est-ce ?

— Swami Haridas. Raja était son disciple depuis six ans. Guruji est venu à l'enterrement, hier. Il a vu le *shivling* et m'a demandé s'il pouvait l'avoir. Alors je le lui ai donné. Maintenant que Raja est mort, qu'est-ce que j'en aurais fait ?

— Pourriez-vous me dire où habite Guruji ? Est-ce loin d'ici ?

— Il habite Mathura.

— Mathura ? Vous voulez dire Mathura, dans l'Uttar Pradesh ?

— Oui. C'est là que se trouve son ashram. Mais il a des ramifications un peu partout en Inde.

Ashok se tassa sur lui-même.

— Me voilà embarqué pour l'Uttar Pradesh !

— Pourquoi ? En quoi ce *shivling* vous intéresse-t-il ?

— C'est assez compliqué… Pourriez-vous me donner le numéro de téléphone de Swamiji à Mathura ?

— En fait, Guruji n'y est pas en ce moment.

— Ah bon ? Et où est-il ?

— En tournée mondiale. Il a quitté Madras hier pour se rendre à Singapour. De là, il ira en Amérique, puis en Europe.

— Et quand rentrera-t-il à Mathura ?

— Pas avant deux ou trois mois.

— Deux ou trois mois ?

— Oui. La meilleure chance de le trouver, ce sera à Magh Mela, à Allahabad, en janvier prochain. Il m'a dit qu'il serait là-bas pour faire un discours.

— Merci, Bhabhiji. Prenez bien soin de vous. On reste en contact, dit Ashok, s'efforçant de masquer sa déception, avant de prendre congé.

Eketi était toujours assis sur le trottoir devant l'entrée quand Ashok franchit le portail.

— Vous en avez mis, du temps, dit-il en posant sur lui un regard interrogateur.

— La pierre sacrée nous a encore échappé. Pire, elle a quitté le pays, fit Ashok d'un air accablé. Elle ne reviendra que dans trois mois. Du coup, je vais te ramener dans l'île.

— Dans l'île ?

Eketi bondit, alarmé.

— Mais vous aviez promis que nous rentrerions avec l'*ingetayi*.

— Je sais. Seulement, que ferai-je de toi pendant trois mois ? Je ne tiens pas à avoir d'ennuis avec la direction des services sociaux.

— Eketi n'a pas envie de retourner dans l'île.

Ashok lui lança un regard perçant.

— Nom d'un chien, tu dérailles ou quoi ? Pourquoi tu n'as pas envie de rentrer ?

— Rentrer, pour quoi faire ? Eketi était coincé sur cette île, il étouffait, cria l'Onge. Je regardais les images dans le livre sur l'Inde qu'on nous avait donné à l'école, et ça me faisait rêver. J'observais les navires qui traversaient l'océan en me demandant où ils allaient. Quand je voyais les étrangers débarquer avec leurs appareils photo et nous dévisager comme des bêtes curieuses, ça me rendait fou. J'aurais voulu sauter dans leur bateau et partir. N'importe où. C'est pour ça que je suis venu ici. Pour m'évader. Non, Eketi ne rentrera pas.

— C'est pour ça que tu t'es porté volontaire pour aller chercher la pierre ?

— Oui. Eketi voulait aller en Inde.

— Tu t'en fiches de ce qui arrivera aux tiens s'ils ne récupèrent pas leur pierre sacrée ?

— Eketi vous aidera à retrouver l'*ingetayi*. Comme ça, vous repartirez avec, et Eketi restera dans votre merveilleux pays.

— Tu avais tout prévu derrière mon dos, hein ? As-tu réfléchi à ce que tu ferais ici ?

— Eketi va se marier. Chez nous, les vieux épousent les jeunes filles. En restant là-bas, je n'avais aucune chance de trouver une épouse. Ici, je peux commencer une nouvelle vie. Fonder une famille.

— Alors là, c'est le pompon !

Le fonctionnaire eut un rire sardonique.

— Tu crois vraiment qu'un demeuré comme toi pourrait trouver une femme ici ? Non mais tu t'es regardé ? Qui épouserait un nabot noir dans ton genre ?

— Ça, c'est entre les mains de Puluga, rétorqua Eketi avec humeur.

Ashok changea brusquement de ton.

— Écoute-moi, sagouin ! Tu n'es pas en voyage touristique, ici. Tu es venu chercher l'*ingetayi*. Nous ne l'avons pas trouvé. Tu dois donc rentrer à Petite Andaman. Demain, le *Nancowry* partira d'ici, et tu seras à son bord avec moi. J'en ai assez de tes conneries. Allez, viens, on doit trouver un hôtel pour cette nuit.

Ashok héla un auto-rickshaw, mais l'aborigène refusa de monter.

— Eketi n'ira pas, déclara-t-il, catégorique.

— Ne m'oblige pas à te frapper, moricaud.

Ashok leva la main.

— Eketi n'ira pas, même si vous le frappez.

— Alors j'appelle la police. Sais-tu qu'un aborigène surpris en dehors de sa réserve est passible d'emprisonnement immédiat ?

Ashok vit la peur briller dans les yeux du jeune homme et en profita.

— Allez, monte, sagouin, fit-il entre ses dents, le poussant dans l'auto-rickshaw.

Et au conducteur :

— Emmenez-nous à Egmore.

Tandis qu'ils se faufilaient à travers la circulation de l'après-midi, l'aborigène était tendu comme un coureur sur la ligne de départ. À l'approche d'un carrefour animé, son pouls s'accéléra. Au moment où ils s'immobilisaient au feu rouge, il sauta à terre avec son sac en toile noire. Sous le regard sidéré et impuissant d'Ashok, il louvoya entre les voitures, les bus, les scooters et les rickshaws, et bientôt le fonctionnaire le perdit de vue.

Il courut longtemps, esquivant vaches et charrettes, traversant des aires de jeux désertes et dépassant des salles de cinéma bondées. Finalement, il s'arrêta pour reprendre son souffle devant un atelier de réparation de vélos. Accroupi, il aspira une grande goulée d'air et inspecta les alentours. L'atelier se trouvait au cœur d'un marché populeux. Un peu plus loin, il aperçut un terre-plein avec une grande statue au milieu. Longtemps, il resta au bord de la route, inhalant les gaz d'échappement des voitures et des camions qui passaient, submergé par le vacarme. Il se sentait de plus en plus comme un petit garçon perdu dans une foule d'étrangers. Il commençait également à avoir faim. Il remarqua alors un homme de haute taille sur le trottoir d'en face, avec des lunettes de soleil très mode, une ample chemise de lin blanc et un pantalon gris. Il fumait une cigarette, adossé nonchalamment à la rambarde métallique d'un abribus. Comme lui, il avait les cheveux torsadés très serré. Mais ce qui attira Eketi vers lui, ce fut la couleur de sa peau, presque aussi foncée que la sienne.

Il traversa la rue dans sa direction... L'inconnu le vit presque aussitôt et écrasa vivement sa cigarette sous son talon.

— Tiens, tiens, qu'avons-nous là ? Un frère africain ! s'exclama-t-il.

Eketi lui sourit avec appréhension.

— Et d'où es-tu, mon frère ? Sénégal ? Togo ? *Parlez-vous français*[1] ?

Eketi haussa les épaules, et l'homme essaya à nouveau.

— Alors tu dois être du Kenya. *Ninaweza kusema Kiswahili.*

Eketi secoua la tête.

— Moi m'appeler Jiba Korwa du Jharkhand.

— Oh ! tu es donc indien ? Formidable.

L'inconnu frappa dans ses mains.

— Tu parles hindi ?

Eketi fit signe que oui.

— Moi, je parle huit langues, dont la tienne, déclara l'homme dans un hindi impeccable. J'ai étudié à l'université de Patna, ajouta-t-il en guise d'explication.

---

1. En français dans le texte.

— Quel est ton nom ? demanda Eketi.

— Michael Busari à ton service, de la grande ville d'Abuja, au Nigeria. Mes amis m'appellent Mike.

À cet instant, un policier passa à moto, et Eketi plongea instinctivement derrière l'abribus. Il continua à se cacher un bon moment après que l'agent eut dépassé le carrefour.

Mike lui tapota l'épaule.

— Je vois que tu as des ennuis, mon frère. Le monde est un endroit hostile, surtout pour les Noirs. Mais ne crains rien, je te protégerai.

Il y avait dans son attitude quelque chose de profondément rassurant qui séduisit Eketi.

— Tu connais bien cette ville ? s'enquit-il.

— Pas trop, mon frère. J'ai surtout vécu dans le nord de l'Inde. Mais j'en sais suffisamment sur Madras pour te guider.

— J'ai faim, dit Eketi. Tu n'as rien à manger ?

— J'allais moi-même déjeuner. De quoi aurais-tu envie ?

— Ils ont de la viande de cochon, ici ?

— Du porc, hein ? On verra ça au dîner. En attendant, on n'a qu'à aller au McDo.

— Qu'est-ce que c'est ?

— Tu n'as jamais goûté un Big Mac ? Viens, mon frère, que je te fasse découvrir le monde merveilleux de la malbouffe.

Mike conduisit Eketi au McDonald's le plus proche, où il lui offrit une formule complète avec une glace. Pendant que l'aborigène dévorait le juteux hamburger, Mike passa son bras autour de ses épaules.

— Dis-moi, l'ami, qu'est-ce que tu as fait ? Tu as tué quelqu'un ?

— Non, répondit Eketi entre deux bouchées de frites.

— Cambriolé ?

— Non, dit Eketi en aspirant bruyamment son Coca. J'ai juste faussé compagnie à Ashok.

— Ashok ? Qui est cet Ashok ?

— *Kujelli !*

Eketi se mordit la lèvre.

— Un méchant homme qui m'embêtait tout le temps.

— Ah, ton employeur, donc ? Tu en as eu assez et tu t'es enfui de ton village ?

— Oui, oui, c'est ça, acquiesça Eketi avec empressement en attaquant sa glace.

— Mais comment as-tu atterri à Madras, mon frère ? C'est drôlement loin du Jharkhand.

— Ashok m'a amené ici pour un boulot. Je ne sais pas lequel, dit Eketi en rotant avec satisfaction.

— Si tu es en cavale, je suppose que tu n'as pas d'endroit où aller. Je me trompe ? fit Mike.

— Non. Je n'ai pas de maison, ici.

— Aucun problème. Je m'en occupe également. Viens, je t'emmène chez moi.

Ils montèrent dans un bus d'un vert criard pour se rendre à T Nagar, où le Nigérian louait une modeste maison de deux pièces. Il fit entrer Eketi au salon et lui montra l'énorme canapé.

— Tu peux dormir là-dessus. Repose-toi, pendant que je vais faire deux ou trois courses pour le dîner.

Mike avait retiré ses lunettes noires, et pour la première fois Eketi put voir ses yeux. Ils étaient froids et inexpressifs, mais son sourire, chaleureux et amical, rassura l'aborigène. Il se révéla aussi excellent cuisinier, et son dîner – soupe de lentilles et saucisses de porc aux épices – était si goûteux qu'Eketi s'en lécha les doigts.

Allongé sur le moelleux canapé, repu et bien au chaud, l'Onge remercia cette nuit-là Puluga pour les gentils inconnus. Et pour le porc savoureux.

Michael Busari adorait parler. Et, bien qu'il s'adressât à Eketi, l'aborigène avait l'impression qu'il parlait tout seul. À travers ces monologues, il apprit que Mike vivait en Inde depuis sept ans. Il se disait homme d'affaires, à la tête de plusieurs entreprises ; il était venu à Madras pour réaliser une transaction avec un bijoutier du nom de J. D. Munusamy.

— C'est là que j'aurai peut-être besoin de ton aide, mon frère.

Il tapota le genou d'Eketi.

— Pour faire quoi ?

— J'avais convaincu M. Munusamy d'investir dans l'industrie pétrolière nigériane. Ses capitaux vont lui rapporter de coquets bénéfices. En tant qu'intermédiaire, j'ai droit à ma commission. Munusamy devait virer cent mille dollars sur mon compte bancaire, mais à la dernière minute il a dit qu'il me les remettrait en liquide. Je veux que tu ailles récupérer cet argent pour moi. Peux-tu rendre ce petit service à ton frère ?

— Je donnerais ma vie pour toi, répondit Eketi en serrant Mike dans ses bras.

— Parfait. Tu as rendez-vous avec M. Munusamy à vingt et une heures le 26 octobre… c'est-à-dire dans deux jours. D'ici là, détends-toi, profite, mange, bois.

Eketi suivit le conseil à la lettre et passa le reste de la journée à paresser dans la maison, à regarder la télévision et à s'empiffrer de saucisses de porc. Le soir, il demanda à Mike de l'emmener à la plage, et le Nigérian accepta de bon cœur.

Ils traversèrent l'artère bondée de Mount Road, avec ses gratte-ciel étincelants et ses galeries marchandes illuminées. Eketi ne tenait plus en place lorsque le bus s'engagea dans le dédale des ruelles de Triplicane, bordées de vieilles maisons et de temples antiques, et que l'odeur de sel pénétra dans ses narines. Il se dévissa la tête pour entrapercevoir la mer, et les statues imposantes et les monuments majestueux bordant la promenade perdirent tout intérêt.

Il fut le premier passager à jaillir hors du bus au moment même où celui-ci s'arrêtait à Marina Beach. Malgré l'heure tardive, la plage était noire de monde. Des familles entières dînaient sur le sable. Les enfants montaient des poneys en piaillant de bonheur, pendant que leurs mères achetaient des babioles dans des échoppes éclairées aux lanternes. Le rayon tournoyant d'un phare faisait miroiter la surface de l'océan. Les lumières d'un navire lointain scintillaient dans la nuit ; les vagues écumeuses venaient mourir doucement sur la grève. Eketi inhala l'air piquant qui embaumait le sel et le poisson, et cette seule odeur fit naître dans son esprit l'image de toute une île. Il fit signe à Mike, à une bonne centaine de mètres derrière lui, et entra dans l'eau, entièrement habillé.

— Jiba ! Jiba, reviens ! cria Mike.

Mais l'aborigène était déjà loin et nageait vers le large.

Il reprit pied sur la plage vingt minutes plus tard, la peau constellée de minuscules gouttelettes d'eau, des algues accrochées à ses vêtements et dégoulinant par le trou de sa casquette.

— Tu m'as fait une de ces peurs, grommela Mike.

— J'avais envie de prendre un bain, dit Eketi en souriant.

— Qu'est-ce que tu caches là ?

Eketi tendit la main droite, qu'il gardait derrière son dos.

— Le dîner ! annonça-t-il, brandissant un gros poisson frétillant.

Mike acheta deux canettes de Coca, Eketi alluma un feu, et ils partagèrent une délicieuse grillade de poisson.

— Alors, tu te plais à Madras, mon frère ? demanda Mike.

— J'adore ! affirma Eketi avec effusion. Ça me rend fou, les bruits, les couleurs, les lumières de ce monde merveilleux.

Il but une gorgée de Coca, tisonna les braises avec un morceau de bois et contempla le Nigérian intensément.

— Tu es l'homme le plus gentil et le plus généreux que j'aie jamais rencontré.

— Nous sommes frères, mon ami, toi et moi.

— Tu pourrais m'aider à me trouver une femme ?

— Une femme ? Bien sûr. Une fois que tu m'auras rendu ce petit service, je te présenterai une dizaine de filles pour que tu puisses choisir.

La promesse de Mike emplit Eketi d'un agréable sentiment, comme à la perspective d'une chasse au cochon. Ce fut donc le cœur léger qu'il le suivit à Guindy, dans la partie sud-ouest de la ville.

La maison de Munusamy se trouvait en plein quartier résidentiel, loin de la frénésie des grandes artères. Tout était calme et silencieux alentour. Un réverbère blafard projetait des ombres étranges sur les petits immeubles aux appartements en duplex des deux côtés de la rue.

Mike indiqua le numéro 36, qui avait une porte en bois sculpté.

— Je t'attendrai au coin, chuchota-t-il à Eketi en lui remettant une petite enveloppe. Tu donneras ça à Munusamy. Tout est expliqué là-dedans, tu n'auras même pas à ouvrir la bouche. Allez, bonne chance.

Le Nigérian recula dans l'ombre, et Eketi se dirigea vers la porte de Munusamy. Un serviteur l'y attendait. Il le précéda dans un escalier et l'introduisit au salon, où un homme au crâne dégarni était assis sur un canapé beige. M. Munusamy portait une chemise blanche par-dessus une *veshti*[1] crème. Son visage rond comportait deux traits distinctifs : une petite moustache rectangulaire semblable à une touffe de cheveux qui lui sortait du nez, et trois lignes horizontales d'argile jaune sur le front.

— Soyez le bienvenu, dit-il.

Eketi s'inclina et lui tendit l'enveloppe.

Munusamy parcourut le petit mot de Mike et leva sur le visiteur un regard consterné.

— Je m'attendais à rencontrer le grand Michael Busari en personne, vous n'êtes que son émissaire.

— Donnez-moi l'argent, dit Eketi.

— Le voici.

Munusamy sortit une petite mallette qu'il avait soigneusement cachée derrière ses jambes.

Au moment où Eketi se baissait pour la ramasser, la lumière d'un flash lui balaya le visage avec la fulgurance d'un éclair. Presque simultanément, cinq policiers se ruèrent dans la pièce par différentes portes et se jetèrent sur lui.

— Vous êtes en état d'arrestation, annonça un inspecteur.

Avant qu'il ne comprît ce qui lui arrivait, Eketi fut menotté et poussé dans un fourgon de police.

Une fois au poste, une bâtisse délabrée au toit de bardeaux, on l'enferma dans une grande cellule. Il protesta de son innocence dans un mauvais anglais, cherchant à amadouer les agents, mais ceux-ci le menacèrent de leurs matraques. Alors il se recroquevilla sur le sol en ciment et attendit la venue de Mike, persuadé que son ami dissiperait le malentendu et le ferait relâcher avant longtemps.

Le lendemain midi, Mike ne s'était toujours pas manifesté. En revanche, Eketi reçut la visite d'un certain inspecteur Ṣatya Prakash Pandey, de la police du Bihar, un homme bedonnant qui mâchait du bétel. Visage sévère, moustache en guidon de vélo, il donnait l'impression de ne pas tenir en place, tel un animal sauvage qu'on aurait tenu en laisse. Seule consolation, il parlait hindi.

— Je suis venu t'emmener à Patna, annonça-t-il à Eketi. C'est là que Michael Busari est recherché pour meurtre.

---

1. Équivalent de la *dhoti* en Inde du Sud.

— Meurtre ?

— Oui. Il a escroqué un homme d'affaires, qui s'est suicidé. Et toi, fils de pute, tu seras notre témoin-vedette au procès de Busari.

— Mais Mike est quelqu'un de bien !

— Quelqu'un de bien ? fit l'inspecteur en s'esclaffant. Ton boss, M. Michael Busari, alias le Faucon, est recherché pour quatorze affaires d'escroquerie dans sept États. Il a arnaqué plusieurs industriels avec ses histoires de dollar noir et de pseudo-investissements pétroliers. Du coup, nous lui avons tendu un piège à Madras. M. Munusamy servait d'appât, et le gibier, normalement, c'était Busari. Au lieu de quoi, nous sommes tombés sur toi. Toi aussi, tu es nigérian ?

— Non. Je suis Jiba Korwa du Jharkhand.

— Le Jharkhand ? Où ça, au Jharkhand ?

— Je… je ne sais plus.

— Tu ne sais plus, hein ? Pas de souci, cette main que voici a remis les idées en place aux criminels les plus endurcis. Alors tu penses, un minus comme toi ! ajouta l'inspecteur en ricanant.

Menottes aux poignets, Eketi fut conduit à la gare le lendemain après-midi et mis dans le train de Patna. Le seul autre passager dans son compartiment de première classe était l'inspecteur Pandey.

Le train entama son voyage de trois jours à destination de Patna à quinze heures vingt-cinq. Une heure plus tard, l'inspecteur commençait son interrogatoire.

— OK, enfoiré, je veux tout savoir sur toi, déclara-t-il en crachant un jet de jus de bétel rouge sang à travers les barreaux métalliques de la fenêtre.

— Je vous l'ai dit, je suis Jiba Korwa du Jharkhand.

— Et que faisais-tu à Madras ?

— J'étais venu visiter la ville.

Sans crier gare, l'inspecteur le gifla à la volée. Eketi chancela sous le coup.

— Je veux la vérité, putain ! Encore une fois, d'où viens-tu ? aboya le policier.

— Du Jharkhand.

— Quel village au Jharkhand ?

— Je ne sais pas.

Il fut gratifié d'une nouvelle gifle retentissante.

— Pour la dernière fois, dis-moi la vérité, ou tu mourras dans ce train.

Il le cuisina ainsi toute la soirée et toute la nuit. Le lendemain, en milieu de journée, Eketi capitula, incapable d'endurer les sévices plus longtemps. Reniflant entre deux sanglots, il avoua tout : Petite Andaman, Ashok, sa rencontre avec Busari.

Le policier l'écouta patiemment. Tout en enfournant un nouveau *paan* frais, il émit un grognement satisfait.

— Tu as fini par cracher le morceau, fils de pute. On dit que ma main est comme une griffe d'acier ; elle réussit toujours à soutirer des aveux.

Eketi se tenait la joue.

— Vous aimez bien frapper les gens ?

Pandey haussa les épaules.

— Si on ne frappe pas, on n'inculpe pas. Nous sommes obligés de travailler de cette façon-là. À la longue, ça devient une mauvaise habitude, comme mâcher du bétel.

— Vous frappez donc les gens pour montrer votre force ?

— En fait, ce n'est pas tant pour prouver notre force que pour masquer notre faiblesse, répondit l'inspecteur avec une franchise surprenante. Nous nous en prenons seulement aux pauvres et aux faibles, parce qu'ils ne peuvent pas riposter.

Ils n'échangèrent plus un mot pendant plusieurs heures. Tandis que le train fonçait dans la nuit, l'inspecteur restait étendu sur sa couchette, plongé dans ses réflexions. Assis près de la fenêtre ouverte, Eketi sentait l'air froid sur ses joues tuméfiées comme un baume apaisant. Soudain, l'inspecteur lui tapota l'épaule.

— J'ai décidé de faire une bêtise, souffla-t-il en posant la main sur son holster en cuir.

Un spasme de peur contracta le corps de l'aborigène.

— Vous… vous allez me tuer ? demanda-t-il, la gorge nouée.

— Ce serait trop facile.

L'inspecteur sourit pour la première fois et tira une clé de son holster.

— Alors quoi ?

— Je vais te libérer.

Eketi le regarda dans les yeux.

— Vous êtes en train de jouer avec moi ?

— Non, Eketi. Ce n'est pas un jeu.

Pandey secoua lentement la tête.

— C'est ta vie. Qui n'est pas très différente de la mienne. Comme toi, j'ai l'impression d'étouffer, parfois, dans ce métier où je fréquente la lie de la société. Mais il m'arrive aussi de sécher les larmes d'une veuve ou de remettre un enfant perdu dans les bras de sa mère. C'est pour ces moments-là que je vis.

Eketi regardait par la fenêtre. De près, ses yeux se heurtaient à une obscurité veloutée mais à l'horizon il voyait briller les lumières d'une ville lointaine.

— J'ai deux fils, poursuivit l'inspecteur. Ils croient que leur père est un héros qui combat des criminels et des assassins. Or je ne suis qu'un homme ordinaire qui se bat contre le système, le plus souvent en vain. Je sais que tu es innocent. Te relâcher sera donc une petite victoire.

Il consulta sa montre.

— Nous devons approcher de Bénarès. Je veux que tu tires là-dessus…

Il désigna la chaînette du frein d'arrêt d'urgence au-dessus de sa tête.

— Ça va stopper le train. Ensuite, je veux que tu descendes et disparaisses dans la nuit. Je dirai que tu t'es évadé pendant que je dormais.

— Pourquoi vous faites ça ?

— Pour faire vivre ton rêve. Pour faire vivre le rêve de mes enfants. Si tu viens avec moi à Patna, tu moisiras au moins cinq ans en prison, en attendant le procès. Alors file, pendant qu'il est encore temps.

— Mais où irai-je ?

— Tu ne saurais trouver mieux que Bénarès. Les gens viennent ici pour mourir. Moi, je t'y envoie pour vivre.

Il introduisit la clé dans les menottes d'Eketi et les ouvrit.

— Mais rappelle-toi !

Il leva l'index.

— Nous habitons un pays étrange et sublime. On y rencontre les êtres humains les meilleurs, et aussi les pires. On peut aussi bien y avoir affaire à une générosité sans pareille qu'à une cruauté qui dépasse l'entendement. Pour survivre ici, tu dois changer ta façon de penser. Ne te fie à personne. Ne compte sur personne. Ici, tu es entièrement livré à toi-même.

— Dans ce cas, je ferais peut-être mieux de retourner dans mon île, marmonna Eketi en massant ses poignets endoloris par les menottes.

— C'est à toi de décider. La vie peut être abjecte. Ou elle peut être belle. Tout dépend de ce que tu en fais. Mais, quoi que tu fasses, évite de tomber entre les mains de la police. Tous les inspecteurs ne sont pas comme moi.

— Vous n'aurez pas d'ennuis si vous me laissez partir ?

— Le ministère va probablement déposer un nouveau recours contre moi pour négligence et incompétence. Je m'en fiche. Le panier de crabes, j'en suis sorti. Toi, en revanche, tu es sur le point d'y entrer. Bonne chance, et n'oublie pas ton sac.

Pendant qu'Eketi hissait sur son épaule le faux Adidas, Pandey sortit quelques billets de la poche de sa chemise.

— Prends ça. Ça te permettra de tenir quelques jours.

— Je ne vous oublierai jamais, dit Eketi en acceptant l'argent.

Ses yeux s'emplirent de larmes. L'inspecteur sourit faiblement et lui pressa la main.

— Allez, putain, ne reste pas là à pleurer comme un veau. Tire sur cette foutue chaîne, fit-il d'un ton bourru en remontant sur sa tête une couverture beige.

Eketi avait mal aux jambes. Il avait couru sans s'arrêter pendant plus de deux heures, coupant à travers champs touffus de canne à sucre et villages endormis, à la poursuite des lumières de la ville. À présent, il était à Chowk, le cœur congestionné de Bénarès, mais les lueurs scintillantes s'étaient éteintes, et les rues populeuses étaient désertes. Un silence irréel régnait alentour, troublé seulement par un chien errant ou le bruit d'une voiture. Des mendiants dormaient à même le trottoir, au pied des boutiques aux rideaux baissés. Un groupe de policiers montait la garde devant un temple ancien.

La seule étincelle de vie à cette heure-ci provenait d'une pharmacie brillamment éclairée, ouverte vingt-quatre heures sur vingt-quatre. Eketi se glissa derrière une jeep en stationnement pour mieux voir le commerçant qui somnolait derrière un comptoir en bois, entouré de placards vitrés chargés de boîtes et de fioles.

Une femme arriva et le poussa pour le réveiller. Deux minutes plus tard, elle ressortait avec un sachet en papier brun, et Eketi put apercevoir son visage. C'était la femme la plus étrange qu'il eût jamais vue. Presque aussi grande qu'Ashok, elle avait les yeux soulignés de khôl, les joues barbouillées de fard bon marché et les lèvres peintes en rouge foncé, mais sa mâchoire carrée lui conférait une allure masculine. Elle portait un sari rouge et vert avec un chemisier jaune mal ajusté. Ses mains étaient larges et velues. En fait, Eketi remarqua une mince ligne de poils partant de son nombril pour disparaître dans le chemisier.

Dévoré de curiosité, il décida de la suivre. Elle emprunta des rues silencieuses jonchées de détritus, des ruelles sombres, d'autres sinueuses et pavées, et finit par déboucher dans une artère grouillante de monde. Bordée de vieilles maisons à étage aux balcons ouvragés, la rue résonnait de musique et du tintement des clochettes attachées aux chevilles des danseuses. Adossées au chambranle des entrées obscures, des femmes au visage dur et au regard vide, certaines seulement vêtues de chemisiers échancrés et de jupons, aguichaient les passants par des sourires provocants. Dans une échoppe, un homme proposait des feuilles de bétel prêtes à consommer, roulées en triangle, un étal vendait de petits pains et il y avait même une boutique de cartes de téléphone prépayées. Des odeurs de jasmin et de friture se mêlaient dans l'air humide et épais. Alors que le reste de la ville dormait profondément, les habitants du quartier faisaient la fête.

— Bienvenue à Dal Mandi.

Un homme vêtu d'une *lungi*[1] et d'un débardeur accosta Eketi.

— Voulez-vous essayer notre marchandise ?

Derrière lui, une fille en sari rose se mit à glousser, mais Eketi ne lui prêtait pas attention, absorbé par la femme qui longeait la rue d'un pas énergique. Celle-ci se terminait par un carrefour en T. La femme tourna à droite. Eketi fit de même.

Soudain, elle fit volte-face et lui saisit la main.

---

1. Vêtement d'homme composé d'une pièce de tissu nouée à la taille à la manière d'un sarong.

— Pourquoi tu me suis ? Tu me prends pour une prostituée ?

Pris au dépourvu, Eketi tenta de se dégager de sa poigne, aussi forte que celle d'un homme.

— Lâche-moi ! cria-t-il.

Elle l'examina de plus près.

— Qui es-tu, petit démon noir ?

— Dis-moi d'abord ce que tu es, toi !

— C'est quoi, cette question ?

— Je veux dire, tu es un homme ou une femme ?

Elle s'esclaffa.

— Ça, c'est ce que tout le monde aimerait savoir. Certains hommes sont même prêts à payer pour en avoir le cœur net.

— Je... je ne comprends pas.

— Je m'appelle Dolly. Je suis le chef des *hinjras*.

— Les *hinjras* ? Qu'est-ce que c'est ?

— Tu n'as jamais entendu parler des eunuques ? Non mais de quelle planète viens-tu ?

— Honnêtement, je ne sais pas ce qu'est un eunuque.

— Nous sommes le troisième sexe. Entre le féminin et le masculin.

Eketi ouvrit de grands yeux.

— Ni homme ni femme. Comment est-ce possible ?

— Dans notre pays, tout est possible.

Dolly agita la main.

— Mais parle-moi de toi. Qui es-tu ? D'où viens-tu ?

— Je suis Jiba Korwa, du Jharkhand.

— Le Jharkhand ? J'ai eu une amie qui s'appelait Mona. Elle aussi venait du Jharkhand, mais elle n'était pas aussi foncée que toi. Elle est partie tenter sa chance à Bombay.

— Où habites-tu ?

— Pas très loin de Dal Mandi.

— Et ça, c'est quoi ?

Eketi désigna le sachet qu'elle tenait.

— Oh ? Un médicament que j'ai eu un mal fou à trouver. Il n'y avait qu'une seule pharmacie d'ouverte à cette heure-ci. C'est pour mon amie Rekha. Sa fille est très malade.

— Qu'est-ce qu'elle a ?

— La malaria. Elle a une forte fièvre depuis dix jours.

— La malaria ? Je sais guérir la malaria.

— Toi ?

Elle le toisa de la tête aux pieds.

— Toi, un bouffon haut comme trois pommes, tu es en train de me dire que tu es médecin ?

— Et un bon, figure-toi. Dans mon île, j'ai sauvé un garçon qui allait mourir de la malaria.

— Ton île ? De quelle île parles-tu ?

— *Kujelli !* s'exclama Eketi.

Et, pour rattraper sa gaffe, il ouvrit rapidement son sac en toile et en sortit une poignée de feuilles séchées.

— Cette plante peut guérir la malaria. Si tu me conduis chez ton amie, je soignerai sa fille.

— C'est vrai ?

Dolly réfléchit un moment, puis hocha la tête.

— OK. Ça ne mange pas de pain d'essayer. Viens avec moi.

Une fois de plus, Eketi lui emboîta le pas dans les ruelles tortueuses. Ils prirent un passage, puis un deuxième, traversèrent un égout nauséabond à ciel ouvert, et tout à coup Eketi se retrouva dans l'enclave des eunuques. Même à cette heure de la nuit, ils étaient debout et vaquaient à leurs occupations, en sari et *salwar kameez*, le visage fardé, arborant des coiffures ostentatoires. Ils saluèrent Dolly en lorgnant Eketi avec une curiosité amicale.

Ici, les maisons étaient petites et austères, des taudis d'une seule pièce construits en brique et en ciment. Dolly s'arrêta devant une porte jaune. Une *hinjra* vêtue d'un sari bleu et orange, des fleurs de jasmin nouées dans sa tresse, en sortit en courant, se cramponna à Dolly et fondit en larmes.

— Tina va mourir. Ma pauvre Tina, se lamenta-t-elle.

Dolly s'entretint avec quelques autres eunuques avant de se tourner vers Eketi.

— Le docteur est passé voir Tina. Il dit qu'on ne peut pas la sauver, que la fièvre lui est montée au cerveau. Je suis allée à la pharmacie pour rien.

Elle lâcha le sac de médicaments, qui atterrit mollement à ses pieds, et se cacha le visage dans les mains.

Eketi s'avança et poussa la porte jaune.

Il entra dans une pièce exiguë et encombrée. Des poêles et des casseroles traînaient dans un coin, des vêtements dans un autre.

Son regard se posa sur un matelas par terre, et sur la petite fille couchée dessus, vêtue d'une robe, au milieu de couvertures. Âgée de huit ou neuf ans, elle avait un visage rond et des yeux en amande. Frêle et menue, elle semblait vidée de toute force vitale. Ses joues étaient pâles, trois grosses cloques rouges lui mangeaient le cou. Les yeux clos, elle marmonnait de temps à autre des paroles incohérentes dans son sommeil.

Eketi ouvrit son sac et se mit au travail. Prenant la poignée de feuilles séchées, il demanda à la mère de l'enfant de les broyer et de les chauffer. Puis il mélangea de l'argile rouge et de la graisse de porc et traça des traits horizontaux sur le front de la fillette. Sous le regard sceptique de Dolly, il lui badigeonna d'argile jaune la lèvre supérieure et lui frotta le ventre avec la bouillie chaude de feuilles séchées. Pour finir, il sortit un collier d'os.

— Ceci est le *chauga-ta* fait avec les os du grand Tomiti. Il guérira le corps et éloignera les *eeka*, annonça-t-il en le nouant autour du cou de l'enfant.

— Serais-tu une sorte de sorcier ? s'enquit Dolly d'un air inquiet.

— J'essaie seulement de me rendre utile.

— Et maintenant, que fait-on ?

— On attend demain matin, répondit-il en bâillant. Je tombe de sommeil. Y a-t-il un endroit où je pourrais m'allonger ?

— Tu n'as pas de maison ?

— Non.

— Je m'en doutais, soupira Dolly. Allez, viens, je t'emmène chez moi.

Sa maison était la plus grande du quartier, avec deux pièces et une minuscule cuisine. Les murs peints étaient ornés d'images encadrées de dieux et de déesses. Il y avait un tapis élimé sur le sol, et même une petite table pliante avec des chaises métalliques. L'horloge murale indiquait trois heures moins le quart. Eketi se laissa glisser à terre. Au bout de quelques minutes il dormait à poings fermés.

Lorsqu'il se réveilla le lendemain matin, Dolly s'affairait déjà.

— Tu as fait un miracle, déclara-t-elle, rayonnante. Tina n'a plus de fièvre et se sent beaucoup mieux.

Rekha, la mère de l'enfant, arriva peu après et se laissa tomber aux pieds d'Eketi.

— Tu es un ange envoyé par le ciel ! s'écria-t-elle en étreignant la main de l'aborigène. Ma fille et moi te serons redevables à jamais.

Elle était suivie d'un autre eunuque qui cligna coquettement de l'œil avant de lui tendre le bras.

— J'ai des ampoules. Aurais-tu un remède pour ça aussi ?

— Non, non. Je ne suis pas médecin, maugréa Eketi.

— Tu dois avoir faim, dit Dolly. Je prépare le petit déjeuner.

Plus tard dans la journée, Eketi s'approcha furtivement de Dolly, occupée à hacher des légumes.

— Ma curiosité me tue.

— Que veux-tu dire ?

Elle arqua les sourcils.

— Ce que tu m'as dit hier soir m'intrigue toujours. Comment peut-on être ni homme ni femme ?

Avec une grimace, Dolly lâcha son couteau, se leva et remonta son sari.

— Tu n'as qu'à regarder.

Eketi étouffa une exclamation horrifiée.

— Tu es… tu es née comme ça ?

— Non. Je suis né homme, comme toi, mais je me suis toujours senti femme, piégé dans un corps d'homme. J'étais le dernier de trois frères et deux sœurs. Mon père était un homme aisé, marchand de prêt-à-porter à Bareilly. Grandir a été un vrai calvaire. Mes frères et sœurs se moquaient de moi. Même mes parents me traitaient avec mépris et dérision. Ils avaient compris que j'étais différent, mais voulaient que je me comporte en garçon. Alors, le jour de mes dix-sept ans, j'ai volé de l'argent dans le magasin de mon père et je me suis enfui à Lucknow, où j'ai rencontré mon gourou et où je me suis fait opérer.

— Quel genre d'opération ?

— La douleur est atroce, mais on te garde plusieurs jours sous opium, ce qui soulage un peu. Ensuite, on pratique la cérémonie du nirvana.

— C'est quoi ?

— Ça veut dire renaissance. Un prêtre tranche les parties génitales avec un couteau. Un seul coup, et mon membre était parti.

Dolly mima le geste de couper avec ses deux mains. Eketi se récria de plus belle.

— Une fois l'opération terminée, je n'avais pas d'autre choix que de devenir une femme. Mon gourou m'a prise sous son aile et m'a emmenée à Bénarès. Là j'ai découvert toute une communauté d'eunuques. Ça fait dix-sept ans que j'habite ici. Ces eunuques sont ma famille, ma place est parmi eux.

— Tu es donc un homme ?

— Au départ, oui.

— Tu ne te sens pas bizarre sans ta… euh… bite ? demanda Eketi, d'un ton hésitant.

Dolly se mit à rire.

— Pas besoin d'une bite pour survivre dans ce pays. Ce qu'il faut, c'est de l'argent et une cervelle.

— Et comment gagnes-tu ta vie ?

— Nous chantons pour les mariages et les naissances, les pendaisons de crémaillère et autres occasions propices. On attribue aux *hinjras* le pouvoir d'éloigner le malheur et le mauvais œil. De temps en temps, je travaille aussi pour une banque.

— Comme quoi ?

— Beaucoup de gens empruntent de l'argent et ne le remboursent pas. Du coup, la banque nous charge, nous, les *hinjras*, de nous présenter devant la porte du mauvais payeur. Nous chantons des chansons paillardes et faisons un tel barouf que, généralement, le débiteur finit par payer.

— Ça doit être amusant ! Tu es donc heureux ?

— Le problème n'est pas d'être heureux, Jiba, rétorqua Dolly d'un air sombre, mais d'être libre. Assez parlé de moi. Raconte-moi, qu'est-ce qui t'amène dans l'Uttar Pradesh ?

— Je me suis enfui de mon village. Je viens ici pour me marier.

— Super ! Voilà une nouvelle raison pour émigrer. Et tu as trouvé quelqu'un ?

— Non, fit Eketi en souriant timidement. Mais je cherche.

— As-tu décidé d'où tu vas loger ?

— Je ne peux pas rester chez toi ? Tu as plein de place.

— Je ne tiens pas un foyer d'accueil, répliqua sèchement Dolly. Si tu veux rester ici, tu devras me verser un loyer. Tu as de l'argent, au fait ?

— Oui, beaucoup.

Il sortit les billets de l'inspecteur Pandey.

Dolly les compta.

— Ça ne fait que quatre cents. On dira que c'est le loyer du mois.

Elle le regarda d'un œil torve et glissa les billets dans les mystérieux abysses de son chemisier.

— Tu auras aussi besoin d'argent pour manger. Je ne peux pas te nourrir gratis tous les jours.

— Que dois-je faire ?

— Trouver un boulot.

— Tu m'aideras ?

— Oui. Je connais un hôtel cinq étoiles en construction. Demain, je t'emmène sur le chantier.

— Dans ce cas, tu veux bien me faire visiter ta ville aujourd'hui ?

— Pas de problème. Viens, je vais te montrer les *ghats*, les marches de Kashi[1].

De jour, le Chowk avait une tout autre allure. Le quartier regorgeait de boutiques qui vendaient des saris, des livres et de l'argenterie, et de petits cafés où l'on trouvait des friandises et du *lassi*. Les rues grouillaient de monde. Les rickshaws disputaient l'espace aux vélos, et des vaches déambulaient à côté des voitures.

Eketi eut l'impression qu'on le dévisageait, lui, jusqu'à ce qu'il comprenne que c'était Dolly qu'on regardait. Les femmes reculaient d'horreur à sa vue. Les hommes grimaçaient et faisaient un détour pour l'éviter. Les enfants la huaient. Certains tapaient dans leurs mains. Indifférente aux moqueries, elle entraîna Eketi dans une petite ruelle qui débouchait sur une volée de marches en pierre descendant vers le Gange.

Le fleuve miroitait d'un éclat sombre, semblable à de l'argent fondu. De petites embarcations oscillaient à sa surface tels des canards barbotant dans l'eau. Les rives étaient envahies de pèlerins. Certains consultaient des astrologues installés sous des

---

1. Ancien nom de Bénarès.

parasols de palmes ; d'autres achetaient des souvenirs ; d'autres encore s'immergeaient dans le fleuve. Des prêtres tonsurés récitaient des mantras, des sadhus barbus célébraient le soleil, des lutteurs râblés et musculeux s'entraînaient. Les *ghats* s'étendaient à perte de vue tout le long de la berge. De fines volutes de fumée émanant de bûchers funéraires qui brûlaient au loin flottaient dans l'air brumeux.

— Le fleuve rassemble pèlerins et familles en deuil, dit Dolly. Notre ville est une célébration des vivants et des morts.

— Quelqu'un m'a dit qu'on venait ici pour mourir. Pourquoi ? demanda Eketi.

— Parce que, si on meurt à Kashi, il paraît qu'on va droit au ciel.

— Alors, quand tu mourras, tu iras au ciel, toi aussi ?

— Il n'y a pas qu'un seul ciel, Jiba.

Dolly le considéra avec bonhomie.

— Chacun a le sien. Nous, les eunuques, procédons à nos crémations en secret.

Le lendemain, 1er novembre, Eketi commença son premier vrai travail. Dolly l'emmena au bord d'une sorte de cratère géant, avec ce qui ressemblait aux boyaux répugnants de quelque énorme bête, traversés par une file de femmes, portant de lourds fardeaux sur la tête tandis que les hommes sculptaient ses entrailles à coups de pioche. Partout se dressaient des échafaudages en bois pareils à de gigantesques balançoires, et des grues monstrueuses tendaient vers le ciel leurs cous interminables. L'air empestait la sueur et résonnait du bruit du métal frappant le métal.

Dolly connaissait le chef de chantier, un dénommé Babban, qui semblait froncer les sourcils en permanence. Il jeta un œil sur les muscles saillants d'Eketi et l'embaucha sur-le-champ. L'aborigène reçut une pelle et fut affecté à un groupe d'ouvriers qui creusaient une tranchée.

La tâche se révéla ardue. La pelle glissait des mains à cause de la transpiration, et la poussière jaune s'insinuait dans ses yeux. L'excavation était une véritable fournaise, et les mottes de terre molle brûlaient ses pieds nus comme des braises.

À deux heures de l'après-midi, la sirène retentit, annonçant la pause déjeuner. Eketi poussa un soupir de soulagement. Le repas se composait de riz compact et de légumes cuits à l'eau, mais le bref répit à l'ombre le rendit presque savoureux.

Assis en groupe, les travailleurs mangeaient en silence.

— Qui est le propriétaire de cet hôtel ? demanda Eketi à un homme décharné, aux épaules voûtées, accroupi à côté de lui.

Son prénom était Suraj. Ses habits, poussiéreux et en loques, sentaient la sueur rancie.

— Qu'est-ce que j'en sais ? Un millionnaire quelconque. Quelle importance, hein ? Ce n'est pas nous qui allons y vivre.

Il scruta Eketi.

— Toi, tu n'es pas d'ici. Tu as déjà travaillé sur un chantier ?

— C'est la première fois, répondit Eketi.

— Il me semblait bien. Ne t'inquiète pas. Ça fait trois ans que je bosse dans le bâtiment, et des erreurs, j'en commets toujours. Mais fais attention à toi, ou tu finiras comme moi, le dos cassé. Et ne respire pas la poussière. Ça va te boucher les pores de la peau. Il m'arrive même d'en chier quelquefois. Regarde mes mains et mes pieds, dans quel état ils sont.

Suraj leva les paumes aussi calleuses et rugueuses que de la noix de coco. Il avait des ampoules aux pieds, les plantes striées de sang séché.

— Pourquoi tu fais ça, alors ? interrogea Eketi.

— J'ai cinq bouches à nourrir. J'ai besoin d'argent.

— Et combien on te paie ici ?

— À peine de quoi survivre.

La sirène retentit à nouveau, et les ouvriers se levèrent à contrecœur. Ils travaillèrent tout l'après-midi, à transporter des briques, charger la terre, casser les pierres, gâcher du mortier, creuser, combler, construire l'hôtel à mains nues.

Quand, à six heures du soir, le chef de chantier annonça la fin de la journée de travail, les hommes vaincus hissèrent leurs pelles et pioches sur l'épaule, les femmes courbées ramassèrent leurs paniers et leurs bébés et firent la queue devant l'entrepreneur.

Eketi aussi toucha son salaire, cinq billets craquants de dix roupies, et reprit le chemin de la maison de Dolly.

Comme il passait devant un centre commercial huppé, son regard tomba sur une affiche placardée sur une vitrine. On y voyait une île magnifique aux arbres luxuriants bordant un océan turquoise. Il resta à la contempler pendant quelques minutes avant de pousser la porte de la boutique. Une jeune femme se faisait les ongles, assise derrière un comptoir. Dans son dos, une grande mappemonde était affichée sur le mur, et à côté d'elle s'élevait une pile de brochures. Elle regarda les habits poussiéreux du visiteur et son visage crasseux avec un dégoût visible.

— Oui. C'est pour quoi ? l'apostropha-t-elle.

— Je veux aller dans l'île qui est sur l'affiche, dans la vitrine.

— Ce sont les Andamans, lâcha-t-elle, dédaigneuse.

— Je sais. Combien ça coûte d'y aller par bateau ?

Elle souffla sur ses ongles et prit une brochure ornée de la même photo.

— Nous avons un voyage organisé de cinq jours. La formule la moins chère est de neuf mille roupies au départ de Calcutta. Maintenant, allez-vous-en, ne me faites pas perdre mon temps.

— Je peux en prendre une ?

Il indiqua la brochure. La fille la lui donna rapidement et le mit à la porte.

— Alors, cette journée de travail ? s'enquit Dolly à son retour.

— Je n'ai pas quitté mon village pour ça, répondit Eketi en se massant le dos.

Il sortit les cinquante roupies de sa poche et les remit à Dolly.

— Tu veux bien me les ranger en lieu sûr ?

— Pas de problème.

— Peux-tu me dire combien de jours je devrai travailler pour gagner neuf mille roupies ?

Fronçant les sourcils, Dolly fit un rapide calcul.

— Cent quatre-vingts jours. Disons six mois. Pourquoi ?

— J'aimerais aller dans cette île, dit-il en brandissant la brochure comme un trophée de chasse.

La promesse alléchante contenue sur cette page de papier glacé lui faisait oublier son mal de dos et ses crampes aux mollets. Après le dîner, il s'allongea par terre, les yeux fixés sur la photo de l'île : il sentait le vent murmurer dans la cime des palmiers, entendait le chant des cigales dans la jungle verdoyante, savourait le goût de la viande de tortue sur sa langue.

Le lendemain, il retourna sur le chantier pour reprendre le travail. Bientôt, ses mains trouvèrent leur rythme, si bien qu'à la fin de la semaine il n'avait plus besoin de regarder ce qu'il était en train de creuser. Mais, même si la tâche lui était devenue plus facile, Eketi la détestait et se détestait pour ce qu'il faisait.

Son univers se résumait maintenant à la maison de l'eunuque et au chantier de l'hôtel. Il n'avait ni le temps d'explorer la ville ni l'envie de mieux connaître les autres habitants de la colonie de Dolly. Il remit à plus tard son projet de se trouver une femme. Dimanche et lundi, Diwali et nouvel an, tout cela signifiait la même chose : cinq billets de dix roupies, qu'il confiait méticuleusement aux bons soins de Dolly.

Deux mois et demi passèrent. À mesure que l'hôtel surgissait de terre, l'espoir d'Eketi grandissait.

— Combien d'argent ai-je de côté, à ton avis, Dolly ? demanda-t-il un soir.

— Trois mille tout rond, répondit-elle.

— Ça veut dire qu'il m'en faut six mille de plus pour mon voyage, fit-il, la surprenant à la fois par la nostalgie de sa voix et par ses connaissances nouvellement acquises en mathématiques.

Dolly le regarda bizarrement, mais ne dit rien. Cette nuit-là, cependant, elle ajouta discrètement mille roupies de ses propres économies à la cagnotte qu'il lui avait confiée.

Deux jours plus tard, Eketi versait des pierres dans un concasseur quand retentit un bruit d'explosion. Un immense nuage de poussière s'éleva dans un coin du cratère. Se précipitant, il vit qu'une partie de l'échafaudage de bambou s'était effondrée d'une hauteur considérable. Un ouvrier gisait face contre terre, couvert de poussière, les membres disloqués. Un autre ouvrier le retourna, et Eketi poussa un cri de détresse. C'était Suraj.

Cette mort arrêta les travaux pendant quarante-huit heures. Du coup, Dolly demanda à Eketi de l'accompagner dans une mission pour le compte des « gens de la banque ». Avec quatre autres eunuques, ils se rendirent sur un marché populeux, à Bhelupura. Dolly indiqua l'enseigne d'un magasin de matériel électrique.

— Notre cible est le propriétaire de ce magasin, Rajneesh Gupta, expliqua-t-elle à Eketi. J'ai besoin de toi pour l'attirer dehors. Nous ferons le reste.

Eketi entra et dit au petit homme d'allure terne que quelqu'un, dehors, désirait le voir. Légèrement intrigué, Rajneesh Gupta sortit du magasin. Aussitôt, les *hinjras* se ruèrent sur lui. Les comparses de Dolly l'encerclèrent et entreprirent de se moquer de lui, chantant, dansant et frappant dans leurs mains à l'unisson. À l'intérieur du cercle, Dolly caressait la joue de Gupta, le chatouillait sous les bras et l'abreuvait de malédictions :

— Puissent tes enfants échouer, ton entreprise faire faillite, que ton corps soit infesté de vermine et que tu meures comme un chien.

Les autres commerçants sortirent pour profiter du spectacle. Au milieu des rires et des huées, Eketi fut surpris de constater qu'ils ne raillaient pas les eunuques, mais l'infortuné Gupta.

— Rembourse ton prêt d'ici dix jours, ou nous reviendrons.

Dolly pointa le doigt vers le propriétaire du magasin, avant de rejeter sa natte en arrière d'un geste impérieux et de rappeler ses troupes.

Eketi ne put s'empêcher de plaindre M. Gupta, qui, seul et cramoisi au milieu de la rue, s'efforçait de retenir ses larmes.

Le lendemain, le travail reprit à l'intérieur du cratère, mais ce n'était plus pareil. Le fantôme de Suraj hantait le chantier ; la journée sembla plus longue à Eketi, la nourriture plus insipide et la pelle plus lourde. Il n'avait jamais eu le cœur à trimer ainsi ; à présent, même ses mains commençaient à se rebeller.

Lorsqu'il rentra le soir, il trouva la maison sens dessus dessous. Les placards avaient été saccagés, du sang maculait le sol et il n'y avait aucun signe de Dolly. Ce fut une Rekha en larmes qui le mit au courant. Apparemment, Rajneesh Gupta était venu à la colonie dans l'après-midi avec trois hommes de main armés de crosses de hockey. Ils avaient fait irruption chez Dolly et l'avaient battue comme plâtre. L'eunuque avait perdu beaucoup de sang, il avait fallu lui faire trente points de suture.

— Elle est maintenant à l'hôpital de Kabir Chaura, entre la vie et la mort.

— Non ! Non ! cria l'Onge en se ruant aveuglément dehors.

Il venait d'arriver au portail de l'hôpital quand un groupe d'eunuques en sortit en trombe. Quatre d'entre eux brandissaient une civière en bambou sur laquelle gisait un corps enveloppé d'un linceul blanc. Trois autres les suivaient en psalmodiant :

— *Ram nam satya hai*[1].

Il n'eut pas besoin de voir le cadavre pour savoir qu'il s'agissait de Dolly, en partance pour son ultime voyage. Le chant funèbre résonnait à ses oreilles avec la clarté lancinante de coups de marteau sur du métal. L'air déserta ses poumons, comme si on l'avait frappé à l'estomac. Telle une marionnette aux fils coupés, il s'affaissa sur le sol.

Hébété, il rentra de l'hôpital et regagna d'un pas lourd la maison de Dolly. Allant droit vers le placard dévasté, il le fouilla désespérément à la recherche de ses économies. Tout avait disparu, jusqu'à la dernière roupie. Il resta un moment dans la pièce à contempler le sang séché sur le plancher en imaginant la barbarie de la scène. Puis, d'un geste brusque, il ramassa son sac en toile et quitta la colonie.

En traversant le Chowk, il entendit des chants et des tintements de cloches. Il regarda le ciel obscurci. Le soleil était couché, et le *Ganga Aarti*, la prière du soir, venait de débuter sur Dasashwamedh Ghat. Mais, aujourd'hui, il ne se sentait pas de descendre au bord du fleuve. Dolly était partie au paradis des eunuques. Cette ville en avait fini avec elle. Et lui en avait fini avec cette ville.

Dans les faubourgs de Bénarès, à côté de l'autoroute, il croisa un camion en panne. Il était chargé de pèlerins qui se rendaient dans un lieu nommé Magh Mela. Le chauffeur, un sikh enturbanné, à la longue barbe noire, essayait de rafistoler le pneu crevé. Eketi le supplia de le prendre à bord, et le sikh céda.

Juste avant le lever du soleil, le 22 janvier, le camion déchargea sa cargaison humaine sur un pont en béton enjambant le Gange, et une fois de plus Eketi se retrouva dans une ville inconnue.

---

1. « Le nom de Ram est vérité » : formule d'usage dans les crémations.

L'aube se levait sans hâte sur la ville sainte de Prayag. L'air était froid et vivifiant. Les vagues caressaient doucement le rivage sablonneux. Les rayons écarlates du soleil naissant teintaient l'eau de toutes les nuances de l'arc-en-ciel. Des barques en bois se balançaient indolemment non loin de la berge. Une brume grisâtre aux relents de fumée enveloppait le paysage. Des nuées d'oiseaux s'élevaient dans le ciel rougeoyant, qu'ils constellaient de minuscules points noirs. Une mer de drapeaux multicolores et de fanions safran ondulait sous le vent. Plus loin, le pont de Naini vibra de toute sa carcasse métallique au passage d'un train express. Le fort Rouge d'Akbar dominait le village provisoire de tentes et de cahutes improvisées.

Ceci, apprit Eketi, était le Magh Mela, la fête des bains rituels qui avait lieu tous les ans. Pendant qu'il se tenait sur la berge apparut un cortège de danseurs et de musiciens, précédé d'un messager qui portait un turban accroché à une hampe. Dans une cacophonie de gongs et de roulements de tambour, de trompettes et de conques, les musiciens annoncèrent l'arrivée des sadhus nagas. Une clameur assourdissante accueillit les moines enduits de cendre, vêtus en tout et pour tout de guirlandes de soucis, qui se jetèrent à l'eau en brandissant épées et tridents métalliques aux cris de :

— Gloire à Mahadev !

Les fidèles s'écartèrent, effrayés, ou s'inclinèrent avec déférence devant les nagas nus. Pétrifié, Eketi regarda les sadhus s'asperger et faire la roue sur le sable, fasciné par leurs longs cheveux emmêlés, leurs yeux rouges terrifiants, et, par-dessus tout, leur total mépris des vêtements.

Les nagas furent suivis par les chefs spirituels des différentes sectes, des saints hommes drapés de safran, qui recouraient à toutes sortes de moyens de locomotion. L'un arriva sur un tracteur poussif, pendant qu'un autre était assis sur un trône en argent placé sur une remorque. Certains se faisaient transporter sur des peaux de léopard dans des palanquins ornés de pierres précieuses, d'autres, sous des ombrelles en soie, étaient assis dans des chariots dorés tirés par des centaines de disciples qui chantaient des louanges et psalmodiaient des *bhajans*.

Tous ces groupes convergeaient vers le *sangam*, le point de rencontre entre le nord et l'ouest, où les eaux jaune brunâtre du Gange se mêlaient aux flots noir bleuté de la Yamuna. L'eau peu profonde grouillait de fidèles grelottants. Des hommes diversement dévêtus, arborant une large gamme de dessous, des dames qui s'efforçaient de préserver leur pudeur, tout en joignant les mains en un geste de prière, des petits garçons pataugeant dans l'eau boueuse. Des fleurs orange de souci flottaient à la surface, côtoyant des emballages vides Tetra Pak et des déchets de plastique transparent. Des chants à la gloire du seigneur Shiva et du fleuve sacré résonnaient dans l'air.

À son tour, Eketi se trempa dans l'eau froide puis flâna le long de la berge, savourant les *puris* et les *jalebis* gracieusement distribués par des fidèles aisés et paressant au soleil. La chaleur commençant à se faire sentir, il décida d'explorer le site du Mela et pénétra dans un bazar improvisé qui empestait l'encens et les épices. Ici, les femmes essayaient des milliers de bracelets multicolores et achetaient des tonnes de poudre vermillon, pendant que les petits enfants assiégeaient les magasins de jouets, suppliant leur père de leur acheter des pistolets en plastique et des animaux en verre miniatures. Des astrologues ambulants proposaient aux passants des talismans pour tout et n'importe quoi. Les marchands de livres vendaient à tout-va des brochures religieuses bon marché et des affiches tapageuses étalées par terre, où les dieux anciens – Krishna, Lakshmi, Shiva et Durga – rivalisaient avec les nouveaux : Sachin Tendulkar, Salim Ilyasi, Shabnam Saxena et Shilpa Shetty. Un vendeur de flûtes jouait en boucle un air monotone ; un camelot infatigable tentait de convaincre les ménagères d'essayer sa râpe en aluminium sept-en-un, et un colporteur à la langue bien pendue vantait les mérites de l'huile de serpent pour lutter contre l'impuissance.

La fête foraine comptait plusieurs grandes tentes, avec des attractions pour toute la famille. Des rires fusaient du Palais des glaces, avec ses miroirs déformants, et des cris de frayeur de la Foire aux monstres, qui exhibait un homme sans estomac et une femme greffée sur un corps de serpent. Il y avait même une roue géante, un studio photo et un spectacle de magie. Mais la plus grande file d'attente était pour une tente à l'enseigne de *Rangeela Disco Dhamaka*. Les hommes lorgnaient le panneau publicitaire de trois mètres au-dessus de l'entrée, sur lequel se découpaient deux filles en soutien-gorge surdimensionné et culotte sexy dans des poses suggestives, baignées dans une musique tonitruante provenant de l'intérieur.

Le vendeur de billets, assis dans une guérite, adressa un regard entendu à Eketi.

— Vous voulez jeter un œil ? Vingt roupies seulement.

— Non, répondit Eketi en riant. À quoi bon gaspiller de l'argent juste pour voir des seins ?

Il manifesta beaucoup plus d'intérêt pour le stand de tir à l'arc, où les clients essayaient de gagner des ours en peluche en tentant d'atteindre des ballons épinglés à un panneau carré. Après avoir observé plusieurs tentatives infructueuses, il s'avança vers le propriétaire du stand et lui tendit un des cinq billets de dix roupies qui lui restaient. Un groupe de petits enfants se massa autour de lui pour l'encourager. Il visa, et les muscles de son corps se raidirent. Les souvenirs de sa dernière chasse au cochon sur l'île affluèrent, et avec eux des relents d'excitation. Il libéra la flèche, qui alla frapper le ballon, en plein centre du panneau. Les enfants piaillèrent et sautillèrent ; le propriétaire se sépara d'un ours en grimaçant. Eketi remit le jouet à une petite fille et prit une autre flèche. Quand il quitta le stand, les enfants disposaient de vingt nounours, et le propriétaire, au bord des larmes, se préparait à plier bagage.

Ragaillardi par ce succès, Eketi traversa d'un pas leste une route gravillonnée et se retrouva dans une tout autre atmosphère, imprégnée de mantras et de tintements de cloches. C'était le quartier des *akharas*, siège temporaire de différentes sectes spirituelles dont les chefs se disputaient ouvertement l'attention du public à coups de sono à usage industriel.

Ce fut là qu'il rencontra de nouveau les nagas. Réunis dans une cour, les sadhus nus fumaient des *chillums*, assis sur des grabats, ou se livraient à des exercices physiques. Le centre de la cour était occupé par un tas de cendre dont ils s'enduisaient le corps. Au bout d'un moment, les sadhus se retirèrent sous une grande tente blanche, et Eketi s'aventura dans la cour. Il ôta ses habits, les fourra dans son sac en toile et plongea dans le tas de cendre comme si c'était une citerne d'eau. Tel un buffle se vautrant dans la boue, il se roula dans la cendre, se barbouilla de gris le visage, le corps et même les cheveux, savourant le plaisir d'être enfin nu.

Au moment où il s'apprêtait à partir, un sadhu naga émergea de la tente. L'aborigène s'accroupit par terre, dans la posture de l'animal traqué, mais le sadhu lui sourit, le regard vague, et lui offrit un *chillum*. Eketi lui rendit son sourire et aspira une profonde bouffée. Il avait beau être accro au *zarda* – le tabac à chiquer –, l'excitation grisante de la marijuana le prit totalement au dépourvu. Il se sentit inexplicablement étourdi, comme si plusieurs petites fenêtres s'étaient ouvertes dans son cerveau, avivant les couleurs et aiguisant les sons. Il vacilla et se raccrocha au sadhu, qui lui sourit et cria :

— *Alakh Niranjan !* Gloire à Celui qui ne peut être vu ni souillé !

En cet instant, Eketi devint un naga à part entière. Leur famille ne connaissait pas les différences. La cendre effaçait toutes les distinctions, réduisait tout le monde à une nuance uniforme de gris, et leur transe psychédélique ne souffrait aucune discrimination de classe ou de caste.

Ravi de n'être plus obligé de se vêtir, Eketi écumait le village comme un électron libre, libre de se peindre le corps. La vie de sadhu naga présentait d'autres avantages aussi. Les fidèles lui faisaient l'aumône, les restaurateurs le nourrissaient et les gardiens du temple d'Hanuman ne lui interdisaient jamais de passer la nuit sur la galerie couverte. En l'espace d'une semaine, il apprit à dire *Alakh niranjan* et à distribuer des bénédictions aux fidèles, à porter un trident et à danser autour du feu sacré avec les autres nagas.

Mais, surtout, il aimait fumer le *chillum*. La ganja lui faisait oublier la douleur, Dolly, Ashok et Mike. Il ne pensait plus à ce qu'il ferait après, à sa destination suivante, et se contentait de vivre l'instant présent.

Un mois s'écoula de la sorte. *Maghi Purnima* arriva, le jour de la pleine lune du mois de Magh, le jour du dernier des grands bains avant Mahashivratri et la fin du Magh Mela. Assis sur la berge, Eketi observait la file ininterrompue de pèlerins venus se tremper dans le *sangam* lorsque la terre trembla et qu'une énorme explosion secoua les environs comme un coup de tonnerre. La violence de la déflagration fut telle qu'il tomba à la renverse. Une fumée noire s'éleva autour de lui, montant comme un tourbillon vers le ciel. Puis des cris retentirent. Quand il se releva, il y avait des blessés partout, en sang et gémissants. Un jeune garçon avait eu une jambe arrachée, il vit un torse décapité. Le sable était jonché de débris de verre, de vêtements ensanglantés, de mules, de bracelets, de ceintures. Un kiosque à thé en tôle ondulée avait été réduit en une masse informe de métal calciné. Hommes et femmes, le visage en sang, couraient, hagards, dans tous les sens, appelant désespérément leurs proches. Des incendies faisaient rage ici et là.

La fulgurance de l'attaque – tout s'était passé en une fraction de seconde – désorientait Eketi. Sa brutalité le laissait abasourdi. Le Mela avait sombré dans le chaos. Sur la berge, c'était la débandade : les pèlerins se bousculaient, se piétinaient dans leur hâte de fuir. Partout résonnaient les sirènes de la police. Enfilant rapidement son tee-shirt rouge et son short kaki, Eketi suivit la foule qui se ruait vers la sortie. Une fois en sécurité sur la grand-route, il avisa un rickshaw arrêté sur le bas-côté.

— C'est par où la gare, mon frère ?

La gare d'Allahabad ne portait aucune trace du carnage qui avait eu lieu dans une autre partie de la ville. Les trains arrivaient et partaient. Les passagers montaient et descendaient. Les porteurs s'affairaient. C'était l'animation habituelle.

Adossé à un distributeur d'eau fraîche, Eketi se demandait quelle destination choisir. Il n'avait pas d'argent et ne connaissait pas les villes indiennes. Son regard tomba alors sur un homme mince, rasé de près, aux cheveux noirs et courts, assis sur un banc, une cigarette à la bouche et une valise grise entre les jambes. Il sursauta en reconnaissant Ashok Rajput.

Eketi aurait pu tourner les talons et s'éloigner, au lieu de quoi il s'approcha du fonctionnaire et joignit les mains.

— Bonjour, Ashok sahib.

À sa vue, Ashok manqua de s'étrangler.

— Toi !

— Eketi a eu tort de vous quitter, dit l'aborigène, contrit. Pourriez-vous me ramener dans mon île ? Je ne veux pas rester ici un jour de plus.

Le trouble d'Ashok céda vite le pas à son arrogance coutumière. Il jeta sa cigarette.

— Espèce de sale porc noir, j'ai passé quatre mois à te chercher partout. Tu t'imagines que tu peux te pointer comme ça et me demander de te rapatrier ? Tu me prends pour une agence de voyages, ou quoi ?

L'Onge s'agenouilla.

— Eketi implore votre pardon. Je ferai tout ce que vous voudrez, maintenant. Simplement, ramenez-moi à Gaubolambe.

— Jure d'abord que tu obéiras à tous mes ordres.

— Eketi jure sur le sang de l'esprit.

Ashok se radoucit.

— Parfait. À cette condition, je te ramènerai à Petite Andaman. Mais pas tout de suite. J'ai encore des choses à faire ici. Entretemps, tu travailleras pour moi comme domestique. Suis-je clair ?

L'Onge hocha la tête.

— Que faisais-tu à Allahabad ? demanda Ashok.

— Rien. J'étais juste de passage.

— Tu es allé au Magh Mela ?

— Oui. J'en viens à l'instant.

— Tu as de la chance d'être en vie. Il y a eu un attentat terroriste, un gros. Une trentaine de morts, paraît-il.

— Vous y étiez aussi ?

— Oui. Je me préoccupe plus de ta tribu que toi. J'étais venu au Magh Mela pour chercher la pierre sacrée.

— Et vous l'avez trouvée ?

— Non, dit Ashok à regret. Quelqu'un l'a volée dans la tente de Swami Haridas, profitant de la confusion qui a suivi l'attentat.

— Elle a disparu à jamais, alors ?

— Je ne sais pas. J'espère qu'elle refera surface quand le voleur essaiera de la revendre.

— Où allez-vous, maintenant ?

— Chez moi, à Jaisalmer. Et tu viens avec moi.

Leur train arriva à Jaisalmer le lendemain matin. La gare ressemblait à une criée : taxis et rickshaws scandaient les noms de leurs hôtels ; des rabatteurs brandissaient des drapeaux publicitaires pour des pensions de famille, et une meute de commissionnaires accostaient les passagers, proposant des safaris à dos de chameau à prix réduit et des transports gratuits en jeep, pendant que les policiers les repoussaient avec leurs matraques.

Ashok cilla sous le soleil brûlant et s'épongea le front avec un mouchoir. Même en cette fin février, la chaleur était sèche.

Le fonctionnaire semblait connaître tout le monde à Jaisalmer.

— *Pao lagu*[1], Shekhawatji, dit-il au chef de gare. *Khamma ghani*[2], Jaggu, ajouta-t-il en saluant le patron de la cafétéria, qui le serra dans ses bras et lui offrit un rafraîchissement.

Ashok pointa le doigt vers Eketi.

— Ceci est ma ville. La moindre entourloupe de ta part, et je le saurai tout de suite. Compris ?

L'aborigène hocha la tête.

— Une fois qu'Eketi a juré sur le sang de l'esprit, il doit tenir sa promesse. Un Onge qui rompt sa promesse s'attire les foudres de l'*onkobowkwe*. Il meurt et devient un *eeka*, condamné à vivre sous terre.

— Je suis sûr que tu ne voudras pas un sort aussi terrible, observa Ashok.

Ils montèrent dans un auto-rickshaw délabré, qui s'engagea en pétaradant dans les ruelles étroites de la ville.

Eketi vit des maisons éparses, des vaches assises au bord de la route et une femme qui marchait, un broc d'eau sur la tête. Soudain il cria :

— Arrêtez-vous !

— Que se passe-t-il ? demanda Ashok, agacé par cette halte intempestive.

— Regardez ! glapit Eketi en désignant la route.

Trois chameaux se dirigeaient vers eux en se dandinant.

— Tu n'en as encore jamais vu, mais ce sont des bêtes parfaitement inoffensives.

Il rit et dit au chauffeur de continuer.

Quelques minutes plus tard, ils se retrouvèrent au milieu d'un marché en plein air. Des femmes rajasthanis, la tête drapée d'un *odhni* rouge-orange éclatant, les bras chargés de joncs, se pressaient autour de marchands de vêtements et d'étals de fruits. Les

---

1. « Je touche tes pieds » (formule de respect pour les anciens).
2. Formule de salutation au Rajasthan, l'équivalent du *namaste*.

hommes arboraient des turbans colorés et d'imposantes moustaches en guidon de vélo.

Tout à coup, à travers la brume de chaleur et de poussière, un magnifique fort de grès jaune se dressa au loin, tel un mirage ondoyant. Avec ses remparts majestueux, les tours du temple délicatement sculptées et des myriades de bastions baignés d'une lumière de miel, la citadelle semblait sortir tout droit de quelque conte moyenâgeux.

Eketi se frotta les yeux pour s'assurer qu'il ne rêvait pas.

— Qu'est-ce que c'est ? demanda-t-il, impressionné, à Ashok.

— Le fort de Jaisalmer. Et nous allons le traverser.

L'auto-rickshaw peina en grimpant Trikuta Hill, la colline au sommet de laquelle il s'élevait. De plus près, Eketi s'aperçut que les bastions étaient en fait des tours cernées de hautes tourelles et reliées par d'épaisses murailles.

Ils entrèrent dans les remparts par un portail monumental donnant sur une cour pavée d'où partait un dédale de ruelles. La cour était remplie de kiosques vendant des courtepointes colorées, des bibelots en pierre et des marionnettes. Un musicien enturbanné jouait du *sarangi*, tandis que son compagnon, vêtu à l'identique, actionnait une *manjira*[1], pour la plus grande joie des touristes étrangers qui fourmillaient tout autour en prenant des photos.

Au fur et à mesure que l'auto-rickshaw s'enfonçait à l'intérieur de l'enceinte, le fort devenait une ville dans la ville, composée de demeures magnifiques. Si bon nombre de ces anciens *havelis* étaient défigurés par des drapeaux, des panneaux publicitaires et des fils électriques, la finesse des ornements sculptés sur leurs façades treillissées était de la poésie ancrée dans la pierre. Les passages secrets, sinueux, débordaient d'activité. On trouvait de tout dans leurs petites échoppes, depuis le savon jusqu'aux clous. Des marchands de fruits trônaient devant des montagnes de pommes et d'oranges. Des tailleurs barbus pédalaient sur leurs machines à coudre, accompagnés de bêlements de chèvre. La musique assourdissante des restaurants se mêlait aux chants des temples jaïns les plus proches. Des enfants faisaient

---

1. Paire de petites cymbales.

planer des cerfs-volants depuis les toits délabrés, et des vaches ruminaient paresseusement au beau milieu de la chaussée.

Alors qu'ils longeaient une rangée de maisons en torchis aux murs peints, Ashok indiqua au chauffeur la direction d'une demeure ancestrale, un grand *haveli* décrépit à un étage, doté de fenêtres treillissées et d'un portail en bois sculpté hérissé de pointes de fer. Celui-ci étant ouvert, ils entrèrent dans la cour.

Un garçon dégingandé d'environ treize ans, en *kurta* blanc, descendit de la véranda.

— *Chachu !* s'écria-t-il, étonné et ravi, se précipitant vers Ashok, qui le serra dans ses bras avec une tendresse surprenante.

— Comme tu as grandi, Rahul !

— Ça fait cinq ans que tu ne m'as pas vu, tonton, répondit le garçon.

— *Bhabhisa* est là ? demanda Ashok.

— Oui. Elle est dans la cuisine. Je vais l'appeler.

— Non, je veux lui faire la surprise, à elle aussi.

— C'est qui, lui ?

Le garçon désignait Eketi.

— Un domestique que j'ai ramené de l'île. Il travaillera pour nous, à présent.

— Excellent ! Lalit, notre dernier domestique, s'est enfui la semaine dernière. Mais comment se fait-il qu'il soit aussi noir ?

— Tu n'as pas vu les photos que je t'ai envoyées ? Aux Andamans, toutes les tribus sont noires. Mais il fera un bon travailleur. Si tu lui montrais le quartier des serviteurs ?

Ashok se dirigea vers la véranda. Le garçon scruta Eketi d'un air soupçonneux.

— Tu es un cannibale ?

— C'est quoi, un cannibale ? demanda Eketi.

— Ce sont des hommes qui mangent d'autres hommes. Tonton dit qu'il y a plein de tribus cannibales aux îles Andamans.

— Seuls les Jarawa sont comme ça. Mais moi, je n'en ai jamais rencontré.

— Sinon tu ne serais pas là, dit le garçon en riant. Je m'appelle Rahul. Allez, viens avec moi.

Il entraîna Eketi dans une allée latérale qui longeait la maison. Ils croisèrent un adolescent en short et tricot de corps, avec un gros berger allemand qui se mit à grogner.

— Eh, Rahul, c'est qui, ce moricaud ? cria-t-il en resserrant la laisse.

— Notre nouveau domestique.

— Où l'as-tu déniché ? En Afrique ?

Rahul ne répondit pas.

— *Jungli ! Habshi !* persifla le garçon au moment où Eketi passait devant lui.

Le chien tira sur la laisse.

— Ne fais pas attention à Bittu, il se moque toujours des autres, dit Rahul sur un ton d'excuse.

Les domestiques logeaient à l'arrière du bâtiment, dans deux pièces sombres et délabrées aux lits étroits, aux couvertures rugueuses, séparées par des toilettes communes. Le *haveli* était perché près du bord de l'un des quatre-vingt-dix-neuf bastions du fort, et juste derrière le quartier des domestiques, une vache était attachée à un parapet en grès. L'animal se dorait au soleil en ruminant et agitait de temps en temps la queue pour chasser les mouches. Se penchant par-dessus le parapet, Eketi aperçut le mur d'enceinte et, au-dessous, une pente abrupte. Au loin, la ville de Jaisalmer s'étendait, telle une tapisserie brun et gris. Vue d'en haut, la profusion désordonnée de maisons carrées aux toits plats évoquait des boîtes d'allumettes. À l'horizon, on distinguait les dunes du désert de Thar, semblables à des vagues figées. Il huma l'air, surpris de ne sentir aucune trace d'eau du côté de cette mer de sable.

Soudain il entendit un aboiement. Se retournant, il vit le berger allemand foncer sur lui, tous crocs dehors.

— Bittu ! Qu'est-ce que tu fabriques ? hurla Rahul.

Mais l'aborigène ne manifesta aucune peur. Doucement, il posa la main sur le molosse, qui se calma aussitôt et se mit à lui lécher les doigts en gémissant de plaisir.

— Comment as-tu fait ça ? demanda Rahul, épaté.

— Les animaux sont nos amis, dit Eketi. C'est plutôt les *inene* qui sont à craindre.

— C'est quoi, les *inene* ?

— Des gens comme ton ami.

Il pointa le menton en direction de Bittu.

Un rugissement déchira l'air, faisant trembler le sol. Levant les yeux, Eketi eut le temps d'entrevoir deux avions à réaction qui virèrent à gauche et disparurent dans les nuages.

— Des aéroplanes ! s'exclama-t-il, excité.

— Pas des aéroplanes, des avions de chasse, le reprit Rahul gentiment. On a une grande base aérienne, ici, à Jaisalmer. Tous les jours on voit passer des MIG-21. Il y en a même qui transportent des bombes.

— J'ai vu une bombe à Allahabad, dit Eketi. Elle a tué trente personnes.

— Seulement trente ? fit Rahul, dédaigneux. Ces avions ont des bombes qui peuvent tuer plus d'un millier de personnes d'un seul coup.

Un nouvel appareil passa dans un bruit de tonnerre.

— Il ne va pas lâcher une bombe sur nous ? s'enquit Eketi, alarmé.

— Mais non, fit Rahul en riant. Viens, ma mère doit t'attendre.

Le salon du *haveli* était une petite pièce rectangulaire surchargée de meubles anciens : canapés sculptés et décorés, fauteuils capitonnés et tabourets bas. Les tapis qui recouvraient le plancher dégageaient une odeur de moisi. Une vieille peau de tigre était accrochée au-dessus de la cheminée. Tout y était : la tête aux yeux de verre, la langue artificielle et les crocs dans la gueule entrouverte. Les murs étaient tapissés de photos d'un homme athlétique au menton volontaire et à l'épaisse moustache en croc. La pièce lui était dédiée. Il y figurait dans toutes les poses possibles, le plus souvent armé d'un long fusil.

— Qui est cet homme ? demanda Eketi.

— Mon père, annonça Rahul fièrement. L'homme le plus courageux du monde. Tu vois cette peau de tigre, au mur ? Ce tigre, il l'a tué à mains nues.

— Moi, une fois, j'ai tué un cochon à mains nues. Où est ton père, maintenant ?

— Au ciel.

— Oh ! Comment est-il mort ?

Avant que Rahul n'ait le temps de répondre, sa mère fit son entrée, Ashok sur ses talons. Gulabo était une belle femme d'une trentaine d'années au visage ovale, au nez aquilin, aux yeux sombres surmontés de fins sourcils et aux lèvres minces. Le pli de sa bouche trahissait une raideur hautaine, mais les profondeurs de ses yeux noirs dissimulaient un chagrin sans nom.

Elle portait un *kanchi*[1] blanc par-dessus une jupe rouge plissée. Sa tête était couverte d'un *odhni* orange, mais aucun bijou n'ornait son cou ni ses mains. Le soleil de fin d'après-midi filtrant à travers la fenêtre treillissée dessinait sur les murs en stuc des filigranes d'ombre et de lumière, soulignant les traits anguleux du visage sévère et inflexible de Gulabo. Cette femme, on ne la lui faisait pas.

Elle s'assit sur le canapé et examina l'aborigène de la tête aux pieds.

— *Tharo naam kain hain ?*

— Tu devrais parler en hindi, *Bhabhisa*, lui conseilla Ashok. Dis-lui ton nom, ordonna-t-il en faisant signe à Eketi.

— Je suis Jiba Korwa du Jharkhand, récita Eketi.

— Je croyais qu'il venait des Andamans ?

Gulabo arqua les sourcils.

— En effet, *Bhabhisa*, mais personne ne doit le savoir. C'est pour ça que je lui ai donné ce nom.

— Alors, qu'est-ce que tu sais faire ? demanda Gulabo à Eketi.

— Il fera tout ce que tu lui diras, *Bhabhisa*, intervint Ashok.

Mais elle l'arrêta net.

— Ce n'est pas à toi que je pose la question, *Devarsa*.

— Ce que vous me direz de faire, répondit Eketi.

Elle lui expliqua sa tâche par le menu, puis balaya d'un geste méprisant son short et son tee-shirt.

— Quel est cet accoutrement ridicule ? À partir de demain, tu porteras un habit correct avec un turban. Comme ça, au moins, tu ressembleras à un Rajasthani.

La nouvelle tenue d'Eketi se composait d'une chemise blanche boutonnée de haut en bas, d'un jodhpur et d'un turban tout fait, rouge à pois orange, qui épousait étroitement les contours de son crâne. Posté devant le miroir, il esquissa une grimace.

---

1. Long chemisier ample.

Tandis qu'il s'emparait du balai, son esprit vogua vers son île. Autrefois, il avait détesté les corvées ménagères que lui imposait le personnel du bureau d'aide sociale, mais l'expérience du chantier l'avait transformé. Ses mains de travailleur ne supportaient plus de rester oisives. Toute la journée il travaillait donc au *haveli*, balayant, lavant les assiettes, repassant, faisant les lits. Vers cinq heures de l'après-midi, ses tâches terminées, il s'installait au salon pour regarder la télévision avec Rahul. Le jeune garçon adorait les films gore, que l'aborigène trouvait répugnants. Dans les rares occasions où il avait la télé pour lui seul, il zappait – Doordarshan, HBO, Discovery, National Geographic – pour capter les images furtives de mondes lointains. Il découvrit les montagnes enneigées de Suisse et la faune sauvage d'Afrique, les gondoles de Venise et les pyramides d'Égypte, mais ne vit pas ce à quoi il aspirait de toute son âme : son île, dans l'archipel des Andamans.

La famille d'Ashok était végétarienne, et Gulabo excellente cuisinière. Ses plats étaient typiques du Rajasthan, piquants et relevés. Même si le poisson et la viande de porc manquaient à Eketi, il prit peu à peu goût à ce régime à base de *dhal*, *bati* et *churma*. Gulabo ajoutait de généreuses portions de beurre clarifié à ses *missi rotis* et n'oubliait jamais de donner à Eketi un verre de babeurre à chaque repas. Il était particulièrement friand de ses desserts.

La vie dans le *haveli* se déroulait selon un ordre immuable. Rahul passait la moitié de la journée à l'école. Ashok restait à l'intérieur, cloîtré avec Gulabo. Et, chaque soir, Eketi s'asseyait près des remparts, un bras sur le parapet, scrutant l'obscurité naissante, écoutant le vent qui soufflait sur les murailles crénelées du fort en attendant qu'Ashok le ramène chez lui.

Par une journée particulièrement belle de mars, pendant que Rahul était en classe et que rien ne troublait la torpeur somnolente de l'après-midi, il passait la serpillière devant la chambre de Gulabo. Ashok était avec elle, et il surprit des bribes de leur conversation.

— Cet aborigène est le meilleur domestique qu'on ait jamais eu. Je n'ai encore vu personne travailler aussi dur. Ne pouvons-nous pas le garder ?

— Cet abruti veut retourner dans son île.

— Mais je croyais que tu voulais quitter ton poste ?

— C'est exact. Je n'en ai plus besoin. Je vais gagner beaucoup d'argent.

— Comment ?

— C'est un secret.

— Parle-moi un peu de cet aborigène.

— Oublions-le. Parlons plutôt de nous. Tu sais que je t'aime, Gulabo.

— Je le sais.

— Alors pourquoi refuses-tu de m'épouser ?

— Prouve-moi d'abord que tu es un homme. Ton frère a tué à mains nues un tigre mangeur d'hommes. Et toi, qu'as-tu fait ?

— Mon amour ne te suffit pas ?

— Pour une femme Rajput, l'honneur compte plus que l'amour.

— Ne sois pas aussi cruelle.

— Ne sois pas aussi lâche.

— C'est ton dernier mot ?

— Oui, c'est mon dernier mot.

Ashok émergea un peu plus tard, la mine sombre. Il quitta la maison et revint tard dans la soirée.

— Tu vas bientôt retrouver ton île, dit-il à Eketi. Je viens juste de découvrir où est l'*ingetayi*.

— Où ?

— À Delhi, chez un industriel du nom de Vicky Rai. Fais tes bagages. On part demain.

Ils arrivèrent à la gare de New Delhi tôt le matin du 10 mars, Ashok avec sa valise, Eketi avec son sac de toile noire, et prirent un bus pour Mehrauli.

En chemin, Ashok commenta pour Eketi les monuments et hauts lieux se trouvant sur leur trajet. Mais New Delhi n'impressionna guère l'Onge. Ni la splendeur victorienne de Connaught Place, ni l'imposant édifice de la Porte de l'Inde, ni le majestueux complexe présidentiel au sommet de Raisina Hill n'éveillèrent sa curiosité. Aux yeux d'Eketi, la ville tentaculaire n'était qu'une jungle sans âme de verre et de béton avec la même circulation cacophonique que partout ailleurs. Il se languissait de son île.

Le bus les déposa devant le temple de Bhole Nath, à Mehrauli.

— Nous logeons ici, dit Ashok, grâce à M. Singhania, un richissime homme d'affaires qui siège au conseil d'administration du temple.

Eketi admira le site, et plus encore les appartements d'Ashok, normalement réservés aux saints hommes de passage au temple. Spacieuse et bien aménagée, la suite avait un sol en marbre et une salle de bains aux robinets plaqués or. Eketi lui-même n'avait pas droit à ce luxe. Il fut relégué dans une cabane vide, à côté du logement du balayeur. Une seule pièce, nue, sans même un lit.

Il posait son sac par terre quand un fumet alléchant filtra par la porte ouverte, lui faisant venir l'eau à la bouche. Dans le *kholi* voisin, on préparait le petit déjeuner.

Il sortit de sa hutte et se retrouva dans un jardin. Le temple se réveillait à peine, mais bon nombre de fidèles étaient déjà rassemblés dans le sanctuaire. Une fille était assise seule sur un banc en bois sous un bel arbre. Bien qu'elle lui tournât le dos, elle sentit aussitôt sa présence et voulut se lever.

— Non, s'il te plaît, ne pars pas, fit-il précipitamment.

Elle se rassit, se couvrant le visage de sa paume droite. Seuls ses yeux noirs étaient visibles à travers le cocon de ses doigts.

— Pourquoi te caches-tu le visage ? demanda-t-il.

— Parce que je n'aime pas parler aux gens.

Il s'assit à côté d'elle.

— Moi non plus.

Il y eut un silence gêné, que la fille rompit la première :

— Pourquoi ne t'en vas-tu pas, comme les autres ?

— Et pourquoi m'en irais-je ?

— À cause de ce que je suis.

Elle se tourna brusquement vers lui et retira sa paume de son visage.

En voyant ses joues grêlées et le bas de son visage défiguré par un bec-de-lièvre, Eketi comprit aussitôt sa tactique. Elle voulait le décourager par sa laideur.

— C'est tout ? dit-il en riant.

— Tu es bizarre, toi. Comment t'appelles-tu ?

— On me donne des tas de noms. « Moricaud », « cannibale », « enfoiré »…

— Pourquoi ?

— Parce que je suis différent d'eux.

— Ça, c'est bien vrai.

Elle se tut à nouveau. Le soleil jouait à travers le dense feuillage des papayers qui bordaient le jardin. Un magnifique oiseau orange s'approcha du banc. Eketi émit un roucoulement venu du fond de la gorge, et l'oiseau sauta sur sa main tendue. Il le prit et, doucement, le déposa sur les genoux de la fille.

— C'est un truc ou quoi ? demanda-t-elle.

— Non. Les oiseaux sont nos amis.

— D'où es-tu ? s'enquit-elle en relâchant l'oiseau.

— Je suis Jiba Korwa du Jharkhand.

— Le Jharkhand ? C'est ce nouvel État, n'est-ce pas ? Mais c'est tellement loin.

— En fait, je viens de plus loin encore. Mais c'est une longue histoire. Comment t'appelles-tu ?

— Champi.

— Champi. C'est un joli prénom. Qu'est-ce que ça signifie ?

— Je n'en sais rien. C'est juste un prénom.

— Dans ce cas, tu devrais t'appeler Chilome.

— Pourquoi ?

— Dans notre langue, *chilome* veut dire « lune ». Tu es aussi belle que la lune.

— *Ja hut*, fit Champi en rougissant.

Au bout d'un moment, elle ajouta :

— Tu sais, tu es le premier étranger à m'adresser la parole depuis un an.

— Et tu es la première fille à qui je parle depuis que j'ai quitté mon île.

— Quelle île ?

— *Kujelli !*

Eketi se donna une tape sur la tête. Au même instant, une voix stridente résonna dans la première cabane :

— Champi ! *Beti*, le petit déjeuner est prêt !

— Ma mère m'appelle.

345

Se levant, Champi s'avança, le bras tendu, sur le chemin qui s'était gravé dans son cerveau. Alors seulement Eketi se rendit compte qu'elle était aveugle.

Après le déjeuner, Ashok l'emmena voir la ferme de Vicky Rai. Ils traversèrent le bidonville Sanjay-Gandhi, un labyrinthe de ruelles sombres et étroites au milieu d'un amoncellement de petites huttes sordides faites de bambous et de sacs de toile usés dont les toits formaient un disgracieux patchwork de bâches goudronnées, feuilles de plastique, morceaux de métal et vieilles nippes – tout ce qui avait pu tomber sous la main des proprié-taires –, maintenus en place par des pierres. Des hommes en costume pathan se prélassaient au soleil, tandis que les femmes remplissaient des brocs d'eau au robinet collectif ou hachaient les légumes. Des enfants nus maculés de boue jouaient avec des chiens galeux. Détritus et déjections animales jonchaient le sol telles des feuilles mortes. Une odeur de bois brûlé et de feu de bouse de vache flottait dans l'air.

Eketi tira Ashok par la manche.

— Est-ce que les gens vivent pour de bon dans ces huttes ?

Ashok le regarda, irrité.

— Évidemment ! Tu n'as jamais été dans un bidonville ?

Eketi secoua lentement la tête.

— Chez nous, dans l'île, même les oiseaux font de meilleurs nids.

Presque en face du bidonville s'élevait le Numéro Six. Derrière un haut portail métallique se dressait un manoir en marbre de trois étages, qui semblait narguer le voisinage de sa taille impo-sante. Au-delà l'on apercevait le minaret en grès cannelé de Qutub Minar, distant de moins d'un kilomètre.

En traversant la route pour voir la maison de plus près, Ashok et Eketi tombèrent sur un mur d'enceinte couleur rouille, haut de quatre mètres et couronné de barbelés.

— Comment va-t-on faire pour entrer là-dedans ? se demanda l'aborigène. Même Eketi ne pourra pas escalader ce mur.

— Ne t'inquiète pas, on va trouver.

Ils passèrent devant le portail, gardé par une demi-douzaine de policiers en uniforme. En tournant le coin, ils se dirigèrent vers l'extrémité nord de la propriété et trouvèrent une entrée de service qui n'était pas gardée. Ashok essaya d'ouvrir la porte, mais elle était verrouillée de l'intérieur. Le mur, surmonté de barbelés, se prolongeait sur cinq cents mètres sans la moindre fissure ni cavité pour servir de prise. Ce fut en faisant le tour par-derrière qu'Ashok vit quelque chose qui attira son attention. Une petite porte métallique nichée dans le mur de béton, sans doute une sorte d'entrée pour piétons. Elle ne devait pas être utilisée car sa peinture marron était écaillée, et ses bords étaient rouillés. Ashok secoua la poignée en métal, mais la porte ne céda pas. Elle bougea même si peu qu'on l'eût dite condamnée de l'intérieur. Reculant, il scruta les alentours. Derrière lui s'élevaient un bouquet d'eucalyptus puis une jungle de ronces envahie d'acacias. Ce fouillis épineux rendait toute la zone inhabitable et presque inaccessible.

— Si seulement on pouvait ouvrir cette porte, soupira-t-il.

— Eketi peut l'ouvrir de l'intérieur, fit remarquer l'aborigène.

— Comment feras-tu pour entrer ?

— Comme ça.

Eketi tapota le grand eucalyptus.

— Voyons, les branches de cet arbre ne sont pas assez longues. Comment t'y prendras-tu ?

— Je vais vous montrer.

Eketi escalada le tronc de l'eucalyptus. En quelques secondes, il avait atteint le sommet. Se cramponnant à une grosse branche, il la fit ployer pour la tendre à la manière d'une fronde. Puis, repoussant le tronc de ses pieds, il s'élança telle une flèche humaine vers les branchages d'un jambolan qui dépassait du mur. Sous le regard horrifié d'Ashok, il sembla voler avant d'atterrir au sommet du jambolan. De là, ce fut un jeu d'enfant de redescendre à terre. Une minute plus tard, la petite porte rouillée s'ouvrait en grinçant.

— Tu sais que tu es fou, hein ?

Ashok entra en secouant la tête. L'aborigène eut un large sourire, sans se soucier de ses nombreuses coupures et égratignures.

Passablement euphorique, le fonctionnaire fit ses premiers pas à l'intérieur de la propriété. Il avait peine à croire que, quelques heures après son arrivée à Delhi, il était bel et bien dans l'enceinte du Numéro Six. Un bruit d'eau lui parvint, accompagné du vrombissement d'une tondeuse. Il entrevit un jardinier occupé à tondre le gazon, à une trentaine de mètres de là, et il s'apprêtait à se réfugier derrière un arbre lorsqu'il comprit que l'obscurité naturelle du bosquet rendait leur présence totalement indétectable depuis la pelouse. De l'endroit où il se tenait, on avait vue sur toute la propriété et, une fois que le jardinier se fut éloigné, il en montra les principaux repères à Eketi : le manoir de trois étages, la piscine olympique, le belvédère et le petit temple dans le coin droit de la pelouse.

— C'est là que se trouve l'*ingetayi.* J'en suis sûr et certain.

— On n'a qu'à aller le chercher, dit Eketi.

— N'as-tu rien appris durant ces cinq mois ? le sermonna Ashok. Tu n'as pas vu le jardinier ? Il doit y avoir une vingtaine de domestiques et de gardes dans la maison. On se fera prendre en une seconde.

— Eh bien, attendons qu'il fasse nuit.

Ashok désigna les hauts poteaux électriques placés à intervalles réguliers sur la pelouse.

— Ce sont des projecteurs puissants. Je parie que la nuit il fait aussi clair qu'en plein jour.

— Alors comment va-t-on faire ?

— Un peu de patience. Je finirai bien par trouver quelque chose, déclara Ashok.

Ils passèrent un quart d'heure à explorer le bosquet, croisant deux paons magnifiques. Tout au bout, ils découvrirent une cascade artificielle. L'eau ruisselait le long de plusieurs rochers ronds dans un étroit canal bordé d'un chemin pavé qui menait vers les garages et l'entrée principale. Ashok s'en approcha à pas de loup. Ils étaient fermés. Il inspecta les lieux, puis revint à la hâte vers Eketi.

— J'ai une idée, annonça-t-il, tout excité. Mais il faut que tu retiennes l'emplacement de ces deux garages.

Ils sortirent par la même petite porte dérobée et regagnèrent le temple.

À leur retour, Eketi trouva Champi assise sur son banc de bois au fond du jardin. Elle l'attirait comme un aimant et sourit quand il s'assit à côté d'elle.

— Tiens, tu es revenu.

— Tu passes tes journées sur ce banc ? demanda-t-il.

— J'aime bien ce coin. C'est calme. Tout le monde préfère la partie principale du jardin.

— Je ne savais pas que tu étais aveugle. Tes yeux ont l'air normaux. Comment est-ce arrivé ?

— Je suis née comme ça.

— Ça doit être très dur de ne pas voir la personne à qui tu parles.

— Je suis habituée à être dans le noir.

— Peut-être que Nokai aura un remède pour ta cécité.

— Qui est Nokai ?

— Notre *torale*, l'homme-médecine.

— C'est vrai, il pourrait me rendre la vue ?

— À part ressusciter un mort, il peut tout faire.

— Alors, tu veux bien m'emmener chez lui ? Au Jharkhand ?

— En fait, il n'habite pas le Jharkhand. Il vit sur une île.

— L'île dont tu parles sans cesse ?

Eketi baissa la voix jusqu'au murmure.

— Je te dirai mon secret si tu promets de le garder pour toi.

— Je jure sur Allah ! Promis.

Champi se pinça le cou.

— Je ne suis pas vraiment Jiba Korwa, du Jharkhand. Je suis Eketi Onge, de Gaubolambe, fit-il avec des airs de conspirateur.

— Où est-ce ?

— Petite Andaman.

— Et c'est où, ça ?

— Au milieu de l'océan. On prend un gros bateau pour y aller.

— Qu'est-ce que tu fais ici, alors ?

— Je suis venu chercher la pierre sacrée qu'on nous a volée.

— Et que feras-tu, une fois que tu l'auras récupérée ?

— Je retournerai dans mon île.

— Ah ! fit Champi, retombant dans le silence.

— Au début, je voulais rester, poursuivit Eketi. Je pensais refaire ma vie, me trouver une femme. Mais maintenant j'ai envie de rentrer. Les gens d'ici se comportent comme si le monde leur appartenait. Et ils me traitent comme si j'étais une sorte d'animal.

— Moi, je ne pense pas comme ça, dit Champi.

— Parce que tu ne peux pas me voir. Je suis différent de vous. Et chaque fois qu'on me traite de moricaud, il y a quelque chose qui se fige au fond de moi. J'ai l'impression d'avoir commis un crime. La couleur de ma peau est ce qu'elle est. Je n'y peux rien.

— Je suis d'accord. Moi, c'est pareil, je n'y peux rien, si j'ai le visage que j'ai. C'est la volonté de Dieu.

Lentement, Champi leva la main droite et suivit de l'index chacun des traits d'Eketi, mémorisant le moindre angle, la moindre courbe.

— Maintenant, je peux te voir.

Eketi frissonna à ce contact et regarda ses yeux sans vie.

— Dis-moi, tu es mariée ?

— Quelle question ! gloussa Champi. Bien sûr que non.

— Moi non plus. Veux-tu m'accompagner dans mon île ?

— Tu me promets quoi, là-bas ?

— Plein de poisson et de fruits. Personne pour t'importuner. Et, surtout, pas besoin de travailler !

— J'adorerais visiter ton île un jour, mais pas maintenant.

— Enfin, pourquoi ?

— Ma famille est ici. Ma mère et Munna. Comment pourrais-je les abandonner ?

— Tu as raison. Moi aussi, je pense souvent à mon père et à ma mère.

— Mais il faudra que tu parles de moi à Nokai.

— Bien entendu. Et si tu ne peux pas venir avec moi chez Nokai, je te l'enverrai.

— Comment ça ?

— Nokai peut sortir de son corps et aller où bon lui semble.

— *Ja hut* ! On dirait Aladin dans la série télé.

— Sérieusement, je le jure sur Puluga. Il me l'a appris aussi, mais je n'ai encore jamais essayé.

— Non mais écoutez-le !

Champi rit et reprit le chemin de chez elle.

Eketi ne la revit pas ce jour-là, mais elle resta dans sa mémoire, présence joyeuse qui allégea son pas et fit vagabonder son esprit. La nuit, couché sur le sol en pierre de sa hutte, il sortit une motte d'argile rouge qu'il mélangea avec de la graisse de porc et entreprit de tracer du bout du doigt des dessins délicats au mur. Si Ashok avait été là, il y aurait reconnu un motif nuptial.

Quatre jours plus tard, Ashok Rajput arpentait le sol en marbre de sa suite. Son esprit était en ébullition, et tout cela à cause des derniers potins entendus au kiosque à thé. Vicky Rai envisageait de donner une grande réception le 23 mars, dans une semaine exactement. C'était l'occasion ou jamais de mettre son projet à exécution. Il ne restait plus qu'à inculquer à Eketi quelques notions d'électricité. Lentement mais sûrement, son plan était en train de prendre forme.

Le jour même, à midi, deux hommes firent irruption dans la hutte d'Eketi. Le premier, âgé d'une quarantaine d'années, avait des cheveux roux et une barbe en broussaille. Le second, plus jeune, athlétique, des cheveux noirs hérissés. Tous deux étaient vêtus simplement d'une chemise et d'un pantalon et portaient en bandoulière un sac en toile de jute.

— Il paraît que tu es du Jharkhand, c'est vrai ? demanda l'aîné à Eketi.

— Oui, répondit-il, un peu effrayé. Je suis Jiba Korwa du Jharkhand.

— Bonjour, camarade Jiba. Je suis le camarade Babuli. Et lui le camarade Uday.

Eketi tripotait nerveusement sa casquette.

— Camarade Jiba, poursuivit l'homme en balayant la pièce du regard, nous faisons partie du Centre maoïste révolutionnaire – le CMR –, le groupe le plus progressiste du pays. Tu as entendu parler de nous ?

— Non, dit Eketi.

— Comment peux-tu être du Jharkhand et ignorer notre existence ? Nous sommes la plus grosse organisation naxalite de la région. Et notre combat, c'est de réveiller des gens comme toi.

— Mais je suis déjà réveillé !

— Ah ! Tu appelles ça être réveillé ? Votre vie est contrôlée par les riches impérialistes. Ils vous emploient et vous paient une misère. Ils s'emparent de vos terres et violent vos femmes. Nous allons changer tout cela.

— Nous allons détruire cette société bourgeoise superficielle et corrompue et la remplacer par une structure entièrement nouvelle, renchérit le plus jeune. Nous allons créer une Inde nouvelle. Et tu dois nous aider.

— Vous aider ? Comment ?

— En participant à notre lutte armée.

— Vous êtes venus m'offrir un boulot ?

— Camarade Jiba, nous ne sommes pas une administration d'État. Nous ne t'offrons pas un boulot mais un mode de vie. Une chance de devenir un héros.

— Que dois-je faire ?

— Rejoindre les guérilleros. Prendre part au combat de notre peuple. Nous allons même te fournir une arme.

— Je n'aime pas les armes.

Eketi secoua la tête.

— Les armes, ça tue.

— Camarade Jiba, tâche de comprendre, fit le camarade Babuli impatiemment. Nous nous battons pour que tu aies une vie meilleure. Dis-moi, quel est ton vœu le plus cher ?

— Trouver une femme.

— Une femme ?

Le camarade Uday le foudroya du regard comme s'il venait de proférer un blasphème.

— On est là, à essayer de promouvoir la révolution, et toi, il n'y a que les bonnes femmes qui t'intéressent ?

L'aîné des camarades voulut détendre l'atmosphère :

— C'est bon. Camarade Jiba, nous comprenons tes besoins. Nous avons plein de filles dans notre organisation. De jeunes révolutionnaires. On te trouvera une femme. Tout ce qu'on te demande pour le moment, c'est de réfléchir à notre proposition. On va te laisser de la lecture. Jette un œil là-dessus, et un de nos compagnons te recontactera plus tard. Camarade Uday ?

Il adressa un geste à son acolyte.

Le camarade Uday plongea la main dans son sac en jute et remit à Eketi une grosse liasse de dépliants.

Le papier était beau et glacé, comme celui de la brochure touristique qu'il avait eue à Bénarès, mais les images étaient sinistres : têtes tranchées et hommes enchaînés.

— Je n'aime pas ces photos, dit-il en frissonnant. Elles me feront faire de mauvais rêves.

Le camarade Babuli soupira.

— Il n'y a donc personne ici qui croie en notre cause ? Tu es le dixième à nous tourner le dos, aujourd'hui. Nous pensions que, étant du Jharkhand, toi, au moins, tu nous soutiendrais.

Le camarade Uday, toutefois, n'était pas prêt à s'avouer vaincu.

— Écoute, salopard de Noir, siffla-t-il. Si tu y tiens, on peut aussi employer la méthode forte. On vient de tuer cent policiers dans le district de Gumla. Si tu refuses de coopérer, nous irons dans ton village et liquiderons tous les membres de ta famille, jusqu'au dernier. Suis-je clair ?

Eketi hocha craintivement la tête.

— Alors, réfléchis à notre proposition. Nous te recontacterons dans quinze jours. OK ?

Eketi hocha de nouveau la tête.

— Parfait. Et un dernier conseil…

Le camarade Babuli baissa la voix.

— Pas un mot de notre visite.

— Autrement, ta famille…

Le camarade Uday fit le geste de se trancher la gorge.

— Salut révolutionnaire, dit le camarade Babuli en levant le poing avant de sortir.

— Salut révolutionnaire, reprit le camarade Uday en faisant le signe de la victoire.

— *Kujelli !* dit Eketi en fermant la porte.

Il résolut de ne parler à personne de ces étranges visiteurs.

Il continuait à voir Champi tous les jours. Ils s'asseyaient sur le banc, Eketi la distrayait avec des anecdotes sur son île, et Champi riait comme cela ne lui était encore jamais arrivé. Mais le plus souvent ils se taisaient, en communion muette. Leur amitié n'avait pas besoin de mots. Elle grandissait entre leurs silences.

Le soir du 20 mars, Ashok fit venir Eketi dans ses appartements.

— J'ai un plan pour récupérer la pierre sacrée. Maintenant écoute-moi bien. Dans trois jours, il y aura une grande fête à la ferme. C'est là que tu interviendras.

— Comment ?

— Je t'ai acheté une belle chemise blanche et un pantalon noir. Vêtu de ces habits neufs, tu entres dans la ferme par la porte de derrière vers dix heures du soir. Pendant à peu près une heure, tu ne t'éloignes pas du bosquet et tu t'assures que tout est OK. À onze heures et demie précises, tu vas vers les garages que je t'ai montrés.

— Et si je me fais prendre ?

— Ça m'étonnerait. Il y aura tellement d'invités, de serveurs et de cuisiniers à cette fête que personne ne te remarquera. Au pire, si on te demande, tu diras que tu es le chauffeur de M. Sharma.

— Qui est M. Sharma ?

— Peu importe. C'est un nom de famille très courant : il y aura sûrement un M. Sharma à la soirée. Reprenons. Sur le mur entre les deux garages se trouve le tableau électrique. Tu l'ouvriras et tu retireras le fusible. L'électricité sera coupée, et toute la propriété restera plongée dans le noir au moins trois ou quatre minutes. Là, tu fonceras au jardin, entreras dans le temple, prendras l'*ingetayi* et ressortiras par la même porte de derrière. C'est aussi simple que ça. Crois-tu que tu pourras y arriver ?

— Non. Eketi ne connaît rien aux fusibles.

— Ne t'inquiète pas. Je vais t'apprendre. Viens avec moi.

Ashok le conduisit à l'arrière du temple. Sur un mur latéral, dans une armoire métallique, se trouvait le tableau principal. Ashok ouvrit l'armoire, et l'aborigène vit plusieurs rangées d'interrupteurs luisants.

— C'est ça que tu dois faire.

Ashok indiqua le premier fusible.

— Attrape ce truc blanc et tire dessus.

Eketi le toucha avec précaution.

— N'aie pas peur, tu ne risques pas de prendre le jus. Vas-y, tire.

Eketi ôta le fusible, et toutes les lumières du temple s'éteignirent d'un seul coup.

— Et voilà, dit Ashok en souriant.

Il reprit le fusible, le remit en place, et l'éclairage revint.

— Eketi peut essayer encore une fois ?

L'aborigène sortit le fusible : à nouveau, l'obscurité se fit. Il frappa dans ses mains avant de le remettre.

— Ce n'est pas un jeu, imbécile, le gronda Ashok.

De retour dans ses appartements, Eketi émit un autre doute :

— Vous dites que je dois enlever le fusible à onze heures et demie. Mais comment Eketi saura-t-il qu'il est onze heures et demie ? Nous n'avons pas de montre.

— Moi, si.

Ashok sortit de sa valise un petit réveil mécanique.

— Il est déjà réglé sur onze heures et demie. Quand tu l'entendras sonner, tu sauras que c'est le moment d'y aller. Garde-le sur toi.

L'aborigène glissa le réveil dans sa poche.

— Pendant qu'Eketi sera dans la forêt, vous serez où ? Dans la maison ?

— Ici même, dans cette pièce, à attendre ton retour avec la pierre sacrée.

— Quoi ? Vous envoyez Eketi tout seul là-bas ?

— Oui. C'est ta pierre sacrée, ton rituel initiatique. Dans cette mission, tu es entièrement livré à toi-même. Si on te pose la question, tu ne me connais pas, et je ne te connais pas. Promets-moi, si jamais ça devait mal tourner, que tu ne donneras pas mon nom.

— Eketi jure sur le sang de l'esprit, déclara l'aborigène solennellement. Mais vous, promettez-vous de ramener Eketi dans son île, une fois qu'il aura l'*ingetayi* ?

— Absolument. Je t'accompagnerai moi-même.

L'aborigène fit une pause, triturant sa mandibule.

— Eketi pourrait-il emmener quelqu'un avec lui ?

— Qui ça ?

— Champi.

— Oh, cette infirme aveugle ?

— Elle n'est pas aveugle. C'est vous autres qui êtes aveugles.

— Tu ne vois pas que c'est la fille la plus laide de toute la ville ?

— Elle est mieux que vous tous réunis. Eketi veut l'épouser.

— Ah bon ? Et sais-tu comment on vous appellera ? M. et Mme Épouvantail.

Ashok ne cessa de rire que lorsqu'une lueur d'avertissement brilla dans les yeux d'Eketi. Ce soir-là, quelque chose de sombre, de nocturne semblait auréoler l'aborigène. Ashok décida de lui faire plaisir.

— Très bien. Je prendrai un troisième billet pour elle. Va te coucher, maintenant. C'est dans trois jours, tu as du pain sur la planche.

La nuit était magique, presque comme dans un rêve. Allongé sur le sol, Eketi songeait à Champi et à son île. Il réfléchissait à la possibilité de devenir homme-médecine à son retour à Gaubolambe. Tout dépendait de Nokai. Si celui-ci n'avait pas de remède contre la cécité de Champi, il devrait en trouver un par ses propres moyens.

Tout à coup, il entendit un crissement de pas et se dressa instantanément, les sens en éveil. Peu après, des éclats de voix lui parvinrent de la maison voisine. Manifestement, il se passait quelque chose chez Champi.

Soudain, un cri perçant déchira le silence. Il sut aussitôt que c'était Champi. Tel un éléphant enragé, il se rua dehors et fit irruption dans la hutte d'à côté. La pièce semblait ravagée par un cyclone. Le matelas avait été retourné. Il vit Munna, le frère de Champi, à terre, et sa mère gisant inconsciente dans un coin. Champi, en *salwar kameez* verte, se débattait dans les bras d'un homme court sur pattes, en chemise crème moirée, sous le regard d'un autre homme, grand et noueux, en pantalon noir.

Avec un rugissement terrible, Eketi se jeta sur l'agresseur de Champi, l'empoigna par le cou et le souleva du sol. Il lui serra la gorge jusqu'à ce que les yeux lui sortent des orbites. Le complice ouvrit un couteau à cran d'arrêt et se mit à tracer des figures dans l'air. Eketi balança le petit homme sur la table, qui se fendit en deux sous l'impact, et avança vers l'autre comme si le couteau dans sa main était un simple morceau de bois. La lame plongea, et un mince filet de sang macula le tee-shirt de l'aborigène. Il continua néanmoins d'avancer, sans faire attention à sa blessure, les lèvres retroussées en un rictus animal. Prenant le couteau dans la main de l'agresseur, il ouvrit la bouche, révélant des dents d'une blancheur éclatante qu'il lui planta dans l'épaule gauche. Ce fut au tour de l'intrus de hurler de douleur. Entre-temps, toussant et pantelant, le petit homme se releva. Il gratifia Eketi d'un coup de tête dans le dos, lui faisant perdre momentanément l'équilibre. Mais, au lieu d'en profiter, les deux individus prirent la fuite avant que l'aborigène se fût relevé.

Champi était blottie dans un coin quand Eketi la prit dans ses bras et l'emporta dehors, dans la fraîcheur de la nuit. Il s'assit sous le flamboyant et lui murmura des paroles apaisantes, pendant qu'elle se cramponnait à lui en tremblant comme une feuille.

— Emmène-moi, Eketi, emmène-moi loin d'ici. Je veux partir avec toi. Je veux t'épouser. Je ne veux plus rester dans cet endroit, dit-elle en sanglotant.

— Chut… ne parle pas.

— Ça m'est égal que Nokai me guérisse ou non. Je veux vivre avec toi dans ton île. Pour toujours.

— Je t'emmènerai. Dans deux jours. D'ici là, mets ça.

Il dénoua la ficelle noire avec le maxillaire et l'attacha autour du cou de Champi.

— À partir de maintenant, Puluga te protégera de tous les maux.

— Et toi ?

— Ne t'inquiète pas pour moi. J'aurai la protection de l'*ingetayi*. Je vais bientôt le récupérer.

— Où ça ?

— Chez quelqu'un qui s'appelle Vicky Rai.

13

Le projet Cendrillon

8 août

J'AI ENVOYÉ BHOLA À PATNA CHERCHER RAM DULARI – mon double –, je brûle d'impatience de la voir.

9 août

Rosie Mascarenhas a annoncé aujourd'hui que *Celebrity House*, un clone de *Big Brother*, me demande de participer à son prochain reality show qui débute dans six mois. Elle insiste pour que j'accepte.

— Tu as vu la carrière de Shilpa Shetty, comment elle est remontée en flèche après qu'elle a gagné à *Big Brother* ? Maintenant, elle prend le thé avec la reine d'Angleterre, côtoie des Premiers ministres et collectionne les titres universitaires honorifiques. Il est même question de lui consacrer un biopic.

— Mais ma carrière n'a pas besoin d'être boostée ! ai-je dit.

— Quand même, un peu de pub ne nous fera pas de mal. Toutes les actrices de Bollywood rêvent d'être sélectionnées pour *Celebrity House*. Toi, on te l'offre sur un plateau. Le script a l'air bon. Ils veulent que tu te crêpes le chignon avec une autre candidate avant de claquer la porte. Tu sortiras de la maison au bout d'une semaine, mais le buzz durera plusieurs mois.

— Ce n'est pas censé être de la téléréalité ?

— Si, a répondu mon attachée de presse, penaude. Mais personne ne saura.

— La vie n'est-elle pas mille fois trop courte pour perdre du temps à s'enquiquiner ?

Et je lui ai dit de décliner l'offre.

La téléréalité nous a été vendue comme l'aubaine de l'ère numérique. Un genre nouveau avec de vraies gens dans de vraies situations, riant et pleurant pour de vrai. Sauf qu'elle a succombé à la tentation facile des programmes préconditionnés, dégénérant en une mascarade scénarisée, contrôlée depuis les coulisses, où les candidats versent de fausses larmes et piquent des crises bidon pour arracher quelques instants d'attention aux spectateurs blasés. Mais est-ce la faute des spectateurs ? Aujourd'hui, dans le monde du spectacle, tout est préfabriqué. Même la guerre. Pas étonnant que la mort non plus ne nous touche pas.

C'est pour ça que j'attends Ram Dulari en retenant mon souffle. Dans un univers où tout est truqué et prévisible, elle seule a peut-être encore le pouvoir de me surprendre.

10 août

Ram Dulari est arrivée aujourd'hui de Patna.

Bhola, qui l'a accompagnée, est sidéré. Il dit qu'il a dû se pincer pour être sûr que ce n'était pas moi. Même le gardien, en bas, qui a salué Ram Dulari, a cru que c'était moi, de retour d'un tournage.

La ressemblance est effectivement troublante. Elle est fine, un peu moins enrobée aux hanches, mais nous faisons exactement la même taille : un mètre soixante. J'ai l'impression de me regarder dans un miroir.

J'ai fait un seul film où j'ai joué un double rôle, celui de jumelles, mais, face à Ram Dulari, je me demande si c'est l'art qui imite la vie, ou la vie qui imite l'art. Nous voici, Seeta et Geeta, Anju et Manju, Ram et Shyam, ensemble dans le même champ. Je peux frapper ma jumelle, lui tirer les cheveux, lui tenir la main ou lui mettre du rouge à lèvres sans recourir aux effets spéciaux.

La pauvre fille tremblait, d'épuisement ou de peur, je ne saurais le dire. Elle était affublée d'un sari vert tout râpé, sans doute celui dans lequel elle s'était fait photographier, et avait pour tout bagage une vieille valise marron clair qui devait contenir le même genre de guenilles. Je l'ai conduite dans la petite chambre contiguë à la mienne, lui ai donné deux de mes anciens saris et lui ai dit qu'elle logerait chez moi. Elle a ouvert de grands yeux devant tant d'opulence et s'est écroulée à mes pieds en sanglotant de gratitude.

Le soir, elle est entrée dans ma chambre à l'improviste, s'est assise sur la moquette et s'est mise à me masser les jambes. Je lui ai dit que ce n'était pas nécessaire, mais elle n'a rien voulu entendre. Elle m'a frotté les pieds pendant une bonne heure ; j'ai dû l'arrêter de force, après quoi elle a entrepris de laver le carrelage de ma salle de bains.

Un peu plus tard, quand j'ai apporté le dîner dans sa chambre, je l'ai trouvée endormie par terre, roulée en boule. L'innocence enfantine de sa posture a éveillé en moi une émotion étrange, indéfinissable, mélange de tendresse et de pitié. Je me suis assise à côté d'elle et lui ai caressé doucement les cheveux. Je revoyais les ruelles poussiéreuses d'Azamgarh et la candeur rêveuse de ma propre enfance.

Cela dit, je me demande bien ce que je vais faire d'elle.

12 août

J'en étais toujours à me demander ce que j'allais faire de Ram Dulari quand la solution s'est présentée d'elle-même. Shanti Bai, ma cuisinière brahmane du Maharashtra, est tombée enceinte et a quitté son poste du jour au lendemain. Ram Dulari a immédiatement pris la relève. Elle m'a préparé du *kadhi* et du *sooji ka halwa* pour le petit déjeuner. J'ai dégusté avec bonheur ces mets depuis longtemps oubliés. C'était délicieux, et cela m'a rappelé la cuisine de maman, les saveurs authentiques de l'Uttar Pradesh et du Bihar.

Ram Dulari est végétarienne, comme moi. Je sens que cette rencontre est l'une des grandes chances de ma vie.

24 août

Ça fait quinze jours que Ram Dulari habite chez moi, et je suis totalement sous le charme. On a du mal à imaginer que des gens comme elle existent encore. Non seulement c'est une excellente cuisinière, mais elle est travailleuse, dévouée, honnête, et croit à des valeurs surannées comme le devoir et la loyauté.

En même temps, sa naïveté, sa confiance aveugle dans les autres me font peur. Cette ville ne fera qu'une bouchée d'elle.

Elle me fait beaucoup penser à ma petite sœur. Si je n'ai rien pu faire pour Sapna, je peux au moins faire quelque chose pour Ram Dulari. Elle est orpheline ; j'en ferai ma sœur de substitution.

26 août

J'ai longuement réfléchi à ce que j'allais faire pour Ram Dulari et je suis parvenue à une décision. Je vais transformer cette petite sauvageonne en une créature élégante et sophistiquée. Même si elle ne devient jamais Shabnam Saxena, elle pourra au moins marcher et parler comme moi. Ensuite, je lui trouverai un fiancé convenable et lui offrirai un fastueux mariage.

Je sais que ce ne sera pas simple. Ram n'est qu'une paysanne mal dégrossie. Mais je décèle chez elle les traces timides d'un certain vernis. C'est tout de même une brahmane au teint clair, et non une fille d'une caste inférieure. Bien relookée, elle pourra être présentable. Sa voix est rauque et râpeuse. Avec de l'entraînement, elle pourra devenir mélodieuse et raffinée. L'oie blanche cédera la place à la femme du monde.

J'ai aussi trouvé le nom idéal pour cette mission qui consiste à transformer la souillon en princesse.

Je l'appellerai le projet Cendrillon.

27 août

J'ai fait venir Ram Dulari dans ma chambre et je lui ai parlé de mon plan.

— Je ferai de toi quelqu'un d'autre. Regarde-moi. Je t'offre l'occasion de devenir exactement pareille. Qu'en dis-tu ?

— Mais pourquoi, *didi* ? a-t-elle demandé. Comment une servante peut-elle devenir comme sa maîtresse ? Ce n'est pas bien. Je suis heureuse comme je suis.

— Mais pas moi.

J'ai grimacé.

— Si je suis ta maîtresse, tu dois obéir à tous mes désirs.

— *Ji, didi.*

Elle a incliné la tête.

— C'est vous qui décidez.

— Parfait. On commence demain.

28 août

La première phase de la transformation a débuté aujourd'hui.

Tout d'abord, je lui ai coupé les cheveux, pour remplacer ses longues tresses noires par ce que ma coiffeuse chinoise Lori appellerait une « coupe mi-longue brun intense, souple et fluide ».

Puis je lui ai donné une robe rose moulante, celle que je portais dans *La Fille du gang*, et lui ai dit d'aller la passer dans la salle de bains. C'est une robe ultrasexy, lacée par-devant, fendue sur les côtés, avec un ourlet style foulard.

Au bout d'un quart d'heure, Ram Dulari n'avait toujours pas émergé de la salle de bains. J'ai frappé, je suis entrée et j'ai failli m'écrouler de rire. Elle essayait d'enfiler la robe par-dessus son chemisier et son jupon. J'ai dû batailler pour lui faire comprendre que les fines bretelles, le décolleté échancré et le dos nu étaient incompatibles avec le soutien-gorge.

— Allez, déshabille-toi.

J'ai claqué dans mes doigts.

Elle a déboutonné son chemisier et s'est arrêtée. J'ai fait signe que le soutien-gorge devait sauter aussi. Elle l'a dégrafé en tremblant de tout son corps. C'était un modèle blanc bon marché, qu'elle avait dû acheter dix roupies dans la rue. Elle a voulu se couvrir la poitrine, mais j'ai écarté ses mains.

Ses seins sont gros et fermes ; les mamelons bruns et pointus, avec de petites aréoles. À mon avis, elle doit faire du 95C.

— Ton jupon, maintenant.

Elle s'est mise à pleurer.

— S'il vous plaît, *didi*, ne me demandez pas ça, a-t-elle imploré.

J'ai pris conscience alors de l'incongruité de la situation. De l'extérieur, on aurait dit une scène d'un film de lesbiennes. J'ai capitulé.

— OK. Laisse tomber. Tu n'es pas vraiment obligée de t'habiller à l'occidentale.

Ramassant son sari et son chemisier, Ram Dulari s'est enfuie dans sa chambre comme si elle venait de se faire violer. J'ai entendu ses pleurs étouffés.

Aucun doute là-dessus, elle est vierge. C'est la première fois qu'elle se déshabillait devant quelqu'un, et seule sa loyauté inconditionnelle à mon égard lui a permis de surmonter son inhibition.

Quelle idée j'ai eue d'arracher cette petite provinciale à sa campagne pour la transplanter sur le sol vicié de la grande ville ?

D'un autre côté, Ram Dulari est un territoire vierge, un esprit encore en sommeil, un corps encore intact. De l'argile brute que je peux façonner comme bon me semble. Un peu comme une mère avec sa fille... sauf qu'au lieu de dix ans, le projet Cendrillon me permettra d'arriver au même résultat en dix mois à peine.

D'accord, la phase un s'est soldée par un désastre, mais tout n'est pas perdu. J'ai simplement commis une erreur de timing. Avant de la transformer physiquement, je dois transformer son mental.

30 août

J'ai commencé par des leçons d'anglais de base. Dieu merci, comme elle a reçu une certaine instruction, j'ai pu zapper le B.A.-BA et attaquer directement la grammaire.

Elle est douée, et elle apprend vite.

— Je pense que tu as un énorme potentiel, l'ai-je félicitée. Tous les jours, tu consacreras une heure à faire les exercices que je t'indiquerai. Dis maintenant une phrase en anglais, n'importe quoi, ce qui te passe par la tête.

— J'aime bien apprendre l'anglais, a-t-elle dit, hésitante.

J'ai applaudi, ravie.

La phase deux semble se présenter au mieux.

14 septembre

Filmfan dit que je suis futile. Pour citer cette garce de Devyani, qui m'a interviewée pour leur dernier numéro : « Shabnam est amoureuse de sa propre beauté, éblouie par son teint clair, sa peau de pêche. » Oui, et alors ? Je suis belle, je le sais, et le monde entier le reconnaît. Toutes ces histoires de beauté intérieure sont de la foutaise, inventée peut-être par une journaliste au physique ingrat pour masquer sa propre laideur. Demandez à une femme ordinaire comment elle se sent : aucune lumière intérieure ne réchauffera le cœur des filles à la peau brune, dont l'unique espoir réside dans la crème Fair and Lovely.

23 septembre

Ram Dulari a réussi à lire une histoire courte. Trois pages entières. Youpi !

11 octobre

Mon dernier film, *Hello Partner*, n'a pas fait le nombre d'entrées escompté. D'après le *Trade Guide*, il a toutes les chances de sombrer sans laisser de traces. En un sens, tant mieux. Ce film devait servir de rampe de lancement à Rabia, une énième fille de…, dénuée de talent ; quant au réalisateur, c'est un odieux personnage qui a eu ce qu'il méritait pour avoir coupé au montage trois de mes scènes principales.

Le projet Cendrillon, de son côté, marche du feu de Dieu. Ram Dulari a assimilé suffisamment d'anglais pour répondre au téléphone.

J'ai bien l'impression d'avoir trouvé la perle rare.

25 octobre

Une lettre épaisse est arrivée aujourd'hui, marquée « Hautement confidentiel ». Rédigée d'une écriture enfantine, elle commençait ainsi : « Ma très chère Shabnam adorée, je crois qu'un amour comme le nôtre est aussi rare qu'une poule qui a des dents. »

J'ai tellement ri que la lettre m'est tombée des mains et s'est envolée par la fenêtre. Je n'ai même pas pris la peine d'aller la récupérer.

24 novembre

Je sais qu'une actrice de Bollywood doit jouer les dindes, surtout si c'est une bombe sexuelle. Intelligente, elle risque de faire peur aux hommes. Mais hier, dans cette émission débile de KTV sur les célébrités qui militent pour une cause (je ne comprends toujours pas pourquoi Rosie m'a envoyée dans cette galère), j'ai enfreint la règle d'or.

L'animateur, un type falot, a voulu m'attaquer sur ma campagne pour les droits de l'animal.

— Les gens comme vous font ça pour s'assurer de la publicité à bon compte, mais en fait vous vous en fichez, et vous n'y connaissez rien.

Sur quoi il m'a demandé de but en blanc :

— Avez-vous entendu parler de Guantánamo ?

— Oui, c'est une prison militaire, quelque part aux États-Unis.

— Faux. Ça se trouve à la pointe sud-est de Cuba. La preuve que j'ai raison. Vous autres bimbos décervelées de Bollywood ne savez rien de l'actualité. Vos seules préoccupations, c'est la mode et les dernières tendances en matière de coiffure.

Peut-être me provoquait-il délibérément, mais je n'ai pas supporté son arrogance. Je lui ai rendu la monnaie de sa pièce :

— Très bien, alors pouvez-vous citer le film qui a remporté la Palme d'or cette année au festival de Cannes ?

— Euh… non, a-t-il répondu, pris de court.

Il ne s'attendait guère à une contre-attaque.

— Faut-il en conclure que tous les animateurs sont des imbéciles suffisants qui ne connaissent rien aux arts ?

— Il ne faut pas confondre les torchons et les serviettes. Nous, on réussit grâce à nos capacités, vous ne devez votre succès qu'à votre joli minois.

— Si c'était vrai, toutes les filles qui font la double page de *Playboy* seraient à Hollywood, ai-je rétorqué. Le cinéma n'exalte pas la beauté, mais le talent.

Là-dessus, j'ai entrepris de le questionner sur la philosophie de Martin Heidegger (jamais entendu parler), la poésie d'Ossip Mandelstam (jamais entendu parler non plus), les romans de Bernard Malamud (même réaction), les films de Kim Ki-duk (idem). À la fin de mon interrogatoire, cet abruti aurait voulu disparaître dans un trou de souris pour échapper au ridicule.

Rosie ne trouvait pas ça drôle.

— Attends-toi à ce que *Stardust* te surnomme le Pr Shabnam, a-t-elle dit en frissonnant, l'air lugubre.

N'est-il pas curieux que le degré suprême d'instruction semble la pire des insultes dans le showbiz ?

15 décembre

Je suis aujourd'hui à Lucknow, la ville où j'ai passé trois des meilleures années de ma vie. Je suis venue avec la troupe musicale d'Annu Sir pour participer à une soirée de gala au profit des enfants des rues.

Quand j'ai débarqué ici pour la première fois, il y a six ans, de mon Azamgarh natale, la capitale de l'Uttar Pradesh m'a semblé la plus belle ville du monde, avec ses merveilleuses librairies, ses charmants marchés, ses ravissants jardins, avec, par-dessus tout, une aura de culture et d'élégance. Je suis tombée amoureuse des mœurs raffinées de Lucknow, qui me changeaient agréablement de l'ambiance fruste d'Azamgarh. Depuis lors, la grâce décadente de cette ville a marqué mon imagination d'une empreinte indélébile.

Maintenant, quand je regarde Lucknow, je la vois à travers le prisme de mes voyages autour du monde. Comparée à Bombay, elle a l'air d'une petite ville de province bruyante, misérable et chaotique. Mais elle restera à jamais dans mon cœur. Cette ville a façonné ma vie. Si Azamgarh était l'abattoir de mes ambitions, Lucknow a été le berceau de mes rêves.

La salle Natya-Kala-Mandir était noire de monde. À l'instant où l'on m'a présentée comme une fille de l'Uttar Pradesh, une clameur assourdissante est montée du public. Les hurlements se réverbéraient à travers la salle telles des salves de canon. Une fille m'a saisi la main et ne voulait plus la lâcher ; une autre a défailli en me voyant de près. Ça m'a rappelé cette soirée à Lucknow où j'avais vu Madhuri Dixit pour la première fois : sa beauté éthérée m'avait coupé le souffle.

Aujourd'hui, c'était moi, Madhuri Dixit, le point de mire de tous les regards. La foule immense était venue me voir danser, mais j'étais tendue et angoissée. Pendant toute la durée du spectacle, mes yeux ont balayé les premiers rangs, à la recherche d'un visage familier. Je tendais l'oreille pour entendre une voix familière. Azamgarh n'est distante que de deux cent vingt kilomètres de Lucknow, et j'espérais contre tout espoir que Babuji, Ma ou peut-être Sapna avaient entendu parler de cette manifestation et seraient venus me voir. Mais dans cette mer de visages il n'y en avait aucun de mon passé, et mes yeux n'ont rencontré que les mêmes sourires lubriques, les mêmes regards enamourés que dans tous mes spectacles, d'Agra à Amsterdam.

Ce soir, j'ai payé ma dette à Lucknow. Je ne crois pas que j'y retournerai.

31 décembre

En ce dernier jour de l'année, Rosie m'a apporté tout un paquet de lettres d'un tocard nommé Larry Page. Il m'a écrit cinq lettres par semaine depuis le mois d'octobre. Plus étrange encore, il est américain (c'est du moins ce qu'il prétend).

Ce type est complètement à l'ouest. Il affirme que je lui ai écrit en me faisant passer pour une dénommée Sapna Singh et que j'ai même promis de l'épouser. Pourquoi une actrice célèbre s'enticherait-elle d'un loser pareil… ça, mystère. Ce pauvre idiot clame son amour pour moi en des termes comme : « Je traverserais l'enfer en caleçon imprégné d'essence pour toi. »

Il me donne aussi des leçons de vie. Par exemple : « Quand la vie t'offre des citrons… fais une citronnade. » Autre perle : « La vie est comme un sandwich à la crotte, plus tu as de pain, moins tu mangeras de merde. »

Mais assez rigolé. Rosie est inquiète. On a peut-être affaire à un déséquilibré. Si ça se trouve, je vais être obligée de déposer une main courante pour harcèlement contre M. Larry Page. Du coup, j'ai ordonné à Bahadur de filtrer soigneusement tous les visiteurs. Quiconque ressemble de près ou de loin à un Américain n'aura pas le droit d'entrer et sera escorté directement au poste de police d'Andheri. Je dirai aussi à Bhola d'en toucher deux mots au sous-préfet Godbole, au cas où ce détraqué aurait un casier judiciaire.

C'est la rançon de la gloire !

7 janvier

Ram Dulari s'est révélée une élève exceptionnellement douée. Elle parle l'anglais avec l'aisance d'un guide touristique. À table, elle manie le couteau et la fourchette avec l'élégance d'une douairière. Elle sait pirouetter sur des stilettos de quinze centimètres et manger chinois avec des baguettes.

J'avais espéré boucler le projet Cendrillon en dix mois. Ram Dulari l'a réussi haut la main en cinq mois à peine.

Ça se fête.

13 janvier

Catastrophe ! En sortant de la baignoire après un bon bain relaxant, j'ai glissé et je me suis foulé la cheville. Maintenant, je ne peux plus marcher, même à cloche-pied.

Depuis ce matin, Ram Dulari me frictionne le pied gauche avec de la pommade et applique des compresses chaudes pour le faire désenfler. D'après le Dr Gupte, j'en ai pour au moins dix jours. Par chance, le tournage du film de Guddu Dhanoa, qui devait commencer le 10 janvier, a été reporté sine die, si bien que je n'aurai rien à annuler. Sauf que je ne serai pas en état d'assister à l'avant-première de mon dernier film, *L'Amour au Canada*, qui aura lieu demain à l'IMAX. Il a été réalisé par Deepak Hirani, mon parrain, pour qui j'ai énormément de respect, et l'absence de son actrice principale à l'avant-première va lui porter un sale coup. Malheureusement, une star ne doit pas apparaître plâtrée, sans quoi je me serais traînée à Wadala contre vents et marées.

J'allais appeler Deepak Sir pour m'excuser de lui faire faux bond quand Bhola m'a arrêtée.

— J'ai une idée, *didi*.

— Laquelle ?

— On n'a qu'à envoyer Ram Dulari.

— Et ça changera quoi ?

— L'envoyer à votre place, j'entends, en tant que Shabnam Saxena.

J'ai adressé à Bhola mon regard trente-trois *bis*, celui que je réserve aux réalisateurs qui prennent des libertés avec ma clause de non-nudité.

— Tu délires ou quoi ? Comment Ram Dulari pourrait-elle devenir moi ?

369

— Réfléchissez un peu, *didi*. Elle est votre portrait tout craché. Même taille, même corpulence, même carnation. Une fois qu'elle sera maquillée et habillée comme vous, personne ne verra la différence.

— Mais tout le monde sait que c'est ma cuisinière.

— Qui, tout le monde, *didi* ? Ram Dulari ne sort pas de la maison. Même le gardien ne l'a jamais vue.

Là-dessus, il n'avait pas tort. Nous avons caché Ram Dulari entre ces murs comme un secret de famille.

— Je vous le dis, *didi*, c'est le bon plan. Ram Dulari assistera à l'avant-première, et on croira que c'est vous. L'équipe sera contente. Deepak Sir sera content. Les gens n'y verront que du feu.

Bhola était convaincant, mais j'avais des doutes.

— Comment peux-tu en être si sûr ?

— Parce que je l'accompagnerai, *didi*, je ne la lâcherai pas d'une semelle. Elle n'aura pas grand-chose à faire. Nous entrerons par la porte de derrière afin d'éviter les fans. Elle montera sur scène pour allumer le projecteur et posera avec le reste de la distribution pour les photographes. Puis, après le film, nous repartirons par le même chemin.

— Et si quelqu'un lui pose une question ?

— Ram Dulari n'ouvrira pas la bouche. Je ferai savoir que vous avez mal à la gorge. Je vous assure, *didi*, c'est imparable.

Je n'étais toujours pas convaincue.

— Et si ça ne marche pas ? Si elle se fait choper ? Si Salman ou Akshay se rendent compte qu'elle n'est qu'un sosie ?

— Alors nous ferons comme s'il s'agissait d'un canular. Ce sera un bon coup de pub pour le film. Ce n'est sûrement pas Deepak Sir qui s'en plaindra.

C'était de la folie pure, mais je commençais à me prendre au jeu.

— OK, ai-je soufflé, j'accepte. Mais à une seule condition.

— Laquelle ?

— Je veux tout voir en vidéo.

— Pas de problème. Je vous rapporterai la cassette.

14 janvier

Elle a été parfaite. Je n'aurais pas fait mieux. Elle a souri quand il fallait sourire, allumé le projecteur avec juste la déférence nécessaire, posé immobile pour les photographes, sans broncher, malgré les éclairs aveuglants des flashes ; elle a serré les mains avec une retenue de princesse et géré la présence des stars bollywoodiennes qui l'entouraient avec le sang-froid d'une célébrité.

C'est une bénédiction que Ram Dulari n'ait vu aucun film hindi. N'importe quelle autre fille se serait pâmée de se retrouver si près de Salman Khan et d'Akshay Kumar. Mais elle n'a pas été impressionnée. Ram Dulari est une star. Née du projet Cendrillon.

Azim Bhai, le chef cascadeur, était également présent à la projection. J'ai eu envie de l'appeler pour lui dire que, côté leurre, je les avais tous roulés dans la farine, et que même le chef op ne s'était rendu compte de rien !

16 janvier

Bhola est comme un tigre qui aurait découvert le goût du sang. Il est venu me voir aujourd'hui avec une nouvelle proposition insensée. B. R. Virmani, le magnat du textile, m'a demandé de devenir ambassadrice d'une ligne de jeans lancée par sa société. Il m'offre cinq cent mille roupies pour une apparition de cinq minutes à l'inauguration d'une boutique Liquid Jeans, vendredi, dans deux jours donc.

— Le dircom de Virmani est Rakesh Dattani. Je le connais très bien. Il m'a confié que, si vous refusez, ils feront appel à Priyanka, votre plus grande rivale. Ce n'est pas vraiment dans notre intérêt, n'est-ce pas ?

— Mais je ne peux pas y aller, j'ai la cheville plâtrée.

— Erreur, *didi*. Vous pouvez y aller.

Et, avec un clin d'œil, il a désigné Ram Dulari.

— C'est de la folie. Comment diable Ram Dulari va-t-elle faire face aux fans qui assiégeront le magasin ?

— Facile. Nous dirons à Virmani de renforcer la sécurité et d'empêcher les fans de l'approcher.

— Mais n'a-t-elle pas quelque chose à dire au moment où elle coupera le ruban ?

— Si. Trois phrases. Ram Dulari ?

Il lui a fait signe.

— « Je suis si heureuse d'être ici. J'adore Liquid Jeans. Vous aussi, vous adorerez », a-t-elle récité.

Bien qu'elle soit raide comme un piquet, son élocution n'était pas mauvaise.

— C'est un coup monté, hein ? Vous avez comploté derrière mon dos, ai-je protesté.

— Il ne faut pas en vouloir à Ram Dulari, *didi*, a dit Bhola, contrit. C'est moi qui l'ai coachée. Je lui ai fait croire que c'était à votre demande. Mais, si vous ne voulez pas, elle n'ira pas. Votre confiance a infiniment plus de prix pour nous que cinq *lakhs* de roupies.

J'ai cédé.

— Allez-y, nous garderons cet argent pour le mariage de Ram Dulari. Mais n'oubliez pas ma vidéocassette.

18 janvier

J'ai visionné la cassette ce soir. Une fois de plus, Ram Dulari a été sublime. Il y avait au moins trois cents personnes dans ce magasin, des étudiantes pour la plupart. Elle a accueilli l'admiration, les cris et les applaudissements avec la grâce d'un Monsieur Loyal et est montée sur le podium du pas léger d'un top model. J'ai perçu un instant d'hésitation quand on lui a demandé de parler, un frémissement imperceptible, mais elle n'a pas flanché. Sa voix ressemblait étonnamment à la mienne. Elle a coupé le ruban comme une pro de la politique, et la salle tout entière a applaudi à tout rompre.

Face à l'hystérie générale qu'elle a déclenchée, j'ai dû me rappeler que c'était *moi*, Shabnam Saxena, et qu'elle n'était qu'une doublure.

Le seul accroc s'est produit quand, au moment de partir, une bande d'adolescentes a franchi le cordon de sécurité et l'a assaillie.

— Un autographe, s'il vous plaît, Shabnamji ! s'égosillaient-elles en lui tendant carnets et morceaux de papier.

Ram Dulari s'est figée brièvement, et la caméra a capté l'expression de son visage. Un mélange de désarroi et de consternation, comme une écolière incapable de répondre à une question. Puis Bhola l'a attrapée par le bras et l'a entraînée dehors, sous les cris désappointés de mes fans.

— C'est quoi, un autographe, *didi* ? m'a demandé Ram Dulari au déjeuner.

— C'est la dernière arme que j'ai oublié d'ajouter à ton arsenal, ai-je reconnu.

— Vous m'apprendrez à faire les autographes ?

Je lui ai donc enseigné à signer son nom et le mien : le tortillon sur le S, l'asymétrie du *habna* et la petite fioriture à l'extrémité du *m*. Elle a assimilé très vite. À la fin de la journée, elle signait des autographes avec un tel panache que j'ai été tentée de lui confier les réponses types dont se charge Rosie Mascarenhas.

— Pourquoi m'envoyez-vous faire toutes ces choses comme si j'étais vous, *didi* ? m'a-t-elle demandé au moment où j'allais me coucher.

— Ce n'est qu'un jeu, Ram Dulari, juste un jeu, ai-je répondu avec lassitude.

Une fraction de seconde, j'ai cru surprendre sur son visage un mélange de frustration et de ressentiment. Puis elle a souri et quitté ma chambre.

Ma cheville est presque guérie. Mais le Dr Gupte m'a conseillé de garder le plâtre encore trois jours. Ce qui veut dire que je vais rater la cérémonie des Cine Blitz Awards, où je dois recevoir le prix de la meilleure actrice dans un rôle à contre-emploi pour ma prestation dans *La Vengeance d'une femme*.

Cette fois, c'est moi qui ai décidé d'envoyer Ram Dulari. Ce sera son ultime épreuve. Si elle y survit, elle survivra à tout le reste.

Je vais la coacher personnellement pour qu'elle sache quoi dire et comment se comporter. Et je regarderai le résultat à la télévision où la cérémonie sera retransmise en direct.

Installée sur mon lit, j'ai allumé l'écran plasma. Le direct avait commencé, et une jeune présentatrice montrait l'effervescence à l'entrée du complexe sportif d'Andheri, avec les acteurs qui arrivaient dans leurs voitures et posaient pour les caméras.

Cinq minutes plus tard, j'ai vu ma Mercedes E500 argentée et Ram Dulari qui en descendait, sexy dans un sari blanc ourlé de paillettes. L'assistance a explosé.

Assise sur le lit, je me regardais, fascinée, me pavaner sur le tapis rouge. J'ai eu la chair de poule quand j'ai levé les mains et que des milliers de fans en délire se sont mis à scander mon prénom. Éblouie par des myriades de flashes, j'ai souri aux caméras.

Une fois de plus Ram Dulari s'est montrée irréprochable, impavide face à vingt mille fans déchaînés. En la voyant recevoir mon prix, j'ai éprouvé la même fierté que Michel-Ange à l'égard de *David*, Léonard de Vinci vis-à-vis de la *Joconde* ou Nabokov à propos de *Lolita*. L'ivresse du créateur qui voit son œuvre prendre vie. Sauf que j'en retirais une satisfaction infiniment plus grande que si j'avais été peintre ou écrivain. Mon œuvre à moi dépassait l'assemblage stérile de mots ou de taches de couleur sur une toile. Elle vivait, respirait, bougeait… ce à quoi aspire toute forme d'art sans jamais y parvenir.

— « Et voici notre plus grande star, a annoncé la présentatrice, tandis que la caméra balayait les milliers de fans en train de scander "Shabnam… Shabnam !" On dirait que c'est bien l'année de Shabnam Saxena, plus jeune et plus belle que jamais. Elle a déjà démontré les multiples facettes de son talent en remportant le prix de la meilleure actrice dans un rôle à contre-emploi et semble déterminée à décrocher encore plus de récompenses et à conquérir encore plus de cœurs dans les années à venir. »

Un vent de folie a soufflé sur la foule quand Ram Dulari a signé un autographe sur la poitrine d'un ado arborant un tee-shirt « I ♥ Shabbo » ; les caméras ont fait un arrêt sur image.

Le Maître a dit : « L'expérience, en tant que désir d'expérience, ne mène à rien. Nous ne devons pas nous étudier nous-mêmes au moment où nous la faisons. » Face à cette image figée de moi-même, j'ai compris ce qu'il entendait par là.

Je me suis soudain senti délivrée du masque de la célébrité, ce masque « qui dévore le visage ». Pour la première fois, je pouvais me regarder sans m'encombrer d'un regard nombriliste. Je savourais ma popularité de l'extérieur. C'était une étrange sensation, un peu comme sortir de son corps sans le quitter.

Ce soir, Ram Dulari a libéré Shabnam Saxena.

Bhola et Ram Dulari sont rentrés à une heure du matin.

— Bravo, Ram, tu n'as pas fait un seul faux pas. Tu as été parfaite. Je suis vraiment fière de toi, l'ai-je félicitée avec chaleur.

Elle m'a contemplée fixement.

— Alors, *didi*, quand allez-vous m'apprendre à jouer dans des films ?

Je n'en croyais pas mes oreilles. Avait-elle perdu la tête ? J'ai aussitôt pris mon air de maîtresse d'école en colère, celui que je réserve aux fans indisciplinés.

— Ce n'est pas parce qu'on se ressemble que tu peux devenir actrice, comme moi, Ram Dulari, ai-je riposté d'un ton à geler une flamme.

— Mais si, *didi*. Écoutez ça.

Et elle a récité avec entrain un extrait de mon rôle dans *La Fille du gang*.

Elle avait dû passer des heures à visionner les DVD de mes films car sa prestation relevait de la virtuosité. Son élocution était irréprochable, avec juste ce qu'il fallait d'émotion dans la voix. Force était de reconnaître qu'elle avait tout pour faire une excellente actrice. Un étau de jalousie m'a enserré le cœur.

— Tu t'es assez amusée pour aujourd'hui. Maintenant, va donc faire tremper les haricots rouges pour le déjeuner de demain.

Après l'avoir congédiée, j'ai fusillé Bhola du regard.

— *Bas.* Ça suffit. Ram Dulari ne se fera plus passer pour moi. Je trouve que toutes ces acclamations lui montent à la tête.

— Oui, *didi*, a-t-il reconnu, penaud. Fini les sorties pour elle.

Il était important pour moi de remettre Ram Dulari à sa place. Simple cuisinière, elle avait été transformée en Cendrillon par mon bon vouloir. Et tout comme pour Cendrillon, la fête finissait pour elle au douzième coup de minuit.

En écrivant ces lignes, je réfléchis à ce que je vais faire d'elle. Elle est un jouet que j'ai créé pour mon propre divertissement. Mais que fait-on d'un jouet une fois qu'on s'en est lassé ? Où jette-t-on un être de chair et de sang ?

J'ai essayé de me rappeler ce que Gepetto avait fait de Pinocchio, et c'est là que ça m'est revenu : dans la version originale, Pinocchio connaît une fin tragique, pendu pour ses innombrables bêtises.

15 février

Aujourd'hui j'ai tourné pour Sriram Raghavan aux studios Mehboob. Mais personne n'arrivait à se concentrer sur le travail. Il y avait comme de l'électricité dans l'air. Tout le monde attendait le verdict dans le procès de Vicky Rai.

À l'heure du déjeuner, toute l'équipe s'est réunie dans la salle de projection, où l'on avait branché un projecteur sur la télévision par câble. J'étais dans la caravane de maquillage et je suis arrivée au moment où Barkha Das grimaçait à l'écran.

« Nous venons de recevoir un communiqué de la salle d'audience. Vicky Rai a été acquitté dans l'affaire du meurtre de Ruby Gill. »

Un silence hébété a accueilli la nouvelle. Nous avions du mal à le croire. Pour une fois, même Barkha Das semblait à court de commentaire.

« Que dire à cela ? Ce verdict est un désastre, mais ce n'est pas vraiment une surprise. Depuis des années, les riches et les puissants manipulent la loi indienne pour permettre à des assassins de s'en tirer impunément. Vicky Rai fait partie de la liste. Pour l'homme de la rue, la justice reste un rêve. Aujourd'hui est un jour de deuil, non seulement pour la famille de Ruby Gill, mais pour tous les Indiens comme vous et moi. »

Je n'ai jamais rencontré Ruby Gill. Pourtant ce verdict m'a emplie d'une tristesse inexplicable, un peu comme celle qu'engendre la nouvelle d'une catastrophe aérienne dans un pays lointain.

16 février

Qui l'aurait cru, Jay Chatterjee organise une fête à l'Athena pour célébrer l'acquittement de Vicky Rai, et il m'a envoyé une invitation. Quelle indécence ! Je ne sais ce qui me perturbe le plus : qu'on puisse se réjouir de cette parodie de justice ou qu'un homme aussi intelligent et créatif que Jay Chatterjee soit ami avec un criminel comme Vicky Rai. C'est une révélation. Même le Steven Spielberg de Bollywood a des pieds d'argile.

J'ai décliné poliment, tout en sachant que cela risquait de compromettre ma participation à son prochain film, celui pour lequel il cherche toujours un clone de Salim Ilyasi. Mais j'ai mes principes.

Malheureusement, j'ai aussi mes limites. Plus tard dans la journée, lors d'une séance de photos à Lonavala, j'ai été abordée par un groupe d'étudiants.

— Nous préparons une pétition adressée à la présidente de la République pour réclamer la révision du procès Vicky Rai. Notre but est de recueillir dix millions de signatures. Voulez-vous y ajouter la vôtre, Shabnamji ?

— Non, ai-je répondu, gênée. Je ne veux pas me mêler de politique.

— Ce n'est pas de la politique, m'dame, a déclaré un garçon avec ferveur. Il s'agit de justice. Aujourd'hui c'est Ruby, demain ce sera peut-être vous ou moi.

— Je suis d'accord avec vous, mais je ne peux pas vous apporter mon soutien officiel.

Sur ce, je me suis excusée. Les étudiants sont repartis, tête basse.

Je ne fais que suivre la recommandation de mon secrétaire, Rakeshji : ne jamais critiquer le gouvernement. C'est un boulet qu'on traîne toute sa vie, et les autorités peuvent toujours exercer des représailles. Qui souhaiterait un contrôle fiscal ou une confiscation de passeport ?

Dans tous les cas, je doute de connaître un jour le sort de Ruby Gill. Comme l'a dit Barkha Das, les riches et les puissants s'en tirent, même s'ils commettent un meurtre, et se font eux-mêmes rarement assassiner.

17 février

Je pars trois semaines en Australie tourner trois séquences chantées avec Hrithik pour le film de Mahesh Sir *Métro*. C'est la première fois que je vais dans ce pays, et j'ai hâte de voir tous ces endroits dont j'ai tellement entendu parler.

Ram Dulari reste seule à l'appartement ; j'ai donc briefé Bhola pour qu'il prenne particulièrement soin d'elle et de la maison.

20 février

À tous les coups, Sydney doit être la ville la plus fantastique du monde. Cette première vision de l'Opéra et de Harbour Bridge a été magique. La plage de Bondi compte plus de corps bronzés que n'importe quelle autre sur la planète. Et les Australiens sont des fêtards de première.

Je m'éclate comme une folle.

Le plus drôle, c'est de voir toutes ces filles blondes aux yeux bleus onduler des hanches en cadence avec moi sur une bande-son hindie. C'est devenu presque un must, à Bollywood, d'avoir au moins une chanson avec des danseuses *firang* virevoltant autour de nos acteurs basanés. Dans celle que nous avons filmée aujourd'hui, les Australiennes étaient censées ramper aux pieds de Hrithik, le suivre à quatre pattes, en haletant comme des chiennes en chaleur et en quémandant un baiser.

Serait-ce ce que l'on appelle du colonialisme à l'envers ?

4 mars

Un épisode intéressant s'est produit aujourd'hui. Un homme aux cheveux argentés et au visage taillé à la serpe se faisant appeler Lucio Lombardi est venu me voir à l'hôtel, dans ma suite. Son anglais est excellent, et il se prétend le chargé d'affaires d'un prince arabe dont le nom m'échappe.

J'ai demandé ce qui l'amenait à Sydney. Il a dit que le prince avait vu mes photos et était raide amoureux de moi. Il était prêt à payer cent mille dollars pour une nuit avec moi le 15 mars, à l'occasion de son anniversaire. Je me rendrais à Londres dans son jet privé, je descendrais au Dorchester et le 16, après la nuit passée avec le prince, on me ramènerait à Bombay.

M. Lombardi m'a exposé sa requête sur le ton affable du réalisateur déballant le pitch de son prochain film. Cet homme-là avait visiblement de l'argent et des relations, mais c'était compter sans le tempérament d'une diva indienne.

— Je suis extrêmement choquée par votre proposition, ai-je éclaté. Pour qui votre prince me prend-il ? Pour une vulgaire prostituée ?

À vrai dire, je n'étais pas si choquée que ça. Je sais que dans l'inconscient des hommes j'occupe une place indéterminée entre l'épouse et la putain. Une épouse peut être séduite, une putain achetée. Une actrice comme moi ne peut recevoir que des propositions malhonnêtes. Et c'est précisément ce que Lombardi avait fait.

L'Italien ne s'est pas avoué vaincu. Il a doublé, puis triplé la somme pour arriver finalement à un demi-million de dollars avec, cerise sur le gâteau, cinquante pour cent payables immédiatement, et en liquide.

Jouant sa carte maîtresse, il a sorti la photo du prince. Je m'étais imaginé un infirme, laid, atteint d'une maladie vénérienne, or la photo sur papier glacé représentait un fringant jeune homme, vêtu de l'ample robe des Arabes et la tête ceinte d'une coiffure à carreaux. Il avait le teint clair et un visage allongé, dominé par une épaisse moustache.

J'ai dû admettre que le prince n'était pas vilain (quoiqu'un peu efféminé) et qu'un demi-million de dollars était une fortune. J'ai fait le calcul. Lombardi me faisait miroiter vingt millions de roupies pour une aventure d'une nuit.

J'ai presque soixante millions de roupies sur mon compte en banque. Mais il m'a fallu trois ans et demi pour les gagner. Et là, on m'offrait le tiers de ce montant pour à peine une douzaine d'heures de boulot.

Qu'est-ce, en fait, qu'une seule nuit ? Peut-être deux rapports sexuels (même le prince n'aurait pas l'endurance nécessaire pour un troisième). Ce qui revient à vingt-deux minutes maxi. Autrement dit, vingt-deux mille sept cent vingt-sept dollars la minute. Ou encore trois cent soixante-dix-huit dollars la seconde. Waouh ! En termes de rendement par seconde, seul Mohammed Ali a dû faire mieux, sauf qu'il se prenait aussi des coups, sur le ring. Qui sait, je pourrais même en tirer du plaisir.

Néanmoins, j'ai dit non.

Lombardi semblait atterré.

— Vous commettez une erreur, mademoiselle Saxena, en refusant cette offre plus que généreuse. Auriez-vous peur de la publicité ? Nous sommes extrêmement discrets, je vous assure.

— Non.

— Serait-ce par souci de moralité ? Vous connaissez le proverbe italien : « Au-dessous de la ceinture, il n'y a ni religion ni vérité » ?

— Je ne suis pas à vendre, monsieur Lombardi, vous le direz à votre prince.

Et je lui ai fermé la porte au nez.

Au-dessous de la ceinture, il n'y a peut-être ni religion ni vérité, mais à l'intérieur du crâne il y a quelque chose qui s'appelle un cerveau. En repoussant le prince aujourd'hui, je ne fais qu'accroître son désir. Je suis sûre que d'ici son prochain anniversaire il sera mûr pour m'offrir un million de dollars !

Pour le coup, on sera vraiment dans *Proposition indécente*.

Je me demande pourquoi on n'a pas encore tourné le remake hindi de ce film.

8 mars

Je ne sais même pas par où commencer pour décrire le pire jour de ma vie !

J'ai senti que quelque chose n'allait pas dès l'instant où j'ai atterri, à huit heures du soir, en provenance de Singapour, et que Bhola n'est pas venu me chercher à l'aéroport. Seul Kundan était là avec la Mercedes.

— Où est Bhola ? lui ai-je demandé.

— Je ne sais pas, madame. Je ne l'ai pas vu depuis une semaine. C'est Rakesh Sir qui m'a dit de venir vous attendre à l'aéroport.

Une demi-heure plus tard, en arrivant à l'appartement, je l'ai trouvé plongé dans l'obscurité. J'ai allumé la lumière et étouffé un cri. Tout était sens dessus dessous. Les canapés du salon avaient été renversés, mon beau vase en cristal Waterford gisait par terre, en pièces. Une odeur de viande avariée émanait de la salle à manger : choquée, j'ai découvert sur la table des barquettes à moitié vides de poulet au soja et de porc aigre-doux au milieu de filaments de nouilles. Une pyramide de poêles et de casseroles sales m'a accueillie dans la cuisine.

Le pire m'attendait dans ma chambre. Les draps avaient été arrachés du lit, et le matelas avait été sauvagement tailladé. Les tiroirs avaient été sortis, et toutes les *almirahs* étaient ouvertes. Papiers, pinces à cheveux et vêtements jonchaient la moquette.

Ma coiffeuse avait été entièrement vidée, et ma collection de parfums et de produits de beauté avait disparu. J'ai couru dans le dressing, au coffre-fort dissimulé dans une penderie. J'aurais pu m'épargner cette peine. La lourde porte en métal avait été dessoudée, remplacée par un trou béant. Par chance, je gardais l'essentiel de mon argent liquide et mes bijoux de valeur dans un coffre de la HSBC, mais j'avais tout de même perdu près de cent mille roupies, quelque trois mille dollars, cinq cents livres sterling, des euros, un collier d'émeraudes et une montre Breitling. Découverte plus déchirante encore : mes chaussures et mes sacs à main s'étaient volatilisés. Envolés, mes Manolo Blahnik et mes Christian Louboutin, mes Balenciaga et mes Jimmy Choo.

Tandis que je contemplais le carnage, j'ai eu l'impression de recevoir un direct à l'estomac : des voleurs s'étaient introduits dans l'appartement, l'avaient mis à sac, avaient embarqué tous les objets de valeur, mangé tranquillement un repas chinois et tué Bhola et Ram Dulari.

Dans le silence glacé de la maison, j'ai essayé de rassembler mon courage pour ouvrir la porte de la salle de bains sur deux corps tuméfiés flottant dans la baignoire rougie de sang. Ma baignoire !

Incapable de m'y résoudre, je suis retournée dans la chambre et j'ai décroché le téléphone sur la table de nuit pour appeler la police. C'est là que je suis tombée sur un message écrit à la main, collé avec du scotch sur le combiné : « Avant d'appeler la police, jette un œil sur la cassette dans le tiroir inférieur droit de ta coiffeuse. » L'écriture m'était vaguement familière.

Je me suis précipitée vers la coiffeuse et j'ai ouvert le tiroir en question. J'y ai trouvé une vidéocassette noire, sans boîtier ni étiquette. Cet anonymat même lui conférait un air menaçant.

Bizarrement, les cambrioleurs n'avaient pas touché à mon matériel électronique. Mon téléviseur plasma, ma chaîne hi-fi et le lecteur DVD étaient là, intacts. Les mains tremblantes, j'ai glissé la cassette dans le magnétoscope et allumé la télé. Je m'attendais à voir le cadavre de Ram Dulari flottant dans la baignoire, mais ce que j'ai vu m'a prise complètement au dépourvu. La baignoire, en effet, mais la seule personne qui y flottait, c'était moi, et j'étais entièrement nue.

La vidéo d'une vingtaine de minutes me montrait en train de me prélasser, jouant avec la pomme de douche, soufflant des bulles de savon, enfin, le genre de choses que peut faire une fille seule en pareil lieu.

J'étais horrifiée d'avoir été filmée à mon insu. Pis encore, dans ma propre salle de bains.

J'ai poussé la porte de celle-ci et risqué un coup d'œil à l'intérieur. La baignoire en marbre ne contenait aucun cadavre. Le silence de mort n'était troublé que par les gouttes d'eau tombant du robinet avec une régularité de métronome. J'ai levé les yeux sur les spots dissimulés dans le plafond. À première vue, ils étaient tous pareils, mais dans celui du milieu, juste au-dessus de la baignoire, on distinguait le reflet liquide d'une caméra.

De retour dans la chambre, j'ai étudié à nouveau le billet. En un éclair, j'ai reconnu l'écriture. C'était Bhola. Il avait essayé de la déguiser, mais les *t* penchés le trahissaient.

Le guet-apens m'apparaissait clairement, à présent. Bhola avait caché des caméras dans ma chambre et ma salle de bains, il me filmait depuis presque neuf mois et avait enregistré Dieu sait combien de cassettes. Profitant de mon absence, il avait pillé la maison, l'avait mise à sac pour faire croire à un cambriolage et menaçait, si je me rendais à la police, de divulguer les enregistrements.

Cet homme, qui m'appelait sa sœur, s'était mué en maître chanteur. Et il avait bien choisi sa cible. Nul mieux que moi ne pouvait comprendre dans quel pétrin je me retrouvais. Une bombe sexuelle ne révèle rien de sa vie intime. De même qu'une femme paraît plus sexy en lingerie fine que nue, la suggestion entretient le mythe, à l'inverse de la pornographie. Tout le cinéma indien est fondé sur ce concept. Un bout de décolleté par-ci, un bref aperçu de cuisse par-là, mais le grand jeu, jamais. À Bollywood, les actrices peuvent être sexy, mais elles doivent rester convenables.

Si elle était rendue publique, cette vidéo pouvait détruire ma réputation, torpiller ma carrière, peut-être irrémédiablement. Non, je ne pouvais pas aller à la police.

J'ai essayé de joindre Bhola sur son portable, sans résultat. « Le numéro que vous avez demandé n'est plus attribué. » Il avait dû changer de téléphone. Peut-être même avait-il quitté l'Inde.

Comment ai-je pu me tromper au point d'engager ce traître infâme comme assistant et secrétaire particulier ? Mais ça ne sert à rien de pleurer les pots cassés. Comme dit le Maître, ne cède jamais au remords, tu ne ferais que redoubler de stupidité.

Il y a juste une question qui me taraude. Qu'a fait Bhola de la pauvre Ram Dulari ?

12 mars

Voilà quatre jours que Ram Dulari a été kidnappée. À mon avis, elle est morte. Je le sens. Bhola l'a tuée, découpée en petits morceaux, enfermée dans un sac lesté d'une lourde pierre et jetée dans l'océan, où elle doit reposer avec les poissons.

La police vous le dira, il existe un certain délai pour retrouver vivante une personne disparue. Passé ce moment, les chances diminuent sérieusement. Je plains les parents qui continuent à espérer le retour de leur enfant kidnappé au bout de plusieurs mois, voire plusieurs années.

Dans la vie, il faut savoir faire la part du feu et aller de l'avant. Comme moi.

Ram Dulari R.E.P. (Repose En Paix) Bhola R.E.E. (Retourne en Enfer. Là d'où tu viens).

13 mars

Le réalisateur « Jugs » Luthra, connu pour être le roi du porno soft de Bollywood, m'a approchée aujourd'hui. Un homme bien en chair, qui souffle comme un phoque en parlant, ce qui ne l'a pas empêché de tourner quatre gros succès d'affilée.

— Alors, Shabnam, on peut commencer le 15 avril ? a-t-il demandé de sa voix essoufflée.

— Commencer quoi ?

— Le tournage de mon film, *Sexy Number One.*

— Luthra sahib, je vous l'ai dit il y a six mois, je ne peux pas le faire. Toutes ces scènes de baignade et de baisers me mettent mal à l'aise.

— Mais vous avez changé d'avis depuis. Et je vous ai versé cinquante *lakhs* d'à-valoir. Cash.

— Cinquante *lakhs* d'à-valoir ?

— Oui. Votre secrétaire, Bhola, m'a transmis votre accord le mois dernier et m'a dit que vous aviez besoin de cet argent tout de suite. Il m'a même donné des dates en avril et mai. Dans un mois, on est sur le plateau. Je demanderai à Jatin de discuter des costumes avec vous. Ils seront un peu légers, comme vous le savez, étant donné le script. Mais, je vous assure, les prises de vue seront très esthétiques.

La tête me tournait. Bhola avait encaissé cinq millions en mon nom et m'avait embarquée dans le tournage d'un sordide navet ?

— Je regrette, il doit y avoir un malentendu. Je n'ai jamais autorisé Bhola à accepter votre projet. Et ce n'est pas Bhola, mais Rakeshji qui prend tous mes rendez-vous.

— De quoi parlez-vous, Shabnam ? Vous avez même signé le contrat, à la suite de quoi je vous ai versé l'avance.

— Le contrat ?

— Oui, le voici.

Il a ouvert sa mallette et m'a tendu un document dactylographié. C'était un contrat type, dans lequel la clause de non-nudité brillait par son absence. En bas du document figuraient ma signature et la date, le 17 février, jour de mon départ pour l'Australie.

J'ai examiné la signature. Je n'avais jamais signé un contrat pareil. Elle avait pourtant l'air authentique. Soudain, une idée m'a traversé l'esprit. Bhola avait dû la soutirer à Ram Dulari. Puisqu'elle était capable de signer des autographes, elle pouvait très bien imiter ma signature sur un contrat.

— Écoutez, monsieur Luthra, il est hors de question que je joue dans votre film, ai-je déclaré, catégorique.

Le réalisateur s'est mis en colère.

— Dans ce cas, je vous poursuivrai en justice pour rupture de contrat, a-t-il répondu, pantelant.

— Je suis sûre que nous pouvons régler cela à l'amiable. Je suis prête à vous rendre votre argent si vous acceptez de déchirer ce papier. Et, comme preuve de bonne volonté de ma part, je ferai une apparition de deux minutes dans votre film gratis.

Il a réfléchi un instant.

— D'accord, mais à une seule condition. Que vous me rendiez l'argent demain. Les cinquante *peti*. Cash.

— Je vous le promets. J'irai à la banque à la première heure.

J'ai poussé un soupir de soulagement à l'idée de l'avoir échappé belle. Je ne m'attendais pas à ce que Jugs capitule aussi facilement. Mais il sait qu'il peut trouver des tas de filles prêtes à tourner en *chhote kapde* – en tenue légère –, un euphémisme pour la nudité approuvée par la censure, pour un dixième de mon cachet. Le milieu du cinéma regorge de jouvencelles qui n'hésitent pas à se dénuder pour un oui ou pour un non. Elles mettront tous les costumes que le régisseur leur proposera, danseront autour d'une barre à faire rougir les strip-teaseuses de Las Vegas et ramperont à quatre pattes dans des culottes couleur chair.

14 mars

Le directeur de la banque, un charmant gentleman en complet-veston, m'a réservé un accueil nettement moins cordial que les fois précédentes. J'ai demandé à retirer cinquante *lakhs* en liquide. Il a souri sans chaleur et m'a répondu que la banque n'était pas en mesure de m'accorder un aussi gros découvert.

— Un découvert ? Pourquoi aurais-je besoin d'un découvert, avec tout l'argent déposé chez vous ?

— Vous oubliez, Shabnamji, que vous êtes venue ici le 16 février pour vider entièrement votre compte et liquider tous vos placements. Vous avez dit que vous transfériez votre argent dans une autre banque.

— Mais… mais c'est impossible. Ça fait des mois que je n'ai pas mis les pieds ici.

— Vous êtes venue en personne avec votre secrétaire, M. Bhola Srivastava. Rappelez-vous, nous étions installés dans cette même pièce et je vous ai expliqué que cela vous ferait perdre les intérêts sur vos placements. Vous avez signé tous les documents et retiré l'argent. Après quoi, vous êtes allée au coffre récupérer vos objets de valeur.

Chacun de ces mots était comme un coup de massue. Soixante millions de roupies, envolées. Mes bijoux en or massif, envolés. Mes pièces d'or vingt-quatre carats de Dubaï, envolées. Mon pendentif en platine, envolé.

Ma voix aussi s'était envolée.

— Je... je... je ne sais pas comment... comment c-c'est arrivé.

Le directeur m'a lancé le regard apitoyé qu'on réserve au pauvre bougre mûr pour l'asile.

Je suis rentrée chez moi, hébétée, j'ai dit à Rakeshji d'annuler tous mes rendez-vous de la journée et je me suis effondrée sur le lit.

Avec quels autres cinéastes Bhola avait-il signé des engagements pour leur soutirer de l'argent ? J'ai contemplé le mobilier que j'avais réussi à remettre en place. Combien de temps me restait-il avant que je reçoive un avis d'expulsion et que tout parte aux enchères pour payer mes créanciers ?

La vie est un combat. Je ne peux pas assister les bras ballants à ma propre débâcle financière, à la destruction systématique de ma carrière. J'irai à la police et je raconterai tout. Comment Bhola m'a escroquée, dépouillée, comment il a forcé Ram Dulari à se faire passer pour moi, avant de la supprimer, selon toute vraisemblance.

La vidéo, je m'en occuperai quand elle aura été rendue publique. Ce sera embarrassant, certes, mais je n'en mourrai pas. Et ce qui ne tue pas rend plus fort.

J'ai décidé d'aller voir le sous-préfet Godbole, mais pas avant le 18 mars. Je ne veux pas que la perfidie de Bhola gâche mon anniversaire.

17 mars

J'ai vingt-trois ans aujourd'hui. Toute la journée, producteurs et réalisateurs m'ont appelée pour me présenter leurs vœux. Les bouquets arrivent par dizaines ; la maison empeste les roses et les lis.

Rosie Mascarenhas dit qu'elle croule sous les cartes de mes fans. D'après les derniers calculs, il y en a presque trente mille, record absolu en matière de courrier.

Deepak Sir donne une fête en mon honneur ce soir, au Sheraton.

Malgré toutes ces réjouissances, j'ai le cœur triste. Personne n'appellera d'Azamgarh pour me souhaiter un joyeux anniversaire. Lors de ma première année à Bombay, j'ai attendu près du téléphone, toute la journée du 17 mars, du matin à la tombée de la nuit, espérant envers et contre tout un coup de fil de Ma et de Babuji. En vain. Ma famille a coupé les ponts si radicalement qu'elle a probablement oublié la date de mon anniversaire.

18 mars

Ce soir, un colis m'a été livré par DHL. À l'intérieur se trouvait un petit paquet soigneusement emballé et enrubanné.

J'ai déchiré le papier doré et j'ai eu un choc. Encore une vidéocassette noire, sans boîtier ni étiquette. Avec un petit Post-it : « Bon anniversaire, avec un peu de retard. Si tu penses toujours aller à la police, regarde ceci. » C'était bien l'écriture penchée de Bhola.

J'ai inséré la cassette dans le magnétoscope, m'attendant à voir le nouvel épisode des « Aventures d'une fille esseulée », mais l'image qui est apparue à l'écran m'a fait l'effet d'une décharge électrique.

On m'y voyait en pleins ébats amoureux avec un homme dont le visage n'était jamais montré. À la peau blafarde et à la bedaine velue, il ne faisait aucun doute que c'était Bhola. Les séquences étaient très crues. Leur caractère explicite m'a laissée sans voix. À côté, la vidéo du bain avait l'air de sortir des studios Disney.

Deux choses étaient claires. La première, c'est que Ram Dulari était on ne peut plus vivante. La seconde, c'est qu'elle participait de son plein gré à tous les méfaits de Bhola. Qu'une vierge effarouchée se métamorphose en nymphomane déchaînée était un mystère pour moi, mais sa trahison m'a fait encore plus mal que celle de Bhola.

Bhola et Ram Dulari, la fine équipe. Les Bonnie et Clyde modernes, rois de la baise et de l'arnaque, imposteurs prêts à tout pour me subtiliser soixante millions de roupies.

Je suis restée un long moment assise sur mon lit, paralysée. Puis j'ai réfléchi à toutes les solutions possibles. La vidéo du bain m'avait épinglée, moi, mais celle-ci avait Ram Dulari pour vedette. Je ne pouvais être tenue pour responsable des actions de mon double. Si j'allais à la police et si Bhola divulguait cette vidéo, que pourrait-il m'arriver de pire ? À en juger par de récents exemples, le film voyagerait sur Internet à travers le monde, sous forme de clip, et finirait au paradis du cyberespace, parmi les archives favorites des accros du porno.

Je me suis mise à penser à Pamela Anderson et à Paris Hilton. Les tonnes de publicité gratuite, les recettes records au box-office. Je deviendrais l'actrice indienne la plus célèbre ; ces quelques images sordides me hisseraient sans effort à la pre-mière place. Et ensuite, bien sûr, je ferais porter le chapeau à Ram Dulari !

Non, non, non. Je m'embarquais sur une mauvaise voie. À quoi pensais-je ? Nous sommes en Inde. Ici, montrer son nombril est assimilé à de l'exhibitionnisme, une femme en bikini déclenche des émeutes dans la rue. Comment prouver qu'il s'agissait de mon sosie ? Surtout après la publication de la vidéo « originale » du bain.

Je devais songer à l'enquête policière. Aux juges. À la prison. Aux manifestations de la Société pour la régénération morale. On brûlerait mon effigie, on mettrait en pièces les affiches de mes films. Je serais bannie de l'industrie du film. C'en serait fini de ma carrière.

Merde !

Réfléchis, bon sang. Réfléchis, point. RÉFLÉCHIS.

20 mars

L'appel que j'attends depuis quatre ans, je l'ai reçu aujourd'hui.

À vingt et une heures vingt précises, le téléphone a sonné, et une opératrice fatiguée m'a demandé si j'étais Shabnam Saxena.

— Elle-même.

— Parlez, je vous prie, votre correspondant est en ligne, a-t-elle débité d'une voix monocorde, sans se rendre compte qu'elle avait au bout du fil l'une des plus grandes stars du pays.

— *Beti*, ici Ma. J'appelle d'un PCO.

En entendant la voix fluette de ma mère, j'ai senti mon cœur bondir hors de ma poitrine.

La ligne était très mauvaise, mais j'ai immédiatement compris que ce n'était pas pour me souhaiter mon anniversaire. C'était un appel au secours.

Ma mère me suppliait de rentrer sur-le-champ à Azamgarh.

— Il y a eu un terrible drame. Ton père est à l'hôpital, entre la vie et la mort. Je ne peux rien dire au téléphone. Il faut que tu viennes, ma fille. Il faut que tu viennes.

— Oui, Ma, ai-je répondu en ravalant mes larmes. J'arrive.

21 mars

Je suis retournée à Azamgarh, ma ville natale. J'ai pris l'avion de Bombay à Bénarès, puis un taxi pour les quatre-vingt-dix derniers kilomètres. Craignant d'être reconnue et assaillie par la foule, j'ai enfilé une burqa par-dessus mon jean.

Si Lucknow a beaucoup changé en trois ans, Azamgarh est restée la même depuis sept ans, un cloaque surpeuplé où les maisons délabrées voisinent avec d'immondes taudis. Les routes sont défoncées. Les ordures s'amoncellent à chaque coin de rue. Les caniveaux débordent d'eaux usées. Les vaches se promènent librement sur la chaussée. Le moindre espace disponible est couvert d'affiches d'hommes politiques aux mains jointes et aux sourires artificiels.

Kurmitola, où se trouve la maison familiale, est devenue un cauchemar de claustrophobe. Ses rues étroites qui grouillaient naguère de rickshaws et de bicyclettes résonnent de klaxons d'automobiles et de triporteurs, et de crissements de pneus. Des pigeons s'envolent des balcons de maisons à moitié en ruine. Sur les panneaux branlants, des affiches criardes de films rivalisent avec des publicités pour des cliniques de sexologie. D'habiles artisans en guenilles travaillent dans des ateliers miteux. Des vieillards ridés fument le narguilé sur les trottoirs crasseux, vestiges fatigués d'un autre temps.

Je n'ai eu aucun mal à localiser la maison, en bordure d'un pré dont les enfants se servaient comme terrain de foot et de cricket. J'ai frappé à la porte usée par les intempéries, et Ma est venue m'ouvrir. Elle avait vieilli et blanchi depuis mon départ. Je l'ai serrée dans mes bras, nous avons versé quelques larmes, puis elle m'a fait asseoir sur le lit de repos bancal, dans la cour octogonale où Sapna et moi avions joué à la marelle, et m'a expliqué la raison de son coup de fil.

Deux jours plus tôt, Sapna avait été enlevée à la sortie des cours puis emmenée dans une petite maison à Sarai Meer, un faubourg mal famé réputé pour ses gangsters. Là, son ravisseur avait tenté de la violer. Heureusement, Sapna avait réussi à s'emparer de son arme et l'avait abattu.

Elle était rentrée à la maison au bout de quelques heures, mais, en apprenant la nouvelle, Babuji avait eu une crise cardiaque. Maintenant il était à l'hôpital, et Sapna se terrait chez mes parents, terrifiée à l'idée que la police vienne l'arrêter pour meurtre d'une minute à l'autre. En désespoir de cause, Ma avait fait appel à moi.

J'ai saisi sa main pendant qu'elle me racontait tout cela d'une voix brisée.

— Ta sœur est revenue en tremblant comme une feuille. J'étais incapable de la regarder dans les yeux, il y avait tant de souffrance en elle. La loi est lettre morte ici, aucune fille n'est en sécurité. Que veux-tu, avec un ministre de l'Intérieur qui est lui-même un criminel ? Ton Babuji a toujours du mal à l'admettre, mais je te le dis, *beti*, tu as eu raison d'aller à Bombay. Dommage seulement que tu n'aies pas emmené ta petite sœur. Nous n'aurions pas vécu ce que nous vivons aujourd'hui.

— Entre le bien et le mal il y a l'accident, Ma, qui n'est ni bien ni mal, et contre lequel on ne peut rien.

— Tu as raison, *beti*. Ce qui doit arriver arrivera.

— Où est Sapna ? ai-je demandé.

— Elle se cache dans le débarras et refuse de sortir. La pauvre petite n'a pas mangé depuis quarante-huit heures. Peut-être que toi, elle t'écoutera.

Le débarras, me suis-je rappelé, était la pièce la plus sinistre de la maison. En ce lieu dénué de fenêtres, l'air était confiné, avec des relents de poussière et de bois moisi. C'était la planque idéale pour jouer à cache-cache, mais aucune de nous ne supportait de rester plus de dix minutes dans ce réduit lugubre. Or voilà que Sapna y était cloîtrée depuis deux jours entiers.

J'ai gravi l'escalier quatre à quatre et frappé à la porte en bois dont la peinture partait en lambeaux.

— C'est moi, Sapna. Ouvre.

Après un bref silence, la porte s'est ouverte, et Sapna est tombée dans mes bras, hagarde et amaigrie, des cernes noirs sous les yeux. Elle m'a enlacée et serrée avec force ; ses doigts s'enfonçaient dans mon dos, cherchant les repères familiers de l'enfance. Elle a fini par craquer et s'est mise à pleurer. Son corps frêle était secoué de sanglots. Elle a pleuré jusqu'à ce qu'il ne lui reste plus une seule larme. Je lui caressais la tête, partageant en silence sa douleur.

Sur mes instances, Sapna a finalement accepté de .manger. Puis nous sommes parties à l'hôpital voir Babuji. Nous avions toutes deux enfilé une burqa noire.

La chambre du service des soins intensifs était plongée dans la pénombre. Ma sœur aînée Sarita était là, assise sur une chaise, l'air aussi harassé que la dernière fois que je l'avais vue... l'air d'une femme malheureuse en ménage avec trois insupportables rejetons. Elle m'a accueillie plus chaleureusement que je ne l'aurais cru. Nous n'avons jamais été très proches, mais peut-être ma célébrité avait-elle comblé le fossé entre nous.

Couché dans un lit en métal sous un drap vert, Babuji respirait par un tuyau. Il semblait avoir rapetissé depuis mon départ. La vieillesse avait creusé des sillons sur son visage et faisait ressortir les veines de ses mains. Son crâne s'était dégarni par endroits. De temps à autre, il gémissait dans son sommeil.

Si j'avais tourné nombre de scènes semblables dans des films – la fille aimante au chevet de son père mourant –, j'avais pratiquement oublié l'odeur d'antiseptique propre aux hôpitaux. Le bip régulier du moniteur cardiaque résonnait dans la pièce tel un signal radio dans l'espace. En écoutant le souffle chuintant du ventilateur, en regardant le tracé vert de l'électrocardiogramme, j'ai ressenti une minuscule bouffée de soulagement.

Un médecin en blouse blanche, une paire de lunettes sur le nez, est entré pour examiner la feuille de température fixée au pied du lit.

— Est-ce qu'il va mieux, docteur ? lui ai-je demandé.

Il a été visiblement surpris d'entendre une femme en burqa lui poser une question en anglais.

— Oui. Il récupère bien. Mais il faut le surveiller de près dans les trois jours qui viennent.

— Assurez-vous, s'il vous plaît, qu'il ait les meilleurs soins possibles. L'argent n'est pas un souci.

Ça m'a fait drôle de dire cela, car l'argent était bel et bien un souci. Je suis criblée de dettes, sans un sou à la banque. Mais, comparés à un meurtre, les problèmes d'argent finissent par paraître insignifiants.

Sitôt le médecin parti, j'ai saisi la main de Sapna.

— Babuji s'en sortira. Emmène-moi maintenant à Sarai Meer. Dans la maison où cet homme t'a embarquée.

Elle m'a arraché sa main.

— Non, *didi*. Je n'ai pas la force de retourner là-bas.

— Il le faut, Sapna, ai-je supplié. Je dois effacer toute trace de ton passage dans cette maison.

— Je ne veux pas revoir cet homme, pas même son cadavre.

— Je te promets, j'en ai pour dix minutes.

Sapna a fini par accepter de me conduire à Sarai Meer. Tandis que l'auto-rickshaw traversait les paysages familiers de mon enfance, des souvenirs d'un autre âge me sont revenus à l'esprit. Les après-midi volés, que l'on avait passés à sucer des glaces à l'eau achetées en face de l'école, les cours que l'on avait séchés pour aller voir un film au Delight, les virées de lèche-vitrine à Asif Ganj, les samosas épicés de chez Nathu, dans M. G. Road.

Sapna a demandé au chauffeur de s'arrêter à l'entrée du marché principal de Sarai Meer. De là, nous avons poursuivi à pied.

Bien que le quartier soit à majorité musulmane, on ne voyait pas beaucoup de femmes en burqa dans les rues. La plupart des maisons étaient des cabanes délabrées. Du linge flottait sur les balcons branlants ; les fils de la télévision par câble formaient des boucles sur tous les toits. Je regardais en passant les épiceries caverneuses et les pharmacies brillamment éclairées, les minuscules vidéoclubs et les PCO qui avaient poussé comme des champignons. Une odeur de viande fraîchement grillée montait des étals enfumés.

Sapna se cramponnait à moi comme un naufragé à une planche de bois. Je sentais sa détresse à la manière dont ses ongles me labouraient la peau. Ma petite sœur avait perdu son innocence. Son univers familier était soudain devenu étranger et hostile, et j'étais son seul refuge.

Ce que Bhola m'avait infligé n'était rien, comparé à ce qu'elle avait vécu, elle. J'avais payé le prix de la gloire, mais elle avait payé le prix de la puberté, le simple fait d'être une femme dans une ville pleine d'individus lubriques.

S'arrêtant à l'entrée d'un long passage d'où l'on apercevait le dôme lointain et le minaret solitaire d'une mosquée, Sapna a jeté un coup d'œil furtif à droite et à gauche. Soudain, le cri perçant d'un *azaan* appelant les fidèles à la prière a déchiré l'air, et un essaim de pigeons, juchés sur des perchoirs installés sur le parapet du minaret, s'est envolé dans le ciel gris. Un flot de croyants barbus a afflué vers la mosquée.

Nous avons attendu que la foule disparaisse, puis Sapna m'a conduite le long du passage pavé jusqu'à une maison de plain-pied. La porte n'était pas verrouillée et nous avons pénétré dans une cour ornée en son centre d'un goyavier moribond. Après l'avoir traversée, nous sommes arrivées à une autre porte, équipée d'un loquet métallique. Pendant que je poussais doucement le battant, Sapna s'est caché le visage dans les mains. Une nuée de mouches et la puanteur de chair en putréfaction m'ont assaillie.

Je suis entrée dans une petite pièce avec un ventilateur au plafond, un lit en bois à baldaquin, au couvre-lit vert, un bureau sur lequel trônaient un pot de terre et une bouteille de rhum non entamée, et une armoire en bois. Pas de calendrier au mur, aucune photo, pas d'effets personnels. C'était une pièce sans mémoire, un lieu de rendez-vous impersonnel.

L'homme était allongé à plat ventre sur le sol en pierre, vêtu d'un *kurta* blanc. Il était grand, solidement charpenté et on ne peut plus mort. À côté du corps reposait un pistolet noir au fini mat.

Il est perturbant de voir un cadavre d'aussi près, surtout quand il est en état de décomposition. Rejetant mon voile, je me suis pincé le nez et j'ai ramassé le pistolet. C'était un Beretta 3032 Tomcat, léger et compact.

— C'est avec ça que tu l'as tué ?

Sapna a hoché la tête en frissonnant.

— Il savait que j'étais ta sœur. Il n'arrêtait pas de répéter : « Personne ne peut avoir Shabnam, mais au moins je pourrai dire que j'ai eu sa sœur. »

Un sanglot s'est échappé de sa poitrine, et à nouveau je lui ai pris la main. J'étais indirectement responsable du meurtre de ce salopard.

— Je veux voir son visage.

— Pas moi, a gémi Sapna.

— Allez, viens m'aider.

J'ai saisi l'homme par la taille et essayé de le retourner. Il était aussi inerte qu'un gros rocher, et j'ai dû caler ma jambe contre sa hanche et pousser de toutes mes forces pour le faire basculer sur le dos.

J'ai eu un haut-le-cœur à la vue du corps boursouflé. L'estomac avait gonflé comme un ballon, et ses mains et ses pieds étaient durs comme du béton. Une sorte de fluide lui avait coulé du nez, de la bouche, des yeux, des oreilles et s'était coagulé pour former une substance visqueuse. Sa peau cireuse avait pris une couleur bleu verdâtre. Ses traits bouffis étaient quasiment méconnaissables, ses yeux disparaissaient dans leurs orbites. J'ai pu seulement constater qu'il avait un visage large et rasé de près, aux joues grêlées, souvenir probable de quelque maladie contractée dans l'enfance. Son oreille gauche portait une profonde entaille, comme s'il avait reçu un coup de couteau. Le milieu de son front était traversé d'un petit trou circulaire, par où la balle était entrée. Et il y avait étonnamment peu de sang.

— Tu as une idée de qui ça peut être ? ai-je demandé en respirant par la bouche.

— Non, *didi*. C'était la première fois que je le voyais. Il m'a attrapée par-derrière au moment où je sortais de la fac et m'a poussée dans un taxi. Une vingtaine d'étudiants ont dû assister à mon enlèvement, mais personne n'a osé donner l'alerte.

— Quelqu'un t'a vue quand il t'a amenée ici ?

— Je ne sais pas. Il m'a ligotée et bâillonnée. Je crois que j'étais évanouie quand il m'a transportée dans cette maison.

— Est-ce qu'il y a eu… lutte ?

— Oui. Il m'a dit de me déshabiller. Comme je refusais, il s'est jeté sur moi et a déchiré mon *kameez* en deux. C'est là que j'ai aperçu son arme sous l'oreiller et que je l'ai saisie. Il a foncé sur moi comme un taureau furieux et le coup est parti. Je te le jure, *didi*, je n'avais pas l'intention de le tuer. Je voulais juste m'échapper.

— Penses-tu que les voisins ont entendu le coup de feu ?

— Sûrement, mais c'est tellement fréquent à Sarai Meer que plus personne n'y fait attention.

— Et comment as-tu fait pour rentrer, avec un *kameez* déchiré ?

— J'ai pris un de ses *kurtas* dans l'armoire, couru jusqu'à la grand-rue et sauté dans un auto-rickshaw.

Je me suis représenté la scène, puis je suis allée ouvrir l'armoire. Elle contenait deux ou trois chemises et pantalons sur des cintres en fer. Les étagères semblaient vides, mais en inspectant l'intérieur j'ai découvert un sac en toile noire tout au fond de l'étagère du bas. Je l'ai sorti et j'ai ouvert la fermeture Éclair. Il était bourré de liasses de billets de cent roupies flambant neufs.

À la vue de l'argent, Sapna a écarquillé les yeux.

— Oh, *didi*, combien crois-tu qu'il y a là-dedans ?

— Je ne sais pas. Au moins sept ou huit *lakhs*. Voyons un peu qui est ce salopard.

J'ai fouillé les poches du cadavre et trouvé un portefeuille en cuir noir élimé et un vieux Nokia bleu. Le portefeuille renfermait trois mille trois cent vingt-cinq roupies et quelques pièces de monnaie, mais pas le moindre bout de papier permettant de l'identifier. J'ai examiné le téléphone portable. Il ne marchait pas non plus. Sans doute était-il déchargé.

— OK, commençons par effacer toutes les traces de notre venue.

Pendant la demi-heure qui a suivi, j'ai tout essuyé dans la pièce, centimètre par centimètre, pour m'assurer qu'il ne restait pas d'empreintes digitales. J'ai aussi nettoyé le pistolet et je l'ai glissé dans le sac en toile. En le soulevant, je l'ai trouvé franchement lourd.

— Que fais-tu, *didi* ? s'est écriée Sapna. C'est du vol.

— Nous en avons plus besoin que lui.

Et j'ai jeté le portefeuille du mort dans le sac.

Nous avons refermé la porte, essuyé le loquet en métal et traversé la cour pour regagner le passage. Mais, soudain, un homme barbu en costume pathan gris a pointé vers moi un doigt crasseux.

— Ne serait-ce pas Shabnam Saxena ? a-t-il demandé à son compagnon pareillement vêtu, qui me dévisageait, bouche bée.

— Si, c'est elle. C'est Shabnam. SHABNAM EST LÀ ! a-t-il hurlé à tue-tête.

— Merde ! ai-je soufflé en réalisant que j'avais oublié de rabattre le voile sur mon visage.

Les gens commençaient à me regarder, même quand mon visage fut couvert. J'ai empoigné Sapna par le bras et moitié marchant, moitié courant nous avons gagné l'entrée du passage, ployant sous le poids du sac. Par chance, un auto-rickshaw vide passait par là et j'ai sauté dedans, tirant Sapna et manquant renverser le chauffeur médusé.

— Emmenez-nous à Kurmitola. Vite. Je vous donnerai cinq cents roupies.

Le chauffeur, qui avait mis du temps à réagir, a fait vrombir sa bécane comme si c'était un bolide de James Bond.

Le soir, nous avons compté l'argent. Il y en avait pour dix *lakhs*. J'ai remis le magot à Ma. Elle en avait plus besoin que moi. Mais Sapna restait inconsolable.

— Je t'ai entraînée là-dedans, *didi*. Maintenant, la police va t'arrêter, s'est-elle lamentée.

Elle s'est accrochée à moi comme une petite fille quand nous sommes allées nous coucher dans la chambre de Babuji. Plus tard, en me levant pour chercher un verre d'eau, je me suis aperçue qu'elle n'était plus là. Je l'ai trouvée dans la salle de bains, assise sur le sol mouillé, essayant de s'ouvrir les veines avec le rasoir de Babuji.

— Qu'est-ce que tu fais, Sapna ? ai-je glapi en arrachant la lame de ses doigts tremblants.

Elle grelottait de la tête aux pieds, comme si elle était frigorifiée. Je l'ai aidée à se recoucher, je me suis allongée à côté d'elle et j'ai remonté sur nous la lourde couverture en laine, pour chasser le froid et étouffer mes sanglots.

C'est dans cet obscur cocon de laine, en écoutant les battements assourdis du cœur de ma petite sœur, que j'ai eu ma première véritable révélation. Avec une clarté aveuglante me sont apparus le caractère éphémère de la vie, la précarité de la gloire et le vrai sens de la famille. J'ai mesuré la douloureuse situation de Sapna, la source de sa profonde détresse, et j'ai décidé en cet instant que je la protégerais quoi qu'il arrive. Quitte à endosser la responsabilité du meurtre.

Je me suis rappelé les paroles de Barkha Das sur les riches qui manipulent la justice et s'en tirent à bon compte… Si seulement j'avais disposé d'un atout qui aurait réglé tous nos problèmes, d'un allié en haut lieu qui aurait fait disparaître le cadavre et étouffé l'affaire ! Soudain, l'idée m'est venue que je connaissais un tel homme. Producteur de cinéma à ses heures, meurtrier occasionnel et coureur de jupons à temps complet. Qui plus est, fils du ministre de l'Intérieur de l'Uttar Pradesh, à la tête de toutes les forces de police de l'État. Vicky Rai.

22 mars

Je l'ai appelé de mon portable. Par chance, il a décroché.

— C'est bien toi, Shabnam ? J'espère que mon téléphone ne me joue pas de tours.

— Vicky, j'ai besoin de votre aide.

— Alors comme ça, tu veux le Prix national, tout compte fait ?

— Non. C'est beaucoup plus grave que ça.

— Ah bon ? Tu as assassiné quelqu'un ? Je rigole. Ha !

— Je ne peux pas en parler au téléphone. Il faut que je vous voie.

— Moi, ça fait longtemps que j'en rêve.

— Je peux passer aujourd'hui ?

— Aujourd'hui ? Non, là tu tombes mal. Pourquoi pas demain ? Viens directement au Numéro Six.

— Le Numéro Six ?

— C'est ma ferme, à Mehrauli. Tous les taxis de Delhi connaissent l'adresse. Demain soir, je donne une fête à tout casser. Pour célébrer mon acquittement.

— Je dois vous voir en privé. Pas dans une fête.

— Nous nous verrons en privé, chérie. Après la fête.

— Promettez-moi de m'aider.

— Mais bien sûr que je te le promets. Tout ce que tu voudras. Seulement, mon aide a un prix.

— Je suis prête à payer.

— Il ne s'agit pas uniquement du rôle principal dans *Plan B*.

— Je sais de quoi vous parlez, Vicky.

— Parfait. À demain alors, le 23 mars, à vingt heures, au Numéro Six.

— À demain.

— Une dernière chose, Shabnam.

— Quoi ?

— Mets quelque chose de sexy, OK ?

Et voilà. Les dés sont jetés. J'avais refusé de coucher avec un prince, mais accepté en un clin d'œil de coucher avec un assassin. L'amour sororal réclamait son dû, et je le paierais de bon cœur.

J'ai sorti le Beretta du mort, pressé le bouton et retiré le chargeur. J'avais manié assez d'armes dans mes films pour connaître leur fonctionnement sur le bout des doigts. Il restait six cartouches. J'ai remis le chargeur en place et glissé avec précaution le pistolet dans mon sac à main.

Puisque je me rends chez un assassin, la moindre des choses est d'assurer mes arrières. Ce sera mon Plan B à moi.

LES PREUVES

« Il n'y a pas de faits, il n'y a que des interprétations. »

Friedrich NIETZSCHE,
Aurore

14

Le rétablissement

MOHAN KUMAR CONSULTE SA MONTRE et glisse la main dans la poche de son *kurta*. Le contact du métal froid est un rappel propice de la mission qu'il est venu accomplir.

Voilà plus d'une heure qu'il se trouve dans l'enceinte du Numéro Six. La forte présence policière autour de la ferme l'a surpris. Mais, par chance, les convives munis d'un carton d'invitation n'avaient pas à franchir le portique de détection de métaux.

Vicky Rai l'a accueilli avec son emphase coutumière :

— Bonjour, Kumar... ou dois-je vous appeler Gandhi Baba ? Content que vous ayez pu venir.

Leur hostilité réciproque était presque palpable. Pendant un bref instant, Mohan a songé à abattre Vicky Rai sur-le-champ, mais ses mains sont soudain devenues moites, et son cœur a palpité de façon alarmante, si bien qu'il a préféré s'éclipser discrètement dans le jardin.

Depuis le début de la soirée, son esprit lui joue des tours. Il oscille entre détermination et crainte, entre confiance et désespoir. Et les inconnus qui ne cessent de l'interpeller n'arrangent pas les choses. Ils l'accaparent toutes les deux minutes, qui pour le féliciter des exploits de Gandhi Baba, qui pour solliciter une faveur.

— Vous méritez le prix Nobel de la paix, Gandhi Baba, dit l'un.

— Accepteriez-vous d'intervenir au sommet mondial des chefs d'État en juillet prochain ? demande un autre.

Il leur sourit, alors que l'angoisse le ronge. Il aimerait en finir, vite.

Pour éviter de penser à l'assassinat, il essaie de se concentrer sur la logistique. L'assistance est bien plus nombreuse qu'il ne l'aurait cru – il doit y avoir au moins quatre cents personnes sur les vastes pelouses du Numéro Six, plus une centaine dans la maison –, et il devra tirer sur Vicky Rai au vu et au su de tout ce monde. Ce n'est pas ce qui l'arrêtera. Au contraire, il savoure la perspective d'une exécution publique. Ce sera une bonne leçon pour tous les Vicky Rai à venir. Il effleure à nouveau la crosse du Walther PPK et sent la puissance du pistolet passer dans sa main.

Il se dirige vers le belvédère, espérant trouver un poste d'observation sur mesure. La piscine est baignée de lumière ; son eau bleue miroite comme du verre sous les projecteurs. Une fille en bikini bleu plonge soudain, l'éclaboussant au passage. Tandis qu'il essuie les gouttes sur sa veste, un flash crépite devant ses yeux, l'éblouissant momentanément. Il perd l'équilibre et manque de tomber dans le bassin quand quelqu'un le rattrape par le bras. L'espace de quelques secondes, tout est noir autour de lui. Quand sa vision s'éclaircit, il cille et aperçoit son bienfaiteur. C'est un serveur barbu en costume rouge et noir.

— Merci, bafouille-t-il, agité.

Il faut qu'il soit plus prudent.

Il y a pas mal de gens autour de la piscine, qui boivent du vin et tanguent au rythme de la musique. Ils ont tous moins de vingt-cinq ans ; du coup, il se sent vieux et de trop. Il s'apprête à tourner les talons lorsqu'une blonde sculpturale en robe moulante s'approche de lui, se déhanchant comme un mannequin sur un podium.

— Gandhi Baba, quelle joie de vous rencontrer, ronronne-t-elle en esquissant une pirouette enjôleuse.

Son haleine sent l'alcool.

— Je m'appelle Lisa. Je suis en Inde pour une séance de photos sur le Kama Sutra. Je pourrais vous apprendre quelques positions intéressantes.

Elle rit et tente de l'embrasser.

— Ram, ram, dit-il en reculant à la hâte.

Ce faisant, il se cogne à un serveur qui se dirige vers le bar avec six bouteilles de whisky sur un plateau. Le plateau lui échappe et les bouteilles volent en éclats sur les dalles de pierre.

L'air empeste le whisky, dont les relents âcres montent à la tête de Mohan. Il quitte en titubant la piscine, barbouillé et curieusement étourdi. Clopin-clopant, il traverse la pelouse pour s'éloigner de la foule.

Sans s'en rendre compte, il s'enfonce dans un coin boisé, où les lumières du jardin ne pénètrent pas. La lune est un immense disque blanc suspendu au-dessus des cimes ; sa lueur crayeuse est seule à trouer l'obscurité du bosquet. Il entend au loin le gargouillis d'une cascade, mais plus près de lui il n'y a que le bruit de sa propre respiration saccadée. Il se passe quelque chose dans son cerveau, une sorte de réaction chimique. Son esprit s'est mué en un kaléidoscope de pensées et d'images mouvantes. De vieux souvenirs refoulés refont surface, un brouillard se lève, mais incomplètement.

Une brindille craque sous son pied. Il entend un crissement, suivi d'un léger sifflement. Baissant le regard, il aperçoit un serpent : à la forme évasée de sa tête, il comprend instantanément qu'il s'agit d'un cobra. En équilibre au-dessus de sa jambe droite, dardant sa langue fourchue. Mohan s'immobilise, le sang se fige dans ses veines.

Le reptile se dresse, prêt à frapper. *Je vais mourir*, se dit-il. Au même instant, il entend craquer une autre brindille ; une main empoigne le serpent par le cou et le soulève de terre. Le cobra se tortille un moment avant d'être rejeté au loin.

— Qui... qui êtes-vous ? demande Mohan, scrutant l'obscurité satinée.

Une ombre se profile, et un étrange jeune homme surgit devant lui. Il porte une chemise blanche et un pantalon noir, avec une casquette Gap rouge et un sac noir en bandoulière. Sa peau est tellement foncée qu'elle se confond avec l'obscurité, mais le blanc de ses yeux brille comme un éclair.

— Je suis Jiba Korwa du Jharkhand, dit-il.

— Et que faites-vous ici ?

— J'attends.

— Merci. Vous m'avez sauvé la vie.

— Et vous, qui êtes-vous ?

— Je suis Mohan... Mohandas... Karam... Kumar. Non, non, ce n'est pas ça... Je reprends. Je... suis... Mohan Kumar. Oui. Et j'ai horreur des serpents.

— J'ai éliminé le serpent, mais votre peur est restée.

— Comment le savez-vous ?

— À son odeur. Est-ce à cause de cette ombre ?

— Quelle ombre ?

— Celle qui vous suit comme la lune. L'*embekte*.

— L'*embekte* ? Qu'est-ce que c'est ?

— Il y a deux esprits dans chaque homme : *eeka* et *embekte*. Quand on meurt de mort naturelle, à la suite d'une maladie par exemple, on devient un *eeka* et on s'en va vivre sous terre. Mais, si on connaît une mort brutale, mettons si on vous tue, l'autre esprit, l'*embekte*, sort et se met à chercher un nouveau domicile. Il trouve un refuge temporaire dans le premier corps vivant qu'il rencontre. Un fantôme a pris possession du vôtre.

— Oh, mon Dieu, vous pouvez donc le voir ?

— Non, je ne peux pas le voir. Je ne vois que son ombre. Est-ce un bon esprit ou un mauvais ?

— Très mauvais. Il me fait faire des tas de choses bizarres. Pourriez-vous… pourriez-vous m'aider ?

— Peut-être.

— Les médecins pensent que je souffre de troubles dissociatifs de l'identité, mais je sais très bien que c'est un cas de possession. C'est un exorciste qu'il me faut, pas un psy. Vous sauriez chasser un esprit ?

— Oui. Je suis à moitié *torale*. Je peux vous débarrasser de l'ombre.

— Alors faites-le. Je veux retrouver ma vie d'avant. En échange, je vous donnerai tout ce que vous voudrez.

— De l'argent ?

— Combien ?

— Deux fois neuf mille.

— Ça fait dix-huit mille. C'est une grosse somme. Il vous la faut pour quoi ?

— C'est le prix des billets pour rentrer chez moi.

— On conclut un marché. Si vous arrivez à me guérir, cet argent est à vous.

— Allongez-vous.

— Là, par terre ?

— Oui. Et retirez votre chemise. Je dois vous mettre de l'argile rouge sur le visage et la poitrine.

— Maintenant que vous m'avez sauvé la vie, je suis obligé de suivre vos instructions.

Mohan ôte son *kurta* et s'étend sur le sol dur, sans se soucier des fourmis qui lui grimpent sur les jambes ni des brindilles qui lui rentrent dans le dos.

L'aborigène ouvre son sac en toile noire et en sort une motte d'argile qu'il mélange avec de la graisse de porc. Puis il trace sur le torse de Mohan Kumar un délicat motif à chevrons et dessine sur son visage plusieurs lignes horizontales.

— Qu'est-ce que vous faites ? s'inquiète Mohan.

— J'invoque les esprits qui éloigneront l'*embekte*. Maintenant, fermez les yeux et arrêtez de parler.

L'aborigène prend un collier d'osselets et l'accroche au cou de Mohan. La main gauche sur sa tête, un petit os blanc dans la main droite, Eketi se met à réciter des incantations en oscillant d'avant en arrière, de plus en plus vite.

Une douleur atroce transperce Mohan, comme si on lui enfonçait un tire-bouchon dans le cerveau. Il gémit, il a l'impression qu'on l'écorche. Là-dessus il perd connaissance.

Lorsque Mohan rouvre les yeux, l'aborigène est toujours là, assis à côté de lui, le scrutant intensément.

— Ça y est ? demande Mohan.

— Oui. J'ai fait sortir l'*embekte* de votre corps.

Mohan presse ses tempes. La douleur a disparu. Il se sent purifié, entier. Se rasseyant, il enfile ses vêtements.

— Vous avez réussi là où tous les autres ont échoué. Cet esprit me causait beaucoup d'ennuis, même si c'était celui d'un homme célèbre.

— Un homme ?

— Oui, l'esprit qui me possédait était celui de Mohandas Karamchand Gandhi. Vous avez bien sûr entendu parler du mahatma Gandi ?

— Vous vous trompez. Ce n'était pas un homme qui vous possédait, mais une femme.

— Une femme ? Comment le savez-vous ?

— Je lui ai parlé. Elle est très têtue.

— Et quel est son nom ?

— Ruby Gill.

— Ruby Gill ! s'exclame Mohan.

Il sent le poids du pistolet dans la poche de son *kurta*.

— C'était donc Ruby Gill qui me faisait marcher, se faisant passer pour le mahatma Gandhi, dit-il, songeur. Tout s'explique...

L'aborigène le tire par la manche.

— Vous allez me donner l'argent ?

— Oui, oui, bien sûr.

Mohan ouvre un portefeuille en cuir noir et sort une liasse de billets de mille roupies.

— Vous avez demandé dix-huit mille, je vous en donne vingt. Avec ça, vous avez de quoi aller jusqu'à Londres !

L'aborigène accepte l'argent et s'incline avec gratitude.

— Vous êtes très bon.

Mohan Kumar se frotte la figure avec un mouchoir pour enlever les traces d'argile rouge. Il époussette sa *dhoti* en se relevant.

— C'est la dernière fois que je mets cet accoutrement ridicule.

Il émerge du bosquet et jette un œil à sa montre. Il est onze heures et quart. La fête bat son plein. Il y a cinq ou six filles dans la piscine, et une foule d'invités se presse au bar. Il se dirige d'un pas vif vers le belvédère.

— Vous avez du Chivas ? demande-t-il au barman, qui hoche la tête. Donnez-m'en un grand, sec.

Il avale le whisky d'un trait, s'essuie la bouche sur la manche de son *kurta* et en redemande un autre. Apercevant le P-DG des Textiles Rai, il le gratifie d'une tape joviale dans le dos.

— Alors, Raha, ça gaze ?

Raha fait volte-face, rajuste ses lunettes à monture métallique. Il est surpris de voir Mohan Kumar.

— Je ne m'attendais pas à vous voir ici ce soir, monsieur Kumar, dit-il avec froideur.

— Le passé est le passé, Raha. J'ai eu un problème de santé, mais je suis complètement guéri, à présent. D'ailleurs, je vais expliquer tout ça à Vicky. Vous l'avez vu ?

— Il vient de rentrer dans la maison avec Shabnam Saxena.

Mohan vide son second verre et tourne les talons. La blonde qui a tenté de l'embrasser auparavant se tient sur son passage, sirotant quelque chose qui ressemble à un daiquiri fraise.

— Ooh, Gandhi Baba, vous revoilà, roucoule-t-elle.

Il lui sourit.

— Oui, me revoilà. Prêt à explorer toutes les facettes du péché. Quand voulez-vous qu'on s'y mette ?

Le visage de la fille est à quelques centimètres du sien.

— Et si on commençait tout de suite ?

— J'ai deux ou trois choses à régler d'abord. Mais tout vient à point à qui sait attendre.

Il cligne de l'œil et lui pince les fesses.

Elle pousse un petit cri aigu.

15

Le recrutement

— BIEN LE BONJOUR ! RICK MYERS, ME SUIS-JE PRÉSENTÉ, aussi à l'aise dans le costume Armani acheté à Connaught Place qu'un éléphant en slip.

Le maître des lieux, tout aussi classe dans son costume sombre avec une cravate violette, m'a serré dans ses bras comme si nous étions deux frères nous retrouvant après de longues années de séparation. J'ai même eu peur qu'il sente le Glock dans la poche intérieure de mon veston.

— Bienvenue au Numéro Six. Lizzie m'a prévenu de votre arrivée.

Plissant les yeux, il s'est tapoté le menton.

— On ne s'est pas déjà vus quelque part, monsieur Myers ?

Moi, je l'avais reconnu sur-le-champ à la cicatrice qui lui barrait le côté gauche du visage. C'était l'*hombre* qui m'avait viré du centre d'appels.

— Ça m'étonnerait, ai-je rétorqué. Ce nom-là, je ne l'ai que depuis hier.

— Hier ? Comment ça ?

— Je veux dire que je ne suis arrivé qu'hier dans votre pays, me suis-je repris. Donc, les chances qu'on se soit rencontrés sont plus que minces, et mince vient juste de lever le camp.

— J'aime beaucoup votre sens de l'humour, monsieur Myers. On est dans la même branche, la production de films. Qui sait si on ne pourra pas faire des affaires ensemble ?

Il a désigné l'homme qui se tenait à ses côtés.

— Je vous présente mon père, M. Jagannath Rai, ministre de l'Intérieur de l'Uttar Pradesh.

409

Le paternel était un type corpulent et velu, au visage rond et à l'épaisse moustache recourbée. Il m'a salué en joignant les mains, onctueux comme une jatte de crème.

J'ai pénétré dans le jardin, épaté par la taille et par la splendeur de la propriété. La maison de trois étages était entièrement en marbre, avec une pelouse grande comme trois terrains de base-ball, une piscine de la taille du lac Waco, un temple et un belvédère illuminé comme un 4-Juillet. Au loin, on voyait même une jungle. C'était plus vaste que le manoir du gouverneur, à Austin, et je ne voyais vraiment pas pourquoi on appelait ça une ferme. Il n'y avait ni fermiers ni bétail, là-dedans.

La pelouse était noire de monde, que du beau linge tiré à quatre épingles. De gros haut-parleurs diffusaient de la musique. Les serveurs proposaient toutes sortes de victuailles. Me rappelant ce qu'avait dit Lizzie, j'ai décidé de vérifier d'abord qu'il n'y avait pas de gars d'al-Qaida dans les parages. J'ai jeté un œil dans le bosquet, regardé derrière chaque arbre, et c'est là que j'ai vu un homme en costume bleu traverser furtivement la pelouse en longeant le mur d'enceinte, un paquet dans les mains. Soudain, je me suis senti l'âme d'un véritable agent du FBI. Je lui ai filé le train comme Mel Gibson l'aurait fait avec les méchants dans *L'Arme fatale*. J'espérais lui coller mon arme sous le nez quand il est entré dans le petit temple au bord de la pelouse. Je l'ai vu joindre les mains et baisser la tête devant les dieux indiens. Apparemment, il venait juste prier.

Déçu, j'ai résolu d'aller boire un verre et j'ai mis le cap sur le belvédère, où ils avaient installé le bar. Un essaim de journalistes armés d'appareils photo et de flashes assiégeait la piscine, mitraillant les petites mignonnes qui posaient telles des stars de cinéma sur le tapis rouge. Je me suis mis aussitôt à la recherche de Shabnam. Un grand type dégingandé avec un appareil photo et un tic à l'œil a lorgné sur moi.

— Excusez-moi, vous ne seriez pas Michael J. Fox ?

— Non. Je suis Rick Myers, producteur à Hollywood.

Je n'avais pas fini ma phrase que les filles se sont agglutinées autour de moi, me bombardant de questions.

— Vous êtes venu tourner en Inde ?

— Auriez-vous un rôle pour moi ?

— Pourriez-vous m'emmener à Hollywood ?

La dernière fois que j'avais eu autant de filles autour de moi, c'était en CM1 quand elles s'étaient toutes bousculées pour voir mon zizi. M'zelle Henrietta Loretta nous avait fait passer une sorte d'examen – pour tester notre QI, avait-elle dit –, et j'avais bêtement parié avec Betsy Walton que j'aurais de meilleurs résultats qu'elle. Nous étions, elle et moi, les derniers de la classe, sauf que je me croyais plus malin qu'elle. Pour finir, j'avais obtenu quarante-huit points, mais elle avait quand même réussi à me battre, avec deux points de plus. J'avais donc dû baisser mon short devant toute la classe, ce qui reste à ce jour l'expérience la plus humiliante de ma vie.

Pendant que je cherchais le moyen de me débarrasser de ces bécasses, il y a eu du grabuge du côté du bar. Un serveur avait fait tomber un plateau avec des bouteilles, et un grand type en costume indien semblait avoir pété un câble, titubant comme un cheval aveugle dans une plate-bande de citrouilles. Dix secondes après, je l'ai vu foncer à travers la pelouse à la manière d'un chien échaudé.

Une gamine, qui avait l'air de sortir tout droit de la maternelle, m'a tapoté le bras.

— Vous en connaissez, des stars d'Hollywood ? a-t-elle demandé en minaudant.

— B'sûr. Mon meilleur pote, c'est Arnie Schwarzenegger.

Elle a failli tourner de l'œil. Une autre fille m'a embrassé sur la joue sans crier gare et a chuchoté :

— Je vous retrouve dans votre chambre d'hôtel ?

Elles n'en pouvaient plus, ces nanas, et pourtant je n'avais même pas mis de déodorant. Je me suis excusé et me suis dirigé vers la maison en espérant y trouver Shabnam. Le grand hall circulaire avait un sol en marbre plus lisse que des fesses de bébé. Les canapés avaient été repoussés contre les murs ; les baies vitrées donnaient sur l'allée d'un côté et sur le jardin de l'autre. Il y avait plein de gens là-dedans, en train de boire et de causer autour d'un bar en bois chargé de bouteilles. J'ai cherché Shabnam des yeux, mais elle n'y était pas. Je suis donc retourné au jardin, où j'ai déniché un coin tranquille, loin de toutes ces fofolles.

Aux alentours de onze heures, il y a eu un branle-bas de combat sur la pelouse, et tout le monde s'est rapproché de la maison.

— Qu'est-ce qui se passe ? ai-je demandé à un serveur.

— Il paraît que Shabnam Saxena est là.

Aussi sec, j'ai regagné le hall d'entrée. Cinq minutes plus tard, j'ai vu arriver la femme de mes rêves, plus belle encore que sur ses photos. Elle portait une robe moulante et un sac à main en serpent. Son parfum m'a chatouillé les narines à quinze mètres de distance.

Shabnam a pris place sur un canapé libre, et Vicky Rai s'est assis à côté d'elle. À la façon dont elle s'est crispée quand il lui a frôlé le bras, j'ai compris qu'elle ne le portait pas dans son cœur. J'avais envie de sortir mon Glock et de lui brûler la cervelle. Ils discutaient à voix basse, et j'ai vu Shabnam secouer la tête à plusieurs reprises. Un serveur à l'épaisse barbe noire a apporté des boissons sur un plateau. Shabnam a pris un jus d'orange ; Vicky Rai a demandé une tequila. J'ai traîné dans les parages, espérant croiser le regard de Shabnam. Au bout d'un quart d'heure, Vicky Rai n'avait toujours pas bougé du canapé. Je commençais à me demander s'il n'avait pas trempé ses fesses dans de la super-glu, quand son vieux est venu le chercher.

— Iqbal Mian est là. Il veut te rencontrer.

Vicky a grimacé et s'est levé à contrecœur. J'en ai profité pour me jeter sur ce canapé en moins de temps qu'il n'en faut à l'Undertaker pour faire une prise d'étranglement à son adversaire.

Shabnam m'a regardé comme un chef d'entrepôt examine une nouvelle marchandise. J'ai tendu la main.

— Salut ! Rick Myers, producteur à Hollywood. Ça fait des lustres que je cherche à vous rencontrer, Shabnam. Je viens juste de voir votre film, *L'Amour au Canada*, à la télé.

Elle m'a serré chaleureusement la main.

— Que faites-vous en Inde, monsieur Myers ?

— Croyez-le ou non, je suis venu spécialement pour vous.

— Pour m'offrir un rôle dans un film américain ?

— C'est ça.

— Et ça va s'appeler comment ?

— Euh… j'ai pensé à *L'Amour à Waco*.

Elle a souri. Je me suis rapproché et, baissant la voix :

— Écoutez, Shabnam, je sais que vous avez de gros soucis.

Elle s'est trémoussée comme une mouche dans un pot de confiture.

— Que voulez-vous dire ?

— Je sais tout pour Sapna.

À peine j'ai eu dit « Sapna » qu'elle s'est dégonflée comme un ballon de baudruche.

— Comment avez-vous su ?

— Un privé du nom de Gupta m'a tuyauté. Je vous le dis, ce gars-là est malin comme un singe.

— C'est vrai, je suis en grande difficulté, a-t-elle reconnu en se tordant les mains. Je suis venue voir Vicky Rai pour demander l'aide de son père. Mais il exige un prix trop élevé.

— Je ne lui donnerais pas mes vaches à garder, à celui-là. Il est faux cul comme pas deux.

— Mais alors, que dois-je faire ?

— Acceptez mon aide. Je suis l'homme qu'il vous faut.

— Comment un producteur d'Hollywood pourrait-il m'aider ?

J'ai jeté un rapide coup d'œil alentour et je me suis penché plus près.

— En fait, je ne suis pas producteur à Hollywood. Je suis cariste à Walmart. Mais j'ai été enrôlé dans le programme de protection des témoins du FBI.

Elle a haussé les sourcils.

— Et pour quelle raison ?

— Parce que j'ai réglé leur compte à une bande de gros pourris au Pakistan. Le FBI m'a donné quinze millions de dollars en récompense, et le Président m'a écrit une très gentille lettre.

Shabnam s'est passé la main sur le visage.

— Allons, vous me faites marcher.

— Vous ne me croyez pas ? Vous voulez une preuve ?

Elle a hoché la tête, et j'ai sorti la lettre du Président de la poche de mon veston.

Elle l'a lue et m'a regardé.

— Mais ceci est adressé à Larry Page.

Elle a froncé les sourcils.

— Où ai-je entendu ce nom-là, voyons ?

— Larry Page était mon vrai nom. Mais le FBI m'en a donné un nouveau, Rick Myers. J'ai encore un peu de mal à m'y faire.

Shabnam ne m'écoutait pas. Elle a fait claquer ses doigts.

— Larry Page... Vous êtes l'Américain qui m'a écrit toutes ces lettres, n'est-ce pas ?

— Ouais, c'est moi, ai-je dit, plantant mon regard dans le sien. Je suis raide dingue de vous !

C'est tombé comme un pavé dans une marmite. Elle s'est levée fissa du canapé et m'a agité son index sous le nez.

— Je vous prie de ne plus m'approcher, monsieur Page. Je ne veux plus jamais avoir affaire à vous.

Là-dessus, elle m'a tourné le dos et s'est mise à parler avec un grand barbu.

J'étais furax comme un unijambiste à un concours de coups de pied au cul.

16

Le sacrifice

— ALLÔ, TRIPURARI ?

— Oui, Bhaiyyaji. D'où appelez-vous ? N'êtes-vous pas censé assister à la fête de Vicky ?

— Si, si. J'appelle du Numéro Six. Dites-moi, avez-vous eu des nouvelles de Mukhtar ?

— Mukhtar ? Non, Bhaiyyaji. Je ne lui ai pas parlé depuis plus de quinze jours. Que se passe-t-il ? Vous avez l'air tendu.

— Je lui avais confié une mission il y a une semaine, le 17 mars. Il ne serait pas venu chercher son argent, par hasard ?

— Non, Bhaiyyaji. Quelle mission avez-vous confiée à Mukhtar ? Vous ne m'en avez pas soufflé mot.

— Je vous le dirai plus tard. Pour le moment, tâchez de le retrouver et dites-lui de me téléphoner. Ça fait trois jours que j'essaie de le joindre. J'ai l'impression qu'il a coupé son portable.

— Il doit être vautré quelque part, soûl, avec une fille.

— Peu importe, trouvez-le-moi, OK ? Et tenez-moi au courant.

— Entendu, Bhaiyyaji.

(CLIC.)

17

La revanche

LES RICHES VIVENT PEUT-ÊTRE TRÈS DIFFÉREMMENT DES PAUVRES, mais ils ne meurent pas différemment. Une balle ne fait pas de distinction entre un roi et un mendiant, un chevalier d'industrie et son employé. Planté devant le portail en fer forgé du Numéro Six, face aux lumières scintillantes de la maison et aux luxueuses voitures d'importation qui s'engagent dans l'allée tirée au cordeau, j'envie la morgue du pistolet. Une seule balle suffira à mettre fin à la splendeur tapageuse de Vicky Rai. Une seule balle, et *khallas* !

J'aperçois des policiers avec des talkies-walkies derrière une barrière et je presse le pas. Une foule de badauds est massée sur la chaussée, dans l'espoir d'entrevoir une célébrité parmi les convives. On murmure que Shabnam Saxena doit arriver d'une minute à l'autre.

Je tourne à gauche dans la ruelle latérale et patiente près de l'entrée de service en attendant Ritu. Comparée à la cohue dans l'artère principale, la ruelle est paisible et silencieuse, malgré le grand nombre de voitures en stationnement.

À onze heures moins cinq, la porte métallique grince, et Ritu se glisse dehors, en *salwar kameez* rouge, avec un sac bleu. Ses plaies ne sont pas complètement guéries ; elle a les yeux rouges et bouffis. Comme si elle avait pleuré. Nous nous étreignons sans mot dire. Je prends soin de garder ma main gauche à l'intérieur de mon blouson Benetton.

— Allons-y, Munna.

Elle s'accroche à mon bras et m'entraîne vers la rue principale lorsque je l'arrête doucement.

— J'ai quelque chose à te dire, Ritu.

— Tu me le diras à la gare. On n'a pas de temps à perdre.

— Je ne vais pas à la gare.

— Quoi ?

— C'est ce que je suis venu te dire. Je ne pars pas à Bombay.

— Pourquoi ?

— Rentrons dans la maison, je t'expliquerai.

Elle me regarde, déconcertée, et rebrousse chemin jusqu'à l'entrée de service. Elle risque un coup d'œil furtif à l'intérieur, avant de pousser la porte et de me tirer par la main.

Je vois à distance une pelouse impeccablement entretenue avec des gens qui rient et bavardent. Il y a même une piscine avec quelques filles qui s'ébattent dans l'eau. Des serveurs en uniforme rouge et noir déambulent autour du belvédère.

Ritu me propulse derrière un énorme jambolan dont les branches feuillues servent de rempart naturel contre les regards. Plus loin sur notre droite s'élève une tente improvisée où les cuisiniers s'affairent à préparer des plats.

— J'espère qu'il y a une bonne raison à cette volte-face, Munna. Tu n'imagines pas le risque que j'ai pris en quittant la maison en catimini, me tance-t-elle. Si Vicky le découvre, il me tuera.

Je m'étais préparé à cet esclandre.

— Je sais, Ritu. Je suis venu te délivrer de la peur.

— Que veux-tu dire ?

— Tu le sauras bientôt.

— Voilà que tu recommences à être mystérieux. Dis-moi clairement pourquoi tu refuses de partir à Bombay. Quelque chose ne va pas ?

— Rien ne va, Ritu.

Je contemple mes pieds, incapable de la regarder en face.

— J'ai rencontré une autre fille. Je vais l'épouser.

Elle me jette un regard désemparé.

— Pourquoi dis-tu ça, Munna ? Comme si je n'avais pas assez de problèmes !

— Chacun de mes mots est vrai.

— Tu es donc en train de me dire que tu ne m'aimes plus ?

— C'est ça.

Je hoche la tête et me lance dans mon monologue d'adieu :

— *Bole toh*, l'amour est vraiment cruel. Il fait miroiter à des gens comme nous des rêves qui ne se réaliseront jamais. Peut-être que les pauvres ne devraient même pas avoir le droit d'aimer. Je me rends compte maintenant que tu avais raison : notre amour est un amour interdit. Nous pouvons fuir d'ici, mais nous ne pourrons pas échapper à cette réalité. Oublie-moi, Ritu. À partir de maintenant, raie-moi définitivement de ta vie.

Elle m'écoute en silence et, quand j'ai terminé, darde sur moi un œil accusateur.

— C'est tout ? Tu crois que je peux te rayer de ma vie comme un maître d'école efface la craie sur le tableau noir ? Comme s'il n'y avait rien eu entre nous ?

Elle se rapproche de moi.

— Sais-tu, Munna, pourquoi l'amour est considéré comme le plus beau des dons ? Parce que, grâce à lui, deux êtres n'en font plus qu'un. Ils s'unissent, corps et âme. Je suis toi et tu es moi. Je te connais mieux à présent que tu ne te connais toi-même. Et je sais au fond de mon cœur que ce que tu me dis est faux.

J'évite toujours de la regarder.

— Toi et moi, on ne fera jamais un. Il y a un trop grand fossé entre nous.

— Tu continues à mentir. Regarde-moi dans les yeux, Munna, et jure sur ma vie que tu ne m'aimes pas, m'apostrophe-t-elle avec une véhémence soudaine.

Comme je ne réponds pas, elle retire ma main gauche de mon blouson, découvrant le plâtre sur mon poignet.

— Qu'est-ce que c'est ? s'inquiète-t-elle aussitôt. Comment t'es-tu blessé ?

— Ce n'est rien… je suis tombé.

Mais Ritu n'est pas convaincue. Ses mains explorent mon visage à la recherche de blessures cachées, et ses doigts effleurent le bandage à l'arrière de ma tête.

Je laisse échapper un cri de douleur.

— Oh, mon Dieu, qu'est-ce qu'on t'a fait ? s'exclame-t-elle.

— Ce n'est pas grave, je t'assure. Tu n'as pas à t'inquiéter.

— C'est mon frère, n'est-ce pas ? Ça ne lui a pas suffi de me tabasser, il a fallu qu'il te fasse subir la même chose. Je comprends maintenant pourquoi tu veux rompre.

Sa voix s'est durcie. La colère est en train de l'emporter sur la tristesse.

— Ne tire pas de conclusions hâtives, Ritu. Sincèrement, je ne sais pas qui étaient ces gens-là.

— Mais moi, je le sais. Jamais je ne pardonnerai à Vicky de t'avoir fait du mal. Aucune force au monde ne pourra me séparer de toi.

Une nouvelle lueur brille dans son regard, une lueur de farouche détermination.

— Viens avec moi, Munna. Je vais annoncer devant toute l'assistance que j'ai l'intention de t'épouser.

— Et tu penses que tout le monde applaudira en apprenant que je suis le fils d'une balayeuse ? Nous ne sommes pas dans un film, Ritu. Dans la vie, il n'y a pas de happy end.

— Oui, mais c'est *ma* vie. À partir d'aujourd'hui, je la vivrai comme bon me semble. Je refuse de me laisser intimider par ces deux criminels que sont mon père et mon frère.

— Dans ce cas, on va conclure un pacte, ici et maintenant. Promets-moi de ne pas agir sur un coup de tête. Et moi, je promets de venir te chercher dès que mes blessures seront guéries.

— J'attendrai ce jour-là, Munna.

Une brise légère souffle sur la pelouse, jouant avec les cheveux de Ritu, rabattant quelques mèches brunes sur son visage. J'ai l'impression d'avoir en face de moi un ange descendu du ciel pour me bénir et illuminer ma misérable existence de son innocence et de sa pureté. Je sais que j'aurai beau faire, je ne pourrai pas vivre sans elle. Mais peut-être pourrai-je mourir pour elle.

Il semble qu'il y ait du mouvement sur la pelouse.

— Oh, je crois que Shabnam Saxena est arrivée, dit Ritu.

— Je peux la voir ?

— Ne sois pas bête. Sauve-toi avant de te faire repérer. Prends bien soin de toi, Munna. Je t'aime.

Elle dépose un rapide baiser sur mes lèvres et regagne la maison. Je m'enfonce dans la pénombre et sors le pistolet. J'ai besoin de sentir sa puissance, de raffermir ma résolution de tuer Vicky Rai.

— À votre place, je rangerais ça, dit une voix derrière moi.

Pris au dépourvu, je lâche le pistolet.

Un homme de haute taille avec une barbe noire indisciplinée s'avance vers moi. Il porte un *kurta* blanc cassé et un châle ocre sur les épaules.

— Ne craignez rien, mon cher, je ne suis pas de la police. Mais j'ai surpris bien malgré moi votre conversation avec la charmante Ritu.

Je m'empresse de ramasser le pistolet et le fourre dans la poche de mon blouson.

— Je n'ai jamais entendu un dialogue aussi émouvant, poursuit-il en tripotant sa barbe en broussaille. Vous êtes un acteur-né. Laissez-moi vous regarder de près. Pouvez-vous vous rapprocher un peu plus de la lumière ? C'est ça, parfait. Oh, mon Dieu, mais vous êtes magnifique ! J'ai enfin trouvé mon personnage.

— Qui êtes-vous ?

— Jay Chatterjee, cinéaste. J'ai décidé de vous donner le premier rôle dans mon prochain film, sans même vous faire faire un bout d'essai. Pour le rôle féminin, je pensais à Shabnam Saxena, mais elle aura l'air trop vieille à côté de vous. Il faut donc que je trouve maintenant ma nouvelle héroïne.

— Premier rôle ? Shabnam Saxena ? Mais de quoi parlez-vous ? C'est un canular genre caméra cachée ?

— Jay Chatterjee ne croit pas aux canulars, dit l'homme d'un ton sévère. Préparez-vous à devenir une star. Votre voie est toute tracée. Mais il vous faut un autre nom.

— Pourquoi ?

— Munna, ça ne vous mènera pas loin dans le milieu du cinéma. À partir d'aujourd'hui, vous serez… Chirag. La Lampe. J'adore !

Il sort son portefeuille et en tire quelques billets.

— Vingt mille. Considérez ça comme une avance à la signature du contrat, Chirag.

Je prends l'argent, les mains tremblantes.

— Je… j'ai du mal à croire à tout ça.

— C'est ça, la vie. On ne sait jamais ce qui vous attend au tournant.

— Mais je ne suis qu'un fils de balayeuse.

— Et alors ? Johnnie Walker était conducteur de bus, Raaj Kumar inspecteur adjoint. Mehmood était chauffeur. Quand

Dame Fortune frappe, elle voit la porte. Elle ne regarde pas qui se trouve derrière.

Jay Chatterjee note mon numéro de portable et retourne sur la pelouse. Ses doigts courent sur le clavier d'un piano imaginaire: Moi, je reste sous l'arbre, longtemps, frissonnant d'excitation.

Mon esprit échafaude de nouveaux scénarios de rêve. Je me vois à Bombay, assis avec Ritu dans une Mercedes, encerclé par des milliers de fans déchaînés, des filles pour la plupart, suppliant pour avoir un autographe et me jurant un amour éternel pendant que la police les disperse à coups de matraque. Je descends de voiture et lève la main. Les policiers reculent.

— Chirag ! Chirag ! Chirag ! scande la foule à tue-tête.

Simultanément, quinze fusées jaillissent en sifflant dans le ciel.

Je rouvre les yeux et m'aperçois que je suis toujours à Delhi. Mais de vraies fusées explosent au-dessus de ma tête.

Est-ce pour Vicky Rai ou pour moi ? Qu'en pensez-vous ? *Kya bole ?*

18

La rédemption

ACCROUPI DERRIÈRE UN *KADAM*[1], Eketi attendait la sonnerie du réveil. À travers la pelouse brillamment éclairée, des éclats de rire parvenaient jusqu'au bosquet silencieux. Il avait perdu toute notion du temps, mais il était patient. Il s'était passé beaucoup de choses depuis qu'il avait pénétré dans la propriété par la petite porte de derrière. Il avait tué un serpent et accompli avec succès un rituel d'exorcisme, ce dont le grand Nokai lui-même aurait été fier. Mieux encore, il n'avait plus besoin d'Ashok pour retourner dans l'île. Il possédait à présent de quoi acheter des billets pour Champi et lui.

La pensée de Champi fit naître un sourire sur son visage et lui serra le cœur. Il avait hâte de la rejoindre avec la pierre sacrée. Demain, ils se rendraient à Calcutta pour embarquer sur un bateau à destination de Petite Andaman, où ils seraient accueillis en héros. Il tapota le sac en toile à côté de lui. C'était la seule chose qui le reliait encore à son île. L'argile, les os, les boulettes éveillaient dans son esprit les senteurs et les sensations de Gaubolambe, qui chaque jour accaparaient davantage son imagination.

Soudain, un bip-bip se fit entendre dans le sac en toile noire. Eketi se leva d'un bond et éteignit le réveil. Il épousseta son pantalon noir, accrocha le sac en bandoulière et partit exécuter sa mission.

Arrivé au sentier pavé menant aux garages, il marqua une pause. Au milieu du passage se dressait une petite tente, où une

---

1. Arbre sacré *(Neolamarckia cadamba)* associé au dieu Krishna.

armée de cuisiniers s'activaient, épluchant et hachant. De grosses casseroles en aluminium mijotaient sur les fourneaux à gaz. Penché sur un *tandoor* en terre, un homme en sueur vêtu d'un tricot de corps piquait dans une longue broche métallique des *rotis* fraîchement confectionnés.

Contournant la tente par-derrière, Eketi s'engagea sur le sentier et gagna les garages sans difficulté. Une armoire métallique peinte en bleu était encastrée dans le mur entre les deux garages, au-dessus d'une chaise en plastique. Au moment où il s'apprêtait à l'ouvrir, une main s'abattit sur son épaule.

— Une minute ! tonna une voix sévère derrière lui.

Il se retourna et se trouva face à un homme basané en chemise blanche et pantalon gris, une crosse de hockey à la main.

— Qui êtes-vous ? questionna l'homme d'un ton brusque.

— Le chauffeur de M. Sharma, répondit Eketi, déglutissant avec effort.

— Alors que faites-vous à traîner ici ? Les chauffeurs sont censés manger dans une tente à l'extérieur. Là-bas. Allez-y.

Il pointa le doigt vers le portail.

Eketi prit la direction indiquée en courant. Ayant tourné le coin, il s'adossa au mur, les jambes en coton.

Il était arrivé à l'allée principale, où étaient garées les voitures. Mais il n'aperçut aucun chauffeur. Ils étaient tous en train de dîner dans la tente, juste derrière, à gauche du portail de l'entrée. Le silence de mort qui régnait sous le portique offrait un contraste saisissant avec la musique et les rires provenant du jardin.

Caché derrière une colonne de marbre, Eketi risqua un œil sur le sentier pavé. L'homme en pantalon gris était à présent assis sur la chaise en plastique, pile au-dessous du tableau électrique ; la crosse de hockey appuyée contre sa jambe gauche, il s'essuyait le cou avec un mouchoir. Il n'avait pas l'air d'un agent de sécurité, mais on l'avait de toute évidence chargé de surveiller le panneau de commande. Eketi se demandait que faire. Retourner au temple de Bhole Nath pour consulter Ashok ? Foncer chercher l'*ingetayi*, avec ou sans lumière ? Un sifflement se fit entendre au-dessus de sa tête. Levant les yeux, il vit une grande fleur verte s'épanouir dans le ciel. Le feu d'artifice avait commencé sur la pelouse du fond.

Se faufilant sous le portique, il tomba sur une fenêtre ouverte. À l'intérieur, une foule de gens discutaient et buvaient dans une vaste pièce. Le gémissement plaintif d'un haut-parleur couvrit soudain le brouhaha, et un homme de haute taille, en costume sombre et cravate violette, s'approcha du micro placé juste derrière la fenêtre. Se tournant vers la foule, il tapota le micro et prit la parole :

— Mes amis, nous sommes réunis ce soir pour fêter mon acquittement. Tout au long de la procédure, je n'ai cessé de clamer mon innocence. Je suis content que le tribunal l'ait reconnue. Je remercie tous ceux qui m'ont soutenu dans ces moments difficiles, alors que je risquais de passer le restant de mes jours dans une cellule immonde. Merci encore à tous, mais surtout à mon père, l'homme qui a fait de moi ce que je suis aujourd'hui. S'il te plaît, papa, viens nous dire quelques mots.

Un personnage plus âgé, corpulent, vêtu d'un *kurta*, s'avança vers le micro et enlaça l'homme en costume, qui se cramponna à lui comme s'il ne devait plus jamais le revoir. Eketi entrevit même une larme qui coulait sur sa joue. Le nouveau venu déclara :

— C'est un tort de confier un micro à un homme politique.

Il y eut quelques gloussements ici et là.

— Mais je ne suis pas ici en tant que ministre de l'Intérieur de l'Uttar Pradesh, je suis ici en tant que père. Le plus grand bonheur d'un père, c'est de voir ses enfants prospérer et s'épanouir. Son plus grand malheur, c'est de savoir son fils mêlé à une affaire montée de toutes pièces. Je suis content que les nuages noirs se soient dissipés et que mon fils puisse enfin vivre en homme libre. C'est une victoire pour tous ceux qui ont foi en notre système judiciaire et en la justice. Je souhaite une très longue vie à Vicky. Que le seigneur Shiva vous bénisse tous.

Un murmure d'approbation parcourut l'assemblée. Un pétard explosa, tandis qu'une citrouille orange vif illuminait le ciel.

Eketi regagna son poste d'observation près du mur et jeta un coup d'œil en direction des garages, espérant que l'homme en pantalon gris était parti. Mais non. Il s'était levé et regardait à droite et à gauche, comme pour s'assurer que la voie était libre. Sous les yeux d'Eketi, il ouvrit l'armoire métallique et trifouilla à l'intérieur. Instantanément, toute la propriété se trouva plongée dans le noir.

L'aborigène frémit d'excitation. C'était le moment ou jamais. Il courut sans bruit le long du sentier pavé et émergea sur la pelouse, où régnait aussi une obscurité totale. À mi-course, son pied heurta une table en bois et il s'étala dans l'herbe. Une déflagration retentit dans la maison, tel un moteur qui aurait un raté. Il sentit quelqu'un se précipiter sur la pelouse. La jambe gauche d'Eketi lui faisait très mal mais, ignorant la douleur, il franchit les derniers pas qui le séparaient du temple. Ses yeux avaient fini par s'habituer à l'obscurité. Lâchant son sac de toile, il tâtonna le long de murs dont les niches abritaient quantité de statuettes de divinités. Il lui fallut trente secondes pour localiser l'*ingetayi*. Il toucha sa surface lisse, les signes gravés au sommet, et ses doigts se mirent à palpiter. Tout le reste cessa d'exister lorsqu'il souleva la pierre. Elle se détacha sans peine de son socle. Il la glissa dans le sac et retraversa la pelouse en courant, le cœur en fête. Il rentrait chez lui. Avec Champi. À Gaubolambe.

Il avait presque atteint l'orée du bosquet quand la lumière revint.

— Halte ! cria quelqu'un derrière lui.

Se retournant, il aperçut un agent de police qui fonçait sur lui, la matraque en l'air.

Il voulut plonger dans les fourrés, mais sa jambe blessée le trahit. Il s'écroula comme une masse ; l'instant d'après, le flic se jeta sur lui.

— Qu'est-ce que tu viens de faire, fils de pute ? cria-t-il.

— Rien, dit Eketi, le visage convulsé de douleur.

— Donne-moi ton sac.

L'agent lui assena un coup de matraque dans les jambes.

Avec un cri de surprise, Eketi lâcha le sac. Le policier l'attrapa, décontenancé par son poids.

— Qu'est-ce qu'il y a là-dedans ? Voyons voir, marmonna-t-il en ouvrant la fermeture Éclair.

Il sortit minutieusement tout ce que le sac contenait : les petites mottes d'argile rouge et blanche, la sacoche de graisse de porc, le collier d'os et, pour finir, la pierre sacrée.

— Ah, mais on dirait un *shivling* ! Où l'as-tu volé ?

Sans laisser à Eketi le temps de répondre, il fourragea une dernière fois dans le sac. Ses doigts rencontrèrent quelque chose de dur et de métallique. Haussant les sourcils, il fit apparaître une arme. Un revolver argenté de fabrication locale, un *katta*.

— Et ça, c'est quoi, salopard ?

— Je ne sais pas. Ce n'est pas à moi, répondit Eketi, complètement ahuri.

— Alors, qu'est-ce qu'il fait dans ton sac ?

— J'ignore comment il est arrivé là.

— Ne t'inquiète pas, on va trouver.

L'agent sortit une paire de menottes.

— Viens, moricaud, je t'arrête.

19

L'évacuation

24 mars

J'AI ÉTÉ ARRÊTÉE. POUR AVOIR ASSASSINÉ VICKY RAI.

Ceci n'est pas le début d'un script ou d'un roman. J'écris ces lignes assise sur un banc branlant dans la salle des archives du poste de police de Mehrauli, où j'ai été consignée avec cinq autres suspects. C'est une grande pièce remplie de dossiers qui s'entassent sur des étagères métalliques d'au moins quatre mètres de haut. Tous les recoins sont tapissés de toiles d'araignée, et un antique ventilateur pend du plafond en bois. Ça sent le moisi, comme dans une bibliothèque, avec des relents de morgue. Du coup, le souffle d'air qui pénètre de temps en temps par la petite fenêtre grillagée est une véritable bénédiction. On entend vaguement le flic-floc des gouttes de pluie. Il pleut sans discontinuer depuis deux bonnes heures.

Je suis arrivée à la ferme peu après onze heures du soir – une entrée de star ! La pelouse était bondée. Tout le gotha de Delhi semblait être venu fêter l'acquittement de Vicky. Jagannath Rai était là, avec une armée de pique-assiettes en *kurta* blanc empesé. Cet étalage clinquant de pouvoir politique, cet affront à la justice m'a donné la nausée. Mais celui qui m'a le plus écœurée, c'est Vicky Rai. Le voir de près – cette longue cicatrice qui lui barre la joue gauche, sa façon de postillonner quand il est excité – m'a dégoûtée d'avoir eu l'idée de m'adresser à lui. J'allais payer très cher la décision de sauver ma sœur.

Là-dessus, je suis tombée sur l'Américain le plus bizarre que j'aie jamais rencontré. Il était mignon (il ressemblait beaucoup à Michael J. Fox), riche (il venait de toucher quinze millions de dollars) et follement amoureux de moi. Mais c'était le psycho-pathe contre lequel Rosie m'avait mise en garde. J'ai donc viré M. Larry Page, alias Rick Myers, vite fait bien fait.

Sur le coup de minuit, on a eu droit au feu d'artifice dans le jardin et à des discours dans le salon de marbre. À les entendre, Vicky Rai et son père faisaient partie de la Société d'admiration mutuelle. Ce cirage de pompes m'a rendue malade. Puis Vicky est allé se préparer un cocktail au bar. C'est là que les lumières se sont éteintes ; toute la maison s'est trouvée plongée dans l'obscurité. Habitant Bombay, j'avais presque oublié les pannes de courant qui nous empoisonnaient la vie à Azamgarh. Mais cette coupure d'électricité au Numéro Six ne collait pas avec l'idée d'un délestage imprévu. Ça ressemblait plutôt à un acte de malveillance délibéré.

— *Arrey*, que se passe-t-il ? me suis-je exclamée.

— Allumez le groupe électrogène ! a crié quelqu'un.

Soudain, on a entendu un coup de feu.

— Noooooon ! a hurlé Jagannath Rai.

Un autre pétard a explosé dehors, mais si fort que ç'aurait pu être dans la pièce : j'ai bien cru que mes tympans allaient éclater.

Durant les quelque trois minutes où la maison est restée plon-gée dans le noir, ç'a été la confusion générale. Puis la lumière s'est rallumée, m'éblouissant de son éclat. La première chose que j'ai vue a été le corps de Vicky Rai, affaissé sous la fenêtre à côté du bar, sa chemise blanche trempée de sang. J'ai entendu un hurlement aigu et je me suis rendu compte que c'était moi. Au même moment, dix agents de police ont fait irruption dans la pièce, avec à leur tête un inspecteur à la moustache recourbée.

— Que personne ne bouge ! a-t-il beuglé, comme dans un épisode de *NCIS*.

En voyant le corps de Vicky Rai, il s'est baissé pour l'examiner, a tâté son poignet, soulevé ses paupières.

— C'est fini pour lui, a-t-il annoncé en promenant son regard sur les convives. Je sais que le coupable se trouve parmi vous. La propriété est entièrement bouclée. La police va vous contrôler chacun à tour de rôle. Personne n'aura le droit de quitter le Numéro Six avant la fin de la perquisition. Preetam Singh, com-mencez à fouiller les invités.

En l'écoutant, j'ai senti mes mains se glacer. L'Américain, qui se tenait à mes côtés, a été le premier à subir la fouille. Un agent l'a prié d'écarter bras et jambes. Il souriait comme un épouvantail pendant que le policier le palpait ; à ma grande stupeur, un Glock lisse et noir muni d'un silencieux a émergé d'une poche intérieure de son costume.

— C'est quoi, ça ? s'est écrié l'agent en balançant le pistolet au bout de son index.

— Ben, trempez-moi dans de la merde et dites que je pue ! s'est exclamé Larry. Je ne vois absolument pas comment ce flingue est arrivé là. Nom d'une pipe, je ne sais même pas m'en servir.

— Emmenez-le pour interrogatoire, a ordonné l'inspecteur avant de se tourner vers moi.

— Shabnamji, si vous le permettez, je dois examiner votre sac.

Avant que je ne trouve les mots pour protester, il m'a arraché mon sac en peau de serpent, l'a ouvert et a fourragé dedans avec la dextérité d'un agent des douanes. Et il a sorti le Beretta.

— Tiens ! Vous aussi, vous avez une arme ? s'est-il étonné, comme un prêtre qui découvre une bonne sœur dans un bordel.

J'ai surpris une lueur matoise dans son œil pendant qu'il examinait le pistolet.

— Puis-je vous demander, mademoiselle Shabnam, pourquoi vous l'avez apporté à la soirée ?

— Je l'ai toujours sur moi pour me défendre, ai-je rétorqué d'un ton glacial, priant pour qu'il n'entende pas les battements rapides de mon cœur.

Il a éjecté le chargeur, l'a humé.

— Hmmm… une balle a été tirée. Vous êtes sûre que vous ne la destiniez pas à Vicky Rai ?

— Bien sûr que non, ai-je riposté sèchement, avec le dédain que je réserve aux subalternes qui s'autorisent des privautés à mon égard.

— Vous devez quand même venir au poste de police. Meeta…

Il a fait signe à une femme flic mal fagotée.

— Emmenez-la.

En suivant ladite Meeta, j'ai croisé M. Mohan Kumar, plus connu aujourd'hui sous le nom de Gandhi Baba, qui semblait en proie à une crise d'épilepsie. De l'écume aux lèvres, il tentait désespérément de recracher quelque chose. À côté de lui se tenait un agent avec un Walther PPK luisant, qui provenait apparemment de la poche de son *kurta*. Comment l'apôtre de la non-violence allait-il expliquer la présence de cette arme dans l'enceinte du Numéro Six ?

À l'évidence, M. Jagannath Rai était aux prises avec les mêmes difficultés.

— Je vous le répète, c'est un Webley & Scott ; j'ai un permis et je le garde sur moi depuis vingt ans, expliquait-il au policier, occupé à lire l'inscription sur un revolver gris avec une crosse en bois.

Le policier faisant la sourde oreille, Jagannath Rai s'est adressé à l'inspecteur :

— Quelqu'un a tué mon unique fils. Au lieu d'arrêter l'assassin, vous m'accusez, moi, son père ? Je suis le ministre de l'Intérieur de l'Uttar Pradesh. Je vous ferai tous coffrer.

L'inspecteur l'a fusillé du regard.

— Écoutez, monsieur Rai, ici on n'est pas en Uttar Pradesh où vous faites ce que bon vous semble. Nous sommes à Delhi, et vous ferez ce que bon *nous* semble. Toute personne détenant une arme est soupçonnée d'homicide. Vous y compris. Preetam Singh, placez-le en garde à vue.

On nous a parqués dans une fourgonnette bleue aux vitres grillagées puis conduits au poste de police de Mehrauli. La salle des archives était la pièce la plus délabrée, mais c'était toujours mieux qu'un cachot. C'est là que j'ai rencontré les deux autres suspects, les plus singuliers de la bande. Le premier était un natif du Jharkhand, petit et noir de peau comme je n'en ai encore jamais vu. Il n'a pas fait attention à moi ; assis par terre, il semblait se languir d'une fille prénommée Champi. Il demandait de ses nouvelles à tous les agents qui passaient. Les policiers l'insultaient, lui adressaient des gestes menaçants.

Le second suspect était un garçon dégingandé aux longs cheveux bouclés, du nom de Munna Mobile. Il était beau, avec un côté canaille, mais son effronterie m'a déroutée. Il m'a dit s'être trouvé dans le jardin au moment de la coupure d'électricité. Mais il n'a pas su expliquer ce qu'il faisait là, avec un Black Star de fabrication chinoise dans sa poche.

Les flics défilaient sans discontinuer dans la salle des archives. Ils faisaient mine de consulter les dossiers, mais je savais bien que c'était moi qui les intéressais, la plus grande star à avoir jamais mis les pieds dans leur poste minable.

Après avoir erré comme une âme en peine, Mohan Kumar, alias Gandhi Baba, s'est assis à mes côtés et m'a lorgnée bizarrement.

— Alors, Shabnam, on s'est finalement décidée à tourner dans *Plan B* ?

On aurait tellement dit Vicky Rai que j'ai failli sauter au plafond. Ce type me donne la chair de poule.

J'ai immédiatement changé de place pour aller m'asseoir à côté de Larry Page, occupé à ruminer sur un autre banc. Les paroles du Maître me sont revenues à l'esprit : « De toutes les misères humaines, la plus amère est de savoir tant de choses et de n'en contrôler aucune. » Pour la première fois, j'ai compris ce que devait ressentir un prisonnier dans le couloir de la mort. L'impuissance qui était la sienne face au pouvoir de l'État. Pendant que ces rustauds d'agents me déshabillaient mentalement, une boule d'angoisse s'est formée dans ma gorge. J'étais convaincue que tôt ou tard ils découvriraient le cadavre, à Azamgarh, et m'accuseraient de meurtre puisque j'avais sur moi l'arme du crime. Je serais alors à la merci de ces flics au regard lubrique qui salivaient déjà à la perspective de m'interroger. Je serais sûrement dépouillée de mes vêtements, et très probablement violée.

Et même si je survivais à l'inculpation pour meurtre, je serais incapable d'éviter la faillite. Ce matin, j'ai découvert que Bhola avait soutiré de l'argent non seulement à Jugs Luthra, mais au moins à quatre autres producteurs.

Dans un coin, Jagannath Rai parlait à son avocat. Pour ma part, ce n'est pas un avocat qu'il me faudrait, mais un escamoteur.

Compte tenu des options, dont le nombre fondait à vue d'œil, j'ai réévalué l'Américain assis à côté de moi. Il se faisait passer pour un simple cariste, mais après l'histoire du Glock j'avais le pressentiment qu'il était plutôt dans l'espionnage. Pour toucher une récompense de quinze millions de dollars et recevoir un message de félicitations du Président, il fallait faire partie de l'élite du FBI, même s'il jouait à merveille les abrutis, comme ce personnage du détective idiot qu'on trouve au cinéma et dans la littérature. Il pourrait être mon passeport pour la sécurité et le droit d'asile.

Je me suis rapprochée de lui.

— Larry, vous avez dit que vous faisiez partie d'un programme de protection des témoins. Croyez-vous que je pourrais me joindre à vous ?

Il a failli en tomber du banc.

— Redites-moi ça ?

— Je me demandais si je ne pourrais pas venir avec vous aux États-Unis.

— Alors là, on mange à la même écuelle. Je me rencarde tout de suite, a-t-il dit, tout content, en pianotant sur les touches de son portable.

Dix minutes plus tard, il avait la réponse :

— J'ai parlé à Lizzie, le chef du bureau de la CIA. Elle m'a dit qu'elle s'arrangerait pour vous inclure dans le programme. À l'heure où nous parlons, elle s'occupe déjà de notre exfiltration. Un Boeing de l'US Air Force attend pour nous ramener aux States. Mais il y a un hic.

— Lequel ?

— Lizzie dit que vous ne pouvez rejoindre le programme que si vous êtes légalement ma femme.

Tombant à genoux, il a joint les mains.

— Shabnam, dites-moi, voulez-vous m'épouser ?

J'ai contemplé son visage. Ce garçon était transi d'amour. Je me suis levée. M'approchant de la fenêtre grillagée, j'ai regardé dehors. La pluie avait cessé, et une brume pâle flottait dans l'air. La terre s'éveillait à un regain de fertilité. Elle sentait la boue et l'herbe humide et fraîche. La nuit tirait à sa fin, le soleil pointait au-dessus de l'horizon, annonçant un jour tout neuf. Forte de cet espoir tranquille, j'ai pris ma décision.

— Oui.

J'ai respiré profondément.

— Je vous épouserai, Larry.

— Vous me rendez plus heureux qu'un goret au soleil, a-t-il déclaré, transporté de bonheur. Vous quitterez le cinéma pour moi ?

J'ai souri.

— Pour vous, je quitterai même le pays.

Je l'aimais bien, ce garçon. Avec le temps, j'arriverais peut-être même à l'aimer tout court.

Larry a exécuté une petite danse puis s'est arrêté, comme s'il venait de se rappeler quelque chose.

— Lizzie dit qu'il y a un autre problème.

— Quoi encore ?

— Vous ne pouvez pas rester Shabnam. Dans ce programme, tout le monde doit acquérir une nouvelle identité. Vous devez choisir un autre nom. Lizzie vous fera faire un passeport en cinq sec.

J'ai réfléchi à mon nouveau nom. Quelque chose de clair et de simple, mais qui marquerait une rupture complète avec mon passé d'actrice. Un nom qui serait l'exact opposé de Shabnam Saxena. Soudain, j'ai eu une idée.

— Ça y est, je sais.

J'ai fait claquer mes doigts.

— C'est quoi ? Dites-moi, dites-moi, a claironné Larry.

— Ram Dulari, ai-je répondu, triomphante.

LA SOLUTION

« Si vous voulez vivre en ville, vous devez réfléchir
avec trois tournants d'avance et regarder au-delà
d'un mensonge pour voir la vérité, puis au-delà
de cette vérité pour voir le mensonge. »

Vikram CHANDRA,
Le Seigneur de Bombay

20

La vérité nue

Chronique d'Arun Advani, le 27 mars
MEURTRE, SEXE ET CASSETTE AUDIO

IL FUT UN TEMPS OÙ ÉLUCIDER UN MEURTRE N'ÉTAIT PAS BIEN COM-
PLIQUÉ. Tous les crimes de sang suivaient le schéma immuable de
cause à effet ; les mobiles se classaient en catégories simples
comme *jar, joru* ou *jameen*. Argent, femme ou terre.

Aujourd'hui, nous avons affaire à des serial killers, à des mania-
ques sexuels, à des drogués et à des psychopathes. Des malades
qui tuent pour le plaisir. Et la courbe ne cesse de grimper. Une
agression violente toutes les trois minutes, un meurtre toutes les
seize minutes. Pire, sur les quatre-vingt-dix meurtres répertoriés
quotidiennement en Inde, la grande majorité n'est jamais résolue.

Par chance, l'assassinat de Vivek « Vicky » Rai ne connaîtra pas
le même sort. Car, fidèle à la promesse faite dans cette rubrique,
j'ai dévoilé la vérité nue.

J'avoue cependant que la divine providence a joué un rôle dans
mon enquête. Les gens se figurent que les principaux outils du
journaliste d'investigation sont les micros cachés et les appareils
d'enregistrement miniaturisés. Il n'en est rien. Notre plus grande
ressource, ce ne sont pas des gadgets électroniques, mais le soutien et la coopération du public. Les tuyaux anonymes qui donnent une piste dans une affaire de meurtre. Les regards
observateurs, les oreilles aux aguets qui permettent au final d'arrêter un suspect. Ce sont la vigilance et la diligence du citoyen
responsable qui m'ont aidé à découvrir le pot aux roses dans
l'affaire de meurtre la plus médiatisée de notre pays.

Hier matin, un gros paquet est arrivé à mon domicile. Jaune, sans aucun signe particulier, avec juste une étiquette dactylographiée à mes nom et adresse. Dedans, j'ai trouvé huit cassettes audio dans du plastique à bulles. J'ai passé toute la journée d'hier et une bonne partie de la nuit à écouter et à transcrire ces enregistrements.

L'ensemble de la transcription sera publié dans le numéro de demain de notre journal. Réservez votre exemplaire dès maintenant car les révélations des « cassettes de Jagannath Rai » sont de la véritable dynamite.

Il y avait six suspects dans l'affaire du meurtre de Vicky Rai, mais un seul assassin. À l'heure où j'écris ces lignes, le rapport balistique n'a pas encore été publié, mais c'est inutile. Je peux d'ores et déjà révéler le nom de l'assassin : Mukhtar Ansari, un tueur à gages bien connu opérant essentiellement sur le territoire de l'Uttar Pradesh. Et son commanditaire n'est autre que Jagannath Rai, le ministre de l'Intérieur de l'Uttar Pradesh. Le papa de Vicky Rai.

Les enregistrements de Jagannath Rai ne sont pas seulement l'histoire d'un père ayant touché le fond de la déchéance. Ils témoignent également de la dégradation de notre système politique. Ils exposent au grand jour les tripatouillages cyniques et les magouilles éhontées qui alimentent le moteur grippé de la démocratie dans le plus peuplé de nos États. Ils révèlent la gabegie que le faisceau du journalisme d'investigation n'a pas réussi à percer, à moins qu'il ne se soit dissous dans la mare fétide de la presse à sensation. Le message de ces enregistrements n'est guère reluisant. Il n'existe pas de héros en armure étincelante. Nous sommes tous nus dans le hammam. Nous sommes tous responsables, nous, citoyens et électeurs. Ce sont notre apathie et notre indifférence qui ont mené à la criminalisation de la politique et ont permis à des parrains de la mafia comme Jagannath Rai de gagner des élections, de devenir ministres et députés, et de faire de l'État tout entier leur fief où ils peuvent enfreindre la loi en toute impunité. L'implication du ministre de l'Intérieur dans la mort de Vicky Rai n'est que la partie émergée de l'iceberg. Pour un rapport plus

440

complet sur ses activités criminelles (et amoureuses), le lecteur devra patienter jusqu'à demain.

Extrapolant à partir des cassettes, je vous expose dès maintenant mon hypothèse concernant ce qui s'est réellement passé le soir fatidique du 23 mars. Jagannath Rai avait décidé de se débarrasser de son imprévisible fils pour s'assurer le soutien de son imprévisible bande de députés et devenir ministre en chef. Il a confié le contrat à son fidèle homme de main, Mukhtar Ansari. Le plan était simple. Jagannath Rai a laissé ouverte l'entrée de service de la ferme de Vicky Rai, ce qui a permis à Mukhtar de s'introduire discrètement dans la propriété. À minuit cinq, il a coupé l'électricité. Mukhtar s'est acquitté de sa tâche et a filé par l'entrée de service avant que la police ne boucle le périmètre.

Je ne puis que spéculer sur ce que faisaient les six suspects chez Vicky Rai avec une arme en leur possession. Mais une chose est certaine : ils n'ont pas tué Vicky Rai. L'assassin, Mukhtar Ansari, court toujours. Il faut l'arrêter avant qu'il ne frappe à nouveau.

Au bon Samaritain qui m'a envoyé les cassettes, je dis merci. À Jagannath Rai, je dis bon débarras. La publication de ma transcription devrait mettre un terme à sa carrière politique et criminelle et clore un chapitre affligeant de l'histoire de l'État qui bénéficie de la plus large représentation dans notre Parlement.

J'espère de tout mon cœur que la mise au jour de ces enregistrements sonnera le rappel de nos dirigeants et de tous les citoyens de notre pays. Engageons-nous à purger le système politique de ses éléments criminels et assurons-nous que ceux qui font la loi ne sont pas ceux-là mêmes qui la transgressent. C'est le seul moyen de préserver et de renforcer notre démocratie. Le seul moyen de préparer un avenir digne pour nos enfants.

21

Bulletin spécial

Diffusé le 28 mars à 10 h 07

CECI EST UNE PREMIÈRE TRANSCRIPTION.
CETTE VERSION N'EST PAS DÉFINITIVE
ET POURRAIT ÊTRE RÉACTUALISÉE.

BARKHA DAS : La publication des enregistrements de Jagannath Rai par Arun Advani a produit l'effet d'une bombe. Chez les hommes politiques de Lucknow dont les noms figurent dans la transcription détaillée, c'est le sauve-qui-peut général... En vingt-quatre heures, les événements se sont précipités : Jagannath Rai, ministre de l'Intérieur de l'Uttar Pradesh, a été arrêté pour les meurtres de Vicky Rai, Pradeep Dubey, Lakhan Thakur, Navneet Brar et Rukhsana Afsar, et pour l'enlèvement du fils de Gopal Mani Tripathi... Nous sommes en liaison avec notre correspondant à Lucknow, Anant Rastogi. Anant, quelles sont les dernières nouvelles ?

ANANT RASTOGI : On dirait, Barkha, que c'est la fin du voyage, pour Jagannath Rai. Pendant vingt ans, il a dirigé l'État d'une poigne de fer, faisant régner la terreur et l'oppression, mais la justice a fini par le rattraper. À mon avis, le parti du Bien public est en train de payer la présence, dans ses rangs, de criminels comme lui.

BARKHA DAS : Jagannath Rai clame que ces affaires ont été fabriquées de toutes pièces, qu'il n'existe aucune preuve, que ceci est un complot fomenté par le ministre en chef.

ANANT RASTOGI : Il ne peut nier les preuves que représentent les enregistrements. Les experts ont confirmé qu'il s'agissait bien de sa voix. Le ministre en chef a donc réagi vite pour tenter de limiter les dégâts.

BARKHA DAS : En effet, Anant. Tout à l'heure, nous avons pu nous entretenir avec le ministre en chef lui-même. Voici ce qu'il a déclaré : « Mon parti, le Bien public, est profondément affecté par les charges qui pèsent sur Jagannath Rai. Si elles sont avérées, il mérite un sévère châtiment. Non seulement Jagannath Rai a été démis de ses fonctions de ministre de l'Intérieur, mais il a aussi été exclu du parti. L'entrée de criminels en politique est une triste réalité, et tous les partis sont également coupables. Je profite de l'occasion pour les appeler tous à un examen de conscience. Pour assainir la vie publique, mon parti, le PBP, a décidé que désormais aucun législateur avec un casier judiciaire ne sera nommé ministre. »

Voici des paroles encourageantes dans la bouche du ministre en chef, et nous espérons que d'autres partis politiques suivront son exemple. En attendant, tous les moyens sont mis en œuvre pour localiser Mukhtar Ansari, le tueur à gages engagé par Jagannath Rai. Les forces spéciales de la police ont recueilli, semble-t-il, des éléments décisifs pour l'enquête en cours. D'autres informations dans nos prochains bulletins. C'était Barkha Das, en direct sur ITN.

22

Bulletin spécial

Diffusé le 28 mars à 14 h 35
CECI EST UNE PREMIÈRE TRANSCRIPTION.
CETTE VERSION N'EST PAS DÉFINITIVE
ET POURRAIT ÊTRE RÉACTUALISÉE.

BARKHA DAS : L'affaire du meurtre de Vicky Rai a connu des rebondissements spectaculaires. La police annonce qu'elle a mis la main sur Mukhtar Ansari. Son cadavre, en état de décomposition avancée, a été découvert aujourd'hui dans une maison de Sarai Meer, un faubourg d'Azamgarh. Les experts de la police scientifique confirment qu'il est mort d'une blessure par balle et que le décès remonte à une semaine minimum. Si c'est le cas, on ne voit pas comment Mukhtar Ansari aurait pu se trouver chez Vicky Rai le soir du 23 mars. Alors, qui a tué Vicky Rai ? Pour répondre à cette question, j'ai en duplex le préfet de police de Delhi, M. K. D. Sahay. Merci, monsieur, d'avoir accepté cet entretien. Je crois que vous avez du nouveau.

K. D. SAHAY : Eh bien, Barkha, je voudrais avant tout avertir les spectateurs qu'ils ne devraient pas croire tout ce qu'ils lisent dans la presse. La fameuse hypothèse du grand journaliste

445

d'investigation Arun Advani s'est révélée être un tissu de mensonges.

BARKHA DAS : Sauf votre respect, Arun Advani ne pouvait être au courant du meurtre de Mukhtar Ansari. Mais vous, avez-vous d'autres pistes, monsieur ?

K. D. SAHAY : Des pistes ? Dites plutôt que nous avons la solution ! Je suis en mesure de vous livrer le nom de l'assassin de Vicky. Voyez-vous, nous avons arrêté six suspects en possession d'une arme le soir du meurtre. Et nous avons retrouvé la balle qui a traversé le corps de Vicky Rai pour venir se loger dans une planche du bar. Le rapport balistique qui nous est parvenu hier montre que Vicky Rai a été tué par une balle de calibre 32. L'arme correspondant à ce projectile appartenait à Jiba Korwa, un aborigène du Jharkhand. Il portait sur lui un revolver de fabrication artisanale calibre 32, couramment appelé *katta*, qui s'est avéré sans aucun doute possible l'arme du crime. Jiba Korwa avait été vu en train de rôder à côté du tableau de commande. C'est lui qui a d'abord coupé l'électricité, puis il s'est précipité au salon pour tirer sur Vicky Rai.

BARKHA DAS : Et comment Jiba Korwa explique-t-il sa présence sur les lieux ce soir-là ?

K. D. SAHAY : Il nous a servi une histoire à dormir debout - pardonnez-moi l'expression -, comme quoi il serait venu voler un *shivling* appartenant à sa tribu. Sauf que Vicky Rai n'a jamais eu ce *shivling* en sa possession. Nos contacts avec la police d'autres États ont établi que Korwa possède un casier judiciaire d'un kilomètre de long. Il est recherché pour escroquerie au Tamil Nadu et pour homicide au

Bihar. Mais la découverte capitale, quand nous avons fouillé le domicile de Korwa, ç'a été la quantité de littérature naxalite trouvée chez lui. Nous pensons qu'il fait partie des meneurs du Centre maoïste révolutionnaire, un groupuscule responsable de la mort d'une centaine de policiers rien que dans le Jharkhand.

BARKHA DAS : Mais pourquoi les naxalites auraient-ils pris pour cible quelqu'un comme Vicky Rai ?

K. D. SAHAY : Parce que Vicky avait investi dans le projet d'une Zone économique spéciale dans le Jharkhand. Les naxalites lui avaient envoyé des menaces de mort. Ils ont fini par l'avoir. Mais nous, nous avons l'assassin, le chef naxalite Jiba Korwa.

BARKHA DAS : Merci, monsieur le préfet, et félicitations pour avoir résolu cette affaire. C'était le préfet de police K. D. Sahay. Il semble que la page ait été tournée, mais pouvons-nous en être sûrs ? C'était Barkha Das, en direct sur ITN.

23

Bulletin spécial

Diffusé le 31 mars à 13 h 21
CECI EST UNE PREMIÈRE TRANSCRIPTION.
CETTE VERSION N'EST PAS DÉFINITIVE
ET POURRAIT ÊTRE RÉACTUALISÉE.

BARKHA DAS : Nouveau rebondissement théâtral. La célèbre actrice Shabnam Saxena et son secrétaire Bhola Srivastava ont été arrêtés aujourd'hui dans un appartement de Khar, à Bombay, pour le meurtre de Mukhtar Ansari. Plusieurs enregistrements compromettants ont également été trouvés en possession du couple. Nous avons en ligne notre correspondant à Bombay, Rakesh Vaidya. Rakesh, où en est-on dans cette nouvelle affaire ?

RAKESH VAIDYA : Ma foi, Barkha, c'est le plus gros scandale dans le milieu du cinéma depuis l'inculpation de Sanjay Dutt dans la série d'attentats commis à Bombay en 1993. Tout le monde est sous le choc. Les producteurs qui ont versé des millions à Shabnam croisent les doigts.

BARKHA DAS : La police a-t-elle une idée de ce qui a pu pousser une actrice aussi connue à commettre un tel acte ?

RAKESH VAIDYA : La police, Barkha, explore plusieurs pistes. Pour ma part, j'ai appris que
Shabnam entretenait une liaison avec son secrétaire, Bhola Srivastava, qui l'avait filmée dans
des postures plus qu'explicites. Ces vidéos
seraient tombées entre les mains de Mukhtar
Ansari, qui a voulu la faire chanter. Shabnam
s'est donc rendue à Azamgarh pour payer Ansari
et récupérer les cassettes. Nous ignorons ce
qui s'est réellement passé là-bas, mais des
témoins l'ont vue quitter la maison où, par la
suite, on a découvert le corps de Mukhtar
Ansari. Comme vous le savez, elle faisait partie des suspects dans l'affaire du meurtre de
Vicky Rai, mais elle a été relaxée après que
l'expertise balistique a confirmé que l'arme
trouvée en sa possession n'avait pas servi au
crime. Aujourd'hui, la police détient la preuve
que cette même arme a servi à tuer Mukhtar
Ansari. Les cassettes ont été retrouvées au
domicile de Bhola Srivastava, ce qui confirme
cette version.

BARKHA DAS : Et Shabnam, que dit-elle ? Comment
répond-elle à ces accusations ?

RAKESH VAIDYA : Chose étrange, Barkha, elle prétend
ne pas être Shabnam Saxena mais une jeune fille
du Bihar du nom de Ram Dulari, et clame qu'elle
n'a jamais mis les pieds à Azamgarh, qu'elle
n'était que la doublure de Shabnam. À l'évidence, personne n'a gobé cette histoire abra-
cadabrante. J'ai l'impression qu'elle devra
plaider les troubles mentaux. Je le dis…

BARKHA DAS : Un instant, Rakesh. On vient de me
remettre une dépêche. La police a abattu Jiba
Korwa, le fameux chef naxalite, alors qu'il tentait de s'évader du poste de police de Mehrauli.
Le Centre maoïste révolutionnaire condamne

cette action et promet de riposter. Mais reve-
nons-en au feuilleton Shabnam Saxena, Rakesh.
La situation devient de plus en plus rocambo-
lesque.

RAKESH VAIDYA : Tout à fait, Barkha. Pour l'instant, une seule chose est claire. Shabnam Saxena
ne risque pas de se faire la belle de sitôt.
Sans jeu de mots. (RIRES.)

BARKHA DAS : Merci, Rakesh. Pour résumer en deux
mots la nouvelle du jour, Shabnam Saxena et son
secrétaire et amant Bhola Srivastava sont sous
les verrous pour le meurtre du redoutable
gangster Mukhtar Ansari. Nous ignorons l'issue
de ce feuilleton, mais il réunit d'ores et déjà
tous les ingrédients d'un blockbuster. Nous
continuerons à vous tenir informés en temps réel
des nouveaux rebondissements de cette histoire.
Et n'oubliez pas de suivre le numéro spécial de
Contre-enquête, à dix-neuf heures. Aujourd'hui,
il est consacré aux rapports de Bollywood
avec la pègre. C'était Barkha Das, en direct
sur ITN.

24

La vérité nue

Chronique d'Arun Advani, le 1ᵉʳ avril
J'ACCUSE[1] !

Madame la Présidente,

En tant que citoyen responsable de ce grand pays démocratique, je me vois contraint de vous adresser cette lettre. Vous êtes la plus haute instance juridictionnelle de l'État. Sur vous repose la charge de faire respecter la Constitution. Il est donc de mon devoir de vous rappeler que le droit à la vie et à la liberté garanti par l'article 21 de notre Constitution a été bafoué hier, au détriment d'un citoyen indien nommé Jiba Korwa.

Jiba Korwa qui ? demanderez-vous. Selon la police, c'est un redoutable terroriste appartenant au Centre maoïste révolutionnaire qui a été abattu hier après-midi par l'inspecteur adjoint Vijay Yadav, lors de sa tentative d'évasion du poste de police de Mehrauli, où il était détenu à la suite du meurtre de l'industriel Vicky Rai. L'expertise balistique avait déjà établi que la balle qui avait tué Vicky Rai provenait de l'arme trouvée en possession de Korwa le soir du crime. Avant de mourir, Korwa aurait même signé des aveux. Par conséquent, sa mort constitue une fin propre et nette. À l'heure où je vous écris, la police doit se congratuler d'avoir résolu cette affaire de meurtre hautement médiatisée sans avoir à se fatiguer devant les tribunaux. On va probablement décorer le vaillant inspecteur Yadav et

---

1. En français dans le texte.

son équipe qui ont abattu le dangereux naxalite et contribué à renforcer la sécurité dans la capitale. Les médias sont déjà passés à autre chose. Du reste, qui se soucie de la vie d'un misérable naxalite originaire d'un trou perdu du Jharkhand ? La mort d'un terroriste est devenue une chose si courante, si banale, qu'on s'y attarde à peine quelques minutes avant d'aborder des sujets plus intéressants, comme les frasques de Shabnam Saxena ou les dessous du dernier remaniement ministériel.

Pour paraphraser Shakespeare, je viens pour ensevelir Jiba, non pour le louer. Mais si je vous disais, madame la présidente, que l'homme abattu par la police n'était pas Jiba Korwa ? Que, loin d'être un terroriste naxalite, il était dépositaire d'un héritage quasiment disparu, l'un des derniers représentants des premiers humains à avoir peuplé la planète ? Voilà qui, je pense, finira bien par attirer votre attention.

Le véritable nom de Jiba Korwa était Eketi. Il ne venait pas du Jharkhand, mais d'une île appelée Petite Andaman, dans le golfe du Bengale. Il appartenait à la tribu Onge, une ethnie négroïde de chasseurs-cueilleurs primitifs qui utilisent toujours des arcs et des flèches. Au dernier recensement, il en restait quatre-vingt-dix-sept. Grâce à l'inspecteur adjoint Vijay Yadav, ils ne sont plus que quatre-vingt-seize.

Comment je sais tout cela ? me demanderez-vous, madame la Présidente. Il se trouve que j'ai rencontré Eketi la veille de sa mort. Le 30 mars, à quinze heures, je me suis présenté au poste de police de Mehrauli avec des papiers d'identité au nom d'Akhilesh Mishra, directeur adjoint du Bureau central de renseignements chargé de la sécurité intérieure, et notamment du dossier naxalite. L'inspecteur Rajbir Singh, qui dirige le poste, m'a accueilli avec empressement et conduit dans la cellule de Jiba Korwa.

C'était un réduit de deux mètres cinquante sur trois aux murs suintants, avec un sol en pierre craquelé et une petite fenêtre grillagée par laquelle on apercevait un bout de ciel bleu. Dedans, un lit en métal au matelas déchiré, un pot en terre pour l'eau et un seau en plastique souillé. La journée était particulièrement chaude, et l'on étouffait dans la cellule. Mais ce qui m'a frappé le plus, c'est l'odeur fétide, douceâtre, du laisser-aller.

« Ce fils de pute refuse de s'habiller et de se laver. Le déodorant, ils ne connaissent pas », m'a dit l'inspecteur Singh en guise d'explication.

Le prisonnier était recroquevillé par terre en position fœtale, sous la fenêtre, nous tournant le dos, si bien que je ne voyais pas son visage. Sa peau était noire comme de l'ébène polie, ses cheveux étaient noirs et crépus. Il était nu hormis un pagne rouge confectionné dans un vieux tee-shirt. Il semblait inconscient de notre présence et ne s'est pas réveillé, même quand l'inspecteur l'a poussé avec sa canne.

« Lève-toi, enfoiré ! »

L'inspecteur l'a frappé trois ou quatre fois dans le dos. J'ai grimacé. Mais les coups n'ont eu aucun effet sur le prisonnier. Il restait roulé en boule, comme dans une transe catatonique.

« Vous n'êtes pas obligé d'employer la force », ai-je dit à l'inspecteur.

Et j'ai tapoté doucement l'épaule du prisonnier.

On aurait dit une formule magique. Il a réagi instantanément, se retournant et s'asseyant d'un bond. Il était de petite taille – moins d'un mètre cinquante –, mais c'est sa jeunesse qui m'a sidéré. Il avait un visage ovale aux traits bien dessinés, des pommettes saillantes et des lèvres pleines. Son corps ne comportait pas une once de graisse superflue : il était musclé et tonique comme celui d'un lutteur... et zébré de marques de fouet. Ses dents étaient régulières et d'une blancheur éclatante, mais j'ai surtout été fasciné par ses yeux, d'un blanc limpide, aux minuscules iris noirs. Il irradiait d'eux comme une force primordiale. Ils m'ont transpercé d'un double rayon laser, me mettant fort mal à l'aise. Malgré ma chemise blanche et mon pantalon brun en velours côtelé, je me suis senti nu et vulnérable en sa présence.

Alors seulement, j'ai remarqué qu'il était enchaîné au pied du lit et qu'il avait des menottes aux poignets.

« C'est pour nous protéger, monsieur, ce gars-là est très dangereux, c'est un chef naxalite », a commenté l'inspecteur.

Sur quoi il est ressorti, me laissant seul avec le prisonnier.

Je ne me suis pas présenté. Je lui ai simplement pris la main et l'ai regardé dans les yeux.

« Je sais que vous n'êtes pas un naxalite. Je sais que vous n'avez pas tué Vicky Rai. »

Il m'a dévisagé avec une franche curiosité.

« Racontez-moi tout, et je promets de vous sortir de là », ai-je affirmé.

Il s'est montré timide et réservé au début, mais je l'ai encouragé à parler, et il a fini par s'ouvrir à moi. Ce qu'il n'a pas dit à la police, malgré trois jours de torture non-stop, il me l'a confié en trois heures, simplement parce que je l'ai traité en être humain. Il s'exprimait dans un hindi de base, mais, une fois lancé, il n'y avait plus moyen de l'arrêter. C'était une éruption cathartique de toutes les émotions qui bouillonnaient en lui depuis qu'il avait débarqué sur notre péninsule, six mois plus tôt. Il a parlé des gens qu'il avait rencontrés, des aventures qu'il avait vécues. Il a parlé de ses rêves et de ses désirs, de ses blessures et de ses humiliations, de son impuissance et de sa détresse. Mais, surtout, il a parlé de la nostalgie de son île et de son amour pour une jeune fille aveugle et défigurée appelée Champi, plus connue sous le nom du Visage de Bhopal.

Savez-vous, madame la présidente, que le mot « Onge » signifie « homme » ? Eketi était un homme authentique, le dernier d'une espèce en voie d'extinction.

Il s'était aventuré de son plein gré dans ce que sa tribu nomme la terre des *kwentale*, autrement dit des étrangers. Un court instant, il a été ébloui par l'éclat de notre civilisation, séduit par les chimères de la modernité, mais très vite il a su voir à travers les paillettes de notre existence les ténèbres qui dévorent nos villes et nos cœurs. Il a été horrifié par les sévices raffinés que nous nous infligeons au nom de la guerre et de la religion. Choqué de nous voir traiter nos femmes comme des objets sexuels et les violer pour satisfaire nos pulsions. En six mois, il en avait assez vu. Il voulait retourner dans son île, retrouver son mode de vie primitif où existe le désir mais pas la guerre, où existent les maladies mais pas les perversions.

C'était un prophète improbable, un *memento mori* qui nous a tendu un miroir, mais nous n'en avons pas tenu compte. Il a tenté de nous corriger ; nous avons tenté de le corrompre. Il nous a offert une main amie ; nous l'avons enchaîné et menotté. Il recherchait notre compréhension ; nous l'avons tué. Sa mort est un concentré de notre culture, un réquisitoire cinglant contre tous les maux de notre société. Ceci est la vérité nue, madame la Présidente, elle est terrifiante.

Plus terrifiant encore, le fait qu'il n'a rien à voir avec la mort de Vicky Rai. Eketi était venu sur le continent pour accomplir une quête : il avait promis aux siens de retrouver une pierre ancienne, en forme de phallus, qui protégeait sa tribu depuis des siècles mais avait éveillé la convoitise d'un fonctionnaire des services sociaux en poste à Petite Andaman. Un autre fonctionnaire, un dénommé Ashok Rajput, a proposé son aide à l'aborigène pour récupérer la pierre sacrée et l'a fait débarquer clandestinement sur nos rivages. La quête de l'*ingetayi* a conduit Eketi de Calcutta à Madras, aux *ghats* de Bénarès et au Magh Mela, à Allahabad, puis aux sables désertiques de Jaisalmer, et pour finir dans notre capitale. La pierre sacrée a été vue dernièrement chez le gourou aujourd'hui déchu Swami Haridas, à Allahabad. C'est là qu'elle a été dérobée par Ashok Rajput qui, à l'insu d'Eketi, avait ses propres projets.

Voyez-vous, madame la Présidente, Ashok Rajput est le frère de Kishore Rajput, le garde forestier employé dans la réserve naturelle du Rajasthan assassiné il y a douze ans pour avoir accusé Vicky Rai d'avoir tué deux antilopes cervicapres. Ashok Rajput était amoureux de la femme de son frère, la farouche Gulabo, qui lui a posé un ultimatum avant d'accepter sa demande en mariage : il devait d'abord venger la mort de son frère et tuer Vicky Rai. Vous connaissez probablement mieux que moi les femmes rajasthanies, madame la Présidente, mais moi, je sais ce que c'est qu'une vengeance. Elle n'a pas de date d'expiration.

Ashok Rajput a donc fait croire à Eketi que l'*ingetayi* se trouvait à présent chez Vicky Rai et l'a amené à Delhi. Ils sont descendus au temple de Bhole Nath, à Mehrauli, non loin du Numéro Six. Pendant que l'aborigène liait connaissance avec Champi, la jeune aveugle, Ashok Rajput échafaudait son plan. Le soir du meurtre, il a pénétré dans l'enceinte de la propriété bien avant Eketi, par une porte latérale inutilisée. Vêtu d'un costume bleu, il a placé le *shivling* dans le petit temple, puis s'est mêlé à la foule des convives. Eketi avait reçu l'ordre d'arriver à vingt-deux heures, de couper le courant juste après minuit, de foncer chercher la pierre sacrée au temple et de filer par la même porte latérale. Les lumières se sont éteintes à minuit cinq pile. C'est là qu'Ashok Rajput a tiré sur Vicky Rai à bout portant. Il s'est ensuite précipité au temple, où Eketi se trouvait déjà, et a glissé l'arme du crime dans le sac ouvert de l'aborigène. Il espérait qu'Eketi réussirait à la faire sortir en douce, mais ce dernier a été alpagué par la police puis inculpé de meurtre.

Bien que torturé trois jours durant, Eketi a catégoriquement refusé de dénoncer Rajput, en vertu d'un code d'honneur que nous-mêmes avons oublié depuis belle lurette.

Hier, selon le rapport de la police, il aurait arraché ses menottes, brisé la chaîne, rongé les barreaux métalliques de la fenêtre avec ses dents et se serait faufilé dehors. L'inspecteur adjoint Yadav, qui se trouvait par hasard derrière le poste, l'aurait vu s'évader et l'aurait sommé de s'arrêter. L'aborigène se serait jeté sur lui, le contraignant à tirer.

Je me demande, madame la Présidente, si vous avez vu les photos de l'inspecteur Yadav et de son équipe souriant de toutes leurs dents au-dessus du cadavre tuméfié de l'aborigène. La tête d'Eketi est tordue selon un angle impossible, défiant la thèse de l'évasion. Son visage est figé en une grimace qui semble railler la justice et ses grands principes.

En un sens, nous sommes tous responsables de la mort d'Eketi, tous complices, que ce soit à travers la conspiration du silence ou notre indifférence vis-à-vis de l'injustice. L'apathie endémique qui règne dans notre pays causera la mort d'un grand nombre d'Eketi, sauf si nous réagissons pour rétablir des règles morales dans notre société.

Cette lettre étant bien trop longue, madame la Présidente, il est temps de conclure.

J'accuse le fonctionnaire à la retraite S. K. Banerjee d'avoir volé la pierre sacrée des Onge, ce qui a poussé Eketi à entreprendre un voyage périlleux jusqu'au continent, où il a fini par trouver la mort.

J'accuse l'inspecteur adjoint Vijay Singh Yadav d'avoir torturé et tué Eketi, au mépris des lois de ce pays et sans aucune forme de procès. Cet officier de police est réputé pour son comportement sadique, qui a déjà provoqué plusieurs décès en garde à vue par le passé. Il est temps de le dépouiller de son uniforme et de le traduire en justice pour homicide volontaire.

J'accuse le préfet de police K. D. Sahay de complicité dans la mort d'Eketi, puisqu'il n'a pas assuré sa sécurité en détention et qu'il a accepté ses aveux « signés » alors même qu'Eketi ne savait pas écrire.

J'accuse l'inspecteur Rajbir Singh d'avoir classé à tort Eketi parmi les naxalites sans avoir vérifié ses antécédents. On ne demande pas aux policiers d'avoir des connaissances en anthropologie, mais quiconque a un peu de bon sens sait qu'il n'y a pas d'indigènes à la peau noire et aux cheveux crépus dans le Jharkhand.

J'accuse les enquêteurs de la police d'avoir bâclé leur travail et omis d'établir un lien entre Eketi et Ashok Rajput.

J'accuse enfin Ashok Rajput d'avoir assassiné Vicky Rai et piégé un aborigène innocent.

En formulant ces accusations, j'ai conscience de m'exposer à des poursuites pour diffamation. Je reconnais également avoir enfreint la loi en me faisant passer pour un fonctionnaire de l'administration pénitentiaire. Ces risques, je les prends en toute connaissance de cause, dans le seul but de servir la justice.

Que la police vienne m'arrêter. J'attends. Mais on n'étouffera pas ma voix. Quoi qu'il arrive, je continuerai à clamer la vérité. La vérité nue.

Avec mon profond respect, madame la Présidente,

Votre concitoyen, l'Indien loyal
Arun Advani.

25

Bulletin spécial

Diffusé le 2 avril à 15 h 37

BARKHA DAS : Le 13 janvier 1898, dans sa célèbre lettre incendiaire au président français, l'écrivain Émile Zola dénonçait le scandale de l'affaire Dreyfus, provoquant l'un des plus grands chocs de l'Histoire. La longue lettre ouverte que le journaliste d'investigation Arun Advani a adressée à notre présidente – plaidoyer passionné en faveur de l'aborigène Eketi, injustement tué pour le meurtre de Vicky Rai – a de la même façon mis le feu aux poudres. Le gouvernement a été obligé de réagir. L'inspecteur adjoint Vijay Yadav a été arrêté et inculpé pour le meurtre d'Eketi Onge. L'inspecteur Rajbir Singh et le préfet de police K. D. Sahay ont tous deux été suspendus. Une traque a été lancée à l'échelle nationale pour retrouver Ashok Rajput. Notre correspondant Jatin Mahajan se trouve devant le poste de police de Mehrauli. Voyons quelles sont les dernières nouvelles. Jatin, on nous informe que ça chauffe, à l'entrée. Que se passe-t-il ?

461

JATIN MAHAJAN : C'est incroyable, Barkha. Nous assistons à un événement extraordinaire. Toute la population du bidonville Sanjay-Gandhi est, semble-t-il, sortie dans la rue et a encerclé le poste de police. Des banderoles sont brandies contre les officiers et l'inspecteur adjoint Vijay Yadav.

BARKHA DAS : Qui est à la tête des manifestants, Jatin ?

JATIN MAHAJAN : C'est Munna Mobile, qui, rappelez-vous, a lui-même fait partie des suspects dans l'affaire du meurtre de Vicky Rai. Un grand nombre d'étudiants se sont joints aux habitants du bidonville. La mort d'Eketi suscite une colère considérable. Le dernier article d'Arun Advani a galvanisé le public. Les gens disent qu'ils en ont assez. Ils ne toléreront plus la brutalité et la désinvolture des forces de police. Ils refusent d'avoir une justice à deux vitesses, celle des riches et celle des pauvres.

BARKHA DAS : Tout à fait, Jatin. Pour aller dans le sens de l'opinion publique, le gouvernement a déjà annoncé la réouverture de tout un tas de dossiers impliquant des personnalités haut placées auxquelles leur position sociale a permis d'échapper à la justice. Une commission a été créée pour mettre en place la réforme de la police et du système d'investigation dans son ensemble.

JATIN MAHAJAN : Et n'oubliez pas, Barkha, que le gouvernement a aussi promis de réévaluer le budget d'indemnisation des victimes de la tragédie de Bhopal.

BARKHA DAS : Oui, la mort d'Eketi a mis en lumière le sort de Champi Bhopali, le Visage de Bhopal.

L'aborigène, qui était amoureux d'elle, avait promis de guérir sa cécité. Comment sa disparition l'a-t-elle affectée, Jatin ?

JATIN MAHAJAN : À vrai dire, Barkha, Champi refuse de croire à la mort d'Eketi. Elle affirme qu'il lui rend visite tous les soirs pour lui parler.

BARKHA DAS : N'est-ce pas l'une des grandes aberrations de notre temps que pendant toutes ces années où Champi Bhopali a dénoncé le drame des victimes de la catastrophe, à qui on refusait toute indemnisation, personne n'ait songé à celui qui la frappait personnellement, Jatin ?

JATIN MAHAJAN : Exactement, Barkha. Nous la connaissons tous comme le Visage de Bhopal, mais aucun de nous n'a pensé à faire quoi que ce soit pour elle. Aujourd'hui seulement, à la suite du tollé général provoqué par l'assassinat d'Eketi, nombre d'ONG et de particuliers se sont proposés pour l'aider. Une collecte de fonds a été organisée en vue d'une opération de chirurgie plastique. On parle même d'une greffe de rétine qui lui permettrait de recouvrer la vue. Il semble que dans la mort Eketi ait fait plus pour elle que ce que nous, les vivants, avons jamais fait.

BARKHA DAS : Oui, la mort d'Eketi a sonné le clairon d'un réveil dont nous avions bien besoin. Sommes-nous à l'aube d'une Inde nouvelle ? C'est la question que je vais poser dans *Sujets d'actualité*, juste après les informations de vingt et une heures. Rejoignez-nous pour ce débat télévisé. C'était Barkha Das, en direct sur ITN.

26

Grenouillages et compagnie

— BONJOUR, BONJOUR, SINGHANIA. Soyez le bienvenu. Prenez un bonbon. C'est le plus beau jour de ma vie. En dehors de celui où je suis devenu ministre en chef.

— Je sais, Netaji. J'ai entendu la nouvelle à la radio.

— Eh oui. Jagannath Rai a été officiellement inculpé pour les meurtres de Pradeep Dubey, Lakhan Thakur et Navneet Brar, et pour l'enlèvement du fils de Gopal Mani Tripathi. Nous n'avons pas réussi à lui coller le suicide de Rukhsana Afsar sur le dos, mais ça n'a pas d'importance. Maintenant que Tripurari Sharan a retourné sa veste, nous avons largement de quoi pendre Jagannath. Les députés du parti qui se sont ralliés à lui sont dans la panade. Je réclame vingt millions à chacun avant de les réintégrer. Qu'ils paient donc le prix de leur stupidité.

— Votre poste de ministre en chef est donc protégé jusqu'aux prochaines élections.

— Pourquoi seulement jusqu'aux prochaines élections ? N'avez-vous pas vu le sondage paru dans le *Daily News* ? Ma décision de limoger tous les ministres mêlés à des magouilles a fait grimper ma cote de popularité à soixante-sept pour cent. La direction m'a donné carte blanche. Pour moi, un deuxième mandat est une certitude.

— Il est vrai que la chute de Jagannath Rai a été fulgurante.

— Il se croyait malin, le salaud, puisque c'est Mukhtar qui faisait tout le sale boulot. Mais ces gangsters à deux balles ne nous arrivent pas à la cheville, à nous, les politiciens. Dans la mesure où il était ministre de l'Intérieur, cet imbécile se jugeait au-dessus des lois. Il ne se doutait pas que depuis trois ans j'avais mis sa ligne sur écoute. Les gens sont quelquefois d'une indiscrétion, au téléphone !

— C'est pour ça que vous ne me parlez pas boutique, quand j'appelle ?

— On n'est jamais trop prudent, Singhania. Bien que je ne voie pas qui oserait espionner le ministre en chef. (RIRES.)

— C'est donc vous qui avez envoyé les bandes magnétiques à Advani ?

— Qui voulez-vous que ce soit, Singhania ? Il faut bien un serpent pour en tuer un autre. Advani n'a pas attendu pour rendre ces enregistrements publics, mettant fin à la carrière politique de Jagannath et me débarrassant du plus dangereux de mes rivaux. Dommage que Mukhtar ait été empêché de liquider Vicky Rai. Cela aurait été la cerise sur le gâteau. Pourquoi Shabnam Saxena a-t-elle commis une bêtise pareille ?

— Je n'ai pas de temps à perdre avec Shabnam Saxena. Mon gros souci, c'est Ashok Rajput.

— Ashok Rajput ? Le type qui a assassiné Vicky ? Quels sont vos liens avec lui ?

— C'est le fils de Vinay Rajput, l'ancienne masseuse de mon père. Vous savez bien que nous sommes originaires du Rajasthan. J'ai grandi avec Ashok et Kishore à Jaisalmer. À la mort de Kishore, j'ai aidé Ashok à obtenir ce boulot dans les îles.

— C'est vrai qu'il veut épouser la veuve de son frère ?

— Oui, Netaji. Gulabo a toujours été un peu spéciale. C'est sur ses instances qu'Ashok a décidé de tuer Vicky Rai.

— Ah, ah ! Il vous a donc avoué son crime ?

— Oui. Il m'a dit que c'était sa seconde tentative. Il y a six ans, il a réussi à pénétrer chez Vicky avec une arme, mais il a flanché à la dernière minute. Cette fois, il a résolu de se servir de l'aborigène, Eketi. J'ai croisé Ashok à la soirée, très chic, en costume bleu. J'ai trouvé bizarre qu'il ait été invité au Numéro Six, mais je n'ai pas pensé une seconde qu'il s'était infiltré pour tuer Vicky Rai. Depuis le 24 mars, il se terre dans mon pavillon de Meerut. Il a cru s'en tirer à bon compte quand la police a arrêté Eketi, mais cet Arun Advani est trop fort. C'est ahurissant, comment il arrive à récolter les informations.

— Qu'allez-vous faire de Rajput ?

— Je lui ai conseillé de se rendre à la police. Mais il continue à espérer un miracle et m'a demandé de vous faire passer un message.

— De quoi s'agit-il ?

— Ashok Rajput est prêt à vous remettre cet étonnant *shivling* (FROISSEMENT DE PAPIER QU'ON DÉPLIE), si vous intervenez pour le sauver de la potence.

— *Arrey*, n'est-ce pas le *shivling* que l'aborigène a tenté de voler le soir du meurtre ?

— (RIRES.) Non, Netaji. Ashok Rajput avait fait fabriquer une copie par un sculpteur de Jaisalmer et l'avait déposée dans le temple de la propriété de Vicky Rai. Ce que vous voyez là, c'est l'original, qu'il a chipé à Swami Haridas, à Allahabad.

— Waouh ! Quelle pièce magnifique ! Tellement lisse, et c'est quoi, les caractères étranges qu'on voit dessus ?

— D'après la légende onge, ils ont été gravés par le premier homme. Ministre en chef sahib, ce *shivling* est l'objet le plus rare et le plus ancien du pays. Il n'a pas de prix.

— Je le veux, Singhania, et en échange j'essaierai de sauver votre ami. Car je sais qu'il est innocent.

— Sur quoi vous fondez-vous pour dire ça, Netaji ?

— Sur ce que m'a dit le préfet de police de Delhi, K. D. Sahay, en confidence. K. D. et moi sommes de vieux amis. Il se trouve que la police a découvert une autre douille vide de calibre 32 dans le jardin de Vicky.

— Mais Rajput n'a tiré qu'une fois.

— Exact. Quelqu'un d'autre a donc aussi tiré sur Vicky ce soir-là.

— Ça se tient… J'ai bien cru entendre un second coup de feu juste après le premier, mais tout le monde a dit que c'était un pétard.

— C'est ce second coup de feu qui a tué Vicky Rai. La balle a traversé son corps et atterri dans le jardin.

— La police aurait trouvé une autre arme !

— C'est là que le bât blesse. K. D. dit qu'ils ont bouclé le périmètre dès le premier coup de feu. L'assassin n'aurait donc pas pu s'échapper. Ils ont passé la propriété au peigne fin. Fouillé toutes les personnes présentes au Numéro Six. Examiné tous les véhicules garés à l'intérieur ou dehors, dans la rue. Mais ils n'ont découvert aucune autre arme, à part les six confisquées aux six suspects. Ils ont donc opté pour la seule solution qui se présentait à eux. Ils ont coffré Eketi et éliminé toute trace de la seconde balle et du septième pistolet.

— Bon sang ! Dans ce cas, qui est le véritable assassin ?

— Singhania, vous êtes riche, mais vous manquez de jugeote. Je vais vous dire qui a tué Vicky Rai.

— Qui, Netaji ?

— La fille de Jagannath, Ritu.

— Ritu Rai ? Mais comment ? Et comment le savez-vous ?

— C'est mon nouveau meilleur ami, Tripurari Sharan, qui me l'a révélé. Mais, avant de vous donner sa version, je vais vous raconter une petite histoire. J'ai un homme qui travaille occasionnellement pour moi, il s'appelle Chhotu Lochan.

— Quoi, le fameux gangster ?

— Que voulez-vous que je fasse ? La politique requiert de l'argent et de la force. Même un ministre en chef a besoin d'un chien de garde. Tout comme Jagannath avait Mukhtar, moi j'ai Lochan. Je lui ai confié un certain nombre d'opérations.

— Continuez, ça devient intéressant.

— Lochan m'a dit que le 20 janvier il avait kidnappé un enfant à Noida, un garçon de sept ans, fils d'un industriel qui possède quatre usines. La rançon a été fixée à soixante-quinze *lakhs.* Le père a remis l'argent le 26 janvier, jour de la fête de la République. Il a été placé dans une mallette noire, laissée dans une poubelle derrière l'école Goenka, à Mehrauli. C'est l'homme de Lochan, Brijesh, qui devait le récupérer, mais Munna Mobile a volé le portable de Brijesh. Du coup, quand Lochan a indiqué la planque, Munna l'a entendu et a pris la tangente avec la mallette.

— Non ! Ne me dites pas que ce minable voleur à la tire a mis la main sur soixante-quinze *lakhs* !

— Si. C'est grâce à tout cet argent qu'il a rencontré Ritu Rai et qu'il l'a draguée.

— Qu'est-il arrivé ensuite ?

— Ce qui devait arriver. Lochan a fini par localiser Munna Mobile. Ces gens-là ont des yeux et des oreilles partout. Il a donc envoyé trois de ses gars, qui ont battu Munna comme plâtre, au point de lui briser les doigts, et récupéré la mallette.

— Hélas ! C'est pour ça que je n'aime pas les gangsters. Ils sont trop violents. Et j'ai horreur de la violence.

— Bref, le plus beau de l'histoire, c'est que Munna n'a pas soufflé mot de la mallette à Ritu, mais Ritu a annoncé à sa famille son désir d'épouser Munna. Vicky et Jagannath ne voulaient pas en entendre parler. Tripurari dit qu'entre le frère et la sœur c'était le bras de fer permanent. Alors, quand Ritu a appris ce qui était arrivé à Munna, elle a cru que c'était l'œuvre de Vicky et piqué une crise. Manier une arme est un jeu d'enfant pour elle. Saviez-vous qu'elle est championne de tir au pistolet à air comprimé ? Le soir de la fête, elle aussi était là avec une arme. C'est elle qui a fait disjoncter le tableau principal à l'heure convenue. Sitôt les lumières éteintes, elle a tiré sur son frère avec un pistolet de calibre 32, puis a caché l'arme du crime dans quelque recoin secret de la maison que la police n'a toujours pas pu localiser à ce jour.

— Stupéfiant ! Comme ça, Ritu s'en est sortie sans le moindre problème ?

— N'a-t-elle pas assez souffert, en tant que fille de Jagannath ? Maintenant, elle va épouser Munna qui, de son côté, a décroché un premier rôle dans un film. Apparemment, il y aura au moins une fin heureuse dans l'histoire.

— Et que dois-je dire à Ashok Rajput ?

— Dites-lui de se faire oublier, le temps que j'élabore une stratégie. Et remerciez-le pour le *shivling*. À partir d'aujourd'hui, il occupera une place d'honneur dans cette maison.

— C'est censé être le plus puissant des porte-bonheur.

— J'en ressens déjà les ondes positives. Avec la bénédiction du seigneur Shiva, je resterai ministre en chef jusqu'à la fin de mes jours.

— Si vous avez un peu de temps, Netaji, pouvons-nous discuter de la cimenterie de Badaun ?

— J'ai même le temps de discuter du projet d'une usine textile. L'État tout entier est à vous, Singhania. Maintenant que Jagannath est hors jeu, profitons-en ensemble.

(RIRES.)

LES AVEUX

« Il n'est rien de plus difficile au monde
que dire la vérité. »

Fedor DOSTOÏEVSKI,
Crime et Châtiment

27

La vérité

JE POURRAIS VOUS COMMUNIQUER LE NOM QUE J'AI DONNÉ À LA POLICE, mais il ne vous dira rien. La tenue que je portais fera un meilleur indice. Gilet rouge à boutons de cuivre, chemise blanche, pantalon noir et chaussures en cuir verni. Retenez bien les chaussures.

Personne n'a fait attention à moi. Je faisais partie de ces domestiques sans visage qui assurent discrètement le bon déroulement d'une réception. J'aurais pu aussi bien me fondre dans la foule qui envahit les rues lors d'un grand rassemblement politique ou d'une procession religieuse, dans le tourbillon de couleurs que balaie la caméra de la télévision filmant les gradins d'un match de cricket, ou dans la file d'attente anonyme qui se forme devant les isoloirs le jour des élections.

Vous voulez plus de précisions ? OK, j'étais le serveur barbu. Je me trouvais à côté de Vicky Rai au moment où les lumières se sont éteintes. Et je lui ai tiré dessus à bout portant.

Si cette révélation est un choc pour vous, je m'en excuse. C'est toujours horrible, un meurtre, le fait d'interrompre brutalement une vie ; ça ne cadre pas très bien avec notre éthique et notre système judiciaire. « Tu ne tueras point » est un commandement biblique, non ? Mais il y a des situations où le meurtre n'est pas seulement justifié, il est nécessaire. Je ne fais pas allusion au meurtre admis par la loi, comme l'exécution d'un terroriste ou la mort d'un soldat ennemi. Je parle du meurtre en tant que rituel de purification. Dans le *Mahabharata*, Arjuna est tenu, en tant que guerrier ksatriya, de combattre les méchants Kaurava sur le champ de bataille de Kurukshetra. Moi aussi je suis un guerrier, menant un juste combat contre les forces du mal dans notre

473

société. En tuant Vicky Rai, je n'ai fait qu'accomplir mon devoir, conformément à mon *dharma*.

Croyez-moi, je n'avais pas de compte personnel à régler avec Vicky Rai. Je n'ai aucun lien de parenté avec les six sans-abri qu'il a fauchés durant son adolescence. Je n'ai jamais croisé Kishore Rajput, le garde forestier qu'il a fait assassiner. Ruby Gill n'était ni une collègue, ni une sœur, ni une maîtresse. Je ne la connaissais pas, je ne l'ai jamais rencontrée.

Je suppose que mon geste peut être considéré comme un acte de justicier. Celui d'un citoyen qui décide d'appliquer la loi pour pallier les défaillances des autorités.

Or les autorités ont clairement fait montre de défaillance. Vicky Rai ne cessait de violer la loi et obtenait acquittement sur acquittement. Le coup de grâce, c'est lorsqu'il a été blanchi dans le meurtre de Ruby Gill.

Nos grandes épopées racontent que, quand le Mal envahit le monde, Dieu descend sur terre pour rétablir l'ordre. Sauf votre respect, c'est de la foutaise. Personne ne descend du ciel pour faire le ménage. C'est à nous de nettoyer la merde. On enlève nos chaussures, on retrousse notre pantalon et on patauge dans la fosse à purin.

C'est ce que j'ai fait. Ma conscience ne m'a pas laissé le choix.

La classe moyenne est censée incarner la conscience de la nation, un garde-fou contre les excès des classes supérieures et le défaitisme des classes inférieures. C'est la classe moyenne qui défie le statu quo, qui est à l'origine des grandes révolutions dans le monde : en France, en Chine, en Russie, au Mexique, en Algérie, au Vietnam. Mais pas en Inde. Notre classe moyenne, indifférente au déclin des acquis sociaux et apathique face au drame de la pauvreté, croit dur comme fer à la préservation du statu quo. Nous sommes devenus un peuple de voyeurs, accros aux séries télévisées débiles, nous repaissant des infortunes d'autrui, salivant devant la rupture d'un mariage glamour, hypnotisés par les images tremblotantes d'hommes politiques surpris en train de toucher un bakchich.

Je n'ai rien contre les voyeurs. Je reconnais avoir moi-même, dans ma jeunesse, été tenté de jeter un œil chez le voisin pour surprendre sa fille dans son bain. Mais si vous surprenez ledit voisin en train d'étrangler sa respectable épouse ? Que faites-vous ? Vous retournez au lit comme un voleur ou vous foncez chez lui pour l'empêcher de commettre son crime ?

Tel est le dilemme auquel j'ai été confronté en écoutant les enregistrements des conversations de Vicky Rai. Car, voyez-vous, depuis deux ans j'avais placé son téléphone sur écoute, tout comme le ministre en chef avait mis sur écoute celui de Jagannath Rai.

Au début, je n'avais aucune idée de ce qui m'attendait. C'était, me semblait-il, un moyen inoffensif de récolter des informations, et c'était facile. L'Inde est le paradis du mouchard. Personne ne se soucie des atteintes aux libertés individuelles, du droit à la vie privée ou de la protection des données. Il suffit d'acheter du matériel électronique – disponible dans n'importe quelle échoppe de Palika Bazaar –, de connaître quelqu'un aux télécoms, et le tour est joué. À l'heure actuelle, j'ai sept lignes sur écoute, de Jammu à Jabalpur.

Pendant deux ans, j'ai écouté quotidiennement la voix de Vicky Rai. J'ai assisté à des renvois d'ascenseur, des versements de sommes occultes, des coups montés, des plans pour séduire une fille. J'ai entendu des récits invraisemblables où les lois étaient transgressées et détournées, les preuves falsifiées, la justice bafouée, violée, pillée et vendue au plus offrant. Chaque infraction était comme un étau d'acier m'enserrant le cœur. Chaque injustice comme un clou qu'on me plantait dans le corps.

Puis un jour, le 17 mars, j'ai surpris une conversation qui m'a fait bondir. Je vais vous faire passer un petit extrait de la bande. Écoutez bien.

— Bonjour, Vicky baba, vous me reconnaissez ?
— C'est toi, Mukhtar ?
— Oui, Vicky baba. Désolé d'appeler si tard, mais...
— Que se passe-t-il ? Tu as l'air dans tous tes états.
— Vous vous rappelez, Vicky baba, comment nous jouions ensemble, à Lucknow ? Vous grimpiez sur mon dos, je galopais jusqu'au figuier sacré, puis vous me disiez : Emmène-moi au...
— Je suis sûr que tu ne m'appelles pas à une heure du matin pour évoquer des souvenirs d'enfance. Viens-en au fait, Mukhtar. Tu es encore dans de sales draps ?

— Non, Vicky baba, c'est vous qui êtes dans de sales draps.

— Comment ça ?

— Il y a une heure, le patron m'a fait venir chez lui.

— Et alors ? Qui papa veut-il refroidir, cette fois ?

— Vous, Vicky baba. Il m'a donné un contrat pour vous tuer.

— Tu es cinglé ou quoi ?

— Non, Vicky baba. Je le jure sur mon défunt père. C'est exactement ce que le patron m'a demandé de faire.

(LONGUE PAUSE.)

— Je n'arrive toujours pas à y croire.

— Moi aussi, j'ai eu du mal. Je vous ai vu grandir sous mes yeux, Vicky baba. Comment pourrais-je vous ôter la vie ?

— Quand papa t'a-t-il dit d'exécuter le contrat ?

— Le 23 mars. Le jour de la grande fête au Numéro Six.

— Je vois.

(LONGUE PAUSE.)

— Je ne sais pas ce qu'il a, le patron. Ce n'est plus le même homme. Cette course au fauteuil de ministre en chef lui est montée au cerveau.

— Mukhtar, tu veux bien faire une chose pour moi ?

— *Hukum*, Vicky baba.

— Je veux que tu élimines M. Jagannath Rai. Même heure, même lieu. Je te paierai cent fois plus que ce que te paie papa. Acceptes-tu mon contrat ?

— Vicky baba, comment pouvez…

— Je t'enverrai dix *lakhs* tout de suite, et le solde une fois le travail accompli. Tu pourras te ranger des voitures. Marché conclu ?

— Je ne sais pas quoi dire, Vicky baba.

— Ce sera ta mission la plus facile, Mukhtar. L'entrée de service restera ouverte. Tu entreras par là avec ton arme. Je serai au bar dans le grand salon, et je m'arrangerai pour que papa se trouve de l'autre côté, le dos à la baie vitrée qui donne sur l'allée. À minuit pile, je demanderai à mon fidèle serviteur Shankar de couper le courant. Le feu d'artifice aura déjà commencé. Sitôt la lumière éteinte, tu boucles l'affaire et files par l'entrée de service. On ne peut pas faire plus simple, non ?

(LONGUE PAUSE.)

— Marché conclu, Mukhtar ?

— Oui, patron.

— Parfait. Dans ce cas, je te suggère de disparaître pendant quelque temps. Ne prends pas les appels de papa.

— Bien, patron. Je me planquerai à Sarai Meer et ne ressortirai que le 23 pour venir au Numéro Six.

— Ça roule. Je te ferai envoyer ton acompte à Azamgarh.

— *Meherbani*[1]. *Khuda hafiz.*

(Clic.)

Quand j'ai entendu cet enregistrement, j'ai eu comme un déclic. Jusqu'à quel point peut-on assister aux événements en spectateur passif ? Jusqu'à quel point peut-on faire semblant de n'être pas un citoyen, un être pensant, sensible ? Et je me suis dit : « Trop, c'est trop. » J'ai donc décidé de tuer Vicky Rai, de rendre ma propre justice. Puisque le père corrompu devait mourir, le fils dépravé le suivrait dans la tombe.

Pour tuer un homme, il faut trois choses. Un mobile puissant, des nerfs solides et une bonne arme. J'étais résolu et motivé, il ne me manquait plus qu'une arme fiable. J'ai opté pour un pistolet de facture locale, un semi-automatique compact calibre 32 fabriqué à Bamhaur : sûr, pas cher et impossible à identifier. Puis je suis allé voir Akram Bhai, un vieux cordonnier qui tient une petite échoppe derrière Jama Masjid, spécialisé dans la confection de chaussures sur mesure. Il m'en a fait une paire en cuir verni avec un espace creux à l'intérieur du talon où cacher une liasse de billets. Ou un lingot d'or. Ou un pistolet compact.

Le 23 mars, je me trouvais moi aussi au Numéro Six, une arme dans la poche. Pénétrer dans la propriété avait été un jeu d'enfant. Je m'étais glissé par la porte de service ouverte, affublé d'une fausse barbe et de l'uniforme rouge et noir des serveurs d'Elite Tent House, le traiteur qui, avais-je appris par une autre conversation téléphonique, devait assurer la partie restauration. J'ai pris un plateau et déambulé à travers le jardin, regardant les invités qui riaient et l'alcool qui coulait à flots. C'était une fête de riches, comme il y en a tant à Delhi : on fait mine de s'embrasser, on s'étreint à tout bout de champ, on échange les

---

1. « Vous êtes très bon. »

cartes de visite et on tourne tel un rapace autour des femmes qui exhibent leurs appas.

Le feu d'artifice a débuté juste avant minuit. Les fusées sifflaient, les pétards explosaient pour célébrer l'acquittement de Vicky Rai. Au douzième coup de minuit, je suis passé de la pelouse au grand salon. J'ai vu Vicky prononcer un discours face à un micro. Puis il a laissé la parole à son père et s'est dirigé vers le bar, à l'autre bout de la salle. Pendant qu'il se préparait un cocktail, je me suis rapproché discrètement. La pièce était remplie de convives, dont la star de cinéma Shabnam Saxena, et il semblait impossible de tirer sur Vicky sans se faire prendre. J'avais les muscles noués, une boule au creux de l'estomac. J'attendais l'extinction des feux. À minuit cinq pile, la lumière s'est éteinte, et j'ai sorti mon arme. Un coup de feu a retenti. Jagannath Rai a hurlé. Croyant que Mukhtar avait rempli sa mission, j'ai tiré à bout portant sur Vicky Rai. Comme il se tenait devant une fenêtre ouverte, la balle a dû le traverser de part en part. Incidemment, un gros pétard a explosé au même instant, couvrant le bruit de la détonation.

Tirer sur quelqu'un, c'est facile. Le plus dur est de garder son sang-froid après. Mes mains tremblaient ; mon cœur battait si violemment que j'ai cru avoir un infarctus. J'en ai presque lâché le pistolet. Les doigts gourds, j'ai retiré la semelle de ma chaussure gauche et glissé le pistolet dans la cavité. À peine avais-je réussi à renouer le lacet que la lumière s'est rallumée, et la police a fait irruption dans la maison. Ils m'ont demandé mon nom et mon adresse. Je leur ai présenté de faux papiers d'identité. Ils m'ont fouillé des chevilles au cou et n'ont rien trouvé. On m'a laissé partir.

Aurais-je agi différemment si j'avais su que Mukhtar Ansari ne serait pas au rendez-vous ? Je n'en sais rien. C'est seulement quand les lumières se sont rallumées, et que j'ai vu un Jagannath Rai bien vivant, que j'ai compris qu'il y avait anguille sous roche. Aujourd'hui, il est clair que c'est Ashok Rajput qui a tiré le premier coup de feu, avec un revolver de fabrication locale, également de calibre 32. La balle a manqué Vicky de peu et s'est logée dans le bar en bois. C'est la seconde balle – la mienne – qui a tué Vicky Rai. Si la police avait fouillé les lieux avec minutie, elle aurait trouvé une douille vide de calibre 32 dehors dans le jardin.

J'espère que vous saisissez l'ironie de l'histoire : Vicky Rai a été acquitté dans l'affaire du meurtre de Ruby Gill parce que la police prétendait que deux balles avaient été tirées, de deux armes différentes ; or Ashok Rajput a été arrêté parce que cette fois la police répugne à admettre la théorie des deux armes ! Si seulement il n'avait pas avoué, un avocat habile aurait pu le tirer de là.

Il y a des années, j'ai vu un film… j'ai oublié le titre. C'était un de ces films intellos où les personnages parlent peu, où la caméra balaie le champ avec lenteur, s'attardant sur de menus détails de la vie quotidienne, comme une balançoire vide qui oscille en grinçant pendant deux minutes. Ça parlait d'un village peuplé de pauvres gens exploités par un seigneur féodal. Du film lui-même je ne garde qu'une vague impression, sauf la dernière scène. On y voit un petit garçon jeter une pierre sur la demeure du *zamindar*, brisant une vitre. J'étais trop jeune à l'époque pour en comprendre la signification. Maintenant je sais. Les grandes révolutions résultent d'une toute petite étincelle.

Cette étincelle, je viens de l'allumer. Une révolution est en marche. Des jeunes comme Munna Mobile sont ses fantassins. Ils revendiquent leurs droits à cor et à cri. Et ils ne toléreront plus l'injustice sans rien dire.

Tout comme chaque révolution a ses héros, elle a aussi ses dommages collatéraux. J'éprouve quelque remords vis-à-vis d'Ashok Rajput. Je pleure sincèrement la mort d'Eketi. J'ai essayé de l'aider, mais je suis arrivé trop tard. Sa mort pèsera toujours sur ma conscience, j'en porterai la croix toute ma vie. Mais son sacrifice n'a pas été vain. Vicky Rai est mort. Jagannath Rai est fichu. Justice a été rendue. Dorénavant, les riches qui enfreignent la loi ne pourront plus dormir sur leurs deux oreilles. Ils savent que le couperet peut tomber d'un instant à l'autre.

Je peux m'enorgueillir, je suppose, d'avoir commis un crime parfait. Personne ne se doute de ce que j'ai fait, ni ma femme, ni mes collègues à la rédaction. Je continue d'aller au bureau aux heures habituelles, je reste tard le soir. Je déjeune avec d'autres journalistes, ris de leurs blagues éculées, participe à leurs discussions imbéciles sur la politique et les chances de promotion. Leurs commérages et leurs préoccupations futiles me donnent la nausée. Leur suffisance et leur fatuité me sidèrent. Suis-je le seul à savoir ce que ça signifie, être un journaliste d'investigation engagé ? Suis-je le seul homme à avoir une mission ?

Je sais bien que je creuse un sillon solitaire. Mais je ne désarme pas. Car il reste encore beaucoup de ménage à faire. Parmi les conversations téléphoniques que j'entends, certaines me font bondir et mettent mon esprit en ébullition.

Même le meurtre peut devenir addictif.

Remerciements

Ce livre a été difficile à écrire, pas seulement parce que c'était mon deuxième. L'ambition même du roman – raconter les histoires imbriquées de six vies différentes dans un schéma narratif serré – en faisait une entreprise hasardeuse. Le fait que j'aie pu atteindre cette page doit beaucoup au soutien généreux de mes amis et collègues et à la patience des miens : ma femme Aparna, à qui le livre est dédié, et mes fils, Aditya et Varun.

Jane Lawson, l'éditrice des *Fabuleuses aventures d'un Indien malchanceux qui devint milliardaire*, et Peter Buckman, mon agent, ont été mes premiers supporters enthousiastes et m'ont encouragé à poursuivre. Par la suite, c'est ma nouvelle éditrice, Rochelle Venables (Jane étant joyeusement partie en congé de maternité), et l'équipe de Transworld qui ont piloté le projet avec une vigueur et un dévouement admirables. Je remercie particulièrement Kate Samano pour sa méticuleuse préparation de copie.

Bien qu'Eketi soit un personnage de pure fiction, je me suis beaucoup appuyé, pour mes recherches sur la tribu des Onge, sur le brillant ouvrage de Madhusree Mukerjee, *The Land of Naked People : Encounters with Stone Age Islanders* (Penguin Inde, 2003). L'enquête ethnographique de Vishvajit Pandya sur les coutumes et rituels andamanais (*Above the Forest*, OUP, 1993) et l'étude de Badal Kumar Basu *The Onge* (Seagull Books, 1990) ont également ment été des sources d'information utiles. Pour ceux qui désirent explorer le sujet plus avant, je recommande instamment le site de George Weber (www.andaman.org), une véritable mine d'information sur les tribus des îles Andamans.

Je suis redevable à mes collègues Navdeep Suri et J.S. Pramar d'un bon nombre de suggestions précieuses. Je voudrais aussi remercier Damon Galgut, Chris Copass, Avinash Mohnany, Manoj Malaviya, Sarvagya Ram Mishra, le capitaine Subhash Gouniyal, R. K. Rathi, Lopa Banerjee, Uma Dhyani, Rati Bhan Tripathi, Vakil Ramdas, Véronique Cardi et Roland Galahargue. Google, comme toujours, a été un outil irremplaçable.

Pour finir, je tiens à exprimer ma gratitude aux merveilleux habitants de l'Afrique du Sud, terre fertile où ce roman a pris forme pendant les week-ends et les vacances.

Table

Collection « Littérature étrangère »

Composé par Nord Compo Multimédia
7, rue de Fives, 59650 Villeneuve d'Ascq

Achevé d'imprimer au Canada
sur les presses de Imprimerie Lebonfon Inc.